중학 사회 ①-2

정답과 해설은 EBS 중학사이트(mid.ebs.co.kr)에서 다운로드 받으실 수 있습니다.

교재 내용 문의 교재 내용 문의는 EBS 중학사이트 (mid.ebs.co.kr)의 교재 Q&A 서비스를 활용하시기 바랍니다.	**교재 정오표 공지** 발행 이후 발견된 정오 사항을 EBS 중학사이트 정오표 코너에서 알려 드립니다. 교재학습자료 → 교재 → 교재 정오표	**교재 정정 신청** 공지된 정오 내용 외에 발견된 정오 사항이 있다면 EBS 중학사이트를 통해 알려 주세요. 교재학습자료 → 교재 → 교재 선택 → 교재 Q&A

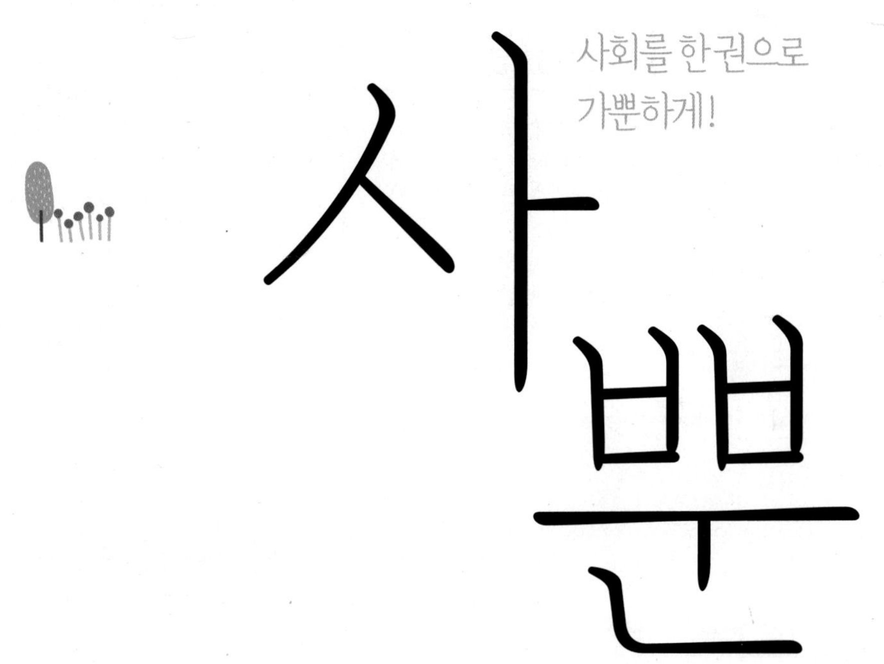
사회를 한권으로
가뿐하게!
사뿐

이 책의 사용 설명서

이 책을 알차게 이용할 수 있는 방법을 소개합니다.
어떻게 공부할지 사용 설명서를 잘 읽어 보고 교재를 활용해 보세요.

01 사회화와 청소년기

학습 내용 들여다보기

■ 사회적 존재로서의 인간
인간은 생물학적 존재로 태어나지만, 다른 사람과 더불어 사는 삶을 통하여 사회적 존재로 성장한다.

■ 본능과 사회화된 행동

▲ 본능적 행동

▲ 사회화된 행동

1. 사회화의 의미와 기능
(1) 의미: 개인이 자신이 속한 사회의 언어, 행동 과정 → 사회적 존재로 성장해가는 과정
(2) 기능
① 개인적 측면: 자신만의 독특한 개성과 자아 동 양식 및 규범을 익혀 사회 구성원으로 성
② 사회적 측면: 사회 구성원들이 규범과 가치 달하여 사회를 유지하고 발전시킴

사용법 01 학습 내용 정리

중단원의 핵심 내용을 구조화하여 체계적으로 정리하였습니다. 배경 지식을 풍부하게 갖출 수 있도록 해 주는 '학습 내용 들여다보기'와 시험에 자주 나오는 자료, '용어 알기' 코너를 통해 핵심 개념을 완벽하게 학습하세요.

간단 체크

1 서로 관련 있는 것끼리 연결하시오.
(1) 직접 민주 정치 • • ㉠ 대의 민주 정치
• ㉡ 고대 아테네의 민회
(2) 간접 민주 정치 • • ㉢ 정치적 무관심 초래
• ㉣ 민주주의 원칙에 가장 충실한 제도

2 빈칸에 들어갈 알맞은 말을 쓰시오.

01 다음과 같은 문제를 해결하 것은?

오늘날의 국가는 영토 민이 직접 정치에 참여하

① 간접 민주 정치 제도를
② 국민의 대표 기관인 의
③ 국민에 의해 선출된 대
④ 정당 중심으로 여론을
⑤ 이익 단체가 법률을 제

사용법 02 간단 체크

학습 내용 정리에서 공부한 개념을 간단 체크를 통해 체계적이고 효율적으로 정리하세요.

사용법 03 기본 문제

중단원의 핵심 개념을 기본 문제를 통해 점검할 수 있도록 구성하였습니다. 학습 내용 정리에서 공부한 개념을 확실하게 이해하는 코너로 활용하세요.

실전 문제

01 빈칸에 들어갈 개념에 대한 사례로 적절하지 않은 것은?

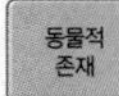

( ) →

① 가족들과 대화를 나눈다.
② 인터넷을 통해 게임을 즐긴다.
③ 자신의 미래에 대해 고민을 한다.
④ 피곤한 나머지 꾸벅꾸벅 졸았다.
⑤ 동네에서 웃어른을 만나 인사를 한다.

03 밑줄 친 부분의 내용에 해

사회화의 기능은 개 나눌 수 있다.

① 동물적 존재로 성장하
② 인간의 본능을 회복하
③ 사회 구성원의 적성과
④ 자신만의 독특한 개성
⑤ 문화를 다음 세대에 시킨다.

사용법 04 실전 문제

중단원의 핵심 개념을 실전 문제를 통해 확인할 수 있도록 구성하였습니다. 학습 내용 정리와 기본 문제를 통해 학습한 내용을 바탕으로 실전에 적용해 보는 코너로 활용하세요.

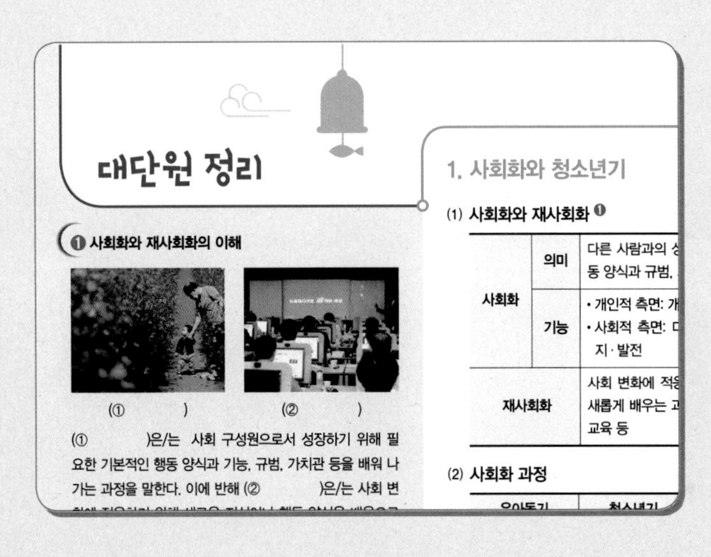

대단원 정리

1. 사회화와 청소년기

(1) 사회화와 재사회화 ❶

❶ 사회화와 재사회화의 이해

(①) (②)

(①)은/는 사회 구성원으로서 성장하기 위해 필요한 기본적인 행동 양식과 기능, 규범, 가치관 등을 배워 나가는 과정을 말한다. 이에 반해 (②)은/는 사회 변

사회화	의미	다른 사람과의 상 동 양식과 규범,
	기능	• 개인적 측면: 개 • 사회적 측면: 다 지·발전
재사회화		사회 변화에 적응 새롭게 배우는 고 교육 등

(2) 사회화 과정

사용법 05 대단원 정리

단원별 핵심 내용을 표와 자료로 일목요연하게 정리한 코너입니다. 빈칸의 핵심 개념을 채워가면서 주요 개념을 좀 더 확실하게 익히는 코너로 활용하세요.

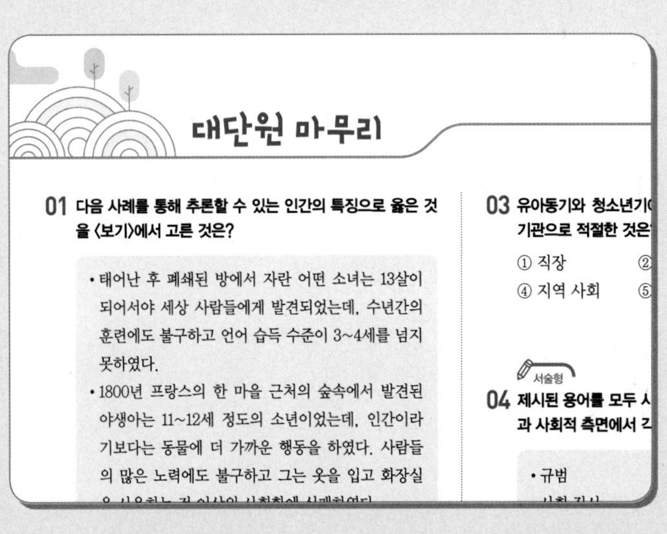

대단원 마무리

01 다음 사례를 통해 추론할 수 있는 인간의 특징으로 옳은 것을 〈보기〉에서 고른 것은?

• 태어난 후 폐쇄된 방에서 자란 어떤 소녀는 13살이 되어서야 세상 사람들에게 발견되었는데, 수년간의 훈련에도 불구하고 언어 습득 수준이 3~4세를 넘지 못하였다.
• 1800년 프랑스의 한 마을 근처의 숲속에서 발견된 야생아는 11~12세 정도의 소년이었는데, 인간이라기보다는 동물에 더 가까운 행동을 하였다. 사람들의 많은 노력에도 불구하고 그는 옷을 입고 화장실

03 유아동기와 청소년기 기관으로 적절한 것은

① 직장 ②
④ 지역 사회 ⑤

서술형

04 제시된 용어를 모두 사용하여 과 사회적 측면에서

• 규범

사용법 06 대단원 마무리

대단원의 핵심 문제를 엄선하여 구성한 코너입니다. 선다형, 서술형 등 다양하고 풍부한 유형의 문제를 풀어 보면서 학교 시험에 대비하는 코너로 활용하세요.

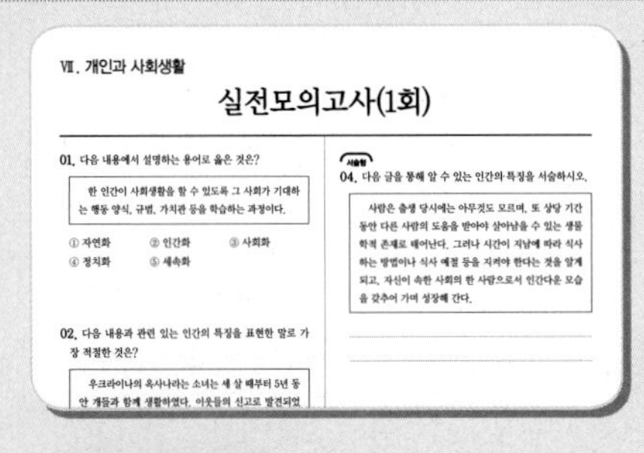

Ⅶ. 개인과 사회생활

실전모의고사(1회)

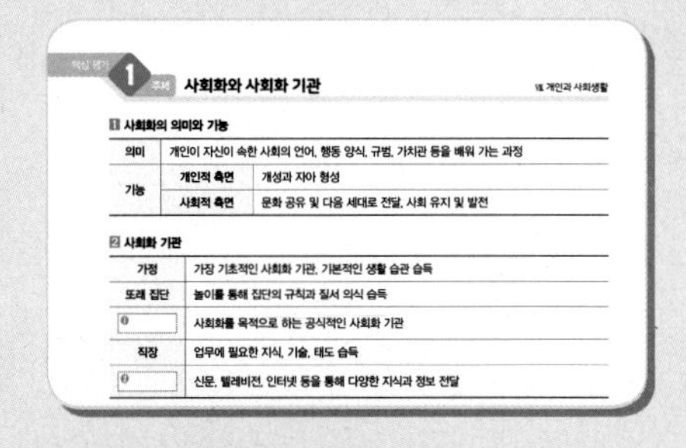

사회화와 사회화 기관

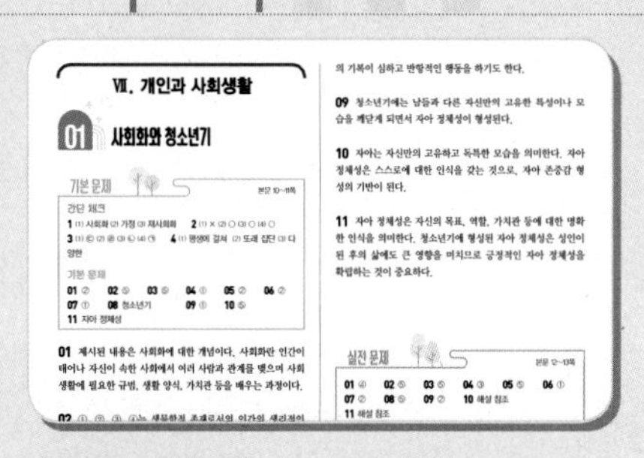

Ⅶ. 개인과 사회생활

01 사회화와 청소년기

사용법 07 실전모의고사

학교에서 치러지는 시험지의 형식에 맞춰 실전 감각을 익힐 수 있게 구성한 코너입니다. 다양한 유형의 문제로 시험에 대한 막연한 두려움을 날려 보세요.

사용법 08 가뿐한 핵심 평가

중단원별 핵심 내용을 한눈에 살펴볼 수 있도록 구성한 코너입니다. 시험 전 최종 점검용 핸드북으로도 활용하세요.

사용법 09 정답과 해설

모든 문항에 풍부한 해설을 곁들여 학습한 내용을 보완할 수 있도록 구성하였습니다. 오답을 피하는 방법도 자세하게 설명되어 있으니 꼭 짚고 넘어가세요!

VII 개인과 사회생활

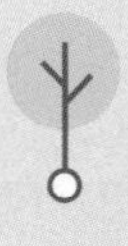

VIII 문화의 이해

IX 정치 생활과 민주주의

X 정치 과정과 시민 참여

XI 일상생활과 법

XII 사회 변동과 사회 문제

개인과 사회생활

사회화와 청소년기

학습 내용 들여다보기

■ **사회적 존재로서의 인간**
인간은 생물학적 존재로 태어나지만, 다른 사람과 더불어 사는 삶을 통하여 사회적 존재로 성장한다.

■ **본능과 사회화된 행동**

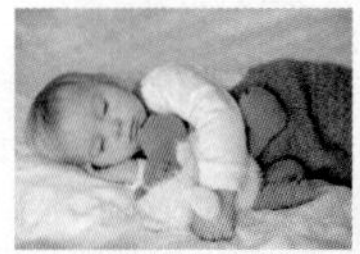
▲ 본능적 행동

▲ 사회화된 행동

인간이 잠을 자거나 배고픔을 느끼거나, 하품을 하는 등의 행동은 본능적으로 나타난다. 그러나 배고픔을 느껴서 음식을 먹거나 손으로 입을 가리고 하품을 하는 등의 행동은 사회화에 따른 것이다. 이처럼 본능적인 인간의 행동은 사회화된 행동과 무관하며, 후천적으로 습득된 행동만이 사회화된 결과라고 볼 수 있다.

■ **또래 집단**
같은 지역이나 공동체 속에서 생활하는 비슷한 나이의 구성원이 주로 놀이를 중심으로 형성한 집단 예 청소년 집단, 학교 친구

용어 알기
- **행동 양식** 몸을 움직여 동작하거나 일을 하는 일정한 모양이나 형식
- **규범** 질서를 유지하고 사람들이 어울려 살기 위해 만든 행동 규칙
- **가치관** 인간이 세계나 어떤 대상에 대해 부여하는 가치나 의의에 관한 견해나 입장
- **자아** 다른 사람과 구별되는 자기 자신에 대한 인식이나 생각

1. 사회화의 의미와 기능

(1) **의미**: 개인이 자신이 속한 사회의 언어, 행동 양식, 규범, 가치관 등을 배워 가는 과정 → 사회적 존재로 성장해가는 과정

(2) **기능**

① **개인적 측면**: 자신만의 독특한 개성과 자아를 형성하고, 사회생활에 필요한 행동 양식 및 규범을 익혀 사회 구성원으로 성장함
(→ 자아: 다른 사람들과 구별되는 자신만의 독특한 모습을 말해.)

② **사회적 측면**: 사회 구성원들이 규범과 가치 등을 공유하고 이를 다음 세대로 전달하여 사회를 유지하고 발전시킴
(→ 공유: 공동으로 소유한다는 뜻이야.)

2. 사회화 과정과 사회화 기관

(1) **사회화 과정**: 사회화 기관을 통해 평생에 걸쳐 사회화가 이루어짐 자료 1

유아동기	청소년기	성인기	노년기
가정에서 기본 생활 습관 형성, 또래 집단을 통해 규칙 습득	학교에서 지식과 규범 습득, 또래 집단과 대중 매체의 영향을 받음	직장 업무에 필요한 지식과 기능을 배움	사회 변화에 따른 생활 양식을 새롭게 배움

(2) **사회화 기관** 자료 2
(→ 사회 구성원들의 사회화를 담당하는 집단 또는 기관을 말해.)

구분	내용
가정	• 가장 기초적인 사회화 기관 • 기본적인 인성과 생활 습관을 습득함
또래 집단	• 비슷한 연령과 공통의 관심사를 토대로 형성함 • 놀이를 통해 집단생활의 질서와 규칙을 습득함 (→ 청소년기의 사회화에 큰 영향을 미치지.)
학교	• 사회화를 목적으로 하는 공식적인 사회화 기관 • 사회생활에 필요한 지식, 기능, 가치, 행동 양식 등을 체계적으로 학습함
직장	• 자아실현의 기회를 제공하는 사회화 기관 • 업무에 필요한 지식, 기술, 규칙, 태도 등을 습득함 (→ 성인기의 사회화에 영향을 미치지.)
대중 매체	• 신문, 텔레비전, 인터넷 등을 통해 다양한 지식과 정보, 가치와 규범 등을 전달함 • 현대 사회에서 큰 영향력을 행사하는 사회화 기관

자료 1 **인간의 사회화 과정**

유아동기	청소년기	성인기	노년기
주로 가정과 또래 집단이 영향을 미침	학교, 또래 집단, 대중 매체가 영향을 미침	주로 직장에서 업무에 필요한 지식과 기능을 배움	여러 사회화 기관을 통해 재사회화를 경험함

사회화는 일생에 걸쳐 이루어지며, 인간은 각 시기에 따라 주로 영향을 받는 사회화 기관이 다르게 나타난다. 유아동기에는 주로 가정, 청소년기에는 학교, 성인기에는 직장을 통해 사회화가 이루어지고, 노년기에는 사회 변화에 적응하기 위해 재사회화를 경험한다.

자료 2 **대중 매체를 통한 사회화**

대중 매체는 현대 사회에서 중요한 사회화 기관이다. 최근 텔레비전, 라디오, 신문 등과 함께 쌍방향적 정보를 주고받는 인터넷과 같은 새로운 매체들이 등장하면서 대중 매체를 통한 사회화가 확대되고 있다.

(3) **재사회화** 자료 3

① 의미: 사회 변화에 적응하기 위해 지식, 기술, 가치, 태도를 새롭게 배우는 과정

② 사례: 노인의 정보화 교육, 군대의 신병 교육, 성인의 평생 교육, 다문화 가정의 한국어 교육 등

3. 청소년기의 사회화

(1) 청소년기의 의미와 특징 자료 4

① 의미: 아동기와 성인기의 과도기에 해당함

→ 한 상태에서 다른 상태로 넘어가는 중간 단계의 시기를 말해.

② 특징

신체적 특징	2차 성징과 같은 신체의 급격한 성장과 함께 외모와 이성에 대한 관심과 호기심이 증대함
심리적 특징	감정의 변화가 심하고 충동적으로 행동하는 등 정서적으로 불안정한 성향이 나타남
인지적 특징	• 지적 능력이 높아져 추상적·논리적 사고 능력이 향상됨 • 자신의 미래나 사회에 대해 관심을 갖게 됨
사회적 특징	부모의 간섭으로부터 벗어나 독립하려는 경향을 보이며, 또래 집단에 대한 강한 유대감을 형성함

→ 낱낱의 사물에서 공통되는 속성을 뽑아내어 종합한 상태를 말해.

③ 청소년기의 특징을 나타내는 다양한 표현

- 질풍노도의 시기: '매서운 바람과 거센 물결'처럼 심리적으로 큰 혼란을 겪는 시기
- 이유 없는 반항기: 부모나 기성세대의 질서에 저항하며 갈등을 겪는 시기

(2) 청소년기와 자아 정체성

① 자아 정체성: 자신만의 고유한 특성이나 모습 등에 대해 명확하게 이해하는 것

② 형성 시기: 청소년기는 자아 정체성을 형성하는 중요한 시기로 성인기의 삶과 사회에도 영향을 미침

→ 올바른 자아 정체성의 확립은 자아실현을 가능하게 해.

③ 바람직한 자아 정체성 형성을 위한 노력

- 자신이 잘하는 것과 원하는 것을 파악하여 건전하고 긍정적인 자아 정체성을 형성하려는 노력이 필요함
- 자신이 원하는 미래의 모습을 이루기 위한 계획 수립과 함께 끊임없는 자기 계발을 해야 함

(3) 청소년기 사회화의 중요성

① 청소년기에 형성된 자아 정체성에 따라 성인기의 삶이 달라질 수 있음

② 사람들과의 관계 속에서 독립된 자아 정체성 형성 → 사회 구성원으로 성장함

학습 내용 들여다보기

■ 사회화와 재사회화의 이해

사회화는 사회 구성원으로서 성장하기 위해 필요한 기본적인 행동 양식과 기능, 규범, 가치관 등을 배워 나가는 과정을 말한다. 이에 반해 재사회화는 사회 변화에 적응하기 위해 새로운 지식이나 행동 양식을 배움으로써 사회화 과정을 다시 겪는 것을 말한다.

▲ 재사회화의 사례로, 공무원들을 대상으로 하는 소셜 미디어에 관한 강의

■ 거울에 비친 자아

거울을 통해서 자신의 모습을 보듯이 주변 사람이 나를 어떻게 생각하는지를 거울삼아 자신을 파악하는 것으로 '거울 자아'라고도 한다. 이를 통해 타인과의 상호 작용이 자아 정체성 형성에 영향을 주고 있음을 알 수 있다.

용어 알기

- **신병** 군에 새로 입대한 병사
- **2차 성징** 신체 각 부위에서 나타나는 여성과 남성으로서의 성(性)적 성장
- **유대감** 둘 이상을 서로 연결 또는 결합시키는 공통된 느낌

자료 3 재사회화

▲ 노년층 대상 실버 컴퓨터 교실

▲ 자영업자 대상 영어 회화 교육

현대 사회에서는 급속한 사회 변동과 사람들의 평균 수명이 늘어나면서 기존에 습득한 생활 양식과 지식만으로는 사회에 적응하기 어렵게 되었다. 특히 정보 사회에 정보 통신 기술을 습득하는 것은 대표적인 재사회화의 사례이다.

자료 4 청소년기의 특징을 나타내는 표현

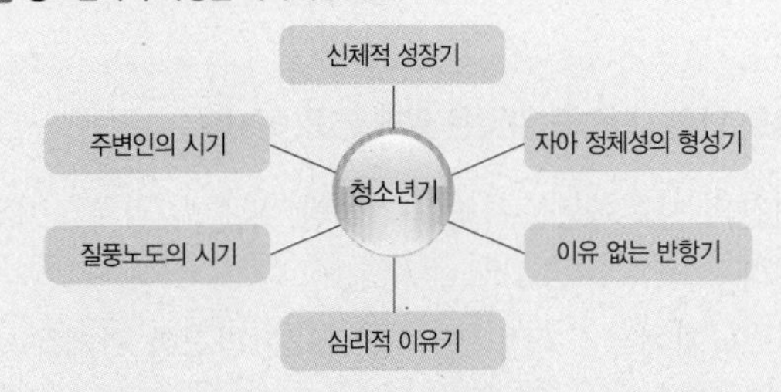

청소년기는 어린이와 어른의 어느 쪽에도 속하지 못하는 중간 단계(주변인의 시기)로 정서가 안정적이지 못한 시기(질풍노도의 시기)이다. 그러나 부모와 기성세대의 보호나 간섭으로부터 벗어나고자 하고(심리적 이유기), 전통적인 가치를 부정하는 성향이 강해지는 시기(이유 없는 반항기)이기도 하다.

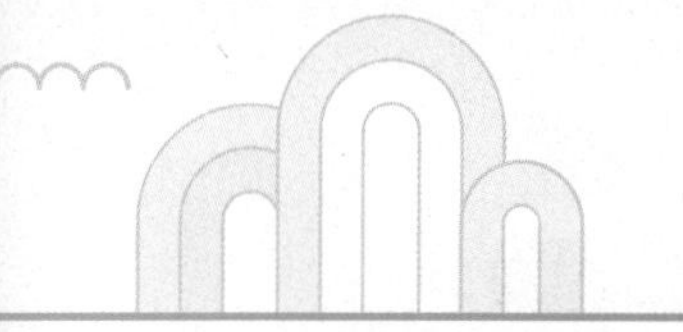
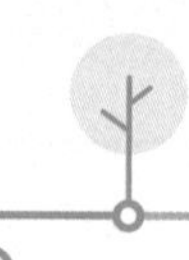

기본 문제

간단 체크

1 빈칸에 들어갈 알맞은 말을 쓰시오.

(1) (　　　　)(이)란 인간이 태어나면서부터 그 사회에서 필요한 지식이나 행동 양식, 가치관 등을 배우는 과정을 말한다.
(2) (　　　　)은/는 가장 기초적이고 중요한 1차적 사회화 기관이다.
(3) (　　　　)은/는 새롭게 변화된 환경에 적응하기 위해서 새로운 생활 양식, 지식, 기술, 규범 등을 다시 배우는 과정이다.

2 다음 설명이 맞으면 ○표, 틀리면 ×표 하시오.

(1) 사회화는 인간의 생애 중 가장 중요한 유아동기와 청소년기에 완성된다. (　　)
(2) 사회화는 인간의 일생 동안에 걸쳐 지속적으로 이루어진다. (　　)
(3) 학교는 사회생활에 필요한 지식, 기능, 행동 양식 등을 체계적으로 습득시키는 공식적인 사회화 기관이다. (　　)
(4) 청소년기는 자아 정체성을 형성하는 중요한 시기이다. (　　)

3 사회화 기관과 그 특징을 옳게 연결하시오.

(1) 가정 •　　　　• ㉠ 놀이를 통해 질서와 규칙 습득
(2) 학교 •　　　　• ㉡ 업무에 필요한 지식, 기능, 태도 형성
(3) 직장 •　　　　• ㉢ 언어, 의식주와 관련된 기본 예절 학습
(4) 또래 집단 •　　　　• ㉣ 사회화를 목적으로 하는 공식적인 사회화 기관

4 괄호 안의 내용 중 알맞은 말에 ○표 하시오.

(1) 인간의 사회화는 (특정 시기에만, 평생에 걸쳐) 이루어진다.
(2) 청소년기에는 (가정, 또래 집단)과 밀접한 관계를 맺는 경향이 있다.
(3) 개인의 자아 정체성은 사회화 과정의 산물로 (특정한, 다양한) 요인에 의해 형성된다.

01 다음 내용에 해당하는 개념으로 옳은 것은?

> 인간이 태어나면서부터 그 사회에서 필요한 지식이나 행동 양식, 가치관 등을 배워 나가는 과정이다.

① 정치화　② 사회화　③ 다원화
④ 탈사회화　⑤ 재사회화

02 사회화와 관련된 사례로 적절한 것은?

① 졸려서 낮잠을 잤다.
② 벌레에 물려 가려워서 긁었다.
③ 달리기를 하고 나니 숨이 찼다.
④ 고춧가루를 먹고 매워서 재채기를 했다.
⑤ 여행을 다녀온 후 부모님께 문안 인사를 했다.

03 사회화의 기능 중 사회적 측면으로 옳은 것을 〈보기〉에서 고른 것은?

> 보기
> ㄱ. 자아 정체성을 확립한다.
> ㄴ. 자신이 속한 사회의 규범을 습득한다.
> ㄷ. 사회 질서의 유지 및 발전에 기여한다.
> ㄹ. 다음 세대에게 그 사회의 문화를 전달한다.

① ㄱ, ㄴ　② ㄱ, ㄷ　③ ㄴ, ㄷ
④ ㄴ, ㄹ　⑤ ㄷ, ㄹ

04 사회화에 대한 설명으로 옳지 않은 것은?

① 유아동기에 시작되어 청소년기에 완성된다.
② 다른 사람들과의 상호 작용을 통해 이루어진다.
③ 사회적 상황에 따라 그 결과가 다르게 나타난다.
④ 사회 속에서 생활에 필요한 행동 양식을 습득하는 과정이다.
⑤ 개인은 사회화 과정을 통해 고유한 자아와 개성을 형성한다.

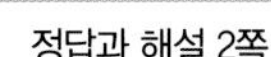

05 **밑줄 친 '이것'에 해당하는 사회화 기관은?**

> 인간의 사회화는 태어나면서부터 시작된다. 이것은 인간이 접하는 최초의 사회화 기관으로, 사회생활에 필요한 기본적인 것들에 대한 학습이 이루어지는 곳이다.

① 직장 ② 가정 ③ 학교
④ 대중 매체 ⑤ 또래 집단

06 **다음에서 설명하는 사회화 기관으로 옳은 것은?**

> • 전문적이고 공식적인 사회화 기관이다.
> • 여러 가지 지식과 기능을 습득하게 한다.
> • 체계적인 교육을 위한 의도적인 사회화 기관이다.

① 가정 ② 학교 ③ 직장
④ 또래 집단 ⑤ 대중 매체

07 **다음 내용과 관련된 사회화 기관으로 보기 어려운 것은?**

> 사회 변화에 적응하기 위해 지식, 기술, 가치, 태도 등을 새롭게 배우는 과정이다.

① 가정 ② 군대 ③ 교도소
④ 노인 대학 ⑤ 직업 훈련원

08 **다음 내용이 공통으로 나타내는 시기를 쓰시오.**

> • 주변인 • 질풍노도의 시기
> • 심리적 이유기 • 이유 없는 반항기

09 **다음 내용과 관련된 개념으로 가장 적절한 것은?**

> 태희는 '나는 누구인가?', '나는 장래에 무엇을 할 것인가?'에 대해 항상 고민하고, 그 궁금증을 풀기 위해 적극적으로 노력한다.

① 자아 정체성 ② 개인의 능력
③ 지식과 기술 ④ 지위와 역할
⑤ 사회 질서 유지

10 **㉠, ㉡에 들어갈 말을 옳게 연결한 것은?**

> (㉠)은/는 자기 자신에 대한 의식이나 관념이며, (㉡)은 자신의 목표, 역할, 가치관 등에 대한 명확한 인식을 의미한다.

	㉠	㉡
①	개성	주체성
②	개성	자주 의식
③	개성	공동체 의식
④	자아	공동체 의식
⑤	자아	자아 정체성

11 **빈칸에 공통으로 들어갈 알맞은 말을 쓰시오.**

> 청소년기는 신체적·심리적으로 변화가 많은 시기로, 자신이 누구인지에 대한 끊임없는 질문을 통해 (　　)을/를 형성해 간다. 이때 긍정적인 (　　)을/를 형성해 가는 것이 중요하며, 그러기 위해서는 자아 존중감을 갖는 것이 필요하다.

실전 문제

01 빈칸에 들어갈 개념에 대한 사례로 적절하지 않은 것은?

동물적 존재  사회적 존재

① 가족들과 대화를 나눈다.
② 인터넷을 통해 게임을 즐긴다.
③ 자신의 미래에 대해 고민을 한다.
④ 피곤한 나머지 꾸벅꾸벅 졸았다.
⑤ 동네에서 웃어른을 만나 인사를 한다.

★ 중요 ★

02 다음 글을 읽고 내린 결론으로 가장 적절한 것은?

> 프랑스 어느 마을 숲에서 늑대들과 함께 생활하던 한 소년이 발견되었다. 발견 당시 소년은 말을 전혀 하지 못하였고, 기어 다니거나 나무에 올라가는 등 동물과 같이 행동하였다. 사람들이 소년을 데려와 교육한 결과 소년은 두 발로 걸을 수 있게 되었고, 포크를 사용하여 음식을 먹을 수 있게 되었다.

① 인간은 본능에 따라 행동한다.
② 인간과 동물은 서로 차이가 없다.
③ 인간은 다른 동물보다 신체적 능력이 우수하다.
④ 인간은 혼자서도 사회적 존재로 살아갈 수 있다.
⑤ 인간은 인간관계 속에서 사회적 존재로 성장할 때 인간다운 삶을 살 수 있다.

03 밑줄 친 부분의 내용에 해당하는 것은?

> 사회화의 기능은 개인적 측면과 사회적 측면으로 나눌 수 있다.

① 동물적 존재로 성장하게 한다.
② 인간의 본능을 회복하는 과정이다.
③ 사회 구성원의 적성과 능력을 계발한다.
④ 자신만의 독특한 개성과 자아를 형성한다.
⑤ 문화를 다음 세대에 전달하여 사회를 유지하고 발전시킨다.

04 다음과 같은 사회화 과정이 나타나는 시기로 옳은 것은?

> 직장에서 업무에 필요한 지식을 배우고 대중 매체를 통해 다양한 정보를 수집하는 시기이다.

① 유아기 ② 아동기 ③ 성인기
④ 노년기 ⑤ 청소년기

05 자료에 나타난 사회화의 유형에 대한 설명으로 옳지 않은 것은?

① 현대 사회에서 그 중요성이 커지고 있다.
② 실업자의 재취업 교육을 사례로 들 수 있다.
③ 사회 변화에 능동적·적극적으로 대처할 수 있다.
④ 빠르게 변화하는 사회에 적응하기 위해서 이러한 사회화가 이루어진다.
⑤ 언어, 예절, 의식주 습관 등 기본적인 생활 습관을 학습하는 과정이다.

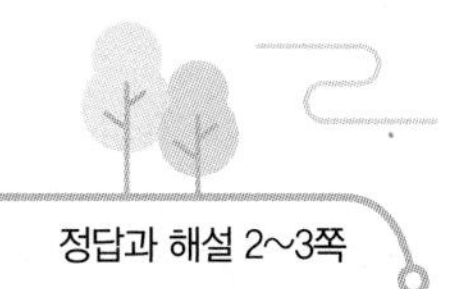

06 **다음 속담과 관련된 사회화 기관으로 적절한 것은?**

"세 살 버릇 여든까지 간다."

① 가정 ② 학교 ③ 직장
④ 대중 매체 ⑤ 또래 집단

★ 중요 ★

07 **사회화 기관과 그 특징을 옳게 연결한 것은?**

① 학교 – 기본적인 생활 습관을 형성하는 기관
② 대중 매체 – 다수의 대중에게 정보를 제공하는 기관
③ 또래 집단 – 오늘날 그 중요성이 크게 증대되고 있는 기관
④ 직장 – 아동기와 청소년기에 공식적 교육을 담당하는 기관
⑤ 가정 – 주로 놀이 활동을 통해 친구 관계를 형성하는 기관

08 **청소년기의 특징으로 옳은 것만을 〈보기〉에서 있는 대로 고른 것은?**

보기

ㄱ. 2차 성징이 나타난다.
ㄴ. 변화보다 안정을 추구한다.
ㄷ. 또래 집단의 영향을 많이 받는다.
ㄹ. 기존 문화에 대해 거부감이 강하다.

① ㄱ, ㄴ ② ㄴ, ㄷ ③ ㄷ, ㄹ
④ ㄱ, ㄴ, ㄹ ⑤ ㄱ, ㄷ, ㄹ

09 **청소년기의 자아 정체성 형성에 대한 설명으로 옳지 않은 것은?**

① 자신이 누구인가를 정확하게 아는 것이다.
② 다른 사람들과의 사회적 관계와는 무관하게 형성된다.
③ 남들과 구별되는 자신만의 독특한 고유성을 확립하는 것을 말한다.
④ 자아를 존중하고 긍정적인 자아 정체성을 형성하는 것이 중요하다.
⑤ 자신의 성격이나 취향 등을 아는 것이 자아 정체성 형성에 도움이 된다.

서술형 문제

10 **다음은 수업 시간에 정리한 자료이다. (가), (나)에 들어갈 알맞은 내용을 서술하시오.**

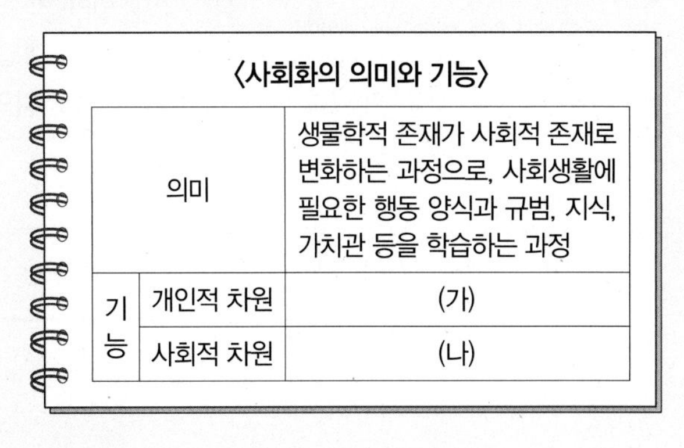

〈사회화의 의미와 기능〉

의미		생물학적 존재가 사회적 존재로 변화하는 과정으로, 사회생활에 필요한 행동 양식과 규범, 지식, 가치관 등을 학습하는 과정
기능	개인적 차원	(가)
	사회적 차원	(나)

고난도

11 **그림에 나타난 사회화 기관을 쓰고, 할머니와 어린이의 사회화가 어떻게 다른지 서술하시오.**

02 사회적 지위와 역할

학습 내용 들여다보기

■ **성취 지위의 중요성**
전통 사회에 비해 현대 사회에서는 개인의 노력이나 능력에 따라 원하는 직업이나 지위를 얻을 기회가 많아졌다. 따라서 현대 사회는 전통 사회보다 성취 지위의 중요성이 더욱 커졌다.

■ **학생의 역할 행동**
학생으로서 학업에 최선을 다하면 칭찬이나 상을 받지만 학생의 신분에 어긋나는 행동을 했을 때에는 처벌이나 징계와 같은 제재를 받게 된다. 이와 같이 개인의 역할 행동은 다르게 나타난다.

1. 사회적 지위 자료 1

(1) 사회적 지위의 의미와 특징

① 의미: 개인이 자신이 속한 사회나 집단 내에서 차지하고 있는 위치

② 특징: 개인은 다양한 사회적 지위를 가짐

(2) 사회적 지위의 유형

귀속 지위	• 개인의 의지와 노력과는 상관없이 자연적으로 주어지는 지위 → 남자, 여자, 아들, 딸 등 • 혈통이나 신분을 중시하던 전통 사회에서 중시함
성취 지위	• 개인의 능력과 노력에 따라 후천적으로 얻게 되는 지위 → 학생, 변호사, 남편, 엄마 등 • 개인의 능력이 중시되는 현대 사회에서 그 중요성이 더 커지고 있음

▲ 귀속 지위(딸)

▲ 성취 지위(야구 선수)

2. 사회적 역할과 역할 행동

(1) 사회적 역할

→ 전통 사회에 비해 현대 사회는 다양한 사회적 지위가 존재하므로 그에 따른 역할도 더욱 많아졌다고 할 수 있어.

① 의미: 사회적 지위에 따라 기대되는 일정한 행동 양식

② 특징

- 사회적 역할은 고정된 것이 아니라 시대나 사회에 따라 변하기도 함
- 역할이 동일하더라도 역할 행동은 개인마다 다르게 나타남

(2) 역할 행동 자료 2

① 의미: 역할을 수행하는 개인의 구체적인 방식

② 특징

- 역할을 충실하게 수행했을 경우: 칭찬과 보상이 주어짐 → 사회의 유지와 안정에 기여함
- 역할을 제대로 수행하지 못했을 경우: 사회적 비난과 처벌이라는 제재를 받기도 함 → 사회에 혼란을 초래할 수 있음

용어 알기

- **보상** 어떤 행위에 대해 물질이나 칭찬과 같은 긍정적인 대가를 주는 것
- **제재** 정해진 규칙을 위반한 경우 사회적 비난이나 처벌 등과 같이 그 행동을 제한하거나 금지하는 것

자료 1 개인의 다양한 사회적 지위

개인은 자신이 소속된 집단이나 사회적 관계 속에서 다양한 사회적 지위를 차지한다. '나'는 여러 사회적 지위 중 누나와 딸은 귀속 지위, 동아리 부원과 학급 회장은 성취 지위에 해당한다.

자료 2 역할 행동에 따른 보상과 제재

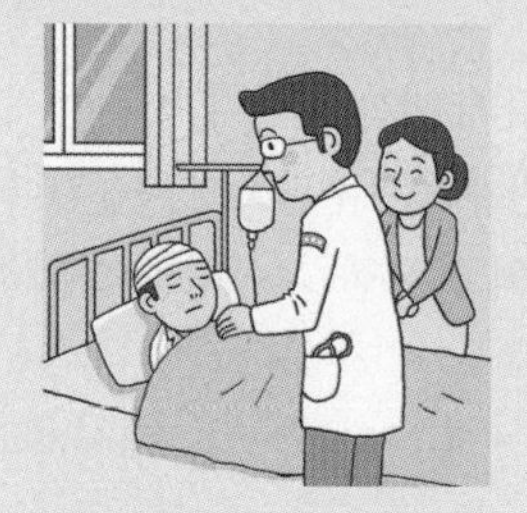

역할 행동은 개인의 특성과 가치관에 따라 다르게 나타난다. 예를 들어, 의사가 병원비를 낼 능력이 없는 환자를 정성껏 치료한다면 사회적 인정이라는 보상을 받지만, 음주를 한 상태로 환자를 치료한다면 의사라는 지위를 박탈당하거나 사회적 비난을 받을 수 있다.

Q&A

Q 역할마다 역할 행동은 어떻게 다른가요?

A 역할은 그 사회적 지위에 기대되는 행동 양식, 역할 행동은 역할을 수행하는 구체적인 방식이다. '학생'이라는 지위에 기대되는 행동 양식, 즉 학교에 성실하게 다니면서 열심히 공부하는 것은 '역할'에 해당한다. 그러나 각 학생들이 실제로 역할을 수행하는 모습은 각각 다르게 나타난다. 학교에서 좋은 성적을 받기 위해 열심히 공부하여 교과우수상을 받는 학생이 있는 반면, 결석, 조퇴, 지각도 자주 하고 공부를 등한시하는 학생도 있다.

3. 역할 갈등 자료 3

(1) **의미**: 개인이 가지는 여러 개의 역할이 서로 충돌하여 갈등을 일으킨 상태

(2) **특징**: 현대 사회가 복잡해지고 다양한 사회적 관계가 형성되면서 역할 갈등이 증가함

→ 다양한 사회적 관계가 형성되면서 구성원의 지위와 역할이 많아지기 때문에 역할 갈등이 증가하고 있어.

(3) **발생 원인**: 개인이 여러 개의 사회적 지위를 가지고 있기 때문에 나타남

(4) **문제점**

① **개인적 차원**: 역할 갈등이 원만하게 해결되지 않으면 심리적 불안감을 느낌

② **사회적 차원**: 사회 질서가 흔들리면서 사회가 혼란해질 수 있음

(5) **해결 방안** 자료 4

① **개인적 차원**: 갈등 상황을 명확하게 분석하여 중요한 역할을 하나 선택하거나 우선순위를 정하여 순서대로 수행함

② **사회적 차원**: 구성원들이 겪는 역할 갈등을 합리적으로 해결할 수 있는 법과 제도를 정비함 예 직장 내 보육 시설 설치, 유급 육아 휴직 제도 등

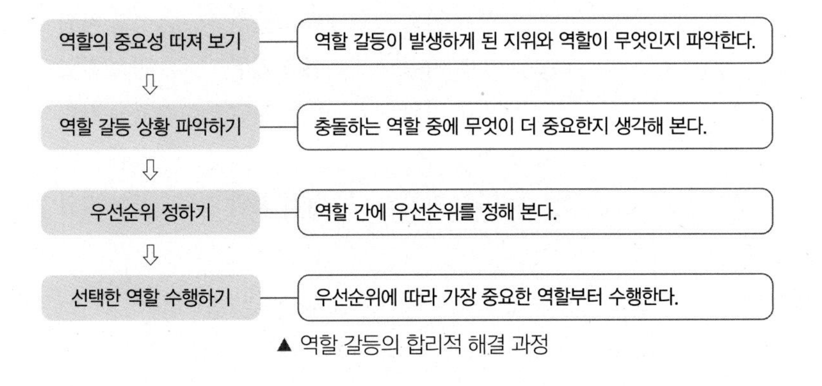
역할의 중요성 따져 보기
역할 갈등이 발생하게 된 지위와 역할이 무엇인지 파악한다.
역할 갈등 상황 파악하기
충돌하는 역할 중에 무엇이 더 중요한지 생각해 본다.
우선순위 정하기
역할 간에 우선순위를 정해 본다.
선택한 역할 수행하기
우선순위에 따라 가장 중요한 역할부터 수행한다.

▲ 역할 갈등의 합리적 해결 과정

학습 내용 들여다보기

■ **사회적 관계**
사회 구성원들이나 사회 집단이 서로 상호 작용하면서 일정한 관계를 맺는 것을 말한다. 예를 들어 친구 관계, 가족 관계, 노사 관계 등이 있다.

■ **역할 갈등 시 우선순위를 정하는 방법**
자신에게 요구되는 각 역할의 중요성을 비교하고 우선순위를 정하여 중요한 것부터 수행하여야 한다. 이때는 자신이나 사회가 강조하는 가치 중에서 더 중요하다고 생각하는 것을 선택의 기준으로 삼는 것이 일반적이다.

■ **유급 육아 휴직 제도**
육아 휴직 제도란 만 8세 이하 또는 초등학교 2학년 이하의 자녀가 있는 남녀 근로자가 양육을 목적으로 사업주에 휴직을 신청하는 제도를 말하며, 육아 휴직 중에 월급의 일정 부분을 지급받는 것을 유급 육아 휴직 제도라고 한다.

용어 알기

- **우선순위** 어떤 것을 먼저 차지하거나 사용할 수 있는 차례나 위치
- **유급** 급료가 있음

자료 3 역할 갈등의 사례

중학생인 미호는 학생이라는 지위에 맞게 다음 주에 있을 시험공부를 해야 할지, 주말에 친구의 생일 파티에 가야 할지 고민하고 있다. 즉 학생으로서의 지위에 따른 역할과 친구로서의 지위에 따른 역할이 충돌하는 역할 갈등 상황에 처해 있다.

자료 4 역할 갈등의 사회적 해결 노력

○○신문 20△△년 △월 △일

고용 노동부, '아빠 육아 휴직 보너스제' 등 시행

지난해 공공 기관에 재직하고 있는 남성 중 육아 휴직을 쓴 사용자가 3,000명을 돌파했다. 특히 공무원연금공단, 국민보험공단 등 준정부 기관의 남성 육아 휴직 사용 규모가 1년 사이 30% 가까이 늘었다.

육아와 근로를 병행하는 맞벌이 부부가 증가하면서 부모와 직장인으로서의 역할이 충돌하여 발생하는 '역할 갈등'도 증가하고 있다. 직장 내에 어린이집을 확대하거나 유급 육아 휴직 제도 등을 도입하는 것은 이를 해결하기 위한 사회적 노력에 해당한다.

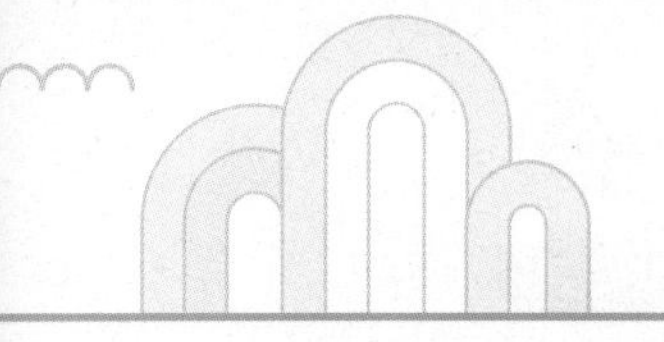
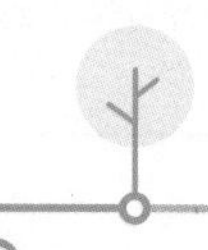

기본 문제

간단 체크

1 빈칸에 들어갈 알맞은 말을 쓰시오.

(1) 개인이 사회 구성원으로서 사회나 집단 내에서 차지하고 있는 위치를 (　　　　)(이)라고 하고, 이에 따라 기대되는 행동 양식을 (　　　　)(이)라고 한다.
(2) (　　　　)은/는 출생과 동시에 자연적으로 주어지는 사회적 지위이다.
(3) (　　　　)은/는 개인의 능력과 노력에 따라 후천적으로 얻게 되는 지위이다.
(4) (　　　　)은/는 개인이 가지는 지위에 따른 역할들이 충돌하여 발생하는 것이다.

2 다음 설명이 맞으면 ○표, 틀리면 ×표 하시오.

(1) 성취 지위는 선천적으로 주어지는 지위이다. (　　)
(2) 사회적으로 기대되는 역할과 개인의 역할 행동은 다를 수 있다. (　　)
(3) 역할 갈등이 원만하게 해결되지 못하면 개인은 심리적으로 불안감을 느끼게 되고, 사회는 혼란에 빠질 수 있다. (　　)

3 귀속 지위에 해당하는 사례로 옳은 것을 〈보기〉에서 모두 고르시오.

보기

ㄱ. 딸　　ㄴ. 남편　　ㄷ. 학생
ㄹ. 여자　　ㅁ. 회사원　　ㅂ. 변호사

(　　　　　　　　)

4 ㉠, ㉡에 들어갈 알맞은 말을 각각 쓰시오.

자신이 속한 사회나 집단의 기대에 맞게 역할 행동을 충실히 수행하면 그에 따른 칭찬과 (㉠)을/를 받지만, 제대로 수행하지 못하면 사회적 비난이나 처벌과 같은 (㉡)을/를 받기도 한다.

㉠: (　　　　　　), ㉡: (　　　　　　)

01 다음은 어느 중학생의 자기 소개서이다. 밑줄 친 ㉠~㉣ 중 성취 지위를 있는 대로 고른 것은?

자기 소개서

저는 1남 1녀 중 ㉠ 장남으로, ○○중학교에 다니고 있는 ㉡ 학생입니다. 현재 ㉢ 축구 동호회 회원으로서 열심히 활동하고 있으며, 장래 희망은 ㉣ 의사입니다.

① ㉠, ㉡　② ㉠, ㉢　③ ㉢, ㉣
④ ㉠, ㉡, ㉢　⑤ ㉡, ㉢, ㉣

02 밑줄 친 ㉠~㉢에 해당하는 사회적 지위의 유형을 옳게 연결한 것은?

고등학교 ㉠ 교사이신 승희 아버지께서는 항상 ㉡ 딸에게 "사람은 언제나 정직해야 한다. ㉢ 판사도 정직을 잃는다면 그 사람은 이미 법관이 아니다."라고 가르치신다.

	㉠	㉡	㉢
①	성취 지위	귀속 지위	성취 지위
②	성취 지위	귀속 지위	귀속 지위
③	귀속 지위	성취 지위	귀속 지위
④	귀속 지위	귀속 지위	성취 지위
⑤	귀속 지위	성취 지위	성취 지위

03 다음 사례와 관련 있는 사회학적 개념으로 가장 적절한 것은?

기업을 이끌어 가는 CEO라도 어떤 사람은 화합을 바탕으로 기업의 목표를 달성하려고 하는 반면, 다른 사람은 엄격한 보상과 제재를 통해 목표를 달성하려고 한다.

① 역할　② 지위　③ 역할 행동
④ 역할 갈등　⑤ 지위 불위치

04 밑줄 친 부분에 해당하는 지위의 사례로 적절한 것은?

> 개인이 사회 안에서 차지하는 위치를 지위라고 한다. 지위에는 태어날 때부터 자연적으로 주어지는 지위와 개인의 능력이나 노력으로 얻게 되는 지위로 나눌 수 있다.

① 장녀 ② 회사원 ③ 학급 회장
④ 유명 가수 ⑤ 인기 연예인

05 사회적 역할에 대한 설명으로 옳은 것은?

① 역할 수행에는 책임이 뒤따르지 않는다.
② 사람들은 평생 하나의 역할만을 수행한다.
③ 사회적 지위가 달라지면 역할도 달라진다.
④ 하나의 지위에 기대되는 역할은 하나이다.
⑤ 역할이 같으면 역할을 수행하는 방식도 같다.

06 밑줄 친 '이것'에 해당하는 용어를 쓰시오.

> • 이것을 제대로 수행한 경우에는 보상을 받을 수 있지만, 그렇지 못한 경우에는 제재가 뒤따르기도 한다.
> • 이것은 한 개인이 자신의 역할을 실제로 수행하는 것을 의미한다.
> • 지위에 따라 기대되는 역할은 같을 수 있지만, 이것은 개인마다 다양하다.

07 사회적 지위와 역할에 대한 설명으로 옳은 것은?

① 모든 지위에는 역할이 따른다.
② 한 사람은 하나의 지위만을 가진다.
③ 지위에 따라 역할을 수행하는 모습은 모두가 같다.
④ 현대 사회에서는 성취 지위보다 귀속 지위가 강조된다.
⑤ 시대가 변함에 따라 새로운 지위가 생기지만 역할은 변함이 없다.

08 다음 상황을 설명할 수 있는 사회학적 개념으로 가장 적절한 것은?

> 오페라 가수 A 씨는 해외 공연 중 아버지의 사망 소식을 듣게 되었다. 그녀는 해외 공연을 계속 진행할 것인지 아니면 아버지의 장례식 참석을 위해 귀국할 것인지 심각한 고민에 휩싸였다.

① 아노미 ② 가치 혼란 ③ 역할 수행
④ 역할 갈등 ⑤ 지위 충돌

09 그림과 같은 고민을 해결하기 위한 조언을 잘못 말한 사람은?

① 혜영: 역할의 우선순위를 정하세요.
② 민수: 갈등 상황을 명확하게 분석하세요.
③ 민아: 갈등을 일으키는 지위와 역할을 분석해 보세요.
④ 호영: 각각의 역할이 지니는 중요성을 생각해 보세요.
⑤ 진수: 역할의 우선순위를 정하기 어려울 경우 둘 다 포기하세요.

10 역할 갈등의 합리적 해결 과정을 순서대로 나열한 것은?

> (가) 선택한 역할 수행하기
> (나) 역할의 중요성 따져 보기
> (다) 역할 간 우선순위 정하기
> (라) 역할 갈등 상황 파악하기

① (가) – (나) – (다) – (라)
② (가) – (다) – (나) – (라)
③ (나) – (가) – (다) – (라)
④ (다) – (나) – (가) – (라)
⑤ (라) – (나) – (다) – (가)

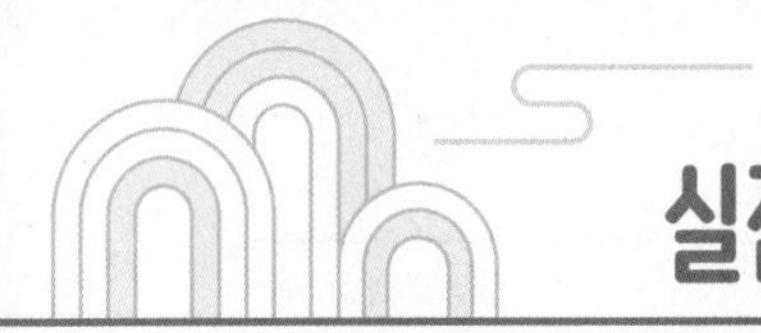

실전 문제

01 **밑줄 친 부분을 공통적으로 설명할 수 있는 개념으로 가장 적절한 것은?**

> • 미영이는 1남 2녀 중 <u>차녀</u>이다.
> • 태민이는 나의 귀여운 <u>동생</u>이다.
> • 태연이는 <u>축구부 동아리 회장</u>이다.

① 지위 ② 역할 ③ 사회화
④ 역할 갈등 ⑤ 사회 집단

02 **사회적 지위에 대한 설명으로 옳은 것을 〈보기〉에서 고른 것은?**

> **보기**
> ㄱ. 인간은 여러 개의 사회적 지위를 갖는다.
> ㄴ. 현대 사회에서는 성취 지위보다 귀속 지위가 중요하다.
> ㄷ. 귀속 지위는 인간이 태어나면서부터 자연적으로 주어지는 지위이다.
> ㄹ. 현대 사회보다 전통 사회에서 개인의 능력과 노력을 더 중요시 여겼다.

① ㄱ, ㄴ ② ㄱ, ㄷ ③ ㄴ, ㄷ
④ ㄴ, ㄹ ⑤ ㄷ, ㄹ

03 **다음 내용에 해당하는 사회적 지위로 옳은 것을 〈보기〉에서 고른 것은?**

> 자신의 의지와 관계없이 얻게 되는 지위로, 전통 사회에서 중시되었다.

> **보기**
> 아침에 ㉠ <u>부모님</u>과 함께 등굣길에 나섰다. 수업 시간에는 ㉡ <u>선생님</u>의 말씀을 열심히 들었고, 점심을 먹은 후 ㉢ <u>친구들</u>과 신나게 운동을 하였다. 저녁에는 ㉣ <u>누나</u>와 함께 공연장을 찾아 평소 좋아하는 ㉤ <u>아이돌 그룹</u>의 콘서트를 관람하였다.

① ㉠ ② ㉡ ③ ㉢ ④ ㉣ ⑤ ㉤

04 **다음 사례에 공통으로 나타난 사회적 지위에 대한 설명으로 옳은 것은?**

> • 30대 직장인
> • ○○ 중학교 사회 교사
> • 쌍둥이를 낳은 아기 엄마

① 귀속 지위에 해당한다.
② 출생에 의해 자동적으로 결정된다.
③ 과거의 신분제 사회에서 일반화된 지위이다.
④ 현대 사회로 올수록 중요성이 감소하고 있다.
⑤ 개인의 능력과 노력에 따라 얻을 수 있는 지위이다.

고난도

05 **탐구 주제의 빈칸에 들어갈 말로 가장 적절한 것은?**

> **탐구 주제: 아버지의 (   ) 변화**
> 오늘날 남성들이 이상적으로 여기는 아버지 상(像)은 '자상하고 친구같이 대화하는 아버지'라고 한다. 과거의 아버지는 자녀에게 자신의 생각을 강요하는 권위적인 모습을 보였으나, 시대가 변화하면서 오늘날에는 가사를 분담하거나 친구 같은 자상한 아버지의 모습을 기대하게 되었다. 이에 따라 최근에는 '좋은 아버지가 되려는 사람들의 모임'과 같이 아버지들 스스로 부모로서의 권위적인 모습을 벗어던지고 자녀와 좀 더 나은 관계를 가지려는 노력이 나타나고 있다.

① 역할 ② 성취 지위 ③ 귀속 지위
④ 역할 행동 ⑤ 역할 갈등

06 **밑줄 친 ㉠~㉤ 중 옳지 <u>않은</u> 것은?**

> ㉠ <u>사회적 지위에 따라 기대되는 일정한 행동 양식을 역할</u>이라고 한다. ㉡ <u>개인은 사회화 과정을 통해 역할을 배우고</u>, ㉢ <u>역할 행동에 따라 칭찬이나 비난을 받기도 한다</u>. 한 개인은 ㉣ <u>하나의 사회적 지위와 역할만을 가지고 있으며</u>, 한 사람에게 동시에 다양한 역할이 요구될 때 ㉤ <u>역할 갈등</u>이 빚어지기도 한다.

① ㉠ ② ㉡ ③ ㉢ ④ ㉣ ⑤ ㉤

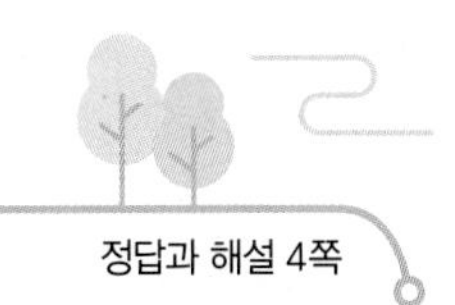

★ 중요 ★

07 그림은 태호의 일정표이다. (가)에 들어갈 대답으로 가장 적절한 것은?

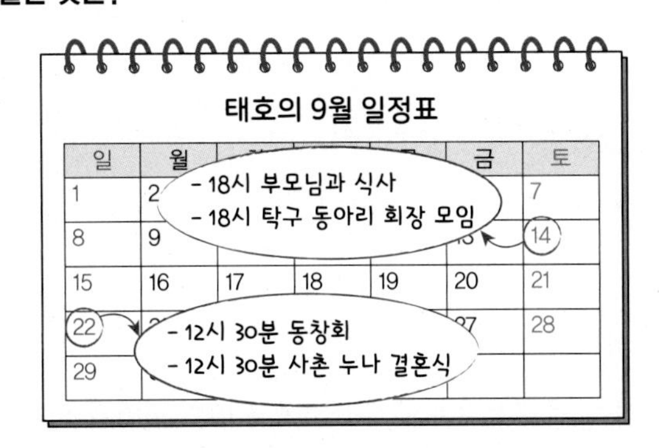

> 교사: 태호가 어느 모임에 가야 할지 망설인다면 그 원인은 무엇일까요?
> 학생: ____(가)____

① 소속된 집단에 애착심이 없기 때문입니다.
② 지위에 따른 역할들이 서로 충돌하기 때문입니다.
③ 역할을 수행하는 방식이 사람마다 다르기 때문입니다.
④ 성취 지위와 귀속 지위를 모두 가지고 있기 때문입니다.
⑤ 역할 수행을 할 때 개인이 처한 환경이 다르기 때문입니다.

08 다음 상황에 대한 설명으로 옳은 것을 〈보기〉에서 고른 것은?

> 상호는 이번 주말에 댄스 동아리 친구들과 교내 축제에서 공연할 춤을 연습하기로 하였다. 그런데 이번 주말에 가족 여행 가기로 한 약속을 깜박한 것이다. 상호는 어떻게 해야 할지 고민에 빠져 있다.

보기

ㄱ. 상호는 역할 갈등을 겪고 있다.
ㄴ. 상호는 역할의 우선순위를 정할 필요가 있다.
ㄷ. 현대 사회에서 상호와 같은 사례는 점차 줄어들고 있다.
ㄹ. 하나의 지위에 상반되는 두 가지 역할이 요구되어 발생하였다.

① ㄱ, ㄴ ② ㄱ, ㄷ ③ ㄴ, ㄷ
④ ㄴ, ㄹ ⑤ ㄷ, ㄹ

서술형 문제

09 (가)와 (나)에 나타난 사회적 지위의 유형을 쓰고, 그 의미를 각각 서술하시오.

(가) ▲ 아들 (나) ▲ 교사

★ 중요 ★

10 밑줄 친 부분과 같은 상황이 발생하게 된 원인을 제시된 용어를 사용하여 서술하시오.

> 저는 종가집의 장손이기 때문에 종가집이 있는 부산으로 1년에 10번 이상 제사에 참석해야 합니다. 그런데 중학교 담임 교사인 저는 이번 9월 10일부터 3박 4일 간 수학여행을 인솔해야 하는데, 마침 9월 11일에 문중의 중요한 제사가 있는 날입니다. <u>문중의 어르신들께서는 종손인 제가 참석하지 않는 것은 용납할 수 없다고 하시고, 교장 선생님께서는 담임 교사인 제가 수학여행에 가지 않는 것은 상상할 수도 없다고 하시니 정말 어떻게 해야 할지 걱정입니다.</u>

• 장손 • 역할 • 지위 • 담임 교사

03 사회 집단과 차별

학습 내용 들여다보기

■ **상호 작용**
개인 또는 집단이 만나서 의사소통을 하거나 서로 영향을 주고받는 과정을 말한다. 상호 작용의 유형에는 협동, 경쟁, 갈등, 교환 등이 있다.

■ **개인과 사회 집단의 관계**
개인과 사회 집단은 상호 의존적 관계를 형성하고 있다. 개인은 사회 집단에 속함으로써 안정감과 소속감을 느끼며, 자신의 지위에 따른 역할을 수행함으로써 사회 유지와 발전에 이바지한다. 사회 집단은 소속된 개인에 의하여 집단의 규범과 성격이 형성되고 변화되기도 한다.

■ **접촉 방식**
한 사회에서 사람 간에 관계를 맺는 방식으로 목적, 수단 등에 따라 다양한 양상이 나타난다.

1. 사회 집단 자료 1

(1) **의미**: 둘 이상의 사람이 모여 소속감과 공동체 의식을 가지고 지속적으로 상호 작용을 하는 집합체 → '2인 이상+소속감+지속적 상호 작용'이라는 세 가지 요소를 모두 충족해야 사회 집단이 성립하는 거야.

(2) **사례**: 학교, 가족, 정당, 동호회 등

(3) **특징**: 개인에게 지위와 역할 부여, 개인과 사회를 연결하는 매개체로서의 역할 수행 등

(4) **개인과 사회 집단의 관계**

① 개인은 사회 집단 안에서 다른 구성원과 사회적 관계를 맺고 역할을 수행하면서 사회적 존재로 성장해 나감

② 사회 집단은 개인의 의지나 역할 수행 방법에 따라 변화하고 발전하기도 함 → 개인과 사회 집단은 서로 밀접한 관계를 맺으며 영향을 주고받음

2. 사회 집단의 유형

(1) **구성원의 접촉 방식에 따른 구분**

집단	특징	사례
1차 집단	• 구성원이 친밀하게 접촉하면서 인격적인 관계가 형성된 집단 • 개인의 인성이나 가치관 형성에 영향을 미침	가족, 친족, 또래 집단 등
2차 집단	• 특정 목적을 달성하기 위해 형식적이고 수단적인 인간관계가 이루어지는 집단 • 사회가 복잡해지고 전문화되면서 비중이 점차 커지고 있음	학교, 회사, 정당 등

(2) **구성원의 소속감 여부에 따른 구분** 자료 2

집단	특징	사례
내집단 (내집단을 '우리 집단'이라고도 해.)	자신이 소속되어 있어 '우리'라는 공동체 의식을 가진 집단	우리 반, 우리 팀 등
외집단 (외집단을 '그들 집단'이라고도 해.)	• 자신이 소속되지 않아 이질감이나 적대감을 가지는 집단 • 외집단에 대한 적대감이 커질수록 내집단 구성원 간 결속이 강화됨	다른 반, 상대 팀 등

용어 알기

• **매개체** 어떤 일이나 작용 따위를 양쪽의 중간에서 맺어 주는 것
• **수단** 어떤 목적을 이루기 위한 방법 또는 그 도구
• **이질감** 성질이 서로 달라 낯설거나 잘 맞지 않는 느낌. 반대말로는 동질감이 있음

자료 1 사회 집단의 성립 요건

▲ 축구 경기장의 관중

→ 사회 집단이야.

▲ 수학여행을 가는 학생들

축구 경기를 관람하기 위해 일시적으로 모인 관중은 두 사람 이상이 모인 집합체지만 사회 집단이라고 할 수 없다. 사회 집단은 두 사람이 이상이 소속감과 공동체 의식을 가지고 지속적인 상호 작용을 하는 집합체이기 때문이다.

자료 2 내집단과 외집단

우리 반이 꼭 이겨야 해.
우리 학교가 꼭 이겨야 해.

내집단과 외집단의 구분은 고정된 것이 아니라 상황에 따라 달라질 수 있다. 예를 들어 반 대항 축구 경기를 할 경우 옆 반은 외집단이지만 학교 대항 축구 경기에서는 옆 반도 내집단이 된다.

(3) 구성원의 결합 의지 유무에 따른 구분

집단	특징	사례
공동 사회	자신의 의지와 상관없이 자연적으로 형성된 집단	가족, 촌락 등
이익 사회	목적을 위해 의도적으로 형성된 집단	학교, 회사 등

(4) 준거 집단 자료 3

① 의미: 개인이 행동이나 판단을 할 때 기준으로 삼는 집단

② 특징 → 소속 집단과 준거 집단이 반드시 일치하는 것은 아니야.

경우	특징
소속 집단과 준거 집단이 일치할 경우	소속 집단에 대한 자부심과 만족감이 증대됨
소속 집단과 준거 집단이 불일치할 경우	소속 집단에 대한 불만과 갈등이 심화됨 → 각 개인의 준거 집단이 그 사람을 이해하는 중요한 기준이 됨

3. 사회 집단에서 나타나는 차별과 갈등

(1) 차이와 차별 자료 4

구분	내용
차이	• 서로 같지 않고 다른 것으로 객관적인 기준에 근거함 → 자연스러운 현상임 • 사례: 성별, 외모, 나이, 피부, 의견 차이 등
차별	• 차이를 이유로 개인이나 집단을 부당하게 대우하는 것 • 옳고 그름, 나쁘고 좋음 등 주관적인 판단에 근거함 • 사회 문제로 해결되어야 함 • 사례: 성(性)차별, 인종 차별, 학력 차별, 장애인 차별 등

→ 사회적 편견과 고정 관념이 그 원인이야.

(2) **차별의 문제점**: 구성원 간의 대립과 갈등을 가져와 사회 발전과 통합이 저해됨

(3) 차별의 합리적 해결 방안

① 개인적 차원의 노력

- 관용의 자세
- 고정 관념이나 편견을 버리고 차이를 인정하는 태도 (→ 고정 관념: 어떤 문화나 사회에서 특정 사람이나 사물에 대하여 널리 믿고 있는 지식이나 가치관을 말해.)
- 차별 상황이 발생했을 때 적극적으로 개선하려고 노력하는 태도

② 사회적 차원의 노력

- 차별을 금지하고 약자를 보호할 수 있는 다양한 법률과 제도 마련
- 새롭게 마련된 여러 법률과 제도로 인해 역차별이 발생하지 않도록 배려함
- 사례: 남녀 고용 평등과 일·가정 양립 지원에 관한 법률, 장애인 차별 금지 및 권리 구제 등에 관한 법률 등

학습 내용 들여다보기

■ **남녀 고용 평등과 일·가정 양립 지원에 관한 법률**
고용에 있어 남녀가 평등한 기회와 대우를 보장받아 남녀 간에 나타나는 고용 차별을 해결하기 위한 법이다. 임금 지급과 승진에 있어 남성과 여성을 동등하게 대하며 여성에게 혼인과 임신, 출산을 이유로 퇴직을 강요할 수 없음을 명시하고 있다.

■ **장애인 차별 금지 및 권리 구제 등에 관한 법률**
장애를 이유로 부당한 차별을 금지하고 장애인의 권리를 보호하기 위해 채용, 임금, 승진 등에 있어 차별 금지 및 직무 수행에 필요한 정당한 편의를 제공할 것을 규정하고 있다.

▲ 장애인을 위한 저상 버스 운행

■ **역차별**
부당한 차별을 받는 대상을 보호하기 위한 제도나 방침이 너무 급진적이어서 도리어 반대편이 차별을 당하게 되는 경우

용어 알기

- **심화** 어떤 현상의 정도가 차차 깊어짐
- **관용** 남의 잘못을 너그럽게 받아들이거나 용서함

자료 3 인어 공주의 준거 집단

인어 공주는 인간 세상을 동경하여 인간이 되고자 하였다. 인어 공주는 바닷속 세계에 속해 있었으나 어느 날 배에 타고 있는 왕자를 본 순간부터 인간이 되어 인간 세상에서 살기를 원하게 되었다. 하지만 끝내 인간이 되지 못하고 물거품이 되어 사라져 버렸다.

자신이 속해 있는 집단과 행동의 기준으로 삼는 집단이 항상 일치하는 것은 아니다. 인어 공주에게 바닷속 세계는 소속 집단이고, 인간 세상은 준거 집단이다. 이렇게 실제 소속 여부와는 관계없이 개인의 행동이나 판단의 기준이 되는 집단을 준거 집단이라고 한다. 인어 공주처럼 자신이 소속되어 있는 집단과 준거 집단이 일치하지 않을 경우에는 갈등과 불만이 생길 수 있다.

자료 4 임금 차별과 인종 차별

(가) 같은 회사에서 일하는 A와 B는 동일한 경력에 같은 일을 하면서도 월급에 차이가 난다. 대학을 나온 A는 고등학교만 나온 B에 비해 30% 정도 월급이 더 많다.

(나) 베트남에서 온 레아남 씨는 고급 식당에 간 적이 있는데, 식당 종업원이 자신의 외모만 보고 무시하여 기분이 몹시 나빴다.

(가)는 학력 차이에 따른 임금 차별, (나)는 인종 차별에 해당한다. 우리 사회에서는 차이를 근거로 부당하게 대우하는 경우가 있다. 이러한 차별은 인권을 침해하고 사회 구성원 간에 갈등을 일으켜 사회 통합을 저해할 수 있다. 따라서 차이를 인정하고 다양성을 존중하는 태도와 사회적 약자를 보호할 수 있는 다양한 법률과 정책, 제도를 마련해야 한다.

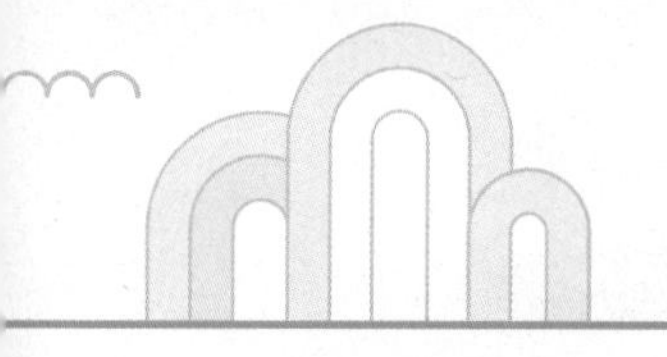
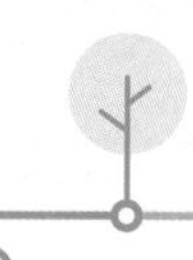

기본 문제

간단 체크

1 빈칸에 들어갈 알맞은 말을 쓰시오.

(1) 둘 이상의 사람이 모여 소속감과 공동체 의식을 가지고 지속적인 상호 작용을 하는 집합체를 (　　　　)(이)라고 한다.

(2) 자신이 속해 있으면서 소속감이나 공동체 의식을 느끼는 집단을 (　　　　)(이)라고 한다.

(3) (　　　　) 집단은 개인이 어떤 행동이나 판단을 할 때 기준으로 삼는 집단을 말한다.

(4) 차별은 개인의 잘못된 편견, (　　　　), 잘못된 사회 제도 때문에 나타난다.

2 다음 설명이 맞으면 ○표, 틀리면 ×표 하시오.

(1) 야구장의 관중들은 사회 집단에 해당된다. (　　)

(2) 가족은 1차 집단과 공동 사회에 모두 해당된다. (　　)

(3) 소속 집단과 준거 집단은 반드시 일치한다. (　　)

(4) 차별은 사회 문제이므로 해결되어야 한다. (　　)

3 괄호 안의 내용 중 알맞은 말에 ○표 하시오.

(1) 사회 집단은 구성원의 (접촉 방식, 소속감 여부)에 따라 1차 집단과 2차 집단으로 구분된다.

(2) 자신이 속해 있지 않으면서 이질감이나 적대감을 느끼는 집단을 (내집단, 외집단)이라고 한다.

(3) 학교, 회사 등은 (1차 집단, 2차 집단)의 사례이다.

4 다음 사례가 차이에 해당하면 '차이', 차별에 해당하면 '차별'이라고 쓰시오.

(1) 외국인에 대한 진료를 거부한다. (　　　　)

(2) 다리가 불편한 장애인은 화사 채용에서 제외된다. (　　　　)

(3) 이번 달은 야근이 잦아 같은 일을 하는 동료보다 월급을 많이 받았다. (　　　　)

01 다음 내용에 해당하는 용어로 옳은 것은?

> 둘 이상의 사람이 모여 소속감과 공동체 의식을 가지고 지속적인 상호 작용을 하는 사람들의 집합체이다.

① 공동체　② 사회 조직　③ 사회 체제
④ 사회 집단　⑤ 사회 제도

02 사회 집단의 사례로 적절하지 않은 것은?

① 자전거 동호회 회원들
② 동대문에 쇼핑 나온 시민들
③ 교내 체육 대회에 참가한 학생들
④ 공연장에 관람 온 팬클럽 회원들
⑤ 올림픽에 출전한 A 국가 대표 선수들

03 자료와 같은 사회 집단에 대한 설명으로 옳은 것을 〈보기〉에서 고른 것은?

> 보기
> ㄱ. 2차 집단으로 분류할 수 있다.
> ㄴ. 공식적인 규범과 절차를 가진다.
> ㄷ. 친밀하고 인격적인 관계를 중시한다.
> ㄹ. 자신의 판단이나 행동의 기준으로 삼는 집단이다.

① ㄱ, ㄴ　② ㄱ, ㄷ　③ ㄴ, ㄷ
④ ㄴ, ㄹ　⑤ ㄷ, ㄹ

04 빈칸에 공통으로 들어갈 사회 집단의 유형으로 옳은 것은?

> • (　　　)은 자신이 속해 있으면서 소속감이나 공동체 의식을 가지는 집단이다.
> • 사람들은 (　　　)을 통해 자신의 존재를 인정받고, 자아 정체성을 확립한다.

① 내집단　② 외집단　③ 1차 집단
④ 2차 집단　⑤ 준거 집단

05 다음 내용에 해당하는 사회 집단의 사례를 〈보기〉에서 고른 것은?

> 구성원이 친밀하게 접촉하면서 인격적인 관계가 형성된 집단이다.

보기
ㄱ. 정당　ㄴ. 가족
ㄷ. 회사　ㄹ. 또래 집단

① ㄱ, ㄴ　② ㄱ, ㄷ　③ ㄴ, ㄷ
④ ㄴ, ㄹ　⑤ ㄷ, ㄹ

06 밑줄 친 집단에 대한 설명으로 옳은 것을 〈보기〉에서 고른 것은?

> <u>개인이 소속되기를 원하는 집단</u>은 개인의 행동과 태도에 큰 영향을 미친다. 연예인이 되고 싶어 하는 사람이 연예인처럼 꾸미거나, 특정 대학교에 소속되고 싶어 하는 사람이 그 대학의 티셔츠나 노트 등을 구입하여 사용하는 것이 바로 그 예이다.

보기
ㄱ. 자신이 소속된 집단과 반드시 일치한다.
ㄴ. 소속 집단과 일치하는 경우에 자부심을 느낀다.
ㄷ. 한 개인이 어떤 판단이나 행동을 할 때 기준으로 삼는 집단이다.
ㄹ. 특정한 목적을 가지고 구성원의 의지와 선택에 의해 인위적으로 결성된 집단이다.

① ㄱ, ㄴ　② ㄱ, ㄷ　③ ㄴ, ㄷ
④ ㄴ, ㄹ　⑤ ㄷ, ㄹ

07 그림은 사회 구성원의 결합 의지 유무에 따라 사회 집단을 구분한 것이다. (가), (나)에 해당하는 사회 집단을 옳게 연결한 것은?

목적을 위해 의도적으로 형성되었는가? —아니요→ (가)
↓ 예
(나)

	(가)	(나)
①	내집단	외집단
②	외집단	내집단
③	1차 집단	2차 집단
④	공동 사회	이익 사회
⑤	이익 사회	공동 사회

08 다음 내용에 해당하는 용어를 쓰시오.

> • 의미: '다르다'는 이유로 인간의 가치를 다르게 평가하는 것
> • 발생 원인: 개인의 잘못된 편견, 고정 관념, 잘못된 사회 제도

09 (가), (나)에 나타난 차별 사례를 옳게 연결한 것은?

(가)

경력이며 업무 능력은 우리가 원하는 조건인데 기혼에 자녀가 있네요.
예….

(나)

우리 회사는 흑인이 아닌 백인을 채용하고자 합니다.

	(가)	(나)
①	성차별	인종 차별
②	성차별	정보 격차
③	인종 차별	성차별
④	인종 차별	장애인 차별
⑤	장애인 차별	인종 차별

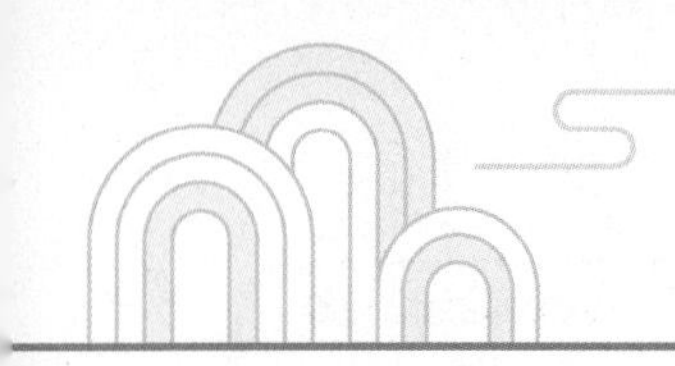

실전 문제

01 사회 집단에 대한 설명으로 옳지 않은 것은?

① 둘 이상의 사람으로 구성된다.
② 지속적인 상호 작용을 통해 형성된다.
③ 소속감과 공동체 의식을 가진 집단이다.
④ 인간은 동시에 여러 집단에 소속되기도 한다.
⑤ 한 목소리로 응원하는 야구장의 관중도 포함된다.

02 다음 내용에 해당하는 사회 집단의 사례로 적절한 것은?

> 둘 이상의 구성원으로서 지속적인 상호 작용을 하고, 소속감을 가지고 있어야 한다.

① 저수지에서 낚시하는 사람들
② 놀이 공원에 나들이 온 사람들
③ 야구 경기를 관람하러 온 사람들
④ 서울역에서 기차를 기다리는 사람들
⑤ 우리나라로 수학여행 온 일본 ○○중학교 학생들

03 (가)와 비교한 (나) 집단만의 특징으로 보기 어려운 것은?

> (가) 버스를 같이 탄 승객들, 축구장의 관중들
> (나) △△학교, ○○ 노동조합, □□ 조기 축구회

① 두 사람 이상으로 구성된다.
② 일정한 지위와 역할을 요구한다.
③ 지속적인 상호 작용이 이루어진다.
④ 구성원의 개인적 행동을 구속하기도 한다.
⑤ 집단에 대한 소속감을 바탕으로 해야 한다.

★ 중요 ★

04 (가), (나) 두 사회 집단에 대한 설명으로 옳은 것은?

(가)

▲ 가정

(나)

▲ 회사

① (가)는 특정한 이해관계로 수단적인 만남을 중시한다.
② (가)는 구성원의 자아 형성과 정서적 안정의 근원이 된다.
③ (나)는 사회가 복잡해지고 전문화됨에 따라 그 비중이 약화되고 있다.
④ (나)는 구성원 간의 직접적인 접촉을 바탕으로 인격적인 관계로 구성된다.
⑤ 구성원의 접촉 방식에 따라 분류하면, (가)는 2차 집단, (나)는 1차 집단이다.

고난도

05 밑줄 친 ㉠~㉤에 대한 설명으로 옳은 것은?

> 오늘은 A 중학교에서 체육 대회가 열렸다. ㉠ A 중학교 육상부 소속인 갑은 ㉡ 1반 대표로 출전하여 100m 달리기에서 우승하였다. 갑은 국가 대표 육상 선수가 되고 싶다는 꿈을 가지고 있는데, 갑의 ㉢ 가족도 그 꿈을 응원하고 있다. 갑의 ㉣ 친구이자 같은 육상부 소속인 을은 ㉤ 2반 대표로 출전했지만, 100m 달리기에서 순위에 들지 못했다.

① ㉠은 갑의 외집단이다.
② ㉡은 공동 사회이다.
③ ㉢은 1차 집단이다.
④ ㉣은 2차 집단이다.
⑤ ㉤은 갑의 준거 집단이다.

06 **사례에 나타난 사회 집단으로 옳은 것만을 〈보기〉에서 있는 대로 고른 것은?**

A 사에 근무하는 선우 씨는 경쟁사인 B 사의 제품보다 우수한 신제품을 개발하기 위해 열심히 노력하고 있다.

보기	
ㄱ. 내집단	ㄴ. 외집단
ㄷ. 이익 사회	ㄹ. 공동 사회

① ㄱ, ㄴ ② ㄱ, ㄹ ③ ㄷ, ㄹ
④ ㄱ, ㄴ, ㄷ ⑤ ㄴ, ㄷ, ㄹ

★ 중요 ★

07 **밑줄 친 ㉠, ㉡에 대한 설명으로 옳지 않은 것은?**

인간의 고유한 특성에 근거하여 ㉠ 차이를 존중하는 것은 객관적인 차이를 인정하는 것이며, 불합리한 대우를 하지 않는다는 의미이다. 반면, 차이를 근거로 불합리한 대우를 하는 것은 인간의 가치를 다르게 ㉡ 차별하는 것이다.

① ㉠은 자연스러운 현상이다.
② ㉠은 서로 같지 않고 다른 것이다.
③ ㉡은 선천적인 특성 때문에 나타난다.
④ ㉡은 인간의 존엄성을 침해하는 행위이다.
⑤ ㉠보다 ㉡은 집단 간의 대립과 갈등을 유발할 수 있다.

08 **사례에 공통으로 나타난 사회 현상에 대한 설명으로 옳은 것은?**

- 방글라데시에서 온 압둘 씨는 똑같이 일을 해도 한국 사람이 120만 원을 받을 때 34만 원을 받는다.
- 취업을 준비하는 선애 씨는 어느 회사의 입사 응시 기준에 '키 165cm 이상의 용모 단정한 여성'이라는 표현을 보고, 왜 여성에게만 이런 기준이 적용되는지 의문을 갖게 되었다.

① 객관적 기준에 근거한 차별 사례이다.
② 사회 집단 내에서는 일어나지 않는다.
③ 심화될 경우 사회 통합 및 발전을 저해한다.
④ 어느 한 시대에만 나타나는 특수한 현상이다.
⑤ 시대에 따라 이러한 현상의 유형은 모두 똑같다.

서술형 문제

09 **밑줄 친 (가)~(다) 중 사회 집단을 고르고, 사회 집단의 의미를 서술하시오.**

걸 그룹 아이돌 ○○의 팬클럽 회원인 한호는 (가) 팬클럽 회원들과의 정기 모임에 참석하기 위해 지하철을 탔다. 날씨가 좋아서 그런지 지하철 근처부터 유난히 사람들로 붐볐다. (나) 벚꽃 축제를 즐기러 가는 관광객들과 마침 지하철 역사 내에서 영화 촬영을 해서 그런지 (다) 영화 촬영을 구경하는 시민들로 가득했다.

10 **사회 집단을 '구성원의 접촉 방식'에 따라 구분할 때 (가), (나)에 해당하는 사회 집단의 유형을 쓰고, 그 차이점을 서술하시오.**

(가) (나)

11 **(가), (나)에 해당하는 용어를 쓰고, (나)의 해결 방안을 개인적·사회적 측면에서 서술하시오.**

(가) 개인들이 가진 특징이 서로 같지 않고 다른 것
(나) (가)를 근거로 정당한 이유 없이 특정한 사람이나 집단을 부정하게 대우하는 것

대단원 정리

❶ 사회화와 재사회화의 이해

(①)

(②)

(①)은/는 사회 구성원으로서 성장하기 위해 필요한 기본적인 행동 양식과 기능, 규범, 가치관 등을 배워 나가는 과정을 말한다. 이에 반해 (②)은/는 사회 변화에 적응하기 위해 새로운 지식이나 행동 양식을 배움으로써 (③) 과정을 다시 겪는 것이다.

답 ① 사회화 ② 재사회화 ③ 사회화

❷ 다양한 사회화 기관 구분

▲ 가정

▲ 또래 집단

▲ 학교

▲ 대중 매체

- 청소년기에는 공식적인 사회화 기관인 (①)에서 교육을 통해 지식과 규범을 익힌다.
- (②)은/는 자연적으로 형성되는 비슷한 나이의 집단으로, 질서와 규칙을 습득한다.
- (③)은/는 현대 사회에서 영향력이 큰 사회화 기관이다.

답 ① 학교 ② 또래 집단 ③ 대중 매체

❸ 다양한 사회적 지위 구분

▲ 민호의 사회적 지위

- 귀속 지위: (①)
- 성취 지위: (②)

답 ① 오빠, 남성 ② 동아리 회원, 학생

1. 사회화와 청소년기

(1) 사회화와 재사회화 ❶

사회화	의미	다른 사람과의 상호 작용을 통해 자신이 속한 사회의 행동 양식과 규범, 가치관 등을 학습하는 과정
	기능	• 개인적 측면: 개인의 자아 형성, 사회적 행동 양식 학습 • 사회적 측면: 다음 세대에 문화를 전달하여 사회를 유지·발전
재사회화		사회 변화에 적응하기 위해 지식, 기술, 가치, 태도 등을 새롭게 배우는 과정 예 노인의 정보화 교육, 성인의 평생교육 등

(2) 사회화 과정

유아동기	청소년기	성인기	노년기
가정에서 기본 생활 습관 형성, 또래 집단을 통해 규칙 습득	학교에서 지식과 규범 습득, 또래 집단과 대중 매체의 영향을 크게 받음	직장 업무에 필요한 지식과 기능을 배움	사회 변화에 따른 생활 양식을 새롭게 배움

(3) 사회화 기관 ❷

가정	가장 기초적인 사회화 기관, 기본적인 생활 습관 습득
또래 집단	놀이를 통해 집단의 규칙과 질서 의식 습득
학교	사회화를 목적으로 하는 공식적인 사회화 기관
직장	자아실현의 기회를 제공하는 사회화 기관으로 업무에 필요한 지식, 기술, 규칙, 태도 등을 습득
대중 매체	신문, 텔레비전, 인터넷 등을 통해 다양한 지식과 정보 전달

(4) 청소년기와 사회화

청소년기	의미	아동기와 성인기의 과도기에 해당하는 시기
	특징	• 신체적 측면: 2차 성징과 같은 급격한 신체 성장, 외모와 이성에 대한 관심과 호기심 증대 • 심리적 측면: 감정의 기복이 심해 정서적으로 불안정하거나 충동적임 • 인지적 측면: 추상적·논리적 사고력 신장 • 사회적 측면: 부모의 간섭에서 벗어나 독립적인 성향을 보임, 또래 집단과의 강한 유대감 형성
청소년기와 자아 정체성		청소년기는 자아 정체성이 형성되는 중요한 시기이므로 긍정적인 자아 정체성을 형성하려는 노력 필요

2. 사회적 지위와 역할

(1) 사회적 지위 ❸

의미	개인이 사회나 집단 내에서 차지하는 위치
유형	• 귀속 지위: 자신의 의지와 관계없이 자연적으로 갖게 되는 지위 예 여자, 남자 등 • 성취 지위: 개인의 능력과 노력에 따라 얻게 되는 지위 예 학생, 교사 등

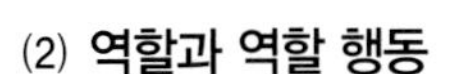

(2) 역할과 역할 행동

역할		사회적 지위에 따라 기대되는 일정한 행동 방식
역할 행동	의미	역할을 수행하는 개인의 구체적인 방식
	기능	• 역할을 충실히 수행하면 칭찬과 보상을 받음 • 역할을 제대로 수행하지 못하면 제재를 받기도 함

(3) 역할 갈등 ❹

의미	개인이 가지는 여러 개의 역할이 서로 충돌하여 갈등을 일으킨 상태
원인	개인이 여러 개의 사회적 지위를 가지고 있기 때문에 나타남
해결 방법	역할 갈등 원인과 상황을 명확하게 분석하기 → 여러 역할 가운데 무엇이 더 중요한지 기준을 정하여 판단하기 → 역할의 우선순위를 정하여 중요한 것부터 차례대로 수행하기

3. 사회 집단과 차별

(1) 사회 집단의 의미와 특징 ❺

의미	둘 이상의 사람들이 모여 소속감과 공동체 의식을 가지고 지속적인 상호 작용을 하는 집합체
특징	• 개인에게 지위와 역할 부여 • 인간과 사회를 연결하는 매개체

(2) 사회 집단의 유형 ❻

접촉 방식	1차 집단	친밀하고 인격적인 관계를 중심으로 형성된 집단
	2차 집단	일정한 목적 달성을 위해 형식적·수단적 관계가 형성된 집단
소속감 여부	내집단	자신이 소속되어 있어 '우리'라는 공동체 의식을 가진 집단
	외집단	자신이 소속되지 않아 이질감이나 적대감을 가지는 집단
결합 의지 유무	공동 사회	자신의 의지와 관계없이 자연적으로 형성된 집단
	이익 사회	특정한 목적을 위해 의도적으로 형성된 집단
준거 집단		• 개인의 행동이나 판단의 기준이 되는 사회 집단 • 소속 집단과 준거 집단이 일치할 경우: 소속 집단에 대한 자부심과 만족감 • 소속 집단과 준거 집단이 일치하지 않을 경우: 갈등과 불만

(3) 사회 집단에서 나타나는 차별

의미	차이를 이유로 개인이나 집단을 부당하게 대우하는 것
유형	성(性)차별, 인종 차별, 학력 차별, 장애인 차별 등
원인	잘못된 편견이나 고정 관념, 불합리한 사회 구조와 제도
해결 방안	• 개인적 차원: 차이의 다양성을 존중하는 태도, 고정 관념과 사회적 편견 탈피 • 사회적 차원: 사회적 약자를 위한 법과 제도 마련 예 남녀 고용 평등법, 장애인 차별 금지법 등

❹ 역할 갈등 이해

민영이는 시험공부를 할 것인지, 팬클럽 회원으로서 콘서트에 가야 할 것인지 고민하고 있다. 이와 같이 (①　　　　)은/는 여러 지위에 따른 (②　　　　)이/가 서로 충돌하여 발생한다.

답 ① 역할 갈등 ② 역할

❺ 사회 집단의 성립 요건

▲ 조기 축구회

▲ 버스 안 승객

위의 사진 중 (①　　　　)은/는 두 사람 이상이 모인 집합체이나 지속적인 (②　　　　)이/가 이루어지지 않으며 소속감이나 공동체 의식이 없기 때문에 사회 집단이라고 말할 수 없다. 이에 반해 (③　　　　)은/는 사회 집단에 해당한다.

답 ① 버스 안 승객 ② 상호 작용 ③ 조기 축구회

❻ 사회 집단의 유형 구분

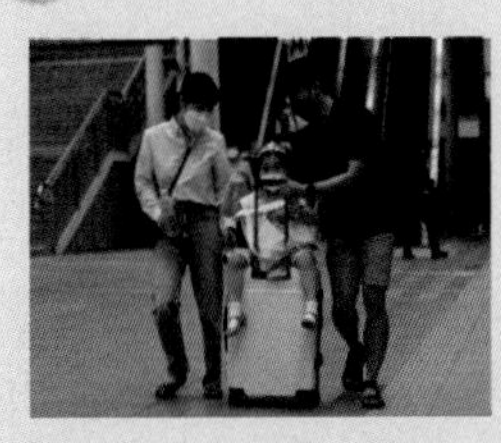

▲ 가정

▲ 학교

- 가정은 친밀하고 인격적인 관계를 중심으로 형성된 (①　　　　) 집단이고, 자신의 의지와 관계없이 자연적으로 형성된 (②　　　　)이다.
- 사회 집단을 결합 의지 유무에 따라 구분할 경우 학교는 (③　　　　)에 해당한다.

답 ① 1차 ② 공동 사회 ③ 이익 사회

대단원 마무리

01 다음 사례를 통해 추론할 수 있는 인간의 특징으로 옳은 것을 〈보기〉에서 고른 것은?

- 태어난 후 폐쇄된 방에서 자란 어떤 소녀는 13살이 되어서야 세상 사람들에게 발견되었는데, 수년간의 훈련에도 불구하고 언어 습득 수준이 3~4세를 넘지 못하였다.
- 1800년 프랑스의 한 마을 근처의 숲속에서 발견된 야생아는 11~12세 정도의 소년이었는데, 인간이라기보다는 동물에 더 가까운 행동을 하였다. 사람들의 많은 노력에도 불구하고 그는 옷을 입고 화장실을 사용하는 것 이상의 사회화에 실패하였다.

보기

ㄱ. 인간의 본능은 사회적 존재의 특성을 가지고 있다.
ㄴ. 사회화는 인간의 본능적 특성을 변화시키지 못한다.
ㄷ. 유년기의 사회화는 기초 행동 양식의 습득에 큰 영향을 미친다.
ㄹ. 인간은 사람들 간의 상호 작용을 통해 사회적 인간으로서 성장한다.

① ㄱ, ㄴ ② ㄱ, ㄷ ③ ㄴ, ㄷ
④ ㄴ, ㄹ ⑤ ㄷ, ㄹ

02 다음은 어떤 학생의 수행 평가 답안지이다. 이 학생이 받을 점수로 옳은 것은?

〈수행 평가〉

다음 내용이 사회화된 행동이면 ○표, 사회화된 행동이 아니면 ×표 하시오(각 1점씩이고, 감점은 없음).

번호	내용	답
1	날씨가 더워서 선풍기를 켠다.	×
2	더운 날씨 때문에 땀을 흘린다.	×
3	나른한 오후에 꾸벅꾸벅 졸고 있다.	○
4	목이 말라서 컵에 물을 따라 마신다.	○

① 1점 ② 2점 ③ 3점
④ 4점 ⑤ 5점

03 유아동기와 청소년기에 공통적으로 영향을 미치는 사회화 기관으로 적절한 것은?

① 직장 ② 학교 ③ 정당
④ 지역 사회 ⑤ 또래 집단

서술형

04 제시된 용어를 모두 사용하여 사회화의 기능을 개인적 측면과 사회적 측면에서 각각 서술하시오.

- 규범
- 자아
- 사회 질서
- 사회 구성원

05 (가), (나)에 해당하는 사회화 기관을 옳게 연결한 것은?

(가) 가장 기초적인 사회화 기관으로, 언어, 예절, 기본적인 생활 방식 등을 습득하게 한다.
(나) 비슷한 나이의 친구 집단으로, 청소년기의 사회화에 큰 영향을 미친다.

	(가)	(나)
①	가정	회사
②	가정	또래 집단
③	회사	학교
④	회사	또래 집단
⑤	학교	대중 매체

06 다음 내용과 관계 깊은 사회화 기관으로 옳은 것은?

- 정보 사회에서 점차 사회화를 담당하는 기능이 확대되었다.
- 사회 구성원들에게 지식과 정보를 제공하고 사회의 변화 상황을 제공한다.

① 가정 ② 학교 ③ 직장
④ 또래 집단 ⑤ 대중 매체

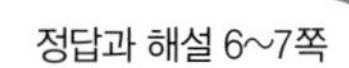

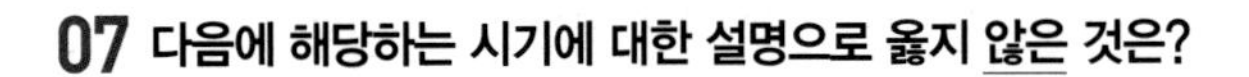

07 다음에 해당하는 시기에 대한 설명으로 옳지 않은 것은?

> 성인의 보호나 간섭으로부터 벗어나 독립적으로 행동하고자 하는 시기로 '심리적 이유기'라고 한다.

① 주변인에 해당하는 시기이다.
② 자아 정체성을 형성하는 시기이다.
③ 신체적으로 급속한 성장을 이룬다.
④ 정서적으로 안정된 모습을 보인다.
⑤ 반발심이 강해 '이유 없는 반항기'라고도 한다.

08 밑줄 친 개념에 대해 잘못 이해한 학생은?

> 자기 자신에 대해 '나는 이런 사람이야.'라고 생각한다면 이때의 '이런 사람'이 곧 자신의 자아 정체성이라고 할 수 있다.

① 민영: 유년기와 청소년기의 경험이 중요해.
② 세영: 특별한 요인으로 인해 갑자기 생기는 거야.
③ 민수: 사회화 과정에서 자아 정체성이 형성되는 거야.
④ 태호: 자신의 목표나 역할, 가치관 등에 대한 명확한 인식을 말해.
⑤ 상희: 자아 정체성을 확립하는 과정에서 많은 청소년이 혼란을 겪기도 해.

09 (가), (나)에 대한 설명으로 옳은 것은?

> (가) 태어나면서부터 자연적으로 주어지는 지위
> (나) 개인의 능력과 노력에 따라 후천적으로 얻게 되는 지위

① 어머니는 (가)에 해당한다.
② 전통 사회에서는 (가)가 더 중시된다.
③ 현대 사회에서는 (나)만이 존재한다.
④ 개인은 (가), (나) 지위를 동시에 가질 수 없다.
⑤ (가)에 따른 역할이 존재하지만, (나)에 따른 역할은 존재하지 않는다.

10 밑줄 친 사회적 지위 중 성격이 다른 하나는?

① 한예의 씨는 나 씨 가문의 종손이다.
② 최인희 양은 △△ 중학교 1학년 학생이다.
③ 이한국 씨는 ○○국의 대통령으로 선출되었다.
④ 전성실 씨는 교육 기업의 사장으로 취임하였다.
⑤ 박장수 씨는 한국대학교 경제학과 교수로 부임하였다.

11 다음은 어느 학생의 자기 소개서의 일부이다. 밑줄 친 ㉠~㉤에 해당하는 개념을 잘못 연결한 것은?

> 안녕하세요?
> 저는 3남매 중 ㉠ 막내이고, ○○초등학교를 졸업하였습니다. 현재 △△중학교 3학년 ㉡ 학생으로 학생 회장을 맡고 있습니다. 학생 회장으로서 ㉢ 맡은 바 임무를 충실하게 수행하기 위해 노력하고 있지만, 가끔씩 고입 수험생이라는 생각에 학생 회장을 그만둘까 하는 ㉣ 고민도 합니다. 저의 꿈은 IT 프로그래머가 되어 세계 일류 IT 기업가가 되고 싶습니다. 이를 이루기 위해 ㉤ 기초 프로그래밍 수업을 수강하는 등 자질을 함양하는 데 최선의 노력을 다하고 있습니다.
> 여러분들의 많은 지도와 조언을 부탁드립니다.

① ㉠ – 귀속 지위
② ㉡ – 성취 지위
③ ㉢ – 역할 행동
④ ㉣ – 역할 갈등
⑤ ㉤ – 재사회화

12 밑줄 친 ㉠~㉢에 해당하는 개념을 옳게 연결한 것은?

> 나고민 군은 ㉠ 우승중학교 전교 회장으로 다음 주에 있을 ㉡ 학부모 총회 준비로 한창 바쁘다. 그런데 가장 친한 친구의 생일이 다음 주에 있고, 그 생일 모임에 초대를 받았다. 나고민 군은 ㉢ 학부모 총회 준비를 할지, 아니면 친한 친구의 생일 모임에 가야 할지 고민 중이다.

	㉠	㉡	㉢
①	지위	역할	역할 갈등
②	지위	역할 갈등	역할
③	역할	지위	역할 행동
④	역할	역할 행동	지위
⑤	역할 행동	역할 갈등	역할

서술형

13 다음 글에 나타난 사회적 지위의 유형을 분류하고, 그 의미를 각각 서술하시오.

> 노비였던 만적은 "장군과 재상이 어찌 종자가 따로 있으랴? 때가 오면 누구나 할 수 있을 것이다. 어찌 우리들은 고달프게 일하면서 채찍 아래 곤욕을 당할 수 있느냐?"라고 하였다.

14 다음은 수업 시간 중 태호의 사회적 지위를 조사한 것이다. 이에 대한 설명으로 옳은 것은?

구분	태호의 사회적 지위
가정	아들, 오빠
학교	학생회 총무
교회	성가대 부회장
기타	○○팬클럽 회원

① 아들은 성취 지위에 해당한다.
② 학생회 총무는 귀속 지위에 해당한다.
③ 태호는 하나의 사회적 지위와 역할만을 가진다.
④ 태호는 상황에 따라 역할 갈등을 겪을 수도 있다.
⑤ 태호의 역할은 다양하지만 사회적 지위는 다양하지 않다.

15 그림에 대한 설명으로 옳지 않은 것은?

친구들과 축구하기로 했는데….
오늘 가족과 외식하기로 한 약속을 깜박했네.

① 역할 갈등 사례이다.
② 사회 속에서 일반적으로 나타나는 현상이다.
③ 역할의 우선순위를 결정하고 중요한 순서부터 수행해야 한다.
④ 여러 가지 사회적 지위에 따라 역할이 다양하기 때문에 발생한다.
⑤ 사회 속에서 개인은 한 가지 역할만을 수행하기 때문에 발생하는 상황이다.

16 밑줄 친 ㉠~㉤에 대한 설명으로 옳지 않은 것은?

> 철수는 집안에서 ㉠ 둘째 아들이며, ㉡ 오빠로서 여동생을 돌봐야 한다. 현재 ○○중학교 1학년 ㉢ 학생이고, 학교에서는 ㉣ 기타반 동아리 회원으로 활동하고 있다. 일주일 후에 있을 동아리 발표회를 위해 ㉤ 기타 연습을 해야 할지, 집에 가서 여동생을 돌봐야 할지 고민하고 있다.

① ㉠은 귀속 지위이다.
② ㉡은 철수의 역할이다.
③ ㉢은 성취 지위이다.
④ ㉣의 지위는 노력으로 얻게 되는 것이다.
⑤ ㉤은 역할 갈등으로 철수의 역할이 한 가지이기 때문에 고민하고 있다.

17 다음과 같은 상황에 대한 설명으로 옳은 것은?

> 호영이는 일요일에 영화를 보러 가기로 친구들과 약속했는데, 일요일 새벽에 부모님께서 갑자기 지방에 가시는 바람에 혼자 있게 된 동생을 돌보게 되었다. 그래서 호영이는 친구들과 영화를 봐야 할지, 동생을 돌봐야 할지 고민에 빠졌다.

① 호영이의 역할과 동생의 역할이 충돌하고 있다.
② 호영이의 역할과 부모님의 역할이 충돌하고 있다.
③ 오빠로서의 지위에 따른 역할들이 충돌하고 있다.
④ 호영이의 친구로서의 역할과 오빠로서의 역할이 충돌하고 있다.
⑤ 호영이의 친구로서의 지위와 오빠로서의 지위가 충돌하고 있다.

18 사회 집단에 대한 설명으로 옳은 것은?

① 한 개인은 하나의 사회 집단에만 소속된다.
② 자신의 소속 집단과 준거 집단은 항상 일치한다.
③ 내집단과 외집단의 구분은 상황에 따라 달라질 수 있다.
④ 목적에 따라 의도적으로 형성된 집단만을 사회 집단이라고 한다.
⑤ 구성원이 가지는 소속감의 정도에 따라 공동 사회와 이익 사회로 나눌 수 있다.

서술형

19 (가)~(바) 사회 집단을 '구성원 간 접촉 방식'에 따라 분류하고, 분류한 사회 집단의 의미를 비교하여 서술하시오.

(가) 학교 (나) 회사 (다) 가정
(라) 정당 (마) 친척 (바) 또래 집단

20 다음과 같은 사회 집단의 공통점으로 옳은 것은?

• ○○중학교 • △△정당

① 현대 사회에서 그 중요성이 약화되고 있다.
② 구성원들 간에 친밀한 상호 작용이 이루어진다.
③ 개인의 자아 형성이나 정서적 안정의 근원이 된다.
④ 구성원들 간에 접촉이 잦고, 인격적인 관계를 중시한다.
⑤ 형식적이고 수단적인 만남을 바탕으로 결합된 집단이다.

21 밑줄 친 ㉠~㉢에 대한 설명으로 옳은 것은?

춤추기를 좋아하는 현아는 연예인이 되는 것이 꿈이다. 그래서 ㉠ 예술 고등학교에 가고 싶어 했지만, 부모님의 완강한 반대로 ㉡ 인문계 고등학교에 진학하였다. 하지만 ㉢ 교과 공부에 흥미를 느끼지 못하고 학교에 대한 불만이 쌓여 갔다.

① ㉠은 현아가 속한 집단이다.
② ㉠은 현아가 강한 친밀감을 느끼는 집단이다.
③ ㉡은 현아의 외집단이다.
④ ㉠은 준거 집단, ㉡은 소속 집단이다.
⑤ 소속 집단과 준거 집단이 일치하여 ㉢의 상황이 발생하였다.

22 그림은 수업 시간의 판서 내용이다. (가), (나)에 들어갈 사회 집단의 사례를 옳게 연결한 것은?

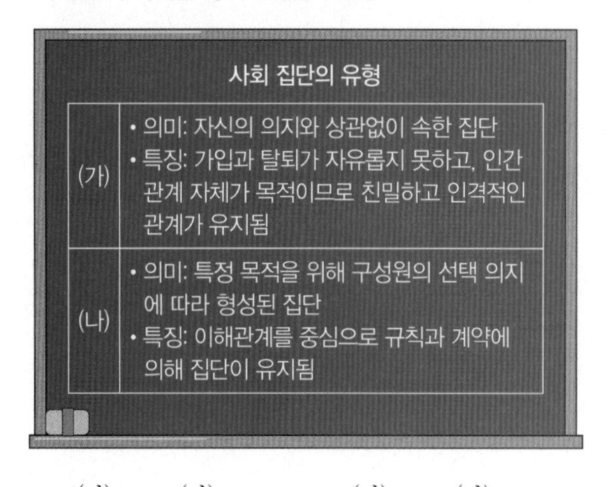

사회 집단의 유형

(가)	• 의미: 자신의 의지와 상관없이 속한 집단 • 특징: 가입과 탈퇴가 자유롭지 못하고, 인간 관계 자체가 목적이므로 친밀하고 인격적인 관계가 유지됨
(나)	• 의미: 특정 목적을 위해 구성원의 선택 의지에 따라 형성된 집단 • 특징: 이해관계를 중심으로 규칙과 계약에 의해 집단이 유지됨

	(가)	(나)		(가)	(나)
①	가족	촌락	②	가족	회사
③	회사	군대	④	회사	학교
⑤	군대	학교			

23 다음과 같은 제도를 통해 실현하고자 하는 것은?

• 장애인을 위한 경사로 설치
• 시각 장애인을 위한 안내견의 버스 탑승 허용
• 외국인 근로자의 권익을 보호하고 고충을 상담하는 이동 신문고 운영

① 차이의 인정 ② 차별의 인정
③ 정치적 안정 ④ 사회 불평등의 인정
⑤ 차이와 차별의 구분

24 차별과 갈등을 극복하기 위한 개인적·사회적 노력을 옳게 연결한 것은?

	개인적 차원	사회적 차원
①	세금 제도의 개선	누진세 적용
②	공동체 의식 확립	세금 제도의 개선
③	복지 제도의 확대	타인에 대한 배려
④	봉사의 가치관 함양	공동체 의식 확립
⑤	교육 기회와 투자 확대	공교육의 활성화

문화의 이해

01 문화의 의미와 특징

1. 문화의 의미와 구성 요소

(1) 의미

① **좁은 의미의 문화**: 문학이나 예술 활동과 관련되거나 교양 있고 세련된 모습 ㉠ 문화생활, 문화 상품권, 문화인, 문화 시민 등

② **넓은 의미의 문화**: 한 사회의 구성원이 주어진 환경에 적응하여 만들어 낸 공통된 생활 양식 ㉠ 한국 문화, 전통문화, 주거 문화, 청소년 문화 등

(2) 문화인 것과 문화가 아닌 것

문화인 것	문화가 아닌 것
• 후천적으로 학습된 행동 • 공통된 생활 양식 • 반복적이고 지속적인 생활 양식	• 생리적 현상이나 본능에 따른 행동 ㉠ 하품, 재채기 등 • 개인 특유의 버릇이나 습관 ㉠ 잦은 지각, 손톱 물어뜯기 등 • 자연 현상 및 유전적 체질 ㉠ 장마, 한파, 흑인의 곱슬머리 등

(3) 문화의 구성 요소: 문화의 각 구성 요소는 서로 밀접하게 관련되어 있음 자료 1

물질문화		인간의 기본적 욕구를 충족하고 생존하는 데 필요한 도구나 기술 ㉠ 의복, 가옥, 음식 등
비물질문화	제도문화	사회 질서를 유지하기 위한 규범과 제도 ㉠ 법, 도덕, 관습 등
	관념 문화	인간의 삶을 풍요롭게 해 주는 정신적 창조물 ㉠ 학문, 종교, 예술, 철학 등

인간이 만들고 사용하는 것뿐만 아니라 만들고 사용하는 기술이나 방법까지도 물질문화에 해당해.

▲ 물질문화(의복)

▲ 비물질문화(예술)

2. 문화의 특징 자료 2

인간이기 때문에 지니는 다양한 욕구, 생로병사의 과정, 기쁨과 슬픔의 감정 등 인간의 공통적인 특징 때문에 나타난다.

(1) **보편성**: 어느 사회에서나 공통적으로 나타나는 생활 양식이 있음 → 인간의 신체 구조, 기본적인 욕구, 사고방식이 비슷하기 때문에 나타남

(2) **특수성(다양성)**: 각 사회의 문화가 고유한 특징과 독특한 모습을 가짐 → 각 사회마다 자연환경과 사회적 상황이 다르기 때문에 나타남

학습 내용 들여다보기

■ **문화(culture)의 어원**
문화는 '경작하다', '재배하다'라는 의미의 라틴어 'cultus'에서 유래하였다. 이를 통해 문화란 인간이 주어진 환경에 적응하여 만들어 낸 창조적 결과물임을 알 수 있다.

■ **생활 양식**
기본적인 의식주뿐만 아니라 정치, 경제, 사회, 종교 등 모든 영역에 걸쳐 사회 구성원이 공통적으로 갖는 가치, 규범, 사고방식 등을 의미한다.

■ **본능**
사람이나 동물이 태어날 때부터 선천적으로 가지고 있는 특유한 행동이나 감정을 말한다. 예를 들면 아이가 배가 고파 울거나 졸릴 때 하품을 하는 것은 본능에 따른 행동이다.

용어 알기

- **관습** 어떤 사회에서 오랫동안 지켜 내려와 그 사회 성원들이 널리 인정하는 질서나 풍습
- **관념** 어떤 일에 대한 견해나 생각
- **보편성** 모든 사물이나 현상 등에 두루 미치거나 통하는 성질

자료 1 교실에서 볼 수 있는 문화의 구성 요소

우리가 대부분의 시간을 보내고 있는 학교의 교실에서도 다양한 문화 요소를 볼 수 있다. 교실에 있는 책상, 의자, 칠판, 분필 등은 물질문화에 해당한다. 교칙은 제도문화에 해당하고, 학급의 급훈이 있다면 이는 관념 문화에 해당한다.

자료 2 의복 문화를 통해 본 문화의 특징

▲ 건조 지역의 의복

얇고 가벼운 옷
▲ 열대 지역의 의복

두꺼운 겉옷
▲ 한대 지역의 의복

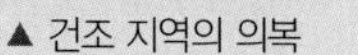

인간이라면 누구나 옷을 입기 때문에 어느 사회에서나 공통적으로 의복 문화가 나타난다. 그러나 의복은 각 사회의 자연환경이나 사회적 상황에 따라 발달되었기 때문에 각 사회마다 독특한 의복 문화가 나타난다.

3. 문화의 속성

(1) 공유성 자료 3

① 의미: 한 사회의 구성원들이 공통적인 생활 양식을 가지고 있음

② 특징: 사회 구성원들은 특정한 상황에서 다른 사람들이 어떤 행동을 할지 예측이 가능함

(2) 학습성

① 의미: 문화는 타고난 본능이 아니라 후천적으로 학습되는 것임

② 특징: 각 사회는 새로운 사회 구성원들에게 문화를 학습시킴으로써 문화를 다음 세대로 이어 나갈 수 있음

(3) 축적성

① 의미: 이전 세대의 문화가 언어와 문자 등을 통해 전달·축적되어 다음 세대로 전승됨

→ 특정한 의미와 내용을 표현하고 전달하는 데 사용되는 상징체계야.

② 특징: 새로운 지식이나 기술이 더해져 문화가 더욱 풍부하고 다양해짐

(4) 변동성

① 의미: 문화는 고정된 것이 아니라 시대에 따라 끊임없이 변화함

② 특징: 사회적 환경과 시대적 상황에 따라 사라지기도 하고 새로 나타나기도 함

(5) 전체성(총체성) 자료 4

① 의미: 문화의 구성 요소들이 상호 긴밀한 관계를 유지하면서 전체를 이룸

② 특징: 문화의 한 부분에 변동이 생기면 다른 부분에도 연쇄적으로 영향을 미침

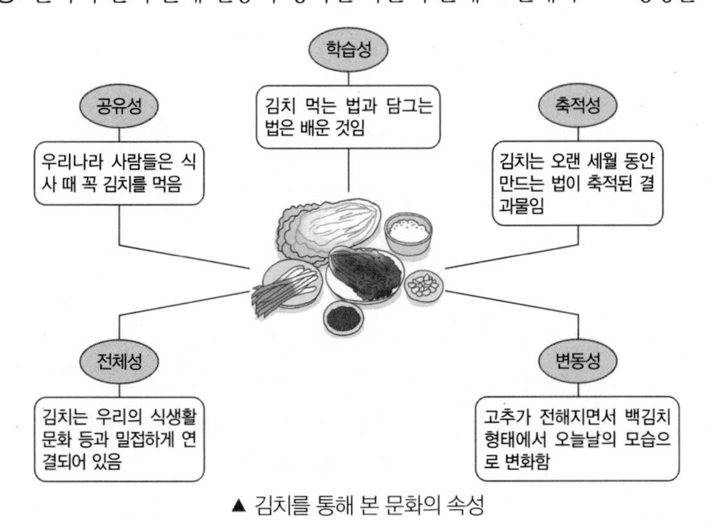
학습성
김치 먹는 법과 담그는 법은 배운 것임
공유성
우리나라 사람들은 식사 때 꼭 김치를 먹음
축적성
김치는 오랜 세월 동안 만드는 법이 축적된 결과물임
전체성
김치는 우리의 식생활 문화 등과 밀접하게 연결되어 있음
변동성
고추가 전해지면서 백김치 형태에서 오늘날의 모습으로 변화함

▲ 김치를 통해 본 문화의 속성

학습 내용 들여다보기

■ 문화의 공유성
한 사회의 구성원들은 그 사회의 문화를 공유하고 있기 때문에 특정 상황에 어떻게 행동할지 예측할 수 있다. 이는 원만한 사회 관계 유지에 기여한다.

■ 문화의 변동성과 전체성
문화의 변동성은 문화가 변동한다는 사실 그 자체를 나타내는 반면, 문화의 전체성은 문화가 변동함으로써 다른 문화 요소에도 영향을 미치는 것을 의미한다.

■ 문화의 전체성
과학 분야의 정보 통신 기술의 발달은 전자 우편, 인터넷 뱅킹, 전자 투표 등 다른 분야에도 연쇄적으로 영향을 미쳤다. 따라서 어떤 사회의 문화를 이해하기 위해서는 문화의 한 부분만을 보는 것이 아니라, 문화 요소 간의 전체적인 연관 관계를 살펴볼 필요가 있다.

용어 알기

- **축적** 지식, 경험, 자금 따위를 모아서 쌓는 행위
- **전승** 문화를 이어받아 계승함
- **연쇄** 사물이나 현상이 사슬처럼 서로 연결되어 관련을 맺거나 통일체를 이룸

자료 3 문화의 공유성

- 우리나라에서는 중요한 일을 앞둔 사람에게 '파이팅'이라고 말하면서 격려를 한다. 그러나 외국인은 '싸우자'라는 말을 격려할 때 사용하지 않기 때문에 이 말을 잘 이해하지 못한다.
- 어떤 사람이 엿이나 찹쌀떡을 선물받았다면, 그 사람이 중요한 시험을 앞두고 있음을 짐작할 수 있다.

우리나라에서 격려의 의미로 '파이팅'이라는 말을 듣거나 엿이나 찹쌀떡을 선물 받는다면 그 사람이 중요한 일이나 시험을 앞두고 있음을 안다는 의미이다. 이는 우리나라 사람들만이 공유하는 문화이기 때문이다. 한 사회의 구성원들은 그 사회의 문화를 공유하기 때문에 특정 상황에서 상대방의 생각과 행동을 예측하여 원만한 사회생활을 할 수 있다.

자료 4 문화의 전체성

전자 상거래
원격 화상 수업
전자 투표
영상 통화

정보 통신 기술의 발달은 전자 상거래, 원격 화상 수업, 전자 투표, 영상 통화 등 정치, 경제, 교육, 문화 등 우리 사회 전반에 걸친 변화를 가져왔다.

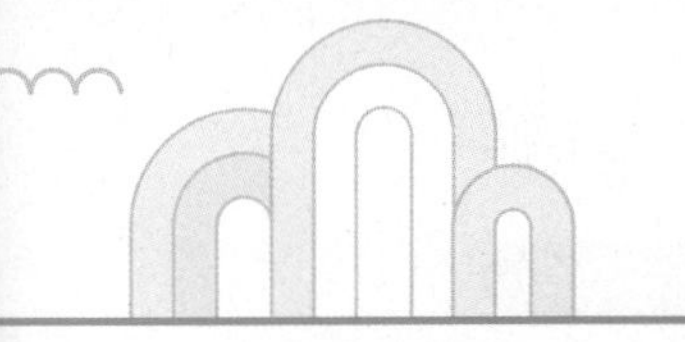

기본 문제

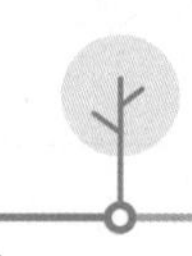

간단 체크

1 빈칸에 들어갈 알맞은 말을 쓰시오.

(1) 한 사회의 구성원이 주어진 환경에 적응하여 만들어 낸 공통된 생활 양식을 (　　　　　)(이)라고 한다.

(2) 문화생활, 문화 행사, 문화 시민, 문화인 등은 (　　　　　) 의미의 문화에 해당한다.

(3) 인간의 기본적인 욕구를 충족시키고 생존하는 데 필요한 도구나 기술을 (　　　　　) 문화라고 한다.

(4) 어느 사회에서나 공통적으로 나타나는 생활 양식을 문화의 (　　　　　)(이)라고 한다.

2 문화의 구성 요소와 그 사례를 연결하시오.

(1) 물질문화 •　　　　• ㉠ 법, 도덕, 관습 등

(2) 제도문화 •　　　　• ㉡ 의복, 가옥, 음식 등

(3) 관념 문화 •　　　　• ㉢ 학문, 종교, 예술 등

3 밑줄 친 ㉠, ㉡에 나타난 문화의 특징을 쓰시오.

> ㉠ 어느 사회에서나 죽은 사람을 기리기 위해 예의를 갖춰 장례식을 치른다. 그러나 그 형식은 각 나라마다 다르게 나타난다. ㉡ 유교 문화권에서는 매장 문화, 불교 문화권에서는 화장 문화가 주로 나타난다.

㉠: (　　　　　　　), ㉡: (　　　　　　　)

4 다음 사례에 해당하는 문화의 속성으로 옳은 것을 〈보기〉에서 고르시오.

| 보기 |

ㄱ. 공유성　　　ㄴ. 변동성
ㄷ. 축적성　　　ㄹ. 전체성

(1) 인터넷의 발달은 정치, 경제, 교육 등 사회 전반에 영향을 미친다. (　　　)

(2) 중요한 시험을 앞둔 사람에게 합격을 기원하는 의미로 엿이나 찹쌀떡을 선물한다. (　　　)

(3) 시간이 흐름에 따라 우리의 주거 문화가 한옥 중심에서 아파트 중심으로 변화하였다. (　　　)

(4) 휴대 전화는 지식과 기술이 개발됨에 따라 통화 기능뿐만 아니라 사진 촬영, 영화 감상, 정보 검색까지 가능하게 되었다. (　　　)

01 문화에 해당하는 사례로 적절한 것은?

① 올여름 장마철에 비가 많이 왔다.
② 수업 시간에 졸려서 하품을 했다.
③ 한국인은 설날 웃어른께 세배를 한다.
④ 독감에 걸리면 온몸이 쑤시고 아프다.
⑤ 긴장을 하면 다리를 떨거나 눈을 깜빡인다.

02 다음과 같이 문화를 정의할 때, 문화적 행위로 적절하지 않은 것은?

> 문화란 인간이 사회화 과정을 통하여 학습한 공통의 생활 양식이다.

① 침대에서 잠을 잔다.
② 명절날 한복을 입는다.
③ 친구들과 윷놀이를 한다.
④ 갈증이 나서 물을 마신다.
⑤ 음식을 먹을 때 숟가락과 젓가락을 이용한다.

03 (가), (나)에 나타난 문화 개념에 대한 설명으로 옳은 것을 〈보기〉에서 고른 것은?

> (가) 문화인, 문화생활
> (나) 음식 문화, 청소년 문화

| 보기 |

ㄱ. (가)에서는 문화를 넓은 의미로 사용하고 있다.
ㄴ. (가)의 문화는 세련되고 교양 있는 것을 의미한다.
ㄷ. (나)의 문화는 예술 활동을 가리키는 말로 사용되었다.
ㄹ. (나)에서의 문화는 한 사회의 구성원이 만들어 낸 공통의 생활 양식을 의미한다.

① ㄱ, ㄴ　　② ㄱ, ㄷ　　③ ㄴ, ㄷ
④ ㄴ, ㄹ　　⑤ ㄷ, ㄹ

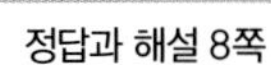

04 다음 내용에 해당하는 문화의 구성 요소로 옳은 것은?

- 기능: 사회의 질서 유지, 행동의 기준 제공
- 종류: 정치, 경제, 교육, 가족, 법, 예절, 관습 등

① 물질문화 ② 제도문화
③ 관념 문화 ④ 정신문화
⑤ 도덕 문화

05 밑줄 친 ㉠~㉢에 해당하는 문화의 구성 요소를 옳게 연결한 것은?

우리 사회에는 ㉠ 기본적인 욕구를 해결하는 의식주, 교통·통신 수단, ㉡ 사회의 질서를 유지해 주는 각종 사회 제도나 법규, ㉢ 인간의 삶을 보다 풍요롭게 해 주는 각종 학문과 예술 활동 등이 있다.

	㉠	㉡	㉢
①	물질문화	제도문화	관념 문화
②	물질문화	관념 문화	제도문화
③	관념 문화	물질문화	제도문화
④	비물질문화	제도문화	관념 문화
⑤	비물질문화	관념 문화	물질문화

06 다음 글을 통해 알 수 있는 문화의 특징으로 가장 적절한 것은?

미인의 기준은 지역에 따라 다르다. 히말라야의 한 부족은 손과 발이 커야 미인이라고 하고, 아프리카의 한 부족은 목이 길어야 미인이라고 한다. 오늘날 우리 사회에서는 키가 크고 늘씬해야 미인으로 인정받는다. 당나라의 미인인 양귀비는 우리가 생각하는 팔등신이 아니라 요즘 우리의 기준으로 보면 조금 통통했을 것이라고 한다.

① 문화는 오랜 기간에 걸쳐 축적된 것이다.
② 문화는 학습을 통해 후천적으로 습득된다.
③ 문화는 각각의 요소가 모여 전체를 이룬다.
④ 문화는 자연환경과 사회적 배경에 따라 다양하다.
⑤ 한 사회의 문화는 고정되어 있는 것이 아니라 시간에 따라 변화한다.

07 문화의 변동성에 해당하는 사례로 옳은 것을 〈보기〉에서 고른 것은?

보기

ㄱ. 미인의 기준은 시대에 따라 다르다.
ㄴ. 어느 사회에서나 인간은 집을 짓는다.
ㄷ. 유행에 따라 사람들의 옷차림도 변한다.
ㄹ. 우리나라에서는 겨울철이 되면 김장을 한다.

① ㄱ, ㄴ ② ㄱ, ㄷ ③ ㄴ, ㄷ
④ ㄴ, ㄹ ⑤ ㄷ, ㄹ

08 다음 사례에 나타난 문화의 속성으로 옳은 것은?

- 개량 한복은 전통 한복의 불편함을 개선하여 활동의 편리성을 추구한다.
- 김치는 원래 소금 절임 형태였는데 임진왜란 이후 전래된 고추가 가미되면서 오늘날과 같은 형태가 되었다.

① 공유성 ② 학습성 ③ 축적성
④ 변동성 ⑤ 전체성

09 그림에 나타난 문화의 속성과 관련 있는 사례로 적절한 것은?

① 과거에는 한복, 현대에는 드레스를 입고 결혼을 한다.
② 한국 사람이라면 누구나 설날에 세배를 하고 떡국을 먹는다.
③ 인터넷의 발달로 전자 상거래, 택배 관련 업무가 발달하였다.
④ 인터넷의 발달은 정치, 경제, 교육 등 사회 전반에 영향을 미친다.
⑤ 소금에 절여 김치를 담그다가 임진왜란 이후 고추를 넣어 김장을 하였다.

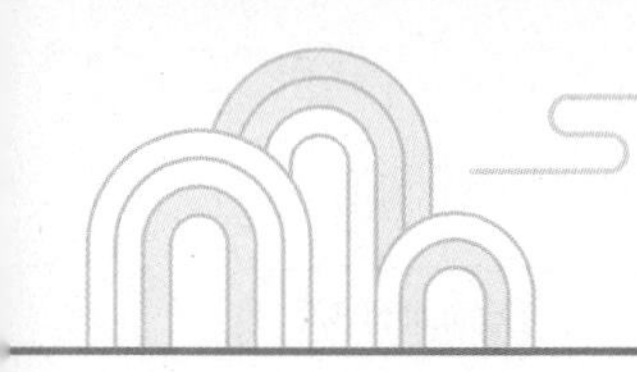

실전 문제

01 (가)에 들어갈 검색어로 적절한 것은?

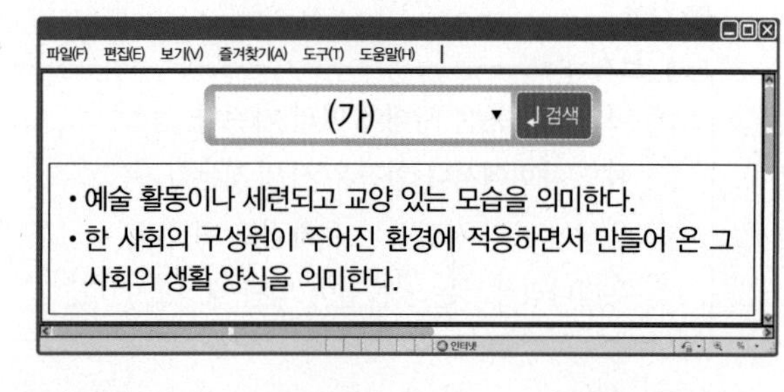

파일(F) 편집(E) 보기(V) 즐겨찾기(A) 도구(T) 도움말(H)
(가)
검색
• 예술 활동이나 세련되고 교양 있는 모습을 의미한다.
• 한 사회의 구성원이 주어진 환경에 적응하면서 만들어 온 그 사회의 생활 양식을 의미한다.

① 문명 ② 문화 ③ 발명
④ 발견 ⑤ 관습

02 문화를 바르게 이해하고 있는 학생은?

① 지영: 개인의 독특한 습관도 문화로 볼 수 있어.
② 나영: 선진적인 생활 양식을 가진 나라만이 문화를 가질 수 있어.
③ 다영: 절대적인 기준에 의해 각 사회의 문화를 옳고 그르다고 할 수 없어.
④ 민영: 사회마다 주어진 환경이 다르기 때문에 공통적인 문화 요소는 존재할 수 없어.
⑤ 소영: 문화의 각 요소들은 독립적으로 존재하기 때문에 서로 영향을 주고받지 못해.

★ 중요 ★

03 (가)~(다)는 문화의 구성 요소를 나타낸 것이다. 이에 대한 설명으로 옳은 것은?

(가) 도구, 의복, 주택, 음식, 기술
(나) 법률, 도덕, 정치, 경제, 교육
(다) 신화, 전설, 철학, 언어, 문학, 예술

① (가)는 정신적 창조물로 인간의 삶을 풍요롭게 한다.
② (가)는 (나)와 (다)에 비해 변동 속도가 빠르다.
③ (나)는 환경에 적응할 수 있는 수단을 제공해 준다.
④ (다)는 사회의 질서 유지와 운영을 가능하게 한다.
⑤ (가)~(다)는 서로 독립적인 상태로 존재한다.

04 문화의 구성 요소와 그 사례가 옳게 연결된 것은?

	물질문화	제도문화	관념 문화
①	예술	역할	가족
②	가족	음악	음식
③	가옥	관습	종교
④	학문	가족	의복
⑤	교육	미술	가옥

05 다음 내용을 종합하여 내린 결론으로 가장 적절한 것은?

• 인간이 지닌 생물학적·심리학적 요소는 서로 비슷하다.
• 언어, 결혼, 종교, 장례 등의 현상은 대부분의 문화권에서 발견된다.

① 문화에는 보편성이 나타난다.
② 문화는 후천적으로 습득한 것이다.
③ 문화는 사회마다 다양한 형태로 나타난다.
④ 유전적이거나 선천적인 특징은 문화로 볼 수 없다.
⑤ 문화는 고정되어 있지 않고 시간의 흐름에 따라 변화한다.

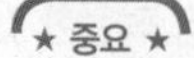
★ 중요 ★

06 자료는 각 지역의 의복 문화를 보여 준다. 이와 같이 사회마다 다양한 문화가 나타나는 이유로 옳은 것은?

▲ 건조 지역의 의복

▲ 열대 지역의 의복

▲ 한대 지역의 의복

① 급격한 사회 변동으로 인하여
② 사회 구성원들의 지능 차이 때문에
③ 지역마다 서로 다른 민족이 살고 있기 때문에
④ 각 사회가 가지고 있는 기술 수준의 차이 때문에
⑤ 각 사회가 처한 자연환경과 사회적 환경이 다르기 때문에

07 **사례에 공통으로 나타난 문화의 속성으로 옳은 것은?**

> • 정보 통신 기술의 발달로 등장한 스마트폰에 새로운 기능이 계속 추가되고 있다.
> • 현대의 수학적 지식은 피타고라스의 정리, 원주율 계산 등 고대부터 그 내용이 쌓여서 형성된 것이다.

① 변동성　② 공유성　③ 전체성
④ 축적성　⑤ 학습성

08 **(가)~(다)에 해당하는 문화의 속성을 옳게 연결한 것은?**

> (가) 한 사회의 구성원들은 공통적인 생활 양식을 가지고 있다.
> (나) 문화는 태어날 때부터 저절로 얻어지는 것이 아니라 성장하는 과정에서 사회화를 통해 후천적으로 습득되는 것이다.
> (다) 한 사회의 문화는 언어를 통해 다음 세대로 전승되면서 내용이 점차 풍요로워지고 더욱 발전하게 된다.

	(가)	(나)	(다)
①	전체성	학습성	공유성
②	전체성	축적성	변동성
③	축적성	변동성	공유성
④	축적성	전체성	학습성
⑤	공유성	학습성	축적성

고난도

09 **문화의 속성과 그 사례를 옳게 연결한 것은?**

① 학습성 – 주 5일제 수업을 전면 실시함에 따라 레저 및 여가 산업이 활성화되고 있다.
② 전체성 – 조선 시대에는 한복을 평상복으로 입었지만, 오늘날에는 주로 특별한 날에 입는다.
③ 변동성 – 이웃집에 함을 팔러 온 것을 보면 그 집에 결혼식이 있을 것임을 예측할 수 있다.
④ 공유성 – 외국인들이 김치를 잘 먹지 못하는 것은 김치를 먹는 법을 배우지 못했기 때문이다.
⑤ 축적성 – 정보 통신 기술이 발달하면서 휴대 전화에 통화 이외의 새로운 기능이 계속 추가되고 있다.

서술형 문제

10 **대화의 ㉠, ㉡에 나타난 문화 개념을 구분하고, 각각의 의미를 서술하시오.**

중간고사도 끝났는데, 우리 영화 보러 가자. 오랜만에 ㉠ 문화생활도 해야지.
좋아. 최근에 개봉한 세계의 ㉡ 음식 문화를 다룬 영화나 보러 가자.

11 **제시된 사례들이 문화가 될 수 없는 이유와 문화가 되기 위한 조건을 서술하시오(단, 제시된 용어를 모두 사용할 것).**

> • 혜리는 불안할 때 손톱을 물어뜯는 버릇이 있다.
> • 민수는 의자에 앉으면 다리를 떠는 버릇이 있다.

> • 공유　• 학습　• 생활 양식　• 습관이나 버릇

12 **사례에 나타난 문화의 속성을 쓰고, 이러한 문화 속성의 의의를 사회생활 측면에서 서술하시오.**

> 우리나라 사람들은 까치가 우는 것을 보면 "반가운 손님이 오시려나 보네."라고 생각한다. 만약 외국인이 이런 말을 듣게 된다면, 이해하기 힘들 것이다.

02 문화를 바라보는 태도

1. 문화를 바라보는 다양한 태도

(1) 자문화 중심주의 자료 1

① **의미**: 자신의 문화만을 우수하다고 여기며 다른 사회의 문화를 열등하다고 무시하는 태도

② **장점**: 자기 문화에 대한 자부심을 느끼게 하고 집단 내 구성원들의 결속을 강화시킴

③ **한계**

- 다른 문화를 배척함으로써 다른 나라와의 갈등이나 국제적 고립을 가져올 수 있음
- 지나칠 경우 문화 제국주의가 나타날 우려가 있음 (→ 일제 강점기의 신사 참배 강요, 근대 유럽 국가의 식민지 정책 등을 예로 들 수 있어.)

④ **사례**: 중국의 중화사상, 급진 무장 단체의 문화재 파괴 행위 등

(2) 문화 사대주의 자료 2

① **의미**: 다른 사회의 문화를 가치 있는 것으로 여겨 자신의 문화를 낮게 평가하는 태도

② **장점**: 다른 문화의 장점을 수용하여 자기 문화를 발전시키는 계기가 됨

③ **한계**

- 외래문화의 무비판적인 수용으로 자기 문화의 주체성과 정체성을 상실할 수 있음 (→ 정체성: 어떤 존재가 본질적으로 가지고 있는 특성을 말해.)
- 자기 문화의 창조 능력을 과소평가하여 문화 발전에 장애가 되며, 다른 사회에 문화적으로 종속될 수 있음

④ **사례**: 천하도, 혼일강리역대국도지도 등

(3) 문화 상대주의

① **의미**: 한 사회의 문화를 그 사회의 특수한 자연환경, 사회적 상황, 역사적 배경 등을 고려하여 이해하고 존중하는 태도

② **장점**

- 다른 문화를 있는 그대로 존중함으로써 다양한 문화가 공존할 수 있는 기초가 됨
- 다른 문화의 장점과 특징을 수용하여 새로운 문화를 창조하며 발전할 수 있음

③ **한계**: 극단적 문화 상대주의로 치우칠 경우 생명, 인간의 존엄성, 자유와 같은 인류의 보편적 가치가 침해될 수 있음

학습 내용 들여다보기

■ 자문화 중심주의와 문화 사대주의 비교

구분	자문화 중심주의	문화 사대주의
공통점	문화 간에 우열이 존재한다고 생각함	
차이점	자신의 문화만 우수하고 다른 문화는 열등하다고 봄	다른 문화는 우수하고 자신의 문화는 열등하다고 봄

■ **문화 제국주의**
경제적·군사적으로 우월한 국가가 다른 문화를 지배하거나 자신의 문화를 강요하는 것

■ **중화사상**
중국의 한(漢)족이 자기 민족이 세계의 중심이며, 가장 발달된 문화를 가지고 있다고 생각하여 주변의 민족을 무시하는 사상

■ **신사(紳士) 참배**
일제 강점기에 일본의 신을 모시는 '신사'를 곳곳에 세우고 한국인들로 하여금 강제로 참배하게 한 종교적 의식

용어 알기

- **열등** 보통의 수준이나 등급보다 낮음 또는 그런 등급
- **사대** 큰 세력을 가진 나라를 섬기는 것
- **주체성** 남의 간섭을 받지 않고 스스로 자유롭고 자주적인 상태

자료 1 자문화 중심주의와 문화 제국주의

▲ 고대 유적 하트라 파괴

▲ 일제 강점기의 신사 참배

이슬람 급진 무장 단체가 메소포타미아 문명의 고대 유적인 하트라를 파괴한 것, 일제 강점기에 일본이 조선에 신사 참배를 강요한 것은 모두 자문화 중심주의적 태도에 해당한다. 이러한 태도는 다른 나라와 갈등을 일으키거나, 지나치면 문화 제국주의로 흐를 위험성이 있다.

자료 2 문화 사대주의의 사례

▲ 천하도

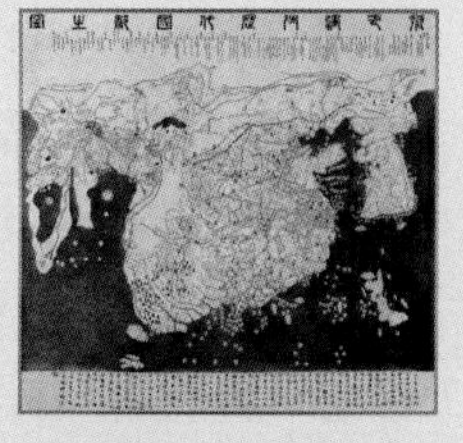

▲ 혼일강리역대국도지도

천하도, 혼일강리역대국도지도는 조선 시대에 제작된 지도로, 중국을 세계의 중심으로 보고 주변 나라들을 상대적으로 작게 표현하였다. 이는 조선이 중국에 대해 문화 사대주의적 태도를 가지고 있었음을 보여 준다.

④ **사례**: 힌두교도의 암소 숭배, 이슬람교의 돼지고기 금식, 티베트의 조장을 그 사회의 자연환경과 사회적 상황을 고려하여 이해하는 것 등

Q&A

Q 티베트에는 사람이 죽으면 시신을 새가 쪼아 먹도록 한다는데 왜 이런 문화가 있는 것일까요?

A 조장은 사람이 죽으면 그 시신을 새가 먹도록 하는 장례 풍습으로 야만적이라는 비판을 받고 있다. 티베트는 히말라야 산지의 추운 기후와 험한 지형 때문에 시신을 땅에 묻기 어렵고, 독수리가 시신을 쪼아 먹으면 하늘로 올라가 영원히 산다고 믿는 신념을 가지고 있어 조장이 행해지고 있다. 이처럼 각 사회의 문화를 바르게 이해하려면 그 사회의 자연환경과 사회적 상황을 고려하는 문화 상대주의적 태도를 가지고 바라보아야 한다.

(4) **극단적 문화 상대주의** 자료 3 → 문화 상대주의는 바람직한 문화 이해 태도이지만, 인류의 보편적 가치를 무시하는 극단적 문화 상대주의는 경계해야 해.

① **의미**: 인류가 지향하는 보편적 가치에 위배되는 문화마저도 상대주의적 관점에서 이해하고 존중하려는 문화 이해 태도

② **한계**: 인류의 보편적 가치를 무시하는 문화마저도 인정해 주어야 한다고 봄

③ **사례**: 식인 풍습, 순장, 중국의 전족, 이슬람 사회의 명예 살인, 노예 제도 등

2. 바람직한 문화 이해 태도 자료 4

(1) **문화 상대주의적 태도**: 다른 사회의 문화는 그 사회의 환경과 역사적 상황을 고려하여 각 사회마다 다양한 문화가 존재한다는 점을 이해해야 함 → 문화의 상대성 인정

(2) **개방적 태도**: 자기 문화에 대한 주체성을 바탕으로 다른 문화를 편견 없이 받아들여야 함
→ 주체성: 인간이 어떤 일을 실천할 때 나타내는 자유롭고 자주적인 성질을 말해.

(3) **총체론적 관점**: 한 사회의 문화를 그 사회의 여러 부분과 연관지어 전체적으로 파악하고 이해해야 함

(4) **비교론적 관점**: 문화 간의 공통점과 차이점을 비교하여 파악해야 함 → 모든 문화는 보편성과 특수성을 지니고 있기 때문에 다른 문화와의 비교를 통해 자기 문화에 대한 객관적인 이해가 가능해짐
→ 객관적: 자기와의 관계에서 벗어나 제3자의 입장에서 사물을 보거나 생각하는 거야.

학습 내용 들여다보기

■ **인류의 보편적 가치**
인간의 존엄성, 자유, 평등, 정의 등으로 시대와 장소를 초월하여 존중되어야 하는 가치

■ **문화 이해의 관점**

관점	내용
상대론적 관점	한 사회의 문화를 그 사회의 독특한 환경과 역사적 맥락에서 이해하고 해석하려는 관점
총체론적 관점	한 사회의 문화를 그 사회의 여러 부분과 연관지어 전체적으로 파악하고 이해하려는 관점
비교론적 관점	한 사회의 문화를 다른 사회의 문화와 비교하여 보다 객관적으로 이해하려는 관점

■ **문화의 상대성**
문화는 인간이 환경에 적응해 온 결과로 형성된 것이기 때문에 각자 나름의 이유가 있고 독특한 가치를 지니고 있다고 본다.

용어 알기

- **지향** 일정한 목표를 둔 방향으로 의지가 쏠리는 것
- **위배** 법이나 약속 따위를 어기거나 지키지 않음
- **총체** 있는 것들을 통틀어 합치거나 묶은 전부
- **보편성** 모든 것에 두루 미치거나 통하는 성질
- **특수성** 일반적이고 보편적인 것과 다른 성질

자료 3 극단적 문화 상대주의의 사례

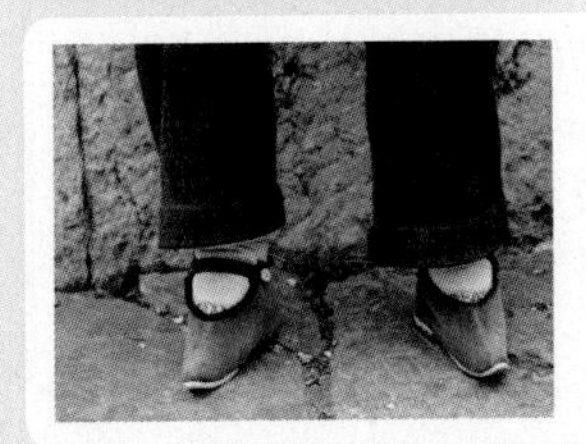

중국에서는 오래 전부터 발이 작은 여자를 미인으로 여겨 어렸을 때부터 여자 아이의 발을 천으로 감싸 자라지 못하도록 하는 전족이라는 문화가 있었다.

중국의 전족 풍습은 자연스러운 신체의 성장을 방해하고 삶의 질을 저해하는 등 인간의 존엄성을 침해한다는 비판에 따라 1902년 법으로 금지되었다. 전족 풍습을 인정하는 것은 인간의 보편적 가치를 침해하는 극단적 문화 상대주의에 해당한다.

자료 4 바람직한 문화 이해 태도

▲ 명예 살인을 반대하는 시위

명예 살인(honor killing)은 주로 이슬람권의 일부 지역에서 이어져 온 관습으로, 가족의 명예를 더럽혔다는 이유로 가족 구성원을 살해하는 행위를 말한다. 주로 부모가 정한 결혼을 거부하거나, 정조를 잃었다고 여겨지는 여성이 명예 살인의 대상이 된다. 각 사회의 문화는 나름대로의 의미와 가치가 있지만, 인간의 존엄성과 생명을 무시하는 명예 살인과 같은 문화마저 존중하는 것은 바람직하지 않다.

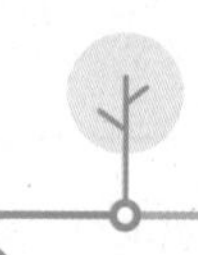

기본 문제

간단 체크

1 다음 내용에 해당하는 문화 이해 태도를 쓰시오.

(1) 자신의 문화만을 우수하다고 여기며 다른 사회의 문화를 열등하다고 무시하는 태도 (　　　　　)

(2) 다른 사회의 문화를 가치 있는 것으로 여겨 자신의 문화를 낮게 평가하는 태도 (　　　　　)

(3) 한 사회의 문화를 그 사회의 특수한 자연환경, 사회적 상황, 역사적 배경 등을 고려하여 이해하고 존중하는 태도 (　　　　　)

(4) 인류가 지향하는 보편적 가치에 위배되는 문화마저도 상대주의적 관점에서 이해하고 존중하려는 문화 이해 태도 (　　　　　)

2 문화 이해 태도와 관련 내용을 서로 연결하시오.

(1) 문화 사대주의 • 　　　　• ㉠ 중국의 중화사상

(2) 자문화 중심주의 • 　　　　• ㉡ 천하도에 나타난 세계관

(3) 극단적 문화 상대주의 • 　　　　• ㉢ 이슬람 사회의 명예 살인

3 다음 설명이 맞으면 ○표, 틀리면 ×표 하시오.

(1) 자문화 중심주의는 문화의 우열을 가릴 수 없다는 입장이다. (　　)

(2) 문화 사대주의는 자기 문화를 최고로 여기며 다른 문화를 배척한다. (　　)

(3) 문화 상대주의는 다른 문화를 있는 그대로 존중함으로써 다양한 문화가 공존할 수 있는 기초가 된다. (　　)

4 괄호 안의 내용 중 알맞은 말에 ○표 하시오.

(1) (자문화 중심주의, 문화 사대주의)가 지나칠 경우 문화 제국주의로 흐를 수 있다.

(2) 바람직한 문화 이해 태도는 (문화 사대주의, 문화 상대주의)이다.

5 다음 사례에 해당하는 문화 이해 태도로 옳은 것을 〈보기〉에서 고르시오.

보기
ㄱ. 문화 사대주의　　　ㄴ. 자문화 중심주의

(1) 아프리카에서 옷을 제대로 입지 않는 부족을 미개하다고 여긴다. (　　)

(2) 우리나라의 가방보다 외국의 유명 회사에서 만든 가방을 고급스럽고 명품이라고 여긴다. (　　)

01 다음 내용에 나타난 문화 이해 태도로 적절한 것은?

> 중국 사람들은 오랫동안 중국이 세계의 중심이며 가장 발달한 문화를 가지고 있다고 생각하여, 다른 지역의 문화를 오랑캐 문화라고 업신여겨 왔다.

① 문화 상대주의　② 문화 사대주의
③ 자문화 중심주의　④ 문화 보편주의
⑤ 극단적 문화 상대주의

02 빈칸에 들어갈 알맞은 말을 쓰시오.

> 자신의 문화를 우월한 것으로 보고 다른 문화를 업신여기고 무시하는 태도를 자문화 중심주의라고 한다. 이러한 태도는 특정한 국가의 문화가 경제력, 군사력을 토대로 다른 문화를 지배하거나 자신의 문화를 강요하는 (　　　)(으)로 흐를 수 있다.

03 다음과 같은 문제점을 가지고 있는 문화 이해의 태도로 적절한 것은?

> • 다른 사회의 문화를 열등하다고 무시한다.
> • 다른 문화를 배척함으로써 다른 나라와의 갈등이나 국제적 고립을 가져올 수 있다.

① 문화 상대주의　② 문화 제국주의
③ 문화 보편주의　④ 자문화 중심주의
⑤ 극단적 문화 상대주의

04 다음은 사회 형성 평가지의 일부이다. 빈칸에 들어갈 문화 이해의 태도로 옳은 것은?

> 문제: (　　)의 특징을 세 가지 서술하시오.
> 답: (1) 문화의 우열을 가릴 수 있다고 생각한다.
> (2) 다른 사회의 문화보다 자신의 문화를 낮게 평가한다.
> (3) 자기 문화의 창조 능력을 과소평가하여 문화 발전에 장애가 될 수 있다.

① 문화 사대주의　② 문화 상대주의
③ 문화 제국주의　④ 문화 절대주의
⑤ 자문화 중심주의

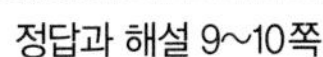

[05~06] 다음 자료를 보고 물음에 답하시오.

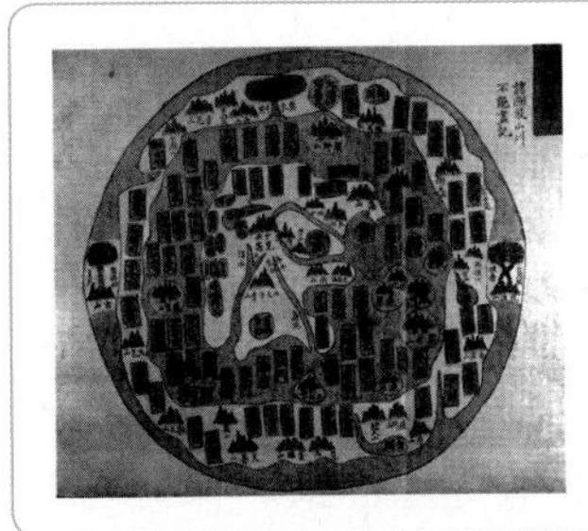

천하도는 모두 조선 시대에 만들어진 세계 지도이다. 당시 중국 중심의 세계관을 보여 주는 지도로, 중국을 세계의 중심에 두고, 주변 나라들을 작게 표시했다.

05 위 자료와 관련된 문화 이해 태도로 옳은 것은?

① 문화 제국주의 ② 문화 상대주의
③ 문화 사대주의 ④ 자문화 중심주의
⑤ 극단적 문화 상대주의

06 위 자료와 관련된 문화 이해 태도의 문제점으로 옳은 것을 〈보기〉에서 고른 것은?

보기
ㄱ. 국제적 고립을 가져올 수 있다.
ㄴ. 외래문화를 무비판적으로 수용할 우려가 있다.
ㄷ. 자기 문화의 주체성과 정체성을 상실할 우려가 있다.
ㄹ. 자기 문화를 고집하여 국제적 갈등을 유발할 수 있다.

① ㄱ, ㄴ ② ㄱ, ㄷ ③ ㄴ, ㄷ
④ ㄴ, ㄹ ⑤ ㄷ, ㄹ

07 다음 내용에 해당하는 문화 이해 태도로 옳은 것은?

한 사회의 문화를 그 지역 사람의 삶, 사고, 환경 등을 고려하여 이해하고 존중하는 태도이다. 이러한 태도를 통해 우리는 다른 문화의 의미와 가치를 올바르게 이해할 수 있을 뿐만 아니라, 내가 속한 문화에 대해서도 객관적으로 이해할 수 있게 된다.

① 문화 사대주의 ② 문화 상대주의
③ 문화 제국주의 ④ 자문화 중심주의
⑤ 극단적 문화 상대주의

08 다음 중 문화 상대주의적 태도를 가진 사람은?

① 유나: 도구 없이 손으로 음식을 먹는 인도인들은 야만인 같아.
② 민희: 우리나라 부침개보다 피자가 더 세련되고 맛있는 음식이야.
③ 혜진: 세계 여러 나라 문자 중에서 우리나라 한글이 가장 우수해.
④ 민아: 이슬람교도들이 돼지고기를 먹지 않는 풍습은 이해하기 어려워.
⑤ 도연: 티베트의 조장 풍습은 그 지역의 자연환경과 종교적 배경에서 형성된 거야.

09 다음과 같은 문화 이해 태도의 문제점으로 적절한 것은?

일부 이슬람 문화권에서는 집안의 명예를 더럽혔다는 이유로 가족 구성원을 살해하는 명예 살인을 성스러운 의무로 보고 이러한 살인 행위는 다른 살인 행위보다 그 형량이 적다고 한다. 주로 부모가 정한 결혼을 거부하거나, 정조를 잃었다고 여겨지는 여성이 명예 살인의 대상이 된다.

① 문화는 우열을 가리고 있다.
② 문화의 옳고 그름을 판단하고 있다.
③ 인류의 보편적 가치를 무시하고 있다.
④ 자기 문화의 우수성만을 강조하고 있다.
⑤ 문화가 형성된 사회적 배경을 이해하고 있다.

10 오늘날 가져야 할 바람직한 문화 이해 태도로 옳은 것을 〈보기〉에서 고른 것은?

보기
ㄱ. 문화 간에 우열을 가려 선진 문물만을 수용한다.
ㄴ. 인류의 보편적 가치가 침해되더라도 모든 사회의 문화는 존중해야 한다.
ㄷ. 문화 간에 공통점과 차이점을 파악하여 객관적으로 볼 수 있는 안목을 기른다.
ㄹ. 한 사회의 문화를 그 사회의 특수한 환경과 역사적 배경을 고려하여 이해한다.

① ㄱ, ㄴ ② ㄱ, ㄷ ③ ㄴ, ㄷ
④ ㄴ, ㄹ ⑤ ㄷ, ㄹ

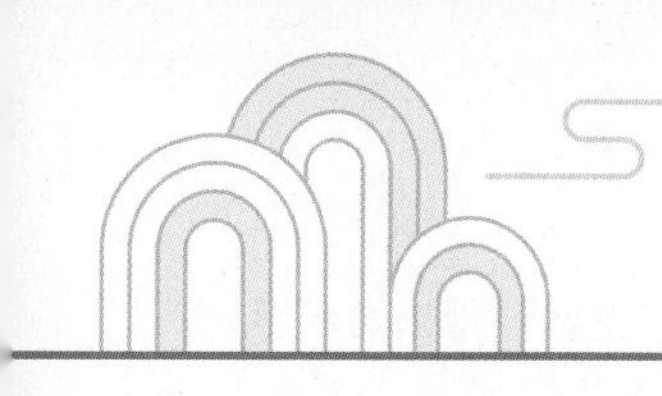

실전 문제

01 빈칸에 들어갈 문화 이해 태도로 가장 적절한 것은?

(　　　)는 사회 통합을 이루는 데 도움이 되기 때문에 정치적으로 악용될 수 있다. 또한 특정한 국가의 문화가 다른 사회의 문화를 파괴하거나 지배하려는 문화 제국주의로 흐를 수 있다.

① 문화 상대주의　② 문화 사대주의
③ 타문화 중심주의　④ 자문화 중심주의
⑤ 극단적 문화 상대주의

02 다음 내용과 관련된 문화 이해 태도에 대한 설명으로 옳은 것은?

이슬람 급진 무장 단체가 자신의 종교만이 유일한 것임을 내세우며 메소포타미아 문명의 고대 유적인 하트라를 파괴하였다.

① 문화의 절대적 평가 기준이 없다고 본다.
② 다른 사회의 문화를 우수하다고 평가한다.
③ 문화를 그 사회의 역사적 맥락 속에서 파악한다.
④ 문화를 우월하거나 열등한 것으로 구분하지 않는다.
⑤ 다른 나라와의 갈등이나 국제적 고립을 가져올 수 있다.

★ 중요 ★

03 자문화 중심주의와 문화 사대주의의 공통점으로 옳은 것을 〈보기〉에서 고른 것은?

| 보기 |

ㄱ. 문화의 상대성과 다양성을 인정한다.
ㄴ. 문화 간에 우열을 가릴 수 있다고 본다.
ㄷ. 자기 문화의 창조 능력을 과소평가한다.
ㄹ. 세계화 시대에 바람직하지 않은 문화 이해 태도이다.

① ㄱ, ㄴ　② ㄱ, ㄷ　③ ㄴ, ㄷ
④ ㄴ, ㄹ　⑤ ㄷ, ㄹ

04 다음과 같은 문화 이해 태도의 문제점을 〈보기〉에서 고른 것은?

자신의 문화를 열등하다고 평가하고 특정 사회의 문화를 우수한 것으로 여기는 태도이다.

| 보기 |

ㄱ. 국제적 고립에 빠질 우려가 있다.
ㄴ. 선진 문물을 수용하는 데 방해가 된다.
ㄷ. 자기 문화의 창조 능력을 과소평가할 수 있다.
ㄹ. 자기 문화의 주체성과 정체성을 상실할 우려가 있다.

① ㄱ, ㄴ　② ㄱ, ㄷ　③ ㄴ, ㄷ
④ ㄴ, ㄹ　⑤ ㄷ, ㄹ

05 (가), (나)에 해당하는 문화 이해 태도를 옳게 연결한 것은?

(가) 자문화의 우수성을 강조하여 다른 사회의 문화를 무시하는 태도
(나) 다른 사회의 문화를 우월한 것으로 생각하여 자기 문화를 낮게 평가하는 태도

	(가)	(나)
①	자문화 중심주의	문화 상대주의
②	자문화 중심주의	문화 사대주의
③	타문화 중심주의	문화 상대주의
④	타문화 중심주의	문화 사대주의
⑤	극단적 문화 상대주의	자문화 중심주의

06 다음 내용과 관련된 문화 이해 태도로 옳은 것은?

- 벌거벗은 채로 살아가는 아프리카 원시 부족도 문화가 있다.
- 각 사회의 문화를 나름대로 가치 있는 것으로 인정하며, 어떤 기준에 의해 우열을 평가할 수 없다.

① 문화 사대주의　② 문화 상대주의
③ 문화 제국주의　④ 문화 절대주의
⑤ 자문화 중심주의

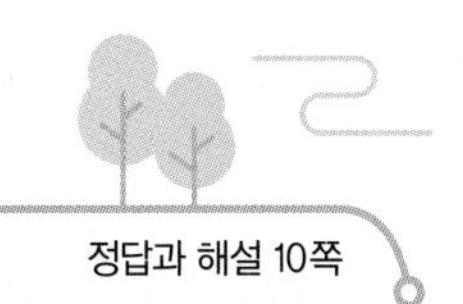

고난도

07 밑줄 친 주장의 근거로 적절한 것은?

> 우리는 문화를 이해할 때 문화 상대주의적 태도를 지녀야 한다고 이야기한다. 그렇지만 중국의 전족이나 이슬람 문화권의 명예 살인과 같은 문화까지 존중해야 한다는 것은 아니다.

① 문화의 우열을 평가할 수 없기 때문이다.
② 다른 문화를 편견 없이 받아들여야 하기 때문이다.
③ 문화는 특정 문화를 기준으로 평가해야 하기 때문이다.
④ 그 사회의 사회적 맥락에서 문화를 이해해야 하기 때문이다.
⑤ 생명 존중, 인간의 존엄성 같은 인류의 보편적 가치를 지켜야 하기 때문이다.

08 다음 글을 통해 파악할 수 있는 문화 이해의 관점으로 옳은 것은?

> 우리나라의 씨름과 비슷한 다른 나라의 운동 경기가 있을까? 씨름은 몽골의 부흐, 일본의 스모라는 전통적인 운동 경기와 아주 비슷하다. 이들 경기는 약간의 차이는 있지만, 모두 상대방을 먼저 넘어뜨려 땅에 닿게 하면 승리를 한다는 점에서 그 게임 방식이 매우 유사하다. 게임을 시작할 때 서로 떨어져서 한다는 점, 상대방을 원 밖으로 밀어내 승부를 가린다는 점 등에서 씨름과 스모는 차이가 있다. 그리고 부흐는 상의와 하의, 그리고 신발을 신고 경기를 하기 때문에 샅바만을 두른 채 하는 씨름과는 다르게 보인다.

① 상대론적 관점　② 비교론적 관점
③ 총체론적 관점　④ 진화론적 관점
⑤ 경험론적 관점

09 바람직한 문화 이해 태도로 가장 적절한 것은?

① 선진국의 문화를 동경하고 숭상하는 태도
② 어떤 문화든지 무조건 좋은 것으로 생각하는 태도
③ 문화 상대주의에 따라 세계의 모든 문화를 인정하는 태도
④ 자기 문화의 입장에서 다른 사회의 문화를 평가하는 태도
⑤ 문화의 상대성을 고려하되 인류의 보편적 가치도 존중하는 태도

서술형 문제

10 자료는 최만리가 세종대왕에게 올린 상소문의 일부이다. 최만리가 가진 문화 이해 태도를 쓰고, 이러한 태도의 문제점을 두 가지 서술하시오.

> 중국은 우리보다 우수한 문화를 가지고 있는 나라로, 예로부터 우리는 중국을 정성껏 잘 섬겨 왔고, 오로지 중국의 제도만을 따라왔습니다. …(중략)… 그런데 우리가 새로운 문자를 만든다면 중국의 기분을 상하게 하고 국가 이익에도 도움이 되지 않습니다.
>
> – 최만리의 상소문 –

11 다음 내용에 나타난 문화 이해 태도를 쓰고, 이러한 태도를 경계해야 하는 이유를 서술하시오.

> 이슬람 사회에서는 집안의 명예를 더럽힌다는 이유로 여성을 살해하는 관습이 있다. 이러한 '명예 살인'은 그 사회의 독특한 환경에서 발달해 온 고유한 문화이므로 그 가치를 인정하고 존중해야 한다.

12 다음은 각 지역의 장례 문화이다. 이를 통해 볼 때 바람직한 문화 이해의 태도는 무엇인지 서술하시오.

> • 티베트에서는 바위가 있는 높은 곳에서 시신을 독수리의 먹이로 준다.
> • 인도에서는 나무와 숯, 가마니 등 화장으로 장례를 치르는 것이 일반적이다.
> • 베트남 북부에서는 논과 같은 평야 등에 매장을 한 후 3년이 지나면 지붕을 갖춘 작은 사당 형태의 구조물에 뼈만을 추려서 이장을 한다.

03 대중 매체와 대중문화

1. 대중 매체

(1) **의미**: 다수의 사람에게 대량의 정보를 전달하는 수단

(2) **특징**

① 다양한 대중 매체 간 경계가 모호해지고, 형태나 기능 면에서 서로 융합되고 있음

② 정보 통신 기술의 발달로 정보의 전달 방식이 일방향에서 쌍방향으로 변화함

(3) **종류**

① 일방향 매체 → 전통적인 대중 매체이며 정보를 일방적으로 소비자에게 전달하지.

인쇄 매체	신문, 잡지, 책 등은 문자와 사진으로 정보 전달
음성 매체	라디오는 소리로 정보 전달
영상 매체	텔레비전은 영상과 소리로 정보 전달

② 쌍방향 매체(뉴 미디어) 자료 1 → 블로그나 사용자 제작 콘텐츠(UCC) 같은 대중문화를 생산하고 전파할 수 있게 되었어.

- 인터넷, 스마트폰 등을 활용하여 정보를 공유하며 소통하는 매체
- 시간과 공간의 제약을 극복하고 정보를 대량으로 확산시킴
- 쌍방향 의사소통이 가능해져 대중이 문화를 형성하는 생산자로서 참여하게 됨

▲ 일방향 매체

▲ 쌍방향 매체

2. 대중문화

(1) **의미**: 특정 계층이나 집단이 아닌 다수의 사람이 공통으로 즐기고 누리는 문화

(2) **특징** 자료 2

① 대중 매체를 통해 대중문화가 형성되고 발전함

② 다수의 취향에 맞게 대량으로 생산되고 다수에 의해 대량으로 소비됨

③ 일상생활 속에서 대중문화를 쉽게 접할 수 있음

학습 내용 들여다보기

■ **대중**
현대 사회를 구성하는 대다수 사람을 의미한다. 즉 계층, 성별, 직업, 지역 등을 초월한 사회 대다수의 구성원을 말하며, 어떤 조직이나 집단으로 통합되지 않은 불특정 다수의 사람을 일컫는다.

■ **대중 매체의 의사소통 방향**
- 기존 대중 매체

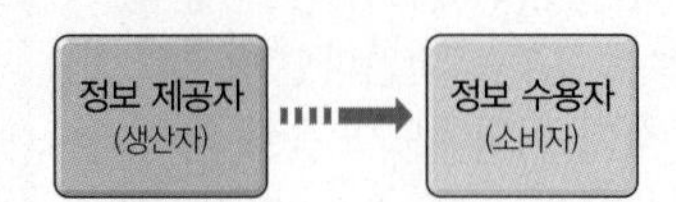

- 새로운 대중 매체

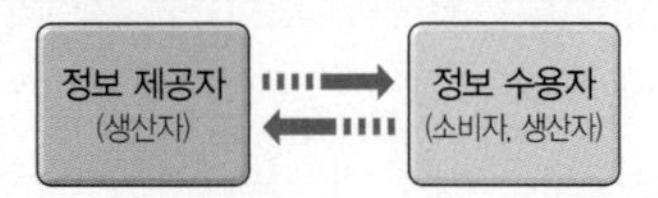

■ **뉴 미디어의 특징**
새로운 대중 매체의 등장으로 쌍방향 소통이 가능해지면서, 대중은 수동적인 정보 수용자의 위치에서 능동적인 정보 생산자의 역할을 겸하게 되었다.

■ **누리 소통망(Social Network Service)**
온라인상에서 불특정 다수와 관계를 맺을 수 있는 미디어 서비스로, 정보를 공유하고 나눌 수 있는 새로운 대중 매체

용어 알기
- **매체** 어떤 작용을 한쪽에서 다른 쪽으로 전달하는 물체나 수단
- **공유** 두 사람 이상이 한 물건을 공동으로 소유함
- **취향** 하고 싶은 마음이나 욕구 따위가 기우는 방향

자료 1 뉴 미디어의 특징

디지털 기술을 바탕으로 하는 매체는 끊임없이 변화하고 진화하고 있다. 블로그, 인터넷 방송, 사용자가 직접 제작한 콘텐츠(User Created Contents) 등 누리 소통망(SNS)을 통해 기획, 제작, 편집까지 맡아 콘텐츠를 만드는 '1인 미디어'의 시대가 등장하였다.

자료 2 대중문화의 형성

근대 이전의 신분 사회에서는 특권 계층만이 문화를 누릴 수 있었다. 그러나 대중 매체의 발달로 문화가 널리 확산되면서 많은 사람들이 쉽게 보고 즐길 수 있는 대중문화가 형성되었다.

학습 내용 들여다보기

(3) 형성 배경

→ 재산, 사회적 지위, 성별, 교육 수준에 관계없이 일정 나이가 되면 누구나 선거권을 얻게 되었어.

정치적 측면	보통 선거 실시로 대중의 정치적 수준이 향상됨
경제적 측면	산업화로 대량 생산과 대량 소비가 가능해져 대중의 생활 수준이 향상됨
사회적 측면	의무 교육의 실시로 대중의 교육 수준이 향상됨
문화적 측면	대중 매체의 발달로 다수에게 동시에 전달할 수 있게 됨

(4) 순기능

① 문화의 대중화에 기여: 과거 소수 계층만 누리던 문화를 누구나 쉽게 접하게 됨

② 정보 전달의 실용성: 적은 비용으로 유용한 정보를 다수의 사람에게 효과적으로 전달함

③ 다양한 오락 제공: 즐거움과 휴식을 제공하여 삶을 풍요롭게 함

(5) 역기능 자료 3

→ 대중 매체가 이윤을 추구하는 기업과 결합하여 소비자의 소비 심리를 자극하는 상품을 만들기 때문이야.

① 상업성 추구: 대중문화가 상품화되면서 자극적이고 선정적인 내용을 다루어 문화의 질이 낮아지기도 함

→ 대중문화가 다수의 기호에 맞추어 생산되고 대량으로 소비됨으로써 획일화되기 쉬워.

② 문화의 획일화: 동일한 내용의 문화가 생산되어 개인의 개성이 상실되거나 문화의 다양성이 저하될 수 있음

③ 왜곡된 정보 전달: 잘못된 정보를 전달하여 정보에 오류가 있을 수 있음

④ 여론 조작의 우려: 특정 대상이나 집단에 유리하도록 여론이 조작될 수 있음

⑤ 정치적 무관심 초래: 오락성에만 치중하여 정치적 현상이나 사회 문제에 무관심해질 수 있음

3. 대중문화의 올바른 수용 태도 자료 4

(1) 비판적 수용

① 정보를 있는 그대로 받아들이기보다 비판적으로 바라보는 태도

② 대중 매체가 제공하는 정보의 정확성을 여러 매체를 통해 비교 · 검토하는 태도

③ 대중문화가 흥미뿐만 아니라 유의미한 내용을 전달하는 수단임을 인식하는 태도

(2) 능동적 · 주체적 참여

① 대중이 수동적인 소비자에서 벗어나 새로운 대중문화를 생산하는 능동적인 생산자로 참여함

② 잘못된 정보에 대한 시정을 요구하거나 의견을 제시하는 적극적인 자세가 필요함

③ 자신에게 필요한 정보를 주체적으로 수용하려는 적극적인 태도가 필요함

④ 대중 매체에서 제공하는 정보를 건전하게 활용하려는 태도가 필요함

■ **획일화**
대중 매체가 같은 내용을 일방적으로 전달하기 때문에 모두가 같은 방식으로 생각하고 행동하는 경향이 나타난다.

■ **대중 매체에 의한 여론 조작**
대중 매체가 발달한 오늘날에는 정치적인 목적 외에도 상업적인 목적으로 여론 조작이 이루어지기도 한다. 예를 들어 인터넷 포털 사이트의 검색 순위를 조작하여 특정 상품이 상위에 링크되게 하여 그 상품에 대한 대중의 관심을 유도하는 경우가 있다.

■ **정치적 무관심**
정치적 상황에 대한 주체적인 인식이나 행동이 결여되어 있는 것을 말한다.

용어 알기

- **왜곡** 사실과 다르게 해석하거나 잘못되게 하는 것
- **여론** 사회 문제에 대한 사회 구성원의 공통된 의견
- **비판** 사물의 옳고 그름을 가려 판단하거나 밝히는 것
- **능동** 다른 것에 이끌리지 아니하고 스스로 일으키거나 움직이는 것
- **주체** 어떤 일을 실천하는 데 자유롭고 자주적인 성질이 있는 것
- **수동** 스스로 움직이지 않고 다른 것의 작용을 받아 움직이는 것

자료 3 대중문화의 상업성

□□데이, ○○데이, △△데이 등 우리나라에는 기업들이 판매량을 늘리기 위해 만들어 내고, 일부 언론들이 부추기면서 생겨난 '데이' 문화가 넘쳐난다. 소비자들의 소비 심리를 자극하여 기업의 이윤을 추구하는 '데이 마케팅'에 소비자들은 무비판적인 소비를 하기도 한다.

'데이 마케팅'을 통해 대중의 소비 심리를 자극하여 기업의 이윤을 추구하는 대중문화의 상업성을 보여 준다. 대중 매체는 이윤을 추구하는 기업과 결합하여 소비자의 소비 심리를 자극하는 상품을 만들어 지나치게 상업화를 추구하기도 한다.

자료 4 대중문화의 올바른 수용 태도

△△일보	○○일보
CCTV의 확대 설치, 범죄 예방 효과 기대	**CCTV의 확대 설치, 사생활 침해 우려**
방범용 CCTV의 확대 설치로 시민들의 생명과 재산이 보호될 것으로 기대되고 있다.	방범용 CCTV의 확대 설치로 개인의 생활 모습이 과잉 노출되어 사생활 침해의 우려가 있다.

두 신문사는 같은 사실을 다른 시각에서 보도하고 있다. 대중 매체가 제공하는 정보를 그대로 수용하기보다 비판적인 시각으로 바라보고 자신에게 필요한 내용을 선택하여 주체적으로 수용하는 태도가 필요하다.

기본 문제

간단 체크

1 빈칸에 들어갈 알맞은 말을 쓰시오.

(1) 다수의 사람에게 대량의 정보와 지식을 전달하는 수단을 (　　　　　)(이)라고 한다.

(2) 일방향 매체에 비해 (　　　　　) 매체는 정보의 생산자와 소비자 간의 의사소통이 활발하다.

(3) 정보 통신 기술이 발달하면서 등장한 인터넷, 스마트폰 등의 매체를 (　　　　　)(이)라고 한다.

2 다음 설명이 맞으면 ○표, 틀리면 ×표 하시오.

(1) 텔레비전이나 신문과 같은 전통적 대중 매체를 통해 대중이 적극적인 문화 생산자로 등장하였다. (　　)

(2) 뉴 미디어는 획일적인 내용을 일방적으로 전달한다. (　　)

(3) 대중문화는 보편적 성격을 지니며 일상생활 속에서 쉽게 접할 수 있다. (　　)

(4) 대중문화를 비판적 시각으로 바라보고, 자신에게 필요한 정보를 주체적으로 수용하려는 태도를 가진다. (　　)

3 괄호 안의 내용 중 알맞은 말에 ○표 하시오.

(1) 대중문화는 (소수, 다수)의 기호에 맞게 대량으로 생산되고 대량으로 소비된다.

(2) 대중문화는 대중 매체를 통해 같은 내용이 동시에 전달되기 때문에 사람들의 가치관과 행동을 (다양화, 획일화) 시킬 수 있다.

4 다음 내용에 해당하는 대중문화의 특징으로 옳은 것을 〈보기〉에서 고르시오.

보기	
ㄱ. 실용성	ㄴ. 오락성
ㄷ. 획일성	ㄹ. 상업성

(1) 즐거움과 휴식을 제공하여 삶을 풍요롭게 만들어 준다. (　　)

(2) 적은 비용으로 유용한 정보를 다수의 사람에게 효과적으로 전달한다. (　　)

(3) 동일한 내용을 일방적으로 전달하여 개인의 개성이 상실되거나 문화의 다양성이 저하될 수 있다. (　　)

(4) 경제적 이윤을 추구하는 기업과 결합하여 대중문화가 자극적이고 선정적인 내용을 다루어 문화의 질이 떨어질 수 있다. (　　)

01 대중 매체에 대한 설명으로 옳지 않은 것은?

① 대량의 정보를 다수에게 전달한다.
② 다양한 대중 매체 간 경계가 뚜렷해지고 있다.
③ 전통적인 대중 매체로 신문, 잡지, 라디오 등이 있다.
④ 전통적인 대중 매체는 정보 전달의 방향이 일방적이다.
⑤ 새로운 매체의 등장으로 정보 생산자와 소비자의 구분이 모호해졌다.

02 다음 내용에 해당하는 대중 매체의 사례로 적절한 것은?

> • 대중은 자신에게 필요한 정보를 선별적으로 이용할 수 있다.
> • 오늘날 새롭게 등장한 대중 매체로 쌍방향적 의사소통이 가능하다.

① 신문　② 잡지　③ 라디오
④ 스마트폰　⑤ 텔레비전

03 대중문화가 널리 확산되는 데 가장 큰 역할을 한 것은?

① 대중 매체의 발달
② 보통 선거의 실시
③ 의무 교육의 확대
④ 생활 수준의 향상
⑤ 도시 인구의 증가

04 ㉠, ㉡에 들어갈 알맞은 말을 쓰시오.

> (㉠)을/를 통해 형성되고 제공되어 다수의 구성원이 함께 누리는 문화를 (㉡)(이)라고 한다. (㉡)은/는 때로 일상생활에서 접하는 대중가요, 영화, 예술, 유행 등을 총칭하는 말로 사용되기도 한다.

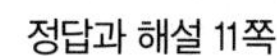

05 대중문화의 특징으로 옳은 것을 <보기>에서 고른 것은?

보기
ㄱ. 개개인의 취향을 반영하여 생산된다.
ㄴ. 대중 매체를 통해 형성되고 제공된다.
ㄷ. 계층이나 집단을 초월하여 함께 누린다.
ㄹ. 인터넷의 등장으로 대중문화는 획일화되어 가고 있다.

① ㄱ, ㄴ ② ㄱ, ㄷ ③ ㄴ, ㄷ
④ ㄴ, ㄹ ⑤ ㄷ, ㄹ

06 다음과 같은 문화 현상과 가장 관계 깊은 것은?

• UCC의 활성화 • 1인 미디어의 등장
• 인터넷 블로그의 증가

① 교통의 발달
② 뉴 미디어의 등장
③ 도시 인구의 증가
④ 의무 교육의 확대
⑤ 국가 간 교류 확대

07 다음 글에 나타난 대중문화의 특징으로 옳은 것은?

요즘은 '스타의 전성 시대'라고 할 만하다. 그러나 상품으로 만들어진 스타의 수명은 결코 길지 않다. 팬들이 식상해 하는 기미가 보이고 인기가 조금 떨어진다고 판단되면 기획사는 미련 없이 그 그룹을 해체하고 새로운 상품을 내놓는다.

① 정보의 왜곡 및 조작이 가능하다.
② 기업의 이윤 추구로 상업성을 띤다.
③ 대중에게 유용한 정보와 즐거움을 제공한다.
④ 다양한 정보 제공으로 대중의 정치적 무관심이 해결된다.
⑤ 선정적이고 폭력적인 내용으로 문화의 질이 떨어질 수 있다.

08 ㉠의 사례로 가장 적절한 것은?

일반적으로 대중 매체는 대개 정보를 일방적으로 제공한다. 이러한 대중 매체의 내용을 대중이 비판 없이 받아들일 경우 수많은 사람이 같은 정보와 지식, 문화 요소를 접하고 그것에 동화되어 대중은 (㉠)되고 정형화된 사고와 행동을 하게 된다.

① 영화를 보고 나서 감상문을 쓴다.
② 교육 방송을 시청하면서 공부를 한다.
③ 인터넷을 검색해 가격이 저렴한 물건을 구입한다.
④ ○○신발은 우리 학교 학생들이 가장 많이 신는다.
⑤ 인터넷 방송을 시청하고 시청자 게시판에 의견을 올린다.

09 뉴 미디어의 등장이 우리 생활에 끼친 영향으로 적절하지 않은 것은?

① 정보 제공의 폭이 넓어졌다.
② 대중문화가 더욱 다양해졌다.
③ 쌍방향적 의사소통이 이루어진다.
④ 정보의 생산자와 소비자가 명확히 구분된다.
⑤ 누리 소통망(SNS)을 통해 가상 공간에서 새로운 인간관계가 형성되었다.

10 바람직한 대중문화의 수용 태도를 갖춘 학생을 고른 것은?

태민: 대중 매체를 통해 최신 유행을 무조건 받아들여야 해.
인영: 대중 매체를 통해 수집된 정보를 비판적으로 수용해야 해.
도진: 잘못된 정보인 경우 적극적인 참여를 통해 시정을 요구해야 해.
윤희: 청소년은 미성숙한 존재이므로 인터넷을 통해 얻은 정보를 그대로 사용해도 돼.

① 태민, 인영 ② 태민, 도진 ③ 태민, 윤희
④ 인영, 도진 ⑤ 인영, 윤희

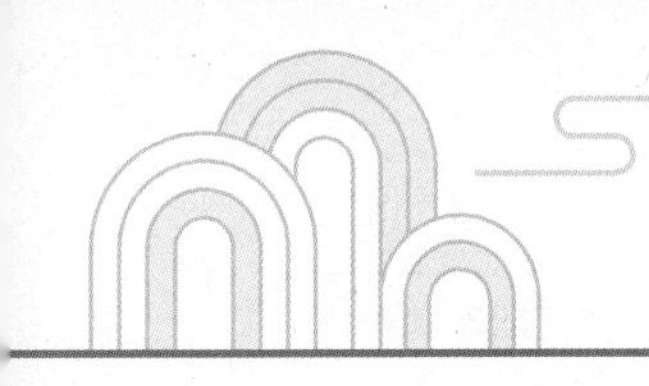

실전 문제

01 밑줄 친 대중 매체의 특징으로 옳은 것은?

> 요즘 인터넷에 개인 홈페이지를 만들어 취미 활동이나 가족생활 등에 대한 내용을 담거나, 다양한 정보를 제공하는 사람들이 크게 증가하고 있다.

① 고급문화의 확산
② 일방향적 의사소통
③ 깊이 있는 정보 전달
④ 획일적인 대중문화의 형성
⑤ 정보의 선택과 생산 기회 제공

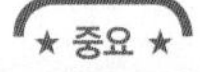

02 그림은 대중 매체의 의사소통 방향을 도식화한 것이다. 이와 관련된 대중 매체의 특징으로 보기 어려운 것은?

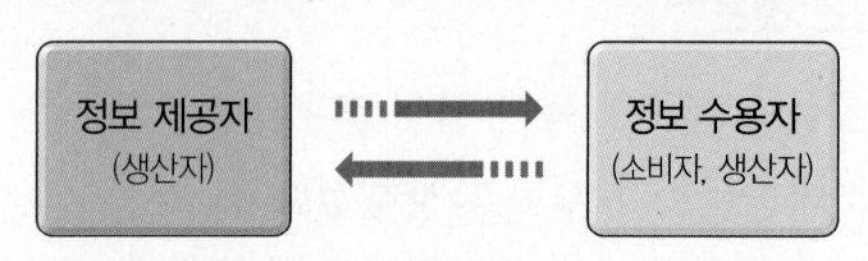

① 쌍방향적 의사소통이 가능하다.
② 인터넷, 이동 통신 등의 뉴 미디어이다.
③ 정보의 생산자와 소비자가 명확히 구분된다.
④ 시간과 공간의 제약을 극복하고 대량의 정보를 빠르게 전달할 수 있다.
⑤ 정보 통신 기술의 발달로 다양한 정보를 복합적으로 제공할 수 있다.

03 대중 매체의 유형에 따른 특징을 옳게 연결한 것은?

	전통적 대중 매체	뉴 미디어
①	정보의 생산자	정보의 소비자
②	쌍방향적 정보 전달	일방향적 정보 전달
③	고급문화의 실현	보편적 대중화 실현
④	신문, 라디오	인터넷, 이동 통신
⑤	시공을 초월한 의사소통	근거리 의사소통

고난도

04 (가), (나)의 대중 매체에 대한 설명으로 옳은 것을 〈보기〉에서 고른 것은?

(가) (나)

보기
ㄱ. (가)는 쌍방향적 의사소통이 가능하다.
ㄴ. (나)의 등장으로 대중은 문화의 수요자인 동시에 생산자로 변화되었다.
ㄷ. (가)는 (나)보다 먼저 등장하였다.
ㄹ. (나)는 (가)보다 정보 전달 속도가 느리다.

① ㄱ, ㄴ ② ㄱ, ㄷ ③ ㄴ, ㄷ
④ ㄴ, ㄹ ⑤ ㄷ, ㄹ

★ 중요 ★

05 기사에 나타난 대중문화의 문제점으로 가장 적절한 것은?

> **○○신문** 20△△년 △월 △일
>
> 최근 기업들이 드라마 속 간접 광고(PPL)에 지나치게 열을 올리고 있어 소비자들의 눈살을 찌푸리게 하고 있다. 인기 있는 TV 드라마나 영화에 등장하는 여주인공이 사용하는 ○○립스틱, 최신 스마트폰 등 노출되는 빈도가 높을수록 기업의 매출액이 급상승하는 것이다. 이 같은 간접 광고들은 소비자들의 호기심을 불러일으키는 효과를 톡톡히 누리고 있지만, 반대로 TV 프로그램의 질을 떨어뜨린다는 비판이 제기되고 있다.

① 문화적 혜택이 소수에게만 집중될 수 있다.
② 많은 사람들에게 동일한 내용의 정보를 동시에 전달한다.
③ 대중의 흥미를 끌기 위해 자극적이고 폭력적인 정보를 제공한다.
④ 오락성에 치중하여 정치적 현상이나 사회 문제에 무관심해질 수 있다.
⑤ 경제적 이윤 추구를 위한 상업주의와 연결되어 소비자들의 과소비를 조장한다.

06 ㉠에 대한 설명으로 옳은 것을 〈보기〉에서 고른 것은?

(㉠)(이)란 현대 대다수의 사람들이 일상생활 속에서 쉽게 접하고 즐길 수 있는 문화를 말한다.

보기

ㄱ. 소수의 특권 계층만이 누릴 수 있는 문화이다.
ㄴ. 일반적으로 획일성과 상업성을 특징으로 한다.
ㄷ. 음악, 드라마, 영화, 예술, 유행 등을 모두 일컫는 말로 사용되기도 한다.
ㄹ. 뉴 미디어가 발달함에 따라 다양한 형태에서 획일적인 모습으로 변화하고 있다.

① ㄱ, ㄴ ② ㄱ, ㄷ ③ ㄴ, ㄷ
④ ㄴ, ㄹ ⑤ ㄷ, ㄹ

07 대중문화의 긍정적 측면으로 옳은 것을 〈보기〉에서 고른 것은?

보기

ㄱ. 누구나 쉽게 대중문화를 누릴 수 있다.
ㄴ. 유용한 정보를 다수에게 신속하게 제공한다.
ㄷ. 개인의 취향을 고려하여 다양한 문화를 생산한다.
ㄹ. 즐거움과 휴식을 제공하여 삶을 풍요롭게 만들어 준다.
ㅁ. 인간의 개성과 독창성을 존중하여 최신 정보를 개별적으로 제공한다.

① ㄱ, ㄴ, ㄷ ② ㄱ, ㄴ, ㄹ ③ ㄱ, ㄷ, ㅁ
④ ㄴ, ㄹ, ㅁ ⑤ ㄷ, ㄹ, ㅁ

08 대중문화의 올바른 수용 자세로 옳은 것을 〈보기〉에서 고른 것은?

보기

ㄱ. 대중문화의 내용을 비판적으로 받아들인다.
ㄴ. 대중 매체에서 전달하는 지식과 정보를 절대로 믿지 않는다.
ㄷ. 능동적인 주체로서 대중문화를 창조하려는 자세를 가진다.
ㄹ. 대중문화를 적극적으로 활용하여 유행에 뒤처지지 않도록 한다.

① ㄱ, ㄷ ② ㄱ, ㄹ ③ ㄴ, ㄷ
④ ㄴ, ㄹ ⑤ ㄷ, ㄹ

서술형 문제

09 다음은 A 방송국의 시청자 게시판의 일부이다. 이를 통해 알 수 있는 뉴 미디어의 특징을 서술하시오.

10 다음 대화에서 (가)에 들어갈 대중문화의 특징을 쓰고, (나)에 들어갈 내용을 서술하시오.

민아: 대중문화는 기업이 대중을 상대로 상품을 팔기 위해 만들어 낸 문화 상품에 불과해. 대중은 오락성과 선정성이 강한 문화 상품을 일방적으로 받아들이는 수동적인 소비자로 전락하고 있어.
민호: 그렇지만은 않아. 대중문화가 ((가))을/를 띠는 것은 사실이지만, 그렇다고 해서 대중이 수동적인 소비자의 역할에만 머무르는 것은 아니야. 인터넷의 등장 이후 ________ (나) ________

대단원 정리

❶ 문화의 좁은 의미와 넓은 의미 구분

▲ 문화생활

▲ 음식 문화

문화의 의미 중 문화생활에서의 문화는 문학이나 예술 활동과 관련된 것이므로 (① 　　　) 의미의 문화에 해당한다. '음식 문화'에서의 '문화'는 한 사회의 구성원이 주어진 환경에 적응하여 만들어 낸 공통된 생활 양식이므로 (② 　　　) 의미의 문화에 해당한다.

답 ① 좁은 ② 넓은

❷ 문화의 보편성과 특수성 이해

▲ 한국의 절

▲ 마오리족의 인사법

- 어느 사회에서나 반가움과 호감의 표시로 인사를 하는 것은 문화의 (① 　　　)에 해당한다.
- 각 나라마다 사회적 상황 및 역사적 배경에 따라 고유의 인사법이 발달한다는 것은 문화의 (② 　　　)에 해당한다.

답 ① 보편성 ② 특수성

❸ 자문화 중심주의의 사례 이해

○○신문　20△△년 △월 △일

최근 이슬람 정권의 무장 세력이 '팔미라 사자상'을 파괴한 것으로 전해졌다. 팔미라 사자상은 세계 문화유산으로 지정되어 있다. 우상 숭배와 다신교를 금지하는 이슬람 문화의 입장에서 이를 인정할 수 없다는 이유로 세계 문화유산을 파괴한 것이다.

기사에서 이슬람 정권의 무장 세력은 자신의 문화를 기준으로 다른 나라의 문화를 열등하다고 생각하는 (① 　　　) 의 태도를 가지고 있다. 이러한 문화 이해 태도는 다른 문화를 (② 　　　)함으로써 다른 나라와의 갈등이나 국제적 고립을 가져올 수 있고, 지나칠 경우 (③ 　　　)(으)로 흐를 수 있다.

답 ① 자문화 중심주의 ② 배척 ③ 문화 제국주의

1. 문화의 의미와 구성 요소

(1) 문화의 의미 ❶

구분	내용
좁은 의미	• 문학이나 예술 활동과 관련된 것 • 교양 있고 세련된 모습 • 예 문화계 소식, 문화생활, 문화인, 문화 시민 등
넓은 의미	• 한 사회의 구성원이 주어진 환경에 적응하여 만들어 낸 공통된 생활 양식 • 예 한국 문화, 전통문화, 주거 문화, 청소년 문화 등

(2) 문화의 구성 요소

구분		내용
물질문화		인간의 기본적 욕구를 충족하고 생존하는 데 필요한 도구나 기술 예 의복, 가옥, 음식 등
비물질 문화	제도 문화	사회 질서 유지를 위한 규범과 제도 예 법, 도덕, 관습
	관념 문화	인간의 삶을 풍요롭게 해 주는 정신적 창조물 예 학문, 종교, 예술 등

(3) 문화의 특징 ❷

구분	내용
문화의 보편성	• 의미: 어느 사회에서나 공통적으로 나타나는 생활 양식이 있음 • 이유: 인간의 신체 구조, 기본적인 욕구, 사고방식이 비슷하기 때문에 나타남
문화의 특수성	• 의미: 각 사회의 문화가 독특하고 고유한 특성이 나타남 • 이유: 각 사회마다 자연환경과 사회적 상황이 다르기 때문에 나타남

(4) 문화의 속성

구분	내용
공유성	• 한 사회의 구성원들은 공통적인 생활 양식을 가지고 있음 • 다른 사람들이 어떤 행동을 할지 예측이 가능함
학습성	자신이 속한 사회의 문화를 학습을 통해 후천적으로 습득함
변동성	문화는 고정된 것이 아니라 시대에 따라 끊임없이 변화함
축적성	이전 세대의 문화가 언어와 문자 등을 통해 전달·축적되어 다음 세대로 전승됨
전체성	• 문화의 구성 요소들이 상호 긴밀한 관계를 유지하면서 전체를 이룸 • 문화의 한 부분에 변동이 생기면 다른 부분에도 영향을 미침

2. 문화를 바라보는 태도

(1) 자문화 중심주의 ❸

구분	내용
의미	자신의 문화만을 우수한 것으로 보고 다른 문화를 무시하는 태도
장점	자기 문화에 대한 자부심을 높이고, 집단 내 결속력을 강화시킴
문제점	• 다른 나라와의 갈등이나 국제적 고립을 야기함 • 지나칠 경우 문화 제국주의가 나타날 우려가 있음
사례	중국의 중화사상, 급진 무장 단체의 문화재 파괴 행위 등

(2) 문화 사대주의

의미	다른 사회의 문화를 동경하여 자신의 문화를 낮게 평가하는 태도
장점	다른 문화의 장점을 수용하여 자기 문화를 발전시킬 수 있음
문제점	무비판적인 문화 수용으로 자기 문화의 주체성이 상실될 수 있음

(3) 문화 상대주의 ❹

의미	한 사회의 문화를 그 사회의 특수한 자연환경, 사회적 상황 등을 고려하여 이해하는 바람직한 태도
장점	• 다양한 문화가 공존할 수 있음 • 다른 문화의 장점을 수용하여 문화를 발전시킬 수 있음
문제점	극단적 문화 상대주의로 치우칠 경우 인류의 보편적 가치가 침해될 수 있음

(4) 극단적 문화 상대주의

의미	인류가 지향하는 보편적 가치에 위배되는 문화마저도 상대주의적 관점에서 이해하고 존중하려는 문화 이해 태도
한계	인류의 보편적 가치를 무시하는 문화마저도 인정해 주어야 한다고 봄
사례	식인 풍습, 순장, 중국의 전족, 이슬람 사회의 명예 살인, 노예 제도 등

3. 대중 매체와 대중문화

(1) 대중 매체 ❺

의미	다수의 사람에게 대량의 정보를 전달하는 수단
특징	• 대중 매체 간 경계가 모호해지고 있으며, 형태나 기능 면에서 서로 융합되고 있음 • 정보의 전달 방식이 일방향에서 쌍방향으로 변화함
종류	• 일방향 매체: 신문, 잡지, 라디오, 텔레비전 등 • 쌍방향 매체: 인터넷, 스마트폰, IPTV 등

(2) 대중문화 ❻

의미	다수의 사람이 공통으로 즐기고 누리는 문화
특징	대중 매체를 통해 형성되고 발전함, 대량 생산 · 대량 소비됨
순기능	문화의 대중화에 기여, 정보 전달의 실용성, 다양한 오락 제공 등
역기능	상업성 추구, 문화의 획일화, 왜곡된 정보 전달, 여론 조작의 우려, 정치적 무관심 초래 등

(3) 대중문화의 올바른 수용 태도

비판적 수용	정보를 있는 그대로 받아들이기보다 비판적으로 바라보는 태도
능동적 · 주체적 참여	• 잘못된 정보에 대한 시정을 요구하거나 의견을 제시하는 적극적인 자세 • 자신에게 필요한 정보를 주체적으로 수용하려는 적극적인 태도

❹ 문화 상대주의의 이해

인도의 힌두교도는 쇠고기를 먹지 않는다. 인도에서 소는 중요한 농경 수단이며, 특히 암소는 우유와 치즈 등의 원료를 생산하는 중요한 자원이기 때문이다.

인도의 문화를 바르게 이해하려면 그 사회의 (①) 와/과 사회적 상황을 고려하여 그 나름의 의미와 가치를 인정하는 (②)적 태도를 가지고 바라보아야 한다.

답 ① 자연환경 ② 문화 상대주의

❺ 대중 매체의 구분

▲ 전통적 대중 매체

▲ 뉴 미디어

• (①) 대중 매체에는 신문, 책과 같은 인쇄 매체, 라디오와 같은 음성 매체, 텔레비전과 같은 (②) 매체 등이 있다.

• (③)은/는 새롭게 등장한 대중 매체로, (④) 대중 매체와 달리 (⑤)(으)로 의사소통이 가능하며, 시간과 공간의 제약으로부터 비교적 자유롭다.

답 ① 전통적 ② 영상 ③ 뉴 미디어 ④ 전통적 ⑤ 쌍방향

❻ 대중문화의 역기능 이해

▲ 방송 속 간접 광고

▲ 획일화된 생활 양식

• 기업은 (①)을/를 추구하는 과정에서 특정 상품을 프로그램에 개연성 없이 과다 노출함으로써 광고 효과를 누리기도 한다. 이처럼 (②)은/는 대중 매체를 통해 대량으로 생산되고 보급되기 때문에 개인의 사고와 행동을 (③)할 우려가 있다.

답 ① 이윤 ② 대중문화 ③ 획일화

대단원 마무리

01 밑줄 친 '이것'에 해당하는 용어로 옳은 것은?

이것은 '경작하다', '재배하다'라는 의미의 라틴어 'cultus'에서 유래하였다. 이것은 17, 18세기에는 토지를 경작한다는 의미로 사용되다가 이후 정신을 경작한다는 뜻에서 '정신의 계발'을 의미하게 되었다. 이것은 인간이 주어진 환경에 적응하여 만들어 낸 창조적 결과물임을 알 수 있다.

① 문명 ② 문자 ③ 문화
④ 언어 ⑤ 본능

02 밑줄 친 문화의 의미가 다른 하나는?

① 청소년 문화는 독특하다.
② 나라마다 의식주 문화가 다르다.
③ 문화인이라면 질서를 지켜야 한다.
④ 전통문화를 창조적으로 계승해야 한다.
⑤ 세계 곳곳에서 k-pop 문화가 유행이다.

03 다음 내용에 해당하는 문화의 구성 요소의 사례로 옳은 것은?

인간의 기본적 욕구를 충족해 주는 수단으로, 인간의 생존에 필요한 도구나 기술 등을 말한다.

① 학문, 종교 ② 의복, 예술 ③ 법률, 관습
④ 음식, 의복 ⑤ 도덕, 가옥

04 수행 평가 보고서의 탐구 주제로 적절한 것은?

탐구 주제: ________

- 전통 의상: 우리나라의 한복과 일본의 기모노
- 주택 형태: 우리나라의 한옥과 이누이트족의 이글루
- 식사 예절: 수저를 사용하는 한국인과 손으로 식사하는 인도인

① 문화의 전체성 ② 문화의 특수성
③ 문화의 보편성 ④ 문화의 축적성
⑤ 문화의 변동성

05 (가), (나)에서 알 수 있는 문화의 특징을 옳게 연결한 것은?

(가) 모든 사회에서는 형태에 관계없이 종교 의식, 장례식, 춤, 결혼 등과 같은 문화 현상이 거의 공통적으로 나타난다.
(나) 힌두교도는 쇠고기, 이슬람교도와 유대인은 돼지고기를 먹지 않으며, 대다수의 유럽인들은 개고기를 먹지 않는다.

	(가)	(나)
①	특수성	상대성
②	특수성	보편성
③	보편성	학습성
④	보편성	특수성
⑤	학습성	특수성

서술형

06 자료는 여러 나라 가옥의 모습이다. (가)에 해당하는 문화의 특징을 쓰고, (나)에 들어갈 알맞은 말을 서술하시오.

▲ 고상가옥

▲ 몽골의 게르

(가) 모든 사회에서는 추위나 더위, 해충이나 짐승 등의 침입을 방지하기 위해 주변에서 구하기 쉬운 재료로 집을 짓고 산다. 그러나 ________(나)________ 때문에 가옥의 구체적인 구조나 형태는 각 지역마다 다양하게 나타난다.

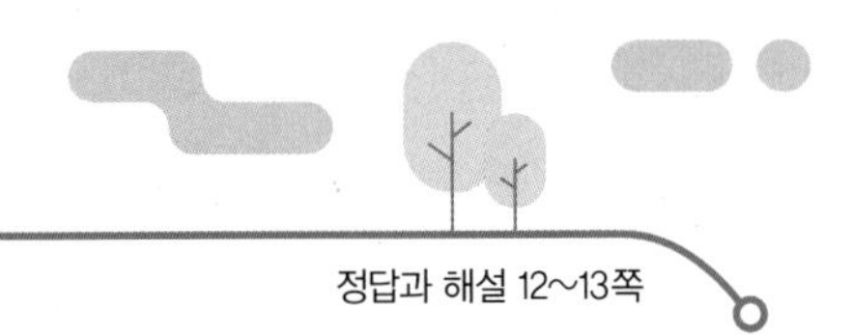

07 사례와 관련된 문화의 속성으로 옳은 것은?

> 과거에는 공중전화를 통해 친구들과 이야기를 했지만, 현대 사회에는 거의 대부분의 사람들이 휴대 전화를 이용하고 있다.

① 학습성 ② 전체성 ③ 변동성
④ 축적성 ⑤ 공유성

08 밑줄 친 ㉠, ㉡에 해당하는 문화의 속성을 옳게 연결한 것은?

> 문화는 인간이 공동생활을 하면서 만들어 낸 공통의 생활 양식으로, ㉠ 타고나는 것이 아니라 후천적으로 배운 것이며, ㉡ 오랜 세월에 걸쳐 만들어지고 다음 세대로 전승되는 것이다.

	㉠	㉡
①	학습성	공유성
②	학습성	축적성
③	공유성	축적성
④	축적성	학습성
⑤	축적성	공유성

09 자료에 나타난 문화의 속성에 대한 설명으로 옳은 것은?

① 후천적으로 학습을 통해서 습득된다.
② 시간의 흐름에 따라 문화의 형태가 달라진다.
③ 사회 구성원들에게서 공통적으로 나타나는 행동 양식이다.
④ 문화가 언어와 문자 등을 통해 다음 세대에 전승되고 축적된다.
⑤ 여러 가지 요소들이 유기적인 관계를 가지고 전체를 이루고 있다.

10 문화에 대해 옳게 이해한 학생을 〈보기〉에서 고른 것은?

> 가영: 몸이 나른할 때 하품을 하는 것도 문화야.
> 나미: 이탈리아인들이 피자를 즐겨 먹는 것은 그 사회의 문화라고 할 수 있어.
> 다정: 마오리족이 코를 비비며 인사하는 것을 좋다거나 나쁘다고 평가할 수 없어.
> 라라: 단백질이 풍부하고 맛도 좋은 돼지고기를 먹지 않는 이슬람교도를 보면 어리석다는 생각이 들어.

① 가영, 나미 ② 가영, 다정
③ 나미, 다정 ④ 나미, 라라
⑤ 다정, 라라

11 신문 기사의 밑줄 친 부분에 나타난 문화 이해의 태도에 대한 설명으로 옳지 않은 것은?

> **○○신문** 20△△년 △월 △일
>
> 2011년 미국의 한 경제 전문지가 선정한 세계 10대 혐오 음식 1위는 중앙아시아 유목민들이 즐겨 마시는 '마유주'가 차지했다. 마유주는 암말의 젖을 숙성시킨 술로 강한 암모니아 향이 난다. 상어고기를 발효시켜 만든 아이슬란드의 향토 요리 '하칼'이 2위에 이름을 올렸고, 이어 '뱀술'이 차례로 꼽혔다.

① 자기 문화에 대한 자부심을 느낄 수 있다.
② 다른 나라와의 갈등이나 국제적 고립을 가져올 수 있다.
③ 다른 문화를 그 사회의 맥락과 환경을 고려하여 이해하고 있다.
④ 자기 문화를 다른 사회에 강요하는 문화 제국주의로 흐를 수도 있다.
⑤ 자신의 문화를 우수한 것으로, 다른 문화를 열등한 것으로 바라보고 있다.

12 (가), (나)에 해당하는 문화 이해의 태도를 옳게 연결한 것은?

> (가) 이슬람 여성의 히잡 착용을 비판하는 일부 사람들
> (나) 조선 시대에 중국 문화를 가장 우월한 것으로 여기며 숭상했던 사대부 계층

	(가)	(나)
①	문화 상대주의	문화 제국주의
②	문화 사대주의	문화 상대주의
③	문화 제국주의	문화 사대주의
④	자문화 중심주의	문화 사대주의
⑤	자문화 중심주의	문화 제국주의

13 (가), (나)에 나타난 문화 이해 태도의 공통점으로 보기 어려운 것은?

> (가) 아프가니스탄에는 유네스코에서 세계 문화유산으로 지정한 세계 최대 크기의 바미안 석불이 있다. 2001년 3월 탈레반 정권은 이 불상이 이슬람 율법에 어긋난다며 대대적인 파괴 작업을 벌였다.
> (나) 서양 음악이 우리의 국악보다 더 우수하기 때문에, 학교의 음악 교육이 서양 음악 중심으로 이루어지는 것은 당연하다. 앞으로는 음악 시간에 서양 음악만 가르치고 배워야 한다.

① 문화에 우열이 있다고 본다.
② 특정한 기준에 의해 문화를 평가한다.
③ 자기 문화의 창조 능력을 과소평가한다.
④ 문화의 상대성과 다양성을 인정하지 않는다.
⑤ 세계화 시대에 지양해야 할 문화 이해의 태도이다.

14 문화 이해 태도에 대해 옳게 설명한 학생은?

① 가희: 문화 사대주의가 지나칠 경우 문화 제국주의로 이어질 수 있어.
② 다희: 자문화 중심주의적 태도는 자기 문화의 주체성을 상실할 우려가 있어.
③ 병희: 자문화 중심주의는 다른 문화를 기준으로 자기 문화를 평가하는 태도야.
④ 금희: 자문화 중심주의와 문화 사대주의 모두 문화의 상대성을 부정하는 태도야.
⑤ 채희: 문화 사대주의는 자신의 문화가 가장 우수하다고 생각하여 다른 문화를 무시하는 태도야.

서술형

15 밑줄 친 부분에 나타난 우리 선조들의 문화 이해 태도를 쓰고, 이러한 태도의 장단점을 서술하시오.

> 조선 시대 중기에 만들어진 천하도는 둥근 모양의 세계 지도이다. 천하도에서 중국은 정중앙에 위치하면서 크게 그려져 있고, 조선은 그 주변에 작게 표시되어 있다. 이는 우리 선조들의 문화 이해 태도를 반영한 것이다.

16 밑줄 친 ㉠~㉤ 중 옳지 않은 것은?

> 문화를 바라볼 때 ㉠ 자기 문화를 가장 우수하다고 믿으면서 다른 사회의 문화를 부정적으로 평가하는 태도를 자문화 중심주의라고 한다. 이와 반대로 자신의 문화를 열등하다고 생각하고 다른 문화를 무조건 추종하는 태도를 ㉡ 문화 사대주의라고 한다. 그러나 ㉢ 한 사회의 문화는 그 사회의 환경과 필요에 따라 형성되어 고유한 가치를 지니고 있으므로 ㉣ 문화 간에 열등하거나 우월하다고 평가할 수 있다. 따라서 한 사회의 문화를 그 문화가 형성된 배경 속에서 이해하는 태도인 ㉤ 문화 상대주의가 바람직하다.

① ㉠ ② ㉡ ③ ㉢ ④ ㉣ ⑤ ㉤

17 다음과 같은 생각을 가진 사람이 가져야 할 문화 이해의 태도로 적절한 것은?

> 스코틀랜드에서는 남자들이 '킬트'라는 전통 치마를 입는다고 한다. 남자가 바지가 아닌 치마를 입는다니 정말 우스꽝스러운 일이다.

① 문화 간의 우열이 있음을 인정한다.
② 특정 문화를 기준으로 다른 문화를 평가한다.
③ 선진국의 문화는 무조건 우수하다고 생각한다.
④ 자기 문화의 관점에서 각 사회의 문화를 판단한다.
⑤ 문화를 각 사회의 특수한 환경과 상황을 고려하여 이해한다.

18 표의 ㉠~㉤에 들어갈 말을 옳게 연결한 것은?

구분	전통적 대중 매체	뉴 미디어
종류	㉠	㉡
정보 전달 방식	(㉢)적 의사소통	(㉣)적 의사소통
영향	(㉤)인 대중문화의 형성	다양한 문화가 나타날 가능성이 커짐

① ㉠ – 이동 통신
② ㉡ – 텔레비전
③ ㉢ – 양방향
④ ㉣ – 일방향
⑤ ㉤ – 획일적

19 다음과 같은 요인에 의해 등장한 문화에 대한 설명으로 적절하지 않은 것은?

- 산업화에 따라 대중의 생활 수준이 향상되었다.
- 교육 기회가 확대되었고, 대중 매체가 발달하였다.
- 민주 정치의 발전에 따라 대중의 사회 · 정치적 권리가 신장되었다.

① 동일한 국가 내에서 지역 간의 격차가 심화된다.
② 구성원의 가치관과 사고방식이 획일화될 수 있다.
③ 대중가요, 영화, 드라마, 유행 등을 예로 들 수 있다.
④ 다양한 오락을 제공하여 시민의 여가 생활에 기여한다.
⑤ 기업의 상업주의와 결탁하여 질 낮은 문화를 형성하기도 한다.

20 다음 내용에 해당하는 개념을 쓰고, 이것이 우리에게 미친 긍정적 영향을 두 가지 서술하시오.

- 다수의 기호에 맞게 생산되고 다수에 의해 소비되는 특징을 갖는다.
- 가요, 드라마, 영화, 프로 야구 등 많은 사람이 손쉽게 접하고 즐기는 문화이다.

21 다음 글에 나타난 대중문화의 문제점으로 적절하지 않은 것은?

대중 매체를 운영하는 기업은 이윤을 높이기 위하여 문화를 상품으로 만들어 팔고 있다. 시청률이나 인기 순위를 높이기 위해 간접 광고(PPL)나 자극적이고 현실과 동떨어진 내용을 추구한다.

① 상업성
② 창의성
③ 저급성
④ 획일성
⑤ 오락성

22 밑줄 친 내용에 해당하는 사례로 적절한 것은?

뉴 미디어의 등장으로 대중 매체와 이용자가 서로 정보를 교환할 수 있게 됨으로써 대중이 적극적으로 문화 형성에 참여할 수 있게 되었다.

① 초고속 인터넷의 보급
② 휴대 전화 가입자 수의 증가
③ 케이블 방송 채널 수의 증가
④ 이용자 제작 콘텐츠(UCC)의 증가
⑤ 오락 위주의 텔레비전 프로그램 제작

23 (가)에 들어갈 내용으로 가장 적절한 것은?

신문사는 매일 쏟아지는 수많은 정보들 가운데 대중에게 전달할 기사를 가려 내 신문 지면에 올린다. 그러나 같은 사건이라 하더라도 신문사마다 논점을 달리하기도 하여 전혀 다른 상반된 시각으로 서술하기도 한다. 따라서 우리는 ______(가)______

① 신문사의 입장을 긍정적으로 받아들여야 한다.
② 자신의 생각과 일치하는 신문 기사만을 선택하여 받아들여야 한다.
③ 기사의 내용을 비판적으로 검토하여 선별적으로 받아들여야 한다.
④ 신문 기사를 통해 사건의 진실이나 유익한 정보를 수용할 수 있다.
⑤ 신문 기사보다 인터넷 등의 뉴 미디어를 통해 정보를 수용함으로써 객관적인 정보를 얻을 수 있다.

정치 생활과 민주주의

01 정치와 정치 생활

1. 정치의 의미와 기능 자료 1

(1) 정치의 의미 → 정치를 돈, 지위, 명예 등과 같은 여러 가치를 권위적으로 배분하는 것이라고 보는 견해도 있어.

① 좁은 의미: 정치인들이 정치권력을 획득하고 유지하며 행사하는 활동

예 국회에서 법률을 만들거나 고치는 활동, 정부가 정책을 수립하여 집행하는 활동 등 → 국회의 가장 대표적인 기능으로 국가 운영의 근거가 되는 법률을 제정하거나 개정하는 거야.

② 넓은 의미: 사회 구성원 간의 대립과 갈등을 조정하여 공공 문제를 해결해 나가는 모든 활동 → 사회적 다수와 관련되어 찬반 대립과 같은 갈등이 나타나며 여러 대안 중에서 선택할 수 있는 문제를 말해.

예 체험 학습 장소를 정하기 위한 학급 회의, 주차 문제 해결을 위한 아파트 주민 회의 등

(2) 정치의 기능

① 대립과 갈등 조정: 개인 또는 집단 간의 생각과 의견을 조정하여 대립과 갈등을 완화하고 이해관계를 조정함 → 서로의 이익이나 손해에 영향을 미치는 관계를 말해.

② 사회 질서 유지: 사회 질서를 유지하고 사회 통합에 기여하여 사회 구성원들이 조화롭게 살아갈 수 있도록 도와줌

③ 사회 발전 방향 제시: 공동체가 직면한 문제를 인식하고, 그 해결책을 찾는 과정에서 사회가 나아가야 할 방향이 제시됨

2. 정치 생활에서 국가와 시민의 역할 자료 2

→ 정치 생활: 집단이나 국가 등 공동체에서 이루어지는 의사 결정과 권력 행사에 참여하는 것을 말해.

(1) 국가의 역할

① 시민의 동의와 지지를 바탕으로 권력을 행사해야 함

② 다양한 이해관계를 민주적으로 조정하기 위해 노력해야 함

③ 정책을 결정하고 집행하는 과정에서 시민의 요구를 충분히 반영해야 함

④ 국민의 삶의 질 향상에 기여하고, 시민의 자유와 권리를 최대한 보장해야 함

(2) 시민의 역할 → 오늘날 보통 선거 제도가 정착되고 시민이 국가 운영에 적극 참여할 수 있는 제도가 마련되면서 과거보다 정치에 참여할 수 있는 기회가 늘어났어.

① 국가의 정당한 권위를 존중하며 법을 준수해야 함

② 국가 권력이 올바르게 행사될 수 있도록 감시하고 통제해야 함

③ 자신의 의견이 정책에 반영될 수 있도록 적극적으로 노력해야 함

④ 공동체 이익과 조화를 이루면서 자신의 자유와 권리를 추구해야 함

학습 내용 들여다보기

■ **정치권력**
국가 기관이 구성원들 간의 이해관계를 조정하고, 공동체의 목적을 달성하기 위해 행사하는 힘을 말한다. 정치권력은 국가가 정치적 기능의 수행을 위해 합법적으로 행사하는 강제력을 동반한다.

■ **인간은 정치적 동물이다.**

▲ 아리스토텔레스

아리스토텔레스는 인간은 본래 불완전한 존재이기 때문에 공동체 안에서만 완전해질 수 있다고 생각했다. 따라서 아리스토텔레스는 공동체를 떠나 살 수 없는 인간의 특성을 가리켜 '정치적 동물'이라고 표현하였다.

용어 알기

- **정책** 공공의 이익을 실현하기 위하여 정부나 공공 기관이 수행하는 활동 방향이나 계획
- **직면** 정면으로 맞닥뜨림
- **권위** 다른 사람을 통솔하여 이끄는 힘
- **공동체** 생활이나 행동 또는 목적 따위를 같이 하는 집단

자료 1 정치의 의미와 기능

▲ 국회의 입법 활동

▲ 학급 회의

정치의 의미는 다양하게 이해된다. 좁은 의미의 정치는 국회의 입법 활동처럼 정치인들이 정치권력을 획득·유지하며 행사하는 활동, 넓은 의미의 정치는 학급 회의와 같이 일상생활에서 발생하는 여러 문제에 대한 구성원 간의 이해관계를 조정하는 활동을 의미한다.

자료 2 바람직한 정치 생활을 위한 노력

▲ 공청회

▲ 주민 참여 정책 간담회

국가는 올바른 정치 생활을 위해서 시민이 정치에 참여할 수 있는 다양한 제도적 장치를 마련해야 한다. 예를 들면 공청회를 통해서 시민의 의견을 정책에 반영하거나, 주민 참여 정책 간담회에 주민이 직접 참여하게 할 수 있다.

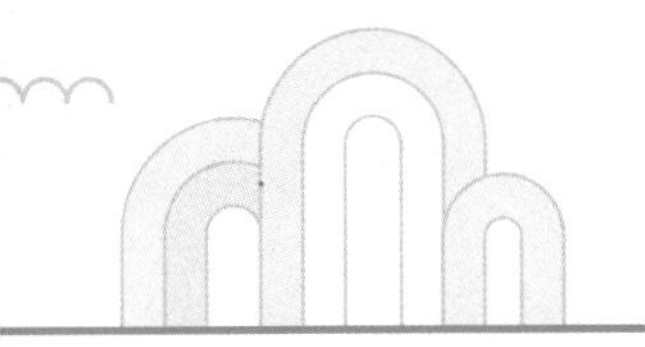
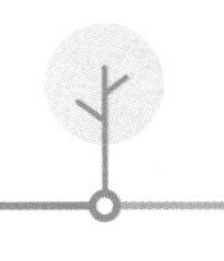

기본 문제

정답과 해설 14쪽

간단 체크

1 빈칸에 들어갈 알맞은 말을 쓰시오.

(1) 구성원 간의 이해관계와 갈등을 조정하여 의사 결정을 하고 이를 실천하는 과정을 (　　　　)(이)라고 한다.

(2) 정치인들이 (　　　　)을/를 획득하고 유지하며 행사하는 활동은 좁은 의미의 정치에 해당한다.

(3) 가족 회의, 학급 회의, 아파트 입주자 대표 회의 등은 (　　　　) 의미의 정치에 해당한다.

(4) 정치는 개인이나 집단 간에 발생하는 대립과 갈등을 조정하여 사회를 통합하고 (　　　　)을/를 유지하는 기능을 한다.

2 다음 설명이 맞으면 ○표, 틀리면 ×표 하시오.

(1) 넓은 의미의 정치는 정치인의 활동으로 국한된다. (　　)

(2) 좁은 의미의 정치는 국가를 다스리기 위해 권력을 획득하고 유지하기 위한 활동을 의미한다. (　　)

(3) 정치는 사회를 통합하고 질서를 유지하는 데 기여한다. (　　)

(4) 개인이나 집단 간의 분쟁을 조정하는 것은 정치의 기능으로 보기 어렵다. (　　)

3 〈보기〉에서 좁은 의미의 정치와 넓은 의미의 정치를 구분하여 기호로 쓰시오.

| 보기 |

ㄱ. 가족 회의　　ㄴ. 학급 회의
ㄷ. 정부의 국무 회의　　ㄹ. 법원의 사법 작용

(1) 좁은 의미의 정치 (　　　　)

(2) 넓은 의미의 정치 (　　　　)

4 괄호 안의 내용 중 알맞은 말에 ○표 하시오.

(1) 국가는 시민의 (자유, 동의)와 지지를 바탕으로 국가 권력을 행사해야 한다.

(2) 주민 참여 예산 제도는 (국회, 지방 자치 단체)의 예산 편성 과정에 주민이 참여하는 제도이다.

(3) 지나친 국가 권력의 행사는 시민의 (자유, 평등)와/과 권리를 침해할 수 있다.

(4) 국가 권력과 시민의 권리가 (견제, 조화)와 균형을 이룰 때 바람직한 정치 생활이 이루어질 수 있다.

01 다음의 사례로 옳은 것을 〈보기〉에서 고른 것은?

정치란 정치인들이 정치권력을 획득하고 유지하며 행사하는 활동을 의미한다.

| 보기 |

ㄱ. 국회 의원의 입법 활동
ㄴ. 정부가 정책을 수립하는 활동
ㄷ. 노사 간 갈등을 해결하기 위한 협상
ㄹ. 회의를 통해 자리를 정하는 학급 회의

① ㄱ, ㄴ　② ㄱ, ㄷ　③ ㄴ, ㄷ
④ ㄴ, ㄹ　⑤ ㄷ, ㄹ

02 다음 글에 나타난 국가의 역할로 가장 적절한 것은?

국민 건강 보험 제도는 일상생활에서 발생하는 우연한 질병이나 부상에 대한 대비를 위한 사회 보장 제도이다. 사고나 질병은 일시에 고액의 진료비가 소요되므로 이를 대비하기 위해 국민이 평소에 납부한 일정액의 보험료와 공단의 관리 운영에 따른 부담금으로 위험을 함께 분담하는 제도이다.

① 삶의 질 향상에 기여한다.
② 정의 실현을 통해 사회 질서 유지에 이바지한다.
③ 희소한 사회적 가치를 배분하는 기준을 제공한다.
④ 다양한 이해관계를 조정하고 갈등을 합리적으로 해결한다.
⑤ 구성원들 간 의사소통의 계기를 제공함으로써 결속력 강화에 기여한다.

03 올바른 정치 생활을 위한 시민의 역할로 적절하지 않은 것은?

① 준법 정신을 생활화한다.
② 공청회나 토론회에 적극적으로 참여한다.
③ 국가의 부당한 정책이라도 시민으로서 무조건 따른다.
④ 국가 권력이 올바르게 행사될 수 있도록 감시하고 통제한다.
⑤ 공동체 이익과 조화를 이루면서 자신의 자유와 권리를 추구해야 한다.

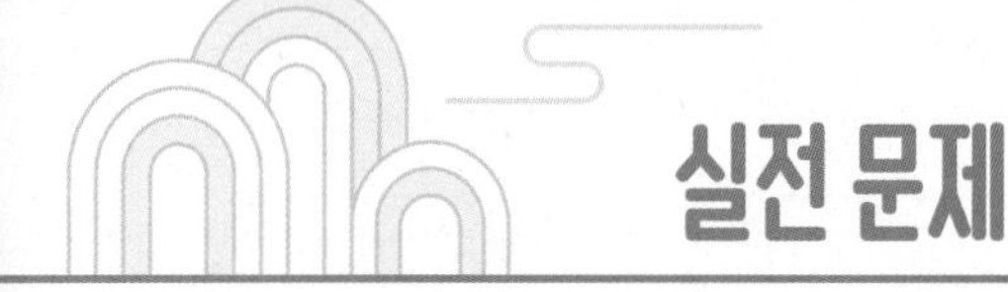

실전 문제

01 정치와 관련된 활동으로 적절하지 않은 것은?

① 학교 운영 위원회에서 상벌제가 결정되었다.
② 동아리 친구들과 함께 학교 축제에 참가하였다.
③ 최저 임금 위원회를 통해 최저 임금이 결정되었다.
④ 정부에서 학원 심야 교습 금지 정책을 발표하였다.
⑤ 학급 회의를 통해 학급 자리 배치 방법을 의논하였다.

02 교사의 질문에 옳지 않은 대답을 한 학생은?

> 교사: 흔히 '정치'라고 하면 대통령이나 국회 의원 등 정치인들의 활동만을 떠올리지만 학급 회의도 정치라고 볼 수 있어요. 그 이유는 무엇일까요?

① 민주: 정치는 정치권력을 획득하고 유지하는 활동이기 때문입니다.
② 민상: 정치는 국가를 비롯한 모든 사회 집단에서 나타나는 현상이기 때문입니다.
③ 주민: 정치는 구성원 간의 이해관계를 조정하는 의사 결정 과정이기 때문입니다.
④ 노주: 정치란 사회적 희소가치에 따른 욕구와 대립을 조정하는 활동이기 때문입니다.
⑤ 남주: 정치란 일상생활에서 발생하는 대립과 갈등을 해결하는 모든 활동을 말하기 때문입니다.

03 좁은 의미의 정치 사례로 적절한 것은?

① 학급 회의에서 체험 학습 장소를 정하였다.
② 국회는 국무 회의에서 예산안을 심의·의결하였다.
③ 주차 문제를 해결하기 위해 주민 회의를 개최하였다.
④ 체육 선생님께서 반 대항 농구대회 출전자를 결정하셨다.
⑤ 분리 수거법 개정안에 대한 의견을 듣기 위해 공청회에 참석하였다.

04 정치의 기능으로 적절하지 않은 것은?

① 사회 통합
② 사회 질서의 유지
③ 사회 발전 방향 제시
④ 이해관계와 갈등의 조정
⑤ 국가 권력 행사 최소화를 통한 시민의 권리 보장

05 아리스토텔레스가 말한 '정치적 동물'에 대한 설명으로 옳지 않은 것은?

① 인간은 사회를 통해 갈등과 분쟁을 해결한다.
② 인간은 정치 공동체 없이는 살아갈 수 없는 존재이다.
③ 인간은 국가를 다스리기 위한 권력을 획득해야만 한다.
④ 인간은 공동체 안에서 함께 살아가는 방법을 모색하는 존재이다.
⑤ 인간에게 정치는 반드시 필요하고 인간 사회에서만 살아갈 수 있다.

고난도

06 기사를 통해 알 수 있는 정치의 기능으로 가장 적절한 것은?

> **○○신문** 20△△년 △월 △일
>
> **A 전자 노동조합 파업, 정치권에서 적극 중재에 나서**
>
> 임금 인상을 요구하며 20일째 파업을 벌이고 있는 A 전자에 정부 관계자와 국회 의원 등 정치권 대표들이 방문하여 노사 양측의 입장을 듣고 해결책을 적극 모색하고 있다. … (후략) …

① 권력을 분산시켜 국민의 기본권을 보장한다.
② 개인 또는 집단 간의 대립과 갈등을 조정한다.
③ 국민의 지지를 바탕으로 정치권력을 획득한다.
④ 사회적 약자를 보호하여 복지 사회를 추구한다.
⑤ 이해관계를 조정하는 법 제정을 통해 사회 질서를 유지한다.

07 바람직한 정치 생활을 위한 시민의 역할로 옳은 것을 <보기>에서 고른 것은?

> 보기
>
> ㄱ. 직접 정책을 결정하고, 결정된 정책을 집행한다.
> ㄴ. 정치권력이 올바르게 행사되고 있는지 감시한다.
> ㄷ. 공동체 의식을 가지고 사회 문제 해결에 적극 참여한다.
> ㄹ. 다양한 이해관계를 민주적으로 조정하는 중재자 역할을 한다.

① ㄱ, ㄴ ② ㄱ, ㄷ ③ ㄴ, ㄷ
④ ㄴ, ㄹ ⑤ ㄷ, ㄹ

08 **다음 제도들을 국가가 운영하는 목적으로 가장 적절한 것은?**

- 지방 자치 단체의 예산을 편성할 때 주민이 직접 참여 하는 제도
- 국회나 행정 기관, 공공 단체가 중요한 정책의 결정이나 법령 등의 제정 또는 개정안을 심의하기 이전에 이해관계자나 해당 분야의 전문가로부터 공식 석상에서 의견을 듣는 제도

① 시민의 자유와 권리를 통제하기 위해서
② 국가의 이익과 공동체의 이익을 분리시키기 위하여
③ 강력한 국가 통치를 통해 복지 국가를 실현하기 위해서
④ 국가가 갈등 상황에 있는 집단의 의견 차이를 줄이기 위해서
⑤ 시민이 직접 정치에 참여할 수 있는 다양한 방법을 마련하여 정책에 반영하기 위해서

★ 중요 ★

09 **사례에서 알 수 있는 바람직한 정치 생활 모습으로 가장 적절한 것은?**

○○신문 20△△년 △월 △일

○○도 △△시에 방사성 폐기물 처분장이 들어선다는 소식에 이 지역 주민들은 완강하게 반대하였다. 그러나 후보지 선정 과정에서 이 지역 주민들의 의사를 철저하게 배제하는 등 밀실 행정을 총괄했던 과학 기술부 장관이 해임되고, 정부와 이 지역 주민 간의 대화와 토론을 통해 △△시에 방사성 폐기물 처분장을 건립하되, 지역 주민을 위한 편의 시설과 공원도 함께 건설하기로 합의하였다.

① 공동체의 이익과 시민의 권리가 조화를 이루어야 한다.
② 국가는 어떠한 경우에도 시민의 생활에 간섭할 수 없다.
③ 시민의 자유와 권리는 불가침의 영역이므로 제한 없이 보장해야 한다.
④ 국가 권력은 치안 유지와 국방 등 최소한의 영역에서만 행사되어야 한다.
⑤ 시민의 권리와 국가 권력이 충돌할 경우 시민의 권리를 우선시해야 한다.

서술형 문제

10 **(가), (나)에 나타난 정치의 의미를 비교하여 서술하시오.**

(가)

▲ 국회 본회의

(나)

▲ 주민 회의

11 **사례에 나타난 정치의 기능을 서술하시오.**

지역 토종 상권을 보호하려는 소상인들과 기업형 슈퍼마켓(SSM)을 통해 영업을 확장하려는 대기업 사이에 갈등이 깊어지고 있는 가운데, ○○도 A도지사의 적극적인 중재로 지역 소상인과 대기업 사이에 서로 양보하여 새로운 형태의 상권을 만들기로 합의하였다.

02 민주 정치의 발전

학습 내용 들여다보기

■ **민주주의(Democracy)**
고대 그리스어인 데모스(demos, 다수)와 크라토스(kratos, 지배)의 합성어로, '다수에 의한 통치'라는 뜻이다.

■ **도편 추방제**

도편(도자기 조각)에 국가에 해를 끼칠 만한 위험한 인물의 이름을 적게 하여, 그 결과에 따라 참주가 될 가능성이 있는 사람을 국외로 추방하는 제도이다.

■ **참정권 운동**
- 차티스트 운동(19세기 전반): 영국 노동자들의 선거권 획득을 위한 선거법 개정 운동
- 여성 참정권 운동(19세기 후반): 남성과 동등한 여성의 선거권을 요구한 운동
- 흑인 참정권 운동(1950년대): 마틴 루서 킹 목사의 비폭력 인권 운동에서 시작되어 1965년에 선거권 부여

용어 알기

- **대의** 선거를 통하여 뽑힌 의원이 국민의 의사를 대표하여 정치를 담당하는 일
- **의회** 국민에 의하여 선출된 의원을 구성원으로 하여 입법, 국정 감시 등 국가의 중요한 작용에 참여하는 기능을 가진 합의제 국가 기관
- **독재** 국가 권력을 개인이 장악하여 민의나 법률에 제약을 받지 않고 실시하는 정치
- **입헌주의** 국가 구성원의 합의로 제정된 헌법에 따라 국가를 운영하려는 정치 사상
- **공화정** 국가 최고 통치자를 세습하지 않고 국민이 선출함

1. 민주 정치의 발전 과정

(1) 고대 아테네의 민주 정치 자료 1

① 발달 배경: 영토가 작고 인구가 적은 도시 국가였고, 노예가 대부분의 노동을 담당함 → 시민이 정치에 참여할 시간과 여유가 있음

② 직접 민주 정치

민회	모든 시민이 민회에 모여 법률이나 주요 정책을 논의하고 결정함
추첨제와 윤번제	시민들은 추첨제나 윤번제를 통해 누구나 공직에 참여할 기회를 얻음 → 어떤 임무를 돌아가며 차례로 맡는 제도야.
도편 추방제	독재자가 될 만한 인물을 비밀 투표를 통해 국외로 추방하는 제도

③ 제한적 민주 정치: 여성, 노예, 외국인은 정치에 참여할 수 없음

(2) 근대 민주 정치 자료 2

① 발달 배경: 시민들이 자유와 권리를 찾고자 왕과 귀족에 대항하여 시민 혁명(영국의 명예혁명, 미국의 독립 혁명, 프랑스 혁명)을 일으킴

② 대의 민주 정치 → 국민이 대표자를 선출하여 의회를 구성하고 의회에서 법이나 정책을 만들도록 하는 정치 제도야.
- 시민들이 선거를 통해 대표를 선출하여 국가의 의사 결정에 참여함
- 시민의 대표로 구성된 의회를 중심으로 한 대의 민주 정치가 이루어짐

③ 제한적 민주 정치: 상공업으로 부를 축적한 남성들만이 정치에 참여할 수 있고, 빈민, 여성, 노동자, 농민 등 다수의 사람들이 정치에서 배제됨

(3) 현대 민주 정치

① 발달 배경: 참정권 확대 운동 → 보통 선거 실시 → 모든 국민이 정치에 참여

② 특징

보통 선거제 확립	성별, 신분, 재산 등에 관계없이 일정 연령 이상의 모든 사람들의 선거권을 보장함
대의 민주 정치 실시	대부분의 국가에서 국민의 대표를 통해 나라의 중요한 일을 결정함 (← 사회의 규모가 커지고 복잡해졌기 때문이야.)
전자 민주주의의 등장	최근 정보 통신 기술의 발달로 인터넷, 스마트폰 등을 통해 시민이 정치에 참여할 수 있는 통로가 확대됨

③ 한계 및 보완책
- 한계: 시민들의 의견이 정책에 제대로 반영되기 어려움, 정치적 무관심
- 보완책: 시민이 직접 정치에 참여할 수 있는 제도를 마련함

→ 우리나라에서는 국민 투표, 주민 발안 등의 직접 민주 정치 요소를 도입하고 있어.

정치적 무관심 → 국민이 정치 참여에 부정적이고, 정치적 문제와 현상에 대해서 관심을 보이지 않는 것을 말해.

자료 1 고대 아테네 민주 정치

고대 아테네에서는 아고라에 모든 시민이 모여 국가의 중요한 의사 결정에 직접 참여하였다. 하지만 오늘날 대부분의 국가에서는 영토가 넓고 인구가 많기 때문에 국민이 선거를 통해 선출한 대표를 통해 정치에 간접적으로 참여하는 대의 정치를 실시하고 있다.

자료 2 근대 시민 혁명

구분	영국 명예혁명	미국 독립 혁명	프랑스 혁명
배경	국왕의 전제 정치	영국의 식민 지배	소수 특권 계층의 지배와 구제도의 모순
문서	권리 장전	독립 선언문	인권 선언문
결과	입헌주의 확립	민주 공화정 수립	자유·평등 사상 확립

시민 혁명은 모든 인간은 자유롭고 평등하게 태어났다는 자연권 사상, 국가는 개인들 간의 합의를 통해 만들어졌다는 사회 계약설 등을 바탕으로 일어났다. 이러한 시민 혁명으로 인간의 존엄성, 자유와 평등의 이념이 널리 퍼졌으며, 근대 민주 정치가 확립되었다.

2. 민주주의의 이념과 기본 원리

(1) 민주주의의 의미

정치 형태로서의 민주주의	권력을 가진 소수가 아닌 다수의 시민에 의해 국가가 통치되는 정치 형태
생활 양식으로서의 민주주의	비판과 토론, 대화와 타협, 관용, 다수결의 원리 등을 통해 공동체의 문제를 해결하려는 생활 방식

(2) 민주주의의 이념

→ 민주주의의 근본이념이야.

① 인간의 존엄성 실현: 모든 사람이 인간이라는 이유만으로 존중받아야 한다는 것

② 자유와 평등의 보장

자유	• 의미: 국가나 타인의 간섭이나 구속 없이 자신의 뜻에 따라 판단하고 행동하는 것 • 오늘날에는 국가의 부당한 간섭을 받지 않을 자유뿐만 아니라 정치 과정에 참여하고 국가에 인간다운 삶을 요구할 자유도 중시 → 소극적 자유야. 적극적 자유야.
평등	• 의미: 성별, 신분, 재산 등에 따라 부당하게 차별받지 않고 동등하게 대우받는 것 • 현대에는 모든 사람들에게 균등한 기회를 부여하는 것뿐만 아니라 선천적·후천적인 차이를 고려한 실질적인 평등도 강조 → 형식적 평등이야.

(3) 민주 정치의 기본 원리 자료 3

① 국민 주권의 원리 → 민주주의의 가장 핵심적인 원리야.

- 의미: 국가의 의사를 결정하는 최고 권력인 주권이 국민에게 있다는 원리
- 내용: 국민은 국가의 주인으로서 권리를 행사할 수 있으며, 국가 권력은 국민의 동의와 지지를 바탕으로 형성되고 행사되어야 함

② 국민 자치의 원리

- 의미: 주권을 가진 국민이 스스로 나라를 다스릴 수 있다는 원리
- 실현 방법

직접 민주 정치	모든 국민이 직접 나라의 일을 결정하는 제도 → 국민 자치의 원리를 충실하게 실현해.
간접 민주 정치	국민이 선출한 대표자가 나라를 다스리게 하는 제도 → 오늘날 대부분의 국가가 채택하고 있어.

③ 입헌주의의 원리

- 의미: 헌법에 따라 국가 기관을 구성하고, 정치권력을 행사해야 한다는 원리
- 목적: 국가 권력의 남용 방지, 국민의 자유와 권리 보장

④ 권력 분립의 원리 자료 4

- 의미: 국가 권력을 분리하여 독립된 기관이 나누어 맡도록 하는 원리
- 목적: 국가 기관 간 상호 견제와 균형을 통한 권력의 남용과 횡포 방지 → 국민의 자유와 권리 보장

학습 내용 들여다보기

■ 실질적 평등

모든 사람을 일률적으로 동등하게 다루는 것을 의미하는 형식적 평등을 넘어서 각 사람이 처한 상황이나 여건이 다르면 그 차이를 고려하여 대우해 주는 것을 의미한다.

■ 민주주의의 이념

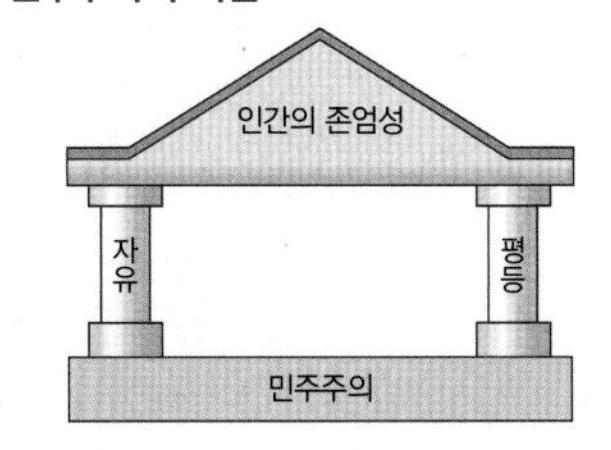

■ 헌법

한 나라의 최고법으로 국가 기관의 조직과 기능, 국민의 기본권을 보장하는 내용을 담고 있다.

용어 알기

- **자치** 스스로 다스림
- **주권** 국가의 의사를 결정하는 최고 권력
- **남용** 정해진 규정이나 기준을 넘어서 함부로 사용함
- **횡포** 자신의 세력을 믿고 방자하고 난폭하게 구는 것

자료 3 우리 헌법에 나타난 민주 정치의 기본 원리

제1조 ② 대한민국의 주권은 국민에게 있고, 모든 권력은 국민으로부터 나온다.
제69조 대통령은 취임에 즈음하여 다음의 선서를 한다. "나는 헌법을 준수하고 국가를 보위하며… 성실히 수행할 것을 국민 앞에 엄숙히 선서합니다."
제72조 대통령은 필요하다고 인정할 때에는 외교·국방·통일 기타 국가 안위에 관한 중요 정책을 국민 투표에 붙일 수 있다.

우리 헌법 제1조 ②항에는 국민 주권의 원리, 제69조에는 입헌주의 원리, 제72조에는 국민 자치의 원리가 나타나 있다.

자료 4 권력 분립의 원리

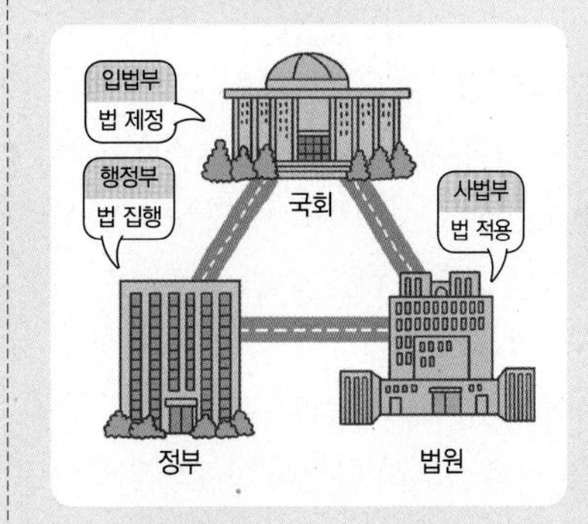

우리나라는 법을 제정하는 권한은 입법부, 법을 집행하는 권한은 행정부, 법을 적용하는 권한은 사법부에 있다. 각 기관은 서로 견제와 균형을 이루면서 국민의 기본권을 보장하고 있다.

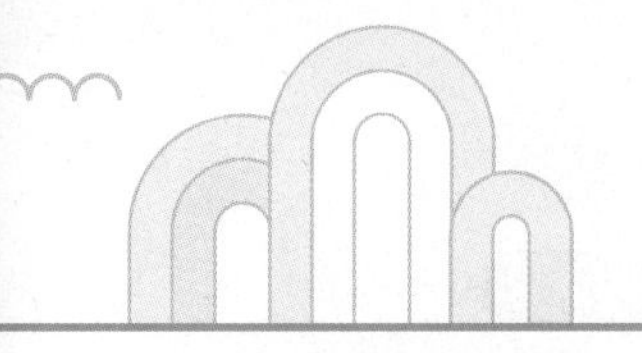
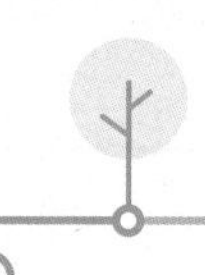

기본 문제

간단 체크

1 빈칸에 들어갈 알맞은 말을 쓰시오.

(1) (　　　　)은/는 고대 아테네에서 시민이 모여 정책을 논의하던 최고 의결 기관이다.
(2) 아테네에서는 모든 시민이 법률이나 주요 정책을 논의하고 결정하는 (　　　　) 민주 정치가 이루어졌다.
(3) (　　　　)을/를 통해 절대 왕정이 무너지고 근대 민주주의가 성립되었다.
(4) 시민들의 참정권 확대 운동을 통해 누구나 선거에 참여할 수 있는 (　　　　) 선거 제도가 확립되었다.
(5) 최근 정보 통신 기술의 발달로 인터넷, 스마트폰 등을 통해 시민이 정치에 참여할 수 있는 (　　　　)이/가 등장하였다.

2 다음 설명이 맞으면 ○표, 틀리면 ×표 하시오.

(1) 인간의 존엄성 실현은 민주주의의 출발점인 동시에 민주주의가 추구하는 궁극적인 목표이다. (　　)
(2) 자유는 국가나 타인의 간섭이나 구속 없이 자신의 뜻에 따라 판단하고 행동하는 것이다. (　　)
(3) 형식적 평등은 개인의 선천적·후천적 차이를 고려해 국가가 사회적 약자를 배려하는 것이다. (　　)

3 괄호 안의 내용 중 알맞은 말에 ○표 하시오.

(1) 실질적 평등을 보장하기 위한 제도로는 (국민 투표, 국민 기초 생활 보장 제도)가 있다.
(2) 인간의 존엄성을 실현하기 위해서는 자유와 평등이 (견제, 조화)와 균형을 이루어야 한다.
(3) 비판과 토론, 대화와 타협 등을 통해 공동체의 문제를 해결하려는 생활 방식은 (생활 양식으로서의, 정치 형태로서의) 민주주의이다.

4 다음 내용과 관련된 민주 정치의 원리를 〈보기〉에서 고르시오.

보기	
ㄱ. 입헌주의의 원리	ㄴ. 국민 자치의 원리
ㄷ. 국민 주권의 원리	ㄹ. 권력 분립의 원리

(1) 국가의 주권은 국민에게 있다. (　　)
(2) 주권을 가진 국민이 스스로 나라를 다스릴 수 있다. (　　)
(3) 국가 권력의 행사는 헌법에 근거해야 한다. (　　)
(4) 국가 권력을 분립하여 독립된 기관이 나누어 맡도록 한다. (　　)

01 고대 아테네의 민주 정치에 대한 설명으로 옳지 않은 것은?

① 직접 민주 정치를 실시하였다.
② 추첨제와 윤번제로 공직자를 선출하였다.
③ 민회에서 아테네의 주요 정책이 결정되었다.
④ 아테네에 거주하는 모든 사람들이 시민에 포함되었다.
⑤ 모든 시민들이 민회에 모여 직접 정책을 결정하였다.

02 다음 내용에 해당하는 제도를 쓰시오.

> 고대 아테네에서는 권력자에 대한 통제 수단으로 시민들이 독재자가 될 것 같은 사람의 이름을 도자기에 적어 투표를 한 후, 6,000표 이상 나오면 나라 밖으로 추방하는 제도가 있었다.

03 다음 역사적 사건들을 통해 변화된 정치 생활 모습으로 가장 적절한 것은?

▲ 영국의 명예혁명

▲ 미국의 독립 혁명

① 복지 국가가 등장하였다.
② 보통 선거 제도가 확립되었다.
③ 대의 민주 정치가 확립되었다.
④ 직접 민주 정치 제도가 도입되었다.
⑤ 대중이 정치 참여의 주체로 등장하였다.

04 근대 민주 정치의 특징에 대해 잘못 말한 학생은?

① 도은: 근대 민주 정치는 시민이 절대 군주와 싸워서 얻어 낸 결과물이야.
② 동연: 시민이 자유와 평등의 원리에 입각한 민주 정치의 토대를 마련한 거야.
③ 서연: 근대 민주 정치는 시민이 직접 정치에 참여하는 직접 민주 정치를 의미해.
④ 재민: 재산이 많은 남자에게만 선거권이 주어진 것은 한계점이라고 할 수 있어.
⑤ 민진: 근대 민주 정치는 국민 주권과 천부 인권의 사상을 헌법에 명확하게 규정하고 있지.

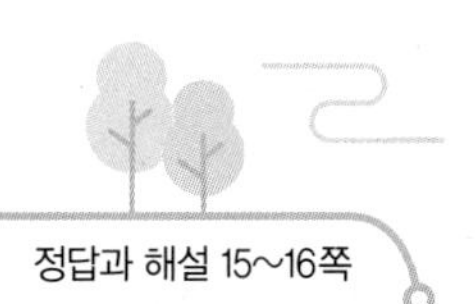

★ 중요 ★

07 ㉠~㉢에 대한 설명으로 옳은 것을 〈보기〉에서 고른 것은?

민주주의의 근본이념인 (㉠)을/를 실현하기 위해서는 (㉡)와/과 (㉢)이/가 실질적으로 보장되어야 한다. (㉡)은/는 외부의 간섭을 받지 않고 스스로 판단하여 행동하는 것이고, (㉢)은/는 성별, 신분, 재산 등에 따라 부당하게 차별받지 않고 동등하게 대우받는 것을 의미한다.

보기

ㄱ. ㉠은 인간이라는 이유만으로도 존중받아야 한다는 의미이다.
ㄴ. 오늘날 선천적·후천적 차이를 고려한 실질적인 ㉡을 강조한다.
ㄷ. ㉡과 ㉢은 근대 시민 사회 성립 이전부터 강조되는 개념이다.
ㄹ. ㉠을 실현하기 위해서는 ㉡과 ㉢이 조화와 균형을 이루어야 한다.

① ㄱ, ㄴ　② ㄱ, ㄹ　③ ㄴ, ㄷ
④ ㄴ, ㄹ　⑤ ㄷ, ㄹ

08 다음 헌법 조항과 관련된 민주 정치의 기본 원리로 옳은 것은?

제1조 ① 대한민국은 민주 공화국이다.
② 대한민국의 주권은 국민에게 있고, 모든 권력은 국민으로부터 나온다.

① 입헌주의의 원리　② 국민 주권의 원리
③ 국민 자치의 원리　④ 권력 분립의 원리
⑤ 지방 자치의 원리

09 민주 정치의 기본 원리에 대한 설명으로 옳지 않은 것은?

① 국민 주권의 원리 – 주권이 국민에게 있다.
② 다수결의 원리 – 소수보다 다수의 의사를 무조건 따른다.
③ 국민 자치의 원리 – 주권을 가진 국민이 스스로 나라를 다스린다.
④ 입헌주의의 원리 – 국민의 기본권을 보장하는 헌법에 따라 정치가 이루어진다.
⑤ 권력 분립의 원리 – 국가의 권력을 입법권, 행정권, 사법권으로 나누어 각각의 기관이 맡도록 한다.

서술형 문제

10 다음 자료를 통해 알 수 있는 근대 민주 정치의 한계점에 대해 서술하시오.

〈영국의 선거권자 변화〉
- 명예혁명(1688) 직후: 귀족과 부자에게 선거권 부여
- 1차 선거법 개정(1832): 도시 상공업자와 도시 중산층 남성에게 선거권 부여

〈프랑스의 선거권자 변화〉
프랑스에서는 1791년 혁명 도중 제정한 헌법에서 국민을 능동 시민과 피동 시민으로 나누고, 최소한 3일간의 노동 임금에 상당하는 세금을 납부하는 능동 시민에게만 선거권을 주었다. 이에 2,500만 명의 시민 중 선거권을 가진 사람은 400만 명에 불과했다.

11 다음과 관련된 현대 민주 정치의 형태를 쓰고, 이러한 정치 형태의 장점을 서술하시오.

오늘날 정보 통신 기술 발달에 힘입어 온라인을 통해 민원을 해결하거나 정부에 정치적 제안을 할 수 있는가 하면, 전자 투표 등을 통해 시민이 자신의 정치적 의견을 표현할 수 있게 되었다.

03 민주 정치 제도와 정부 형태

학습 내용 들여다보기

■ **입법부와 행정부의 관계에 따른 정부 형태의 구분**
- 의원 내각제: 입법부와 행정부의 관계가 긴밀한 정부 형태
- 대통령제: 입법부와 행정부가 엄격하게 분리된 정부 형태

■ **의회 해산권**

의회의 내각 불신임권에 맞설 수 있는 내각의 권한으로 의회를 해산하고 새로 총선거를 실시하여 의회를 구성할 수 있다.

■ **법률안 거부권**

대통령이 의회에서 의결한 법률안의 승인을 거부할 수 있는 권한이다. 대통령이 법률안 거부권을 행사하면 의회는 해당 법률안을 재의결할 수 있다.

1. 민주 정치 제도

(1) 직접 민주 정치

① **의미**: 모든 국민이 법률과 정책 결정에 직접 참여하는 정치 형태

② **사례**: 고대 그리스 아테네의 민회

③ **한계**: 모든 국민의 직접적인 의사 표현과 참여로 인해 비효율적임

→ 토론과 결정에 많은 시간과 비용이 들어.

넓은 영토와 많은 국민으로 구성된 현대 국가에서 실현되기 어려워.

(2) 간접 민주 정치 자료 1

→ 오늘날 대부분의 민주 국가에서는 주로 간접 민주 정치가 이루어져.

① **의미**: 국민의 대표가 의회와 정부를 구성하여 법률과 정책을 결정하는 정치 형태

② **등장 배경**: 영토가 넓고 인구가 많아 모든 국민의 직접 참여가 어렵기 때문, 사회의 복잡화, 전문화로 전문적 지식이 필요해졌기 때문

③ **장점**: 대규모 국가에서 효율적인 민주 정치 실현

④ **한계**: 국민의 정치 참여 기회가 제한되기 쉽고, 국민의 의사가 정확히 전달되기 어려움 → 국민의 정치적 무관심을 초래할 가능성이 있음

→ 선거 이외에 국민의 정치 참여 통로가 부족하기 때문이야.

⑤ **보완책**: 직접 민주 정치 요소 도입

→ 예 지방 자치 제도, 국민 투표, 국민 발안, 국민 소환 등

2. 민주 정치의 정부 형태

(1) 의원 내각제 자료 2

① **의미**: 입법부와 행정부가 밀접한 관계를 맺고 협력하면서 국정을 운영하는 정부 형태

② **구성**: 국민이 선거를 통해 의회 의원을 선출하면 의회 다수당의 대표가 총리(수상)가 되어 행정부인 내각을 구성

→ 의원 내각제를 채택하고 있는 국가에서 행정부를 총괄하는 최고 지도자야.

③ **특징**
- 의회 의원이 내각의 각부 장관(각료)을 겸직할 수 있음
- 총리와 내각은 의회에 법률안을 제출할 수 있음 → 내각이 의회 의원들로 구성되기 때문이야.
- 의회는 내각 불신임권, 내각은 의회 해산권을 통해 서로 견제함

④ **장단점**

장점	단점
• 국민의 정치적 요구에 민감하여 책임 정치를 실현할 수 있음 • 의회와 내각의 협조를 통해 효율적으로 국정을 운영할 수 있음	• 한 정당이 의회와 내각을 모두 장악하는 경우 다수당의 횡포가 우려됨 • 군소 정당이 난립할 경우 국정 운영의 혼란을 초래할 수 있음

용어 알기
- **내각** 국가의 행정권을 담당하는 최고 합의 기관
- **군소** 정당 의회에 의석이 없거나 의석 수가 적은 정당

자료 1 간접 민주 정치를 보완하기 위한 제도

국민 투표	국가의 중대한 사안을 결정할 때 국민의 전체 의사를 묻는 제도로 우리나라는 헌법 개정과 대통령이 필요하다고 판단되는 중요 정책에 대해서 국민 투표를 실시하고 있음
국민 발안	국민이 국가에 필요한 법안이나 안건을 직접 제안할 수 있는 제도
국민 소환	국민이 투표를 통해 선출한 공직자를 임기가 끝나기 전에 파면시키는 제도

현대 국가에서는 주로 간접 민주 정치를 실시하지만, 직접 민주 정치의 요소를 일부 도입하여 간접 민주 정치의 단점을 보완하는 혼합 민주 정치가 이루어지는 경우가 많다.

자료 2 의원 내각제의 행정부 구성

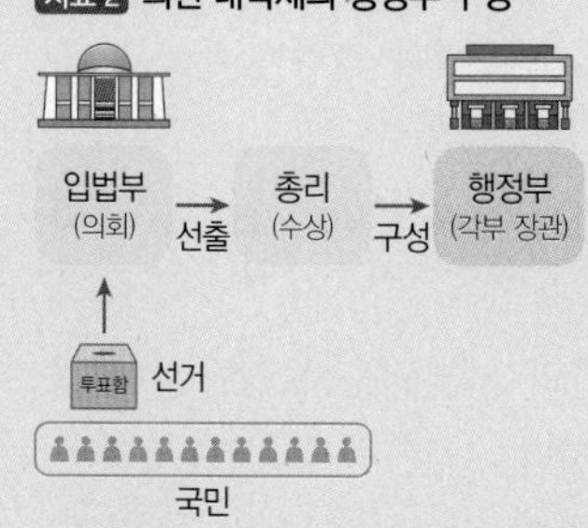

의원 내각제에서는 국민이 선거를 통해 입법부인 의회 의원을 선출한 후 의회에서 다수를 차지한 정당의 대표가 총리 또는 수상이 된다. 따라서 의회 의원이 내각의 각료를 겸한다는 점에서 의회와 내각이 밀접한 관계를 가진다.

(2) **대통령제** 자료 3 → 대통령제를 실시하는 대표적인 나라는 미국이야.

① 의미: 입법부와 행정부가 엄격하게 분리되어 견제와 균형을 이루는 정부 형태

② 구성: 국민이 선거를 통해 대통령과 의회 의원을 각각 선출하고, 행정부 수반인 대통령이 행정부를 독립적으로 구성

③ 특징

- 의회 의원은 행정부의 장관을 겸직할 수 없음
- 행정부는 의회에 법률안을 제출할 수 없지만, 대통령은 의회에서 의결한 법률안에 대하여 거부권을 행사할 수 있음
- 의회는 행정부를 불신임할 수 없으며, 행정부도 의회를 해산할 수 없음
- 의회는 대통령의 권한 행사에 대한 각종 동의권, 탄핵 소추권, 국정 감사권 등을 통해 행정부를 견제할 수 있음

④ 장단점

장점	단점
• 대통령의 임기 동안 행정부가 안정되고 정책을 지속적으로 강력하게 추진할 수 있음 • 대통령의 법률안 거부권을 통해 다수당의 횡포를 막을 수 있음	• 대통령에게 권한이 집중되면서 독재가 나타날 우려가 있음 • 행정부와 의회가 대립할 경우 조정이 어려움

→ 의회가 대통령을 불신임할 수 없어 대통령의 임기가 보장되기 때문이야.

3. 우리나라의 정부 형태 자료 4

(1) **특징**: 대통령제를 기본적인 정부 형태로 채택하고 있으면서 의원 내각제 요소를 일부 도입하고 있음

(2) **기본적인 정부 형태가 대통령제라는 근거**

① 국민이 직접 선거를 통해 입법부의 국회 의원과 행정부 수반인 대통령을 각각 선출함

우리나라 대통령의 임기는 5년이고 중임할 수 없어.

② 대통령은 우리나라를 대표하는 국가 원수이며 동시에 행정부의 수반으로서의 지위를 가짐

③ 대통령이 법률안 거부권 행사를 통해 국회 다수당의 횡포를 견제할 수 있음

④ 국회가 국정 감사 및 조사권, 탄핵 소추권 등을 통해 행정부를 견제할 수 있음

⑤ 국회는 대통령을 불신임할 수 없고, 대통령도 국회를 해산할 수 없음

(3) **의원 내각제 요소**: 국회 의원의 행정부 장관 겸직 허용, 행정부의 법률안 제출권 인정, 국무총리 제도 등

학습 내용 들여다보기

■ 법률안 거부권
대통령이 의회에서 의결한 법률안의 승인을 거부할 수 있는 권한이다. 대통령이 법률안 거부권을 행사하면 의회는 해당 법률안을 재의결할 수 있다.

■ 탄핵 소추권
대통령, 행정 각부의 장관 등과 같은 행정부의 고위 공직자나 법관 등 신분이 보장되는 공무원이 직무 집행에 있어서 헌법이나 법률을 위반하는 경우에 국회가 해당 공무원의 위법 행위에 대한 탄핵을 발의하여 파면을 요구할 수 있는 권리이다.

■ 국정 감사권
의회가 국정 전반에 관해 감독하고 감사할 수 있는 권한이다.

용어 알기

- **의결** 어떤 의제나 안건을 의논하고 합의하여 의사를 결정함
- **수반** 행정부의 가장 높은 자리에 있는 사람
- **원수** 다른 나라와의 관계에서 우리나라를 대표하는 최고 지도자를 의미함

자료 3 대통령제의 행정부 구성

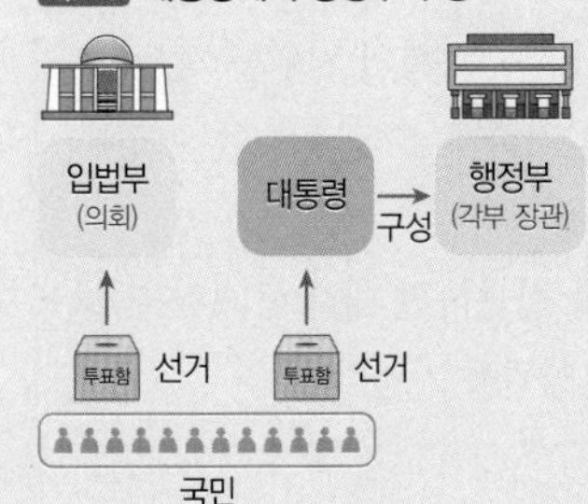

대통령제에서 국민은 선거를 통해 의회 의원과 행정부 수반인 대통령을 각각 선출한다. 대통령은 국가 원수이자 행정부를 이끄는 최고 지도자로서 행정부를 구성한다. 이때, 대통령은 국정 운영에 있어 국민에 대해 책임을 지지만 의회에 대해서는 책임을 지지 않는다.

자료 4 헌법에 나타난 우리나라의 정부 형태

- 제52조 국회 의원과 정부는 법률안을 제출할 수 있다.
- 제66조 ④ 행정권은 대통령을 수반으로 하는 정부에 속한다.
- 제67조 ① 대통령은 국민의 보통·평등·직접·비밀 선거에 의하여 선출한다.
- 제86조 ① 국무총리는 국회의 동의를 얻어 대통령이 임명한다.

제66조 ④항, 제67조 ①항을 통해 우리나라의 기본적인 정부 형태는 대통령제임을, 제52조와 제86조 ①항을 통해 의원 내각제의 요소를 일부 도입하고 있음을 알 수 있다.

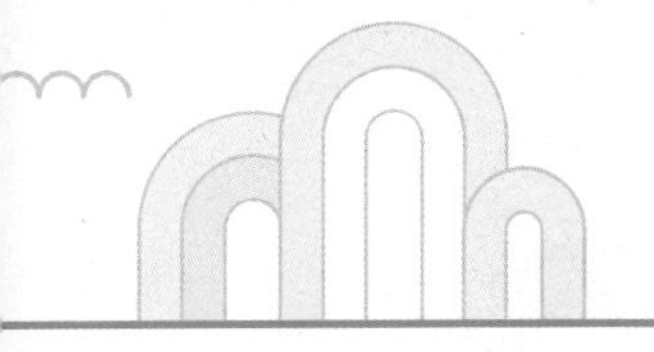
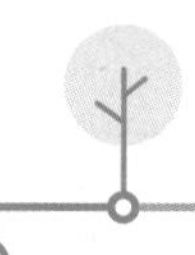

기본 문제

간단 체크

1 서로 관련 있는 것끼리 연결하시오.

(1) 직접 민주 정치 •　　　• ㉠ 대의 민주 정치

　　　　　　　　　　　　• ㉡ 고대 아테네의 민회

(2) 간접 민주 정치 •　　　• ㉢ 정치적 무관심 초래

　　　　　　　　　　　　• ㉣ 민주주의 원칙에 가장 충실한 제도

2 빈칸에 들어갈 알맞은 말을 쓰시오.

(1) 의원 내각제는 입법부와 행정부의 권력이 (　　　　)된 정부 형태이다.

(2) (　　　　)은/는 국민이 선출한 대통령이 행정부를 구성하며, 행정부와 의회가 엄격하게 분리된 정부 형태이다.

(3) 대통령제는 다수당의 견제가 가능한 반면, (　　　　)의 우려가 있다.

3 다음 설명이 의원 내각제에 해당하면 '의', 대통령제에 해당하면 '대'라고 쓰시오.

(1) 국민이 선거를 통해 대통령을 선출한다. (　　　)

(2) 입법부와 행정부가 엄격한 권력 분립을 추구한다. (　　　)

(3) 의회 다수당의 대표가 행정부를 구성한다. (　　　)

(4) 내각은 의회 해산권으로 의회를 견제한다. (　　　)

4 괄호 안의 내용 중 알맞은 말에 ○표 하시오.

(1) 의원 내각제에서는 의회 다수당의 대표가 행정부 수반인 (대통령, 총리)이/가 되어 내각을 구성하고 행정을 총괄한다.

(2) 대통령제에서 대통령은 국회에서 의결한 법률안에 대해 거부권을 행사할 수 (있다, 없다).

(3) (대통령제, 의원 내각제)에서는 의회 의원이 행정부 장관을 겸직할 수 있다.

5 우리나라의 정부 형태 중 대통령제의 요소와 의원 내각제의 요소를 〈보기〉에서 고르시오.

보기
ㄱ. 의회 해산권　　　ㄴ. 국무총리 제도
ㄷ. 정부의 법률안 제출권　ㄹ. 국회의 국정 감사권
ㅁ. 국회 의원의 장관 겸직　ㅂ. 대통령의 법률안 거부권

(1) 대통령제 요소 (　　　)

(2) 의원 내각제 요소 (　　　)

01 다음과 같은 문제를 해결하기 위한 방법으로 적절하지 않은 것은?

> 오늘날의 국가는 영토가 넓고 인구가 많아 모든 국민이 직접 정치에 참여하기 어렵다.

① 간접 민주 정치 제도를 채택한다.
② 국민의 대표 기관인 의회를 구성한다.
③ 국민에 의해 선출된 대표자들이 정치를 맡는다.
④ 정당 중심으로 여론을 수렴하여 정책에 반영한다.
⑤ 이익 단체가 법률을 제정하고 행정을 담당한다.

02 그림에서 교사의 질문에 대해 옳지 않은 답변을 한 학생은?

① 갑　② 을　③ 병　④ 정　⑤ 무

03 다음 정부 형태의 특징으로 옳은 것을 〈보기〉에서 고른 것은?

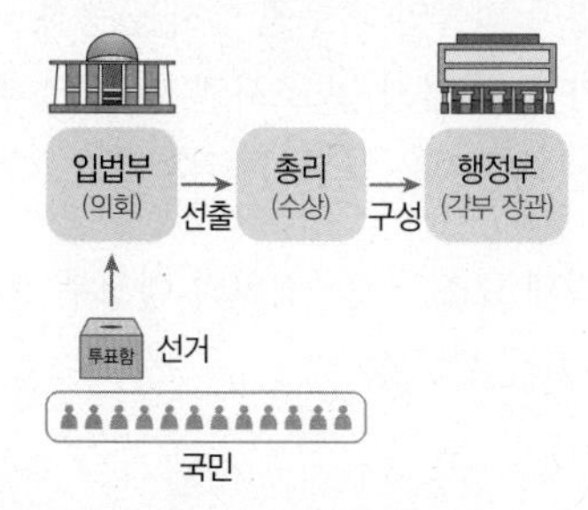

보기
ㄱ. 국정을 신속하고 능률적으로 처리할 수 있다.
ㄴ. 행정부의 수반이 국가 원수로서의 지위를 갖는다.
ㄷ. 입법부와 행정부가 엄격하게 분리되어 있는 정부 형태이다.
ㄹ. 의회는 내각이 정치를 잘못하면 내각에 책임을 물을 수 있는 내각 불신임권을 가진다.

① ㄱ, ㄴ　② ㄱ, ㄹ　③ ㄴ, ㄷ
④ ㄴ, ㄹ　⑤ ㄷ, ㄹ

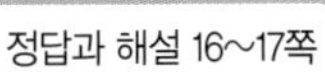

04 **대통령제와 의원 내각제의 정부 형태를 구분하는 기준으로 적절한 것은?**

① 입헌주의의 원리를 준수하는가?
② 삼권 분립의 원리를 추구하는가?
③ 다양한 정부 형태로 변형 가능한가?
④ 입법부와 행정부가 어떤 관계를 갖는가?
⑤ 국가 기관이 서로 견제와 균형의 원리를 추구하는가?

05 **A국의 장점으로 옳은 것을 〈보기〉에서 고른 것은?**

A국은 국민의 선거를 통해서 의회가 구성되면 의회 다수당의 대표가 수상이 되어 내각을 구성한다. A국은 행정부와 의회의 권력 융합적 성격이 강한 편이다.

보기
ㄱ. 책임 정치의 실현
ㄴ. 다수당의 횡포 견제 가능
ㄷ. 대통령의 임기 동안 안정된 국정 운영 수행
ㄹ. 의회와 내각의 긴밀한 협력으로 능률적인 국정 운영

① ㄱ, ㄴ ② ㄱ, ㄹ ③ ㄴ, ㄷ
④ ㄴ, ㄹ ⑤ ㄷ, ㄹ

06 **빈칸에 들어갈 알맞은 말을 쓰시오.**

의원 내각제의 의회와 내각의 관계는 긴밀하지만 상호 견제하며 균형을 유지하고 있다. 의회는 내각이 정치를 잘못하면 책임을 묻는 (　　　)을/를, 내각은 의회를 해산할 수 있는 권한을 가지고 있다.

07 **다음과 같은 정부 형태에 대한 설명으로 옳은 것은?**

국민이 선거를 통해 대통령과 의회의 의원을 각각 뽑으며, 대통령이 행정부를 구성한다.

① 행정부는 의회의 다수당에 의해 구성된다.
② 행정부는 의회에 법률안을 제출할 수 있다.
③ 대통령은 의회 불신임권과 의회 해산권을 갖는다.
④ 대통령의 임기 동안 정치가 비교적 안정적으로 유지된다.
⑤ 국민의 정치적 요구에 민감하여 책임 정치를 실현할 수 있다.

08 **(가), (나) 정부 형태에 대한 설명으로 옳지 않은 것은?**

• (가): 입법부와 행정부가 엄격히 분리된 정부 형태
• (나): 입법부와 행정부가 긴밀한 관계를 맺고 국정을 운영하는 정부 형태

① (가)에서는 의회 다수당의 대표가 행정권을 담당한다.
② (가)는 입법부와 행정부가 상호 견제와 균형을 이룬다.
③ (나)의 행정부 수반은 의회 해산권과 법률안 제출권을 갖는다.
④ (나)는 여러 개의 정당이 난립할 경우 국가 운영의 혼란을 초래할 수 있다.
⑤ (가)는 (나)에 비해 권력 분립의 원리를 충실하게 실현할 수 있다.

09 **우리나라 대통령에 대한 설명으로 옳은 것을 〈보기〉에서 고른 것은?**

보기
ㄱ. 임기는 5년 단임제이다.
ㄴ. 행정부의 최고 책임자이다.
ㄷ. 재판을 통해 분쟁을 해결한다.
ㄹ. 선거인단을 통해 간접 선거로 선출된다.

① ㄱ, ㄴ ② ㄱ, ㄷ ③ ㄴ, ㄷ
④ ㄴ, ㄹ ⑤ ㄷ, ㄹ

10 **밑줄 친 '의원 내각제적 요소'에 해당하는 것은?**

우리나라의 정부 형태는 대통령제를 기본으로 하면서 <u>의원 내각제적 요소</u>를 부분적으로 도입하고 있다.

① 선거에 의한 국회 의원 선출을 헌법으로 보장한다.
② 내각은 의회 해산권을 통해 의회를 견제할 수 있다.
③ 국무총리는 국회의 동의를 얻어 대통령이 임명한다.
④ 국민의 직접 선거로 선출된 행정부 수반의 임기가 보장된다.
⑤ 대통령은 의회에서 의결된 법률안에 대하여 거부권을 행사할 수 있다.

실전 문제

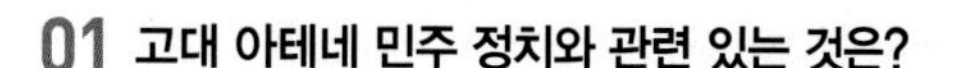

01 고대 아테네 민주 정치와 관련 있는 것은?

① 대의제 ② 시민 혁명
③ 보통 선거제 ④ 직접 민주 정치
⑤ 선거권 확대 운동

★ 중요 ★

02 (가)에 들어갈 내용으로 옳은 것만을 〈보기〉에서 있는 대로 고른 것은?

민주주의의 이념을 잘 구현한 정치 형태는 직접 민주 정치이다. 그러나 오늘날에는 대부분의 나라가 선출된 대표자에게 정치적 결정을 하게 하는 정치 체제를 채택하고 있다. 그러나 이러한 민주 정치는 ___(가)___는 문제점이 있다.

보기
ㄱ. 국민이 정치에 무관심해질 수 있다
ㄴ. 선거 후 대표자가 제대로 일을 하는지 견제할 수 없다
ㄷ. 성별이나 사회적 신분에 따라 정치 참여 기회가 제한된다
ㄹ. 선출된 대표자가 국민의 뜻에 맞지 않게 권력을 행사할 수 있다

① ㄱ, ㄴ ② ㄱ, ㄷ ③ ㄷ, ㄹ
④ ㄱ, ㄴ, ㄹ ⑤ ㄴ, ㄷ, ㄹ

03 다음의 제도들을 실시하는 목적으로 적절한 것은?

- 국가의 중요한 사안을 결정할 때 국민의 전체 의사를 묻는 제도
- 국민이 국가에 필요한 법안이나 안건을 직접 제안할 수 있는 제도
- 국민이 투표를 통해 선출한 공직자를 임기가 끝나기 전에 파면시키는 제도

① 간접 민주 정치의 한계를 보완하기 위해
② 직접 민주 정치의 한계를 보완하기 위해
③ 정책 결정에 많은 시간과 비용이 들기 때문
④ 사회의 복잡화, 전문화로 전문적 지식이 필요해졌기 때문
⑤ 소규모 공동체 사회에서 모든 시민의 의사를 반영하기 위해

04 (가), (나)는 정부 형태를 나타낸 것이다. (가), (나)를 구분할 수 있는 질문으로 옳은 것을 〈보기〉에서 고른 것은?

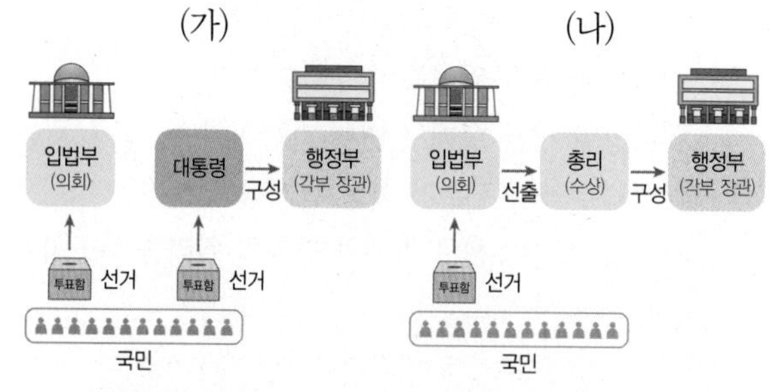

보기
ㄱ. 정당 활동의 자유가 인정되는가?
ㄴ. 사법부의 독립이 보장되고 있는가?
ㄷ. 입법부와 행정부의 관계가 독립적인가?
ㄹ. 행정부는 의회 해산권을 행사할 수 있는가?

① ㄱ, ㄴ ② ㄱ, ㄷ ③ ㄴ, ㄷ
④ ㄴ, ㄹ ⑤ ㄷ, ㄹ

05 다음 A국의 정부 형태에 대한 설명으로 옳지 않은 것은?

A국은 국민이 의회 의원과 대통령을 각각 선출하고, 대통령은 행정부의 수반이 된다.

① 대통령은 의회를 해산할 수 있다.
② 대통령은 행정부를 구성하고 통솔한다.
③ 헌법에 대통령의 임기와 권한이 보장된다.
④ 대통령은 법률안 거부권을 행사할 수 있다.
⑤ 의회의 의원은 행정부의 장관을 겸직할 수 없다.

06 사례에 나타난 정부 형태에 대한 설명으로 옳지 않은 것은?

의회 의원들로 구성된 행정부가 저소득층의 생활 환경을 개선하기 위해 사회 보장과 관련된 법률안을 의회에 제출하였다.

① 사법부의 독립성이 보장된다.
② 행정부가 의회를 해산시킬 수 있다.
③ 의회 의원이 장관을 겸직할 수 있다.
④ 행정부의 수반이 법률안 거부권을 행사할 수 있다.
⑤ 행정부는 의회의 신임을 얻어야 계속 존재할 수 있다.

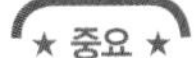

★ 중요 ★

07 B국과 비교한 A국 정부 형태의 장점으로 옳은 것을 〈보기〉에서 고른 것은?

- A국은 국민이 의회 의원만 선출하고, 의회 다수당의 대표는 총리(수상)가 된다.
- B국은 국민이 의회 의원과 대통령을 각각 선출하고, 대통령은 행정부 수반이 된다.

보기

ㄱ. 정치적 책임에 민감하다.
ㄴ. 권력 분립의 원리에 충실하다.
ㄷ. 의회와 정부의 협조 체제가 긴밀하다.
ㄹ. 정국 안정과 정책의 계속성 유지에 유리하다.

① ㄱ, ㄴ ② ㄱ, ㄷ ③ ㄴ, ㄷ
④ ㄴ, ㄹ ⑤ ㄷ, ㄹ

08 밑줄 친 부분에 해당하는 내용으로 옳은 것을 〈보기〉에서 고른 것은?

우리나라의 정부 형태는 대통령제를 기본으로 하면서 의원 내각제의 요소를 부분적으로 도입한 형태이다.

보기

ㄱ. 대통령의 법률안 거부권
ㄴ. 행정부의 법률안 제출권
ㄷ. 국회 의원의 장관 겸직 허용
ㄹ. 대통령과 국회 의원을 국민이 직접 선출

① ㄱ, ㄴ ② ㄱ, ㄷ ③ ㄴ, ㄷ
④ ㄴ, ㄹ ⑤ ㄷ, ㄹ

09 (가)~(라)의 헌법 조항 중 우리나라가 도입하고 있는 의원 내각제적 요소가 나타난 조항만을 고른 것은?

(가) 제52조 국회 의원과 정부는 법률안을 제출할 수 있다.
(나) 제66조 ④ 행정권은 대통령을 수반으로 하는 정부에 속한다.
(다) 제67조 ① 대통령은 국민의 보통, 평등, 직접, 비밀 선거에 의하여 선출한다.
(라) 제86조 ① 국무총리는 국회의 동의를 얻어 대통령이 임명한다.

① (가), (나) ② (가), (라) ③ (나), (다)
④ (나), (라) ⑤ (다), (라)

서술형 문제

10 다음은 A국의 정부 형태를 정리한 표이다. A국의 정부 형태를 쓰고, 그 장점을 두 가지 서술하시오.

A국 정부 형태의 특징	○ / ×
입법부와 행정부의 관계가 긴밀하다.	○
내각은 의회에 법률안을 제출할 수 없다.	×
의회는 내각에 책임을 물을 수 있는 내각 불신임권을 가진다.	○
행정부 수반은 법률안 거부권을 행사할 수 있다.	×

(예: ○, 아니요: ×)

11 (가)에 들어갈 정부 형태를 쓰고, 이러한 정부 형태의 단점 (나)를 두 가지 서술하시오.

학습 주제: ((가))의 특징

입법부와 행정부의 관계	엄격하게 분리되어 있음
장점	• 일관성 있는 강력한 정책 수행 • 견제와 균형을 통한 권력 분립의 원리 실현
단점	(나)

12 다음 제시된 용어를 모두 사용하여 우리나라 정부 형태의 특징을 서술하시오.

• 대통령제 • 국무총리 • 의원 내각제
• 직접 선거 • 행정부의 법률안 제출권

대단원 정리

❶ 정치의 의미 구분

(가) 신입생 교복 공동 구매를 안건으로 학교 운영 위원회가 열렸다.
(나) 예산 관련 법령을 처리하기 위한 임시 국무 회의가 개최되었다.

- (가)는 신입생 교복 공동 구매와 관련하여 학교 구성원 간의 의견을 조정하는 활동에 해당하므로 (①   ) 의미의 정치 사례이다.
- (나)는 예산 관련 법령을 처리하기 위한 정부의 활동이므로 (②   ) 의미의 정치 사례이다.

답 ① 넓은 ② 좁은

❷ 고대 아테네 페리클레스의 연설문 이해

> 우리의 정치 체제는 민주주의라고 부릅니다. 이는 권력이 소수의 손이 아니라 전 시민의 손에서 나오기 때문입니다. … (중략) … 아테네 시민은 생업에 종사하면서도 국가의 일에 소홀하지 않습니다.
> – 투키디데스, 『펠로폰네소스 전쟁사』 –

(①   )(이)라는 말은 '다수에 의한 지배'라는 뜻의 그리스어에서 유래했고, (②   ) 역시 그리스 아테네에서 시작되었다. 아테네의 시민이라면 누구나 (③   )에 모여 직접 정책을 결정했지만, 여자, 노예, 외국인 등은 제외된 (④   ) 민주 정치였다.

답 ① 민주주의 ② 민주 정치 ③ 민회 ④ 제한적

❸ 시민 혁명의 이해

▲ 프랑스 혁명

▲ 영국의 명예혁명

제시된 사건들은 시민들이 왕과 귀족의 특권에 대항하여 자신의 생명과 자유, 정치적 권리를 얻기 위해 일으킨 (①   )이다. (①   )을/를 통해 시민들은 자유와 (②   )을/를 보장받고 선거를 통해 대표를 선출하여 국가의 의사 결정에 참여할 수 있는 (③   ) 민주 정치가 등장하였다. 그러나 선거에 참여할 수 있는 사람을 재산이 많은 일부 남성으로 한정하였다.

답 ① 시민 혁명 ② 권리 ③ 대의

1. 정치와 정치 생활

(1) 정치의 의미 ❶

좁은 의미	정치인들이 정치권력을 획득하고 유지하며 행사하는 활동
넓은 의미	대립과 갈등을 조정하여 문제를 해결해 나가는 모든 활동

(2) 정치 생활에서 국가와 시민의 역할

국가의 역할	• 시민의 동의와 지지를 바탕으로 한 권력 행사 • 다양한 이해관계를 민주적으로 조정해야 함 • 정책의 결정 및 집행 과정에서 시민의 요구 반영 • 시민의 자유와 권리를 최대한 보장
시민의 역할	• 국가의 정당한 권위를 존중하며 법을 준수 • 국가 권력이 올바르게 행사될 수 있도록 감시 및 통제 • 자신의 의견이 정책에 반영될 수 있도록 노력 • 공동체의 이익과 조화를 이루면서 자유와 권리 추구

2. 민주 정치의 발전

(1) 고대 아테네의 민주 정치 ❷

직접 민주 정치 실시	• 모든 시민이 민회에 모여 법률이나 주요 정책을 논의하고 결정함 • 시민들은 추첨제나 윤번제를 통해 누구나 공직에 참여할 수 있음
제한적 민주 정치	• 시민을 자유민인 성인 남성만으로 제한함 • 여성, 노예, 외국인은 정치에 참여할 수 없음

(2) 근대 민주 정치 ❸

시민 혁명	• 영국의 명예혁명: 국왕의 전제 정치에 반대하여 의회가 중심이 되어 일어남 • 미국의 독립 혁명: 영국의 부당한 식민 지배에 저항하여 일어남 • 프랑스 혁명: 전제 군주와 구제도의 모순에 반발하여 일어남
대의 민주 정치	• 시민들은 선거를 통해 대표를 선출, 국가의 의사 결정에 참여 • 시민의 대표로 구성된 의회 중심의 대의 민주 정치가 형성됨
제한적 민주 정치	• 상공업으로 부를 축적한 남성들만이 정치에 참여함 • 빈민, 여성, 노동자, 농민 등 다수의 사람들이 정치에서 배제됨

(3) 현대 민주 정치

특징	보통 선거 제도 확립	일정 연령 이상의 모든 사람들이 선거권을 얻게 되었음
	대의 민주 정치 실시	대부분의 국가에서 국민의 대표를 통해 나라의 중요한 일을 결정함
	전자 민주주의의 등장	최근 정보 통신 기술의 발달로 인터넷, 스마트폰 등을 통해 시민이 정치에 참여할 수 있는 통로가 확대됨
한계	• 시민들의 의견이 정책에 제대로 반영되기 어려움 • 정치적 무관심 문제가 발생함	

(4) 민주주의의 이념 ❹

인간의 존엄성 실현	모든 사람이 인간이라는 이유만으로 존중받아야 한다는 것
자유	• 소극적 자유: 국가의 부당한 간섭을 받지 않을 자유 • 적극적 자유: 정치 과정에 참여할 자유, 국가에 인간다운 삶을 요구할 자유
평등	• 형식적 평등: 모든 사람들에게 균등한 기회를 부여하는 것 • 실질적 평등: 선천적·후천적인 차이를 고려하는 것

(5) 민주 정치의 기본 원리

국민 주권의 원리	국가의 의사를 최종적으로 결정하는 최고 권력인 주권이 국민에게 있다는 원리
국민 자치의 원리	국민이 스스로 나라를 다스릴 수 있다는 원리
입헌주의의 원리	헌법에 따라 국가 기관을 구성하고, 정치권력을 행사해야 한다는 원리
권력 분립의 원리	국가 권력을 분리하여 독립된 기관이 나누어 맡도록 하는 원리

3. 민주 정치 제도와 정부 형태 ❺

(1) 민주 정치 제도

직접 민주 정치	• 의미: 모든 국민이 법률과 정책 결정에 직접 참여하는 정치 형태 • 한계: 토론과 결정에 많은 시간과 비용이 듦
간접 민주 정치	• 의미: 국민의 대표가 의회와 정부를 구성하여 법률과 정책을 결정하는 정치 형태 • 한계: 국민의 정치적 무관심을 초래할 가능성이 있음

(2) 의원 내각제 ❺

구성	국민이 선거를 통해 의회 의원 선출 → 의회 다수당 대표가 총리(수상)가 되어 내각 구성 → 입법부와 행정부가 융합
장단점	• 장점 : 책임 정치 실현, 효율적인 국정 운영 • 단점 : 다수당의 횡포 우려, 군소 정당 난립 시 국정 혼란 초래

(3) 대통령제

구성	국민이 선거를 통해 의회 의원과 대통령 선출 → 대통령이 행정부를 독립적으로 구성
장단점	• 장점: 지속적이고 강력한 정책 추진, 다수당의 횡포 방지 • 단점: 대통령의 독재 우려, 행정부와 의회 대립 시 조정이 어려움

(4) 우리나라의 정부 형태 ❻

대통령제 요소	• 국민이 선거를 통해 국회 의원과 대통령을 각각 선출 • 대통령의 법률안 거부권 행사를 통한 다수당의 횡포를 방지 • 국회가 국정 감사 및 조사권, 탄핵 소추권 등을 통해 행정부 견제
의원 내각제 요소	국회 의원의 행정부 장관 겸직 허용, 행정부의 법률안 제출권, 국무총리 제도

❹ 평등의 유형 구분

▲ (①) ▲ (②)

• (①)은/는 모든 시민이 성별, 신분, 재산 등에 따라 부당하게 차별받지 않고 동등하게 대우받는 것이다.

• (②)은/는 개인이 지닌 선천적·후천적 차이를 고려하여 대우하는 것이다.

답 ① 형식적 평등 ② 실질적 평등

❺ 민주 정부 형태의 구분

▲ (①) ▲ (②)

• (①)은/는 의회를 중심으로 입법부와 행정부가 긴밀한 관계를 맺고 국정을 운영하는 정부 형태이다.

• (②)은/는 입법부와 행정부의 권력을 엄격히 분리하는 정부 형태로 국민은 의회의 의원뿐만 아니라 행정부의 수반인 (③)도 선출한다.

답 ① 의원 내각제 ② 대통령제 ③ 대통령

❻ 우리나라의 정부 형태 이해

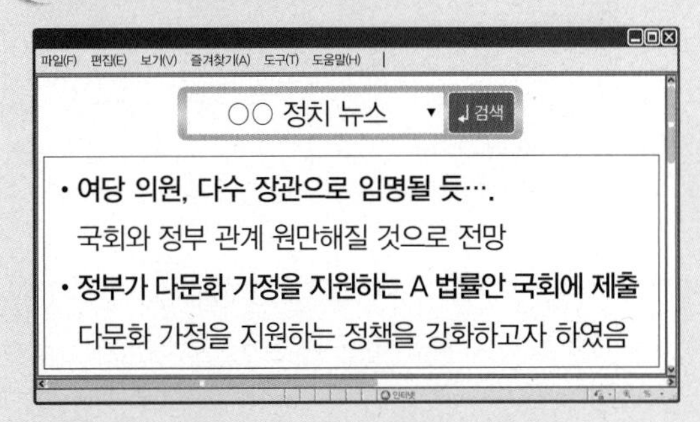

우리나라는 입법부와 행정부의 관계를 볼 때 (①)에 해당한다. 그러나 의원 내각제의 요소를 일부 도입하고 있다. 의원 내각제의 요소에는 국회 의원이 (②)을/를 겸직할 수 있고, 정부도 (③)을/를 제출할 수 있으며, 국무총리 제도를 두고 있다는 것이다.

답 ① 대통령제 ② 장관 ③ 법률안

대단원 마무리

01 넓은 의미의 정치 사례로 옳은 것을 〈보기〉에서 고른 것은?

보기
ㄱ. 학급 회의　　ㄴ. 국회 본회의
ㄷ. 핵안보 정상 회의　ㄹ. 지역 문제에 대한 주민 회의

① ㄱ, ㄴ　② ㄱ, ㄹ　③ ㄴ, ㄷ
④ ㄴ, ㄹ　⑤ ㄷ, ㄹ

02 정치의 의미와 관련하여 (가), (나)에 대한 설명으로 옳지 않은 것은?

(가) 대통령이 공무원을 임명한다.
(나) 학교에서 투표를 통해 학급 회장을 선출한다.

① (가)는 정치권력의 획득·유지를 위한 국가의 활동이다.
② (나)는 일상생활에서 발생하는 문제를 해결하는 활동이다.
③ (가)와 (나)는 모두 사회적 갈등을 합리적으로 해결하는 과정이다.
④ (가)는 좁은 의미의 정치, (나)는 넓은 의미의 정치 사례이다.
⑤ (가)는 국가, (나)는 학교에서 이루어지는 정치이므로 (가)는 (나)보다 포괄적인 의미를 지닌다.

03 기사를 통해 알 수 있는 정치의 기능으로 가장 적절한 것은?

○○신문　20△△년 △월 △일

△△시는 단속 위주의 노점상 관리 정책이 효과가 적다고 판단하였다. 이에 일정한 조건과 규격을 갖춘 노점에 합법적으로 장사를 할 수 있도록 허가하는 '노점 양성화 정책'을 추진하기로 하였다. 그런데 이 정책을 추진하는 과정에서 노점상 연합 단체의 강력한 반대에 부딪혔다. 그래서 전담 부서를 설치하고, 4여 년 동안 노점상 단체와 200회가 넘는 회의를 거쳐 노점상의 크기와 점포 수를 줄임으로써 무질서했던 노점 거리가 쾌적해졌다.

① 경제 정책 발전에 기여한다.
② 다양한 이해관계 및 갈등을 조정한다.
③ 개인의 이익 실현을 위해 최선의 노력을 한다.
④ 시민의 자유권 신장을 통해 행복 증진에 기여한다.
⑤ 희소 자원의 합리적 배분을 위해 이해관계를 배제한다.

서술형

04 사례를 통해 추론할 수 있는 정치의 의미를 한 문장으로 서술하시오.

• 가족 회의를 통해 이번 여름휴가는 동해안으로 가기로 결정하였다.
• 아파트 쓰레기 분리 배출 시간에 대해 아파트 주민 회의를 통해 다수결로 결정하였다.

05 바람직한 정치 생활을 위한 국가와 시민의 역할을 〈보기〉에서 옳게 연결한 것은?

보기
ㄱ. 시민의 자유와 권리 보장
ㄴ. 사익과 공익의 조화 추구
ㄷ. 정책 집행 과정에 대한 감시와 비판
ㄹ. 정책 결정 및 집행 과정에서 다양한 요구 반영

	국가	시민
①	ㄱ, ㄴ	ㄷ, ㄹ
②	ㄱ, ㄹ	ㄴ, ㄷ
③	ㄴ, ㄷ	ㄱ, ㄹ
④	ㄴ, ㄹ	ㄱ, ㄷ
⑤	ㄷ, ㄹ	ㄱ, ㄴ

06 다음 글에 나타난 고대 아테네의 민주 정치에 대해 옳게 설명한 학생을 〈보기〉에서 고른 것은?

고대 그리스의 도시 국가 중의 하나인 아테네는 모든 시민이 참여하는 민회에서 의사를 결정하였으며, 민회가 수행하지 않는 대부분의 기능은 평의회가 담당했다. 평의회의 행정관은 민회와 시민 법정의 감시를 받았고, 임기 중에 시민들이 책임을 물어 직무 정지를 요구하거나 불신임 투표를 제안할 수 있었다.

보기
갑: 대의제가 일반적인 정치 형태였어요.
을: 민회는 오늘날 입법부에 해당하는 기관이에요.
병: 무능한 공직자를 가려내는 제도적 장치가 있었어요.
정: 민회의 권력 남용을 견제 가능한 제도가 있었어요.

① 갑, 을　② 갑, 병　③ 을, 병
④ 을, 정　⑤ 병, 정

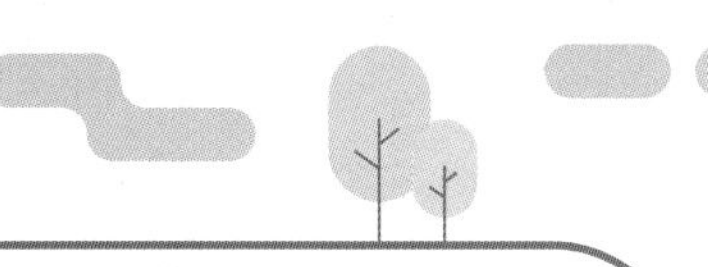

07 **근대 시민 혁명에 대한 설명으로 옳지 않은 것은?**

① 영국은 명예혁명을 통해 입헌주의를 확립했다.
② 절대 군주에 맞서 시민의 자유와 권리를 보장하려는 노력이었다.
③ 혁명을 이끈 주도적 계급은 부를 축적한 도시 상공업자들이었다.
④ 미국은 독립 혁명으로 의회 중심의 직접 민주 정치가 확립되었다.
⑤ 프랑스 혁명의 성공으로 자유, 평등의 이념이 전 유럽으로 퍼졌다.

08 **다음 내용에서 알 수 있는 근대 민주 정치의 한계로 적절하지 않은 것은?**

프랑스 혁명 이후 성립된 7월 왕정은 투표권자의 재산 자격을 낮추어 더 많은 국민을 정치에 참여하게 하라는 요구에 대해 "일해서 부자가 되어라. 그러면 유권자가 된다."라며 거절했고, 보통 선거는 자유와 질서를 파괴하는 제도라고 여겼다. 당시 프랑스 시민 3,200만 명 중 유권자는 24만 명뿐이었다.

① 직접 민주 정치가 보편화되었다.
② 경제적 부에 따라 선거권이 부여되었다.
③ 부유한 시민들의 의견만이 정치에 반영되었다.
④ 여성, 노동자, 농민 등은 정치에 참여할 수 없었다.
⑤ 소수의 특정 계층에게만 정치적 자유가 허용되었다.

서술형

09 **(가), (나) 문서를 작성한 배경이 된 사건을 쓰고, 이들 문서에 나타난 민주 정치의 이념과 기본 원리에 대하여 서술하시오.**

(가) 모든 사람은 평등하게 태어났으며, 조물주는 양도할 수 없는 권리를 부여하였다. 이 권리를 확보하고자 인류는 정부를 조직했으며, 이 정부의 권력은 인민의 동의에서 유래한다. …(후략)… – 미국 독립 선언 –

(나) 인간은 권리에 있어서 자유롭고 평등하게 태어나 생존한다. …(중략)… 모든 정치적 결사의 목적은 인간의 자연적이고 소멸될 수 없는 권리를 보존함에 있다. 그 권리란 자유, 재산, 안전 그리고 압제에의 저항 등이다. – 프랑스 인권 선언 –

10 **민주 정치의 발전 과정을 순서대로 나열한 것은?**

(가) 보통 선거의 정착으로 모든 시민이 정치에 참여하게 되었다.
(나) 절대 군주의 전제 정치로 시민의 자유와 권리가 제한되었다.
(다) 시민 혁명을 통해 시민이 선출한 대표가 국가 정책을 결정하였다.
(라) 여성, 노예, 외국인 등이 제외된 성인 남자들만이 정치에 참여하였다.

① (가) – (나) – (다) – (라)
② (가) – (다) – (나) – (라)
③ (나) – (다) – (라) – (가)
④ (다) – (나) – (라) – (가)
⑤ (라) – (나) – (다) – (가)

11 **다음 사건들을 통해 획득한 권리로 적절한 것은?**

- 여성 참정권 운동
- 흑인 참정권 운동
- 영국의 차티스트 운동

① 자유권
② 평등권
③ 보통 선거권
④ 비밀 선거권
⑤ 행복 추구권

12 **밑줄 친 ㉠에 대한 설명으로 적절하지 않은 것은?**

이상적인 민주 정치의 모습은 모든 시민이 직접 정치에 참여하는 것이지만 오늘날에는 대부분의 나라가 선출된 대표자에게 정치적 결정을 하게 하는 대의제를 채택하고 있다. 그러나 이 제도는 ㉠ 한계점이 있다.

① 국민이 정치에 무관심해질 수 있다.
② 선출된 대표자가 제대로 일을 하는지 견제할 수 없다.
③ ㉠을 보완하기 위해 우리나라에서는 선거 제도를 두고 있다.
④ 선출된 대표자가 국민의 뜻에 맞지 않게 권력을 행사할 수 있다.
⑤ 자신의 의견을 대신하는 대표가 없다면 국민의 의사가 국정에 제대로 반영될 수 없다.

13 그림의 (가)에 들어갈 민주주의의 이념에 대한 설명으로 옳지 않은 것은?

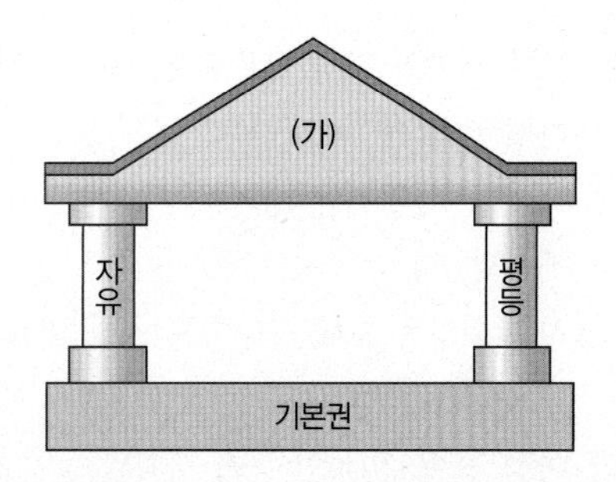

① 인간이라면 누구에게나 인정되는 보편적 가치이다.
② 인간을 수단이 아닌 목적으로 대해야 함을 의미한다.
③ 인간은 그 자체로 존중받을 만한 가치가 있음을 의미한다.
④ 개인의 기본적 인권을 보장해야 한다는 사상으로 발전하였다.
⑤ 개인보다는 공동체의 발전을 우선해야 달성할 수 있는 목표이다.

14 다음과 같은 제도를 실시하는 목적으로 옳은 것은?

- 공무원 채용 시험에서 여성의 채용 비율을 미리 정하여 합격시키는 제도로 여성의 공직 진출 확대를 위하여 도입되었다.
- 국민의 최저 생활을 보장해 주는 사회 보장 제도로 생활이 어려운 자에게 필요한 돈을 지급하여 이들의 최저 생활을 보장하고 자활을 조성하는 것을 목적으로 하는 제도이다.

① 사회 질서를 유지하기 위해
② 기회의 균등을 보장하기 위해
③ 개인의 자유를 보장하기 위해
④ 실질적 평등을 실현하기 위해
⑤ 이해관계와 가치관의 차이를 조정하기 위해

15 자유와 평등에 대한 설명으로 옳지 않은 것은?

① 평등은 모든 사람이 동등하게 대우받는 것이다.
② 자유는 외부의 구속을 받지 않는 상태를 의미한다.
③ 개인의 자유는 헌법과 법률에 의하지 않고서는 국가 권력이라 할지라도 제한할 수 없다.
④ 실질적 평등은 개인에게 주어진 선천적 차이는 고려하지만, 후천적 차이는 고려하지 않는다.
⑤ 자유와 평등은 인간의 존엄성을 실현하기 위해 보장되어야 하는 것으로 항상 조화를 이루어야 한다.

16 다음 사례를 통해 알 수 있는 민주 정치의 기본 원리는?

- A시는 주민 공청회를 개최하여 주민들의 의사를 적극적으로 수렴하였다.
- B시는 주택가와 학교 근처에 CCTV 추가 설치에 관해 주민 투표를 실시하였다.

① 입헌주의의 원리 ② 권력 분립의 원리
③ 국민 자치의 원리 ④ 국민 주권의 원리
⑤ 평화 통일의 원리

17 다음 글을 통해 알 수 있는 민주 정치의 기본 원리는?

그 동안의 경험으로 볼 때, "권력을 잡은 사람은 모두 그것을 남용하고, 자기 권위를 최대한 신장하려 한다."는 경향이 있음을 알 수 있다. …(중략)… 이 남용을 막기 위해서는 권력의 속성상 권력으로 권력을 견제하는 것이 필요하다. – 몽테스키외, 『법의 정신』 –

① 다수결의 원리 ② 입헌주의의 원리
③ 국민 자치의 원리 ④ 권력 분립의 원리
⑤ 국민 주권의 원리

18 다음 내용에 해당하는 민주 정치의 기본 원리를 보장하는 헌법 조항과 그 내용으로 옳은 것은?

- 의미: 주권을 가진 국민이 스스로 나라를 다스릴 수 있다는 원리
- 실현 방법: 직접 민주 정치, 간접 민주 정치

① 제1조 ①: 대한민국은 민주 공화국이다.
② 제1조 ②: 대한민국의 주권은 국민에게 있고, 모든 권력은 국민으로부터 나온다.
③ 제66조 ④: 행정권은 대통령을 수반으로 하는 정부에 속한다.
④ 제86조 ①: 국무총리는 국회의 동의를 얻어 대통령이 임명한다.
⑤ 제41조 ①: 국회는 국민의 보통·평등·직접·비밀 선거에 의하여 선출된 국회 의원으로 구성한다.

19 **다음은 링컨 대통령의 게티즈버그 연설의 일부이다. 밑줄 친 ㉠과 ㉡에 대한 설명으로 옳은 것은?**

> 신의 가호 아래 이 나라는 자유의 새로운 탄생을 보게 될 것이며, ㉠ 국민의(of the people), ㉡ 국민에 의한(by the people), 국민을 위한(for the people) 정부는 지상에서 절대 사라지지 않을 것입니다.

① ㉠은 국민 자치의 원리를 나타낸다.
② ㉠은 헌법에 따라 정치가 이루어져야 한다는 것이다.
③ ㉡은 국가 권력을 서로 나누어 견제해야 한다는 것이다.
④ ㉡은 국가의 주인으로서의 권리가 국민에게 있다는 것이다.
⑤ ㉠과 ㉡은 정치 형태로서의 민주주의를 잘 나타내고 있다.

20 **(가), (나)에 해당하는 민주 정치 제도의 유형을 쓰고, (가)와 비교한 (나)의 장점을 서술하시오.**

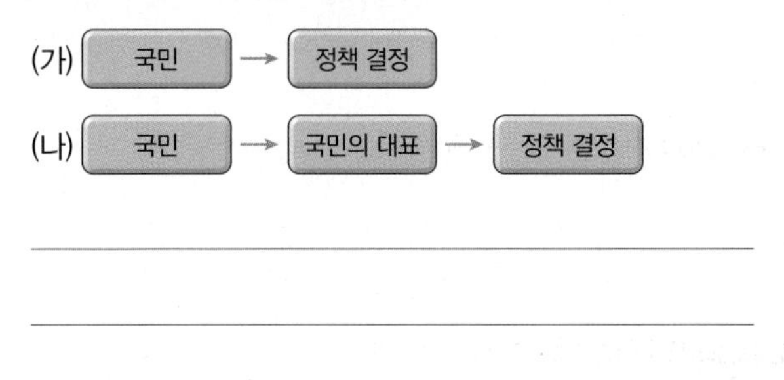

21 **그림과 같은 정부 형태의 장점으로 적절한 것은?**

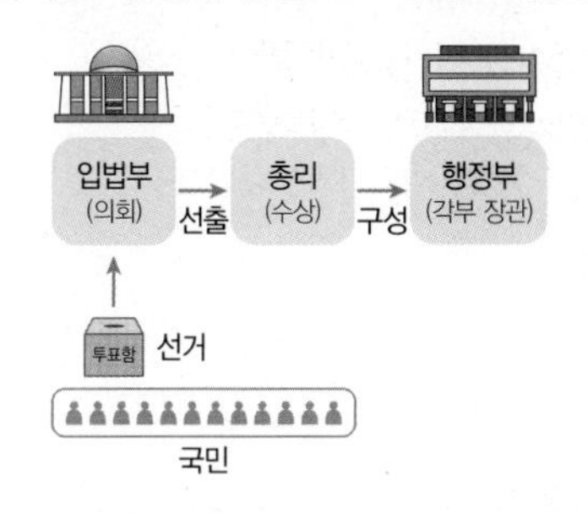

① 행정부가 정책을 연속적으로 추진할 수 있다.
② 입법부와 행정부가 견제와 균형을 이룰 수 있다.
③ 국민의 정치적 요구에 민감하여 책임 정치를 실현할 수 있다.
④ 대통령의 법률안 거부권을 통해 다수당의 횡포를 막을 수 있다.
⑤ 행정부 수반의 임기가 보장되어 안정적인 국정 운영이 가능하다.

22 **정부 형태가 (가)에서 (나)로 바뀌었을 때 나타날 정치 변화로 옳은 것을 〈보기〉에서 고른 것은?**

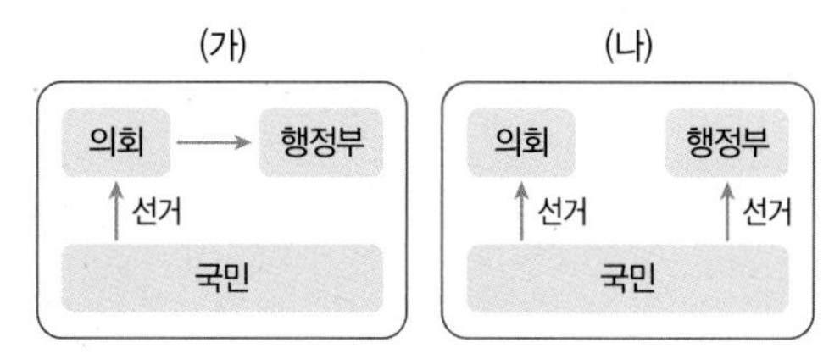

보기
ㄱ. 견제와 균형의 원리에 충실해진다.
ㄴ. 행정부의 독재가 나타날 우려가 있다.
ㄷ. 다수당의 횡포를 효과적으로 견제할 수 있다.
ㄹ. 국민의 정치적 요구에 민감하여 책임 정치가 실현된다.
ㅁ. 군소 정당이 난립할 경우 정국 혼란이 발생할 수 있다.

① ㄱ, ㄴ, ㄷ ② ㄱ, ㄷ, ㅁ ③ ㄴ, ㄷ, ㄹ
④ ㄴ, ㄹ, ㅁ ⑤ ㄷ, ㄹ, ㅁ

23 **대통령제의 특징을 묻는 내용에 모두 옳게 답한 학생은?**

내용	갑	을	병	정	무
입법부와 행정부의 관계가 긴밀하다.	○	×	×	×	○
내각 불신임권과 의회 해산권이 존재한다.	×	○	×	×	×
대통령의 임기 보장으로 연속성 있는 정책 수행이 가능하다.	○	○	○	○	×
대통령의 법률안 거부권 행사로 다수당의 횡포를 막을 수 있다.	×	×	○	×	○

(예: ○, 아니요: ×)

① 갑 ② 을 ③ 병 ④ 정 ⑤ 무

24 **우리나라가 채택하고 있는 의원 내각제의 요소로 옳은 것만을 〈보기〉에서 있는 대로 고른 것은?**

보기
ㄱ. 행정부를 관할하는 국무총리를 두고 있다.
ㄴ. 행정부가 국회에 법률안을 제출할 수 있다.
ㄷ. 국회 의원이 행정부 장관을 겸직할 수 있다.
ㄹ. 대통령은 국회의 법률안에 대하여 거부권을 행사할 수 있다.

① ㄱ, ㄴ ② ㄱ, ㄹ ③ ㄷ, ㄹ
④ ㄱ, ㄴ, ㄷ ⑤ ㄴ, ㄷ, ㄹ

정치 과정과 시민 참여

01 정치 과정과 정치 주체

학습 내용 들여다보기

■ **다원화**
구성원의 다양한 가치와 생활 양식이 존중되고 실현되는 사회의 변동 경향을 의미한다.

■ **환류(feed back)**
국민의 요구가 정책 결정 과정에서 변형될 수 있으므로 정책에 대한 평가가 다시 정책 결정 과정에 투입되는 현상을 말하는 것으로, 이 과정을 통해 여론이 형성되고 새로운 요구가 투입된다.

■ **여론**
어떤 정치적 쟁점이나 사회 문제에 대하여 대다수 사람들이 가지는 공통된 의견을 말한다. 고대 서양에서는 '민중의 소리는 신의 소리', 동양에서는 '민심은 곧 천심'이라고 하여 그 중요성을 강조하였다.

1. 정치 과정의 이해

(1) 다원화된 현대 사회 자료 1

① 다양한 이익의 표출
- 현대 사회가 다원화·복잡화·전문화되면서 사람들이 추구하는 가치나 이익 등이 다양해짐
- 민주주의의 발달에 따라 시민의 자유와 권리가 확대되면서 시민이 자신의 의견을 적극적으로 표현하게 됨

② 정치 과정의 필요성
- 구성원들이 다양한 가치와 이익을 추구하는 과정에서 개인 또는 집단 간의 이해관계가 대립 또는 충돌하고, 그 양상도 복잡해짐
- 현대 민주 사회에서는 정치 과정을 통해 사회 구성원 간의 갈등을 조정하면서 사회 문제를 해결함

(2) 정치 과정의 의미와 단계 자료 2

① 의미: 다양한 이해관계가 표출되고 집약되어 정책으로 결정되고 집행되는 과정

② 단계

단계	내용
이익 표출	• 개인이나 집단이 다양한 이해관계나 요구를 여러 가지 방법으로 드러냄 • 시민, 이익 집단, 정당, 시민 단체 등 다양한 주체가 활동함
이익 집약	• 시민의 다양한 이익을 수렴하여 여론을 형성함 • 정당, 언론, 선거 등
정책 결정	• 공공 문제의 해결을 위한 활동 방향을 결정함 • 국민의 다양한 의견을 반영하여 국회나 정부가 정책을 결정함
정책 집행	정부가 정책을 현실 생활에 집행함
정책 평가	정책이 집행된 후에 국민의 평가를 통해 어떤 문제가 발생하는지 파악함
환류(피드백)	국민의 평가를 반영하여 정책을 수정 또는 보완하기도 함

→ 이익 집약: 시민의 다양한 의견과 이익이 하나로 모아지는 과정이야.
→ 수렴: 의견이나 사상들을 하나로 모아 정리하는 거야.

(3) 정치 과정의 의의

① 구성원 간의 대립 및 갈등과 사회 문제를 합리적인 방식으로 해결하는 데 기여함

② 다양한 이익과 가치들을 조정하여 사회가 통합·발전할 수 있도록 함

→ 통합: 서로 다른 개인들이 사회의 구성원이라는 소속감을 가지고 서로 적응해 나가는 것을 말해.

용어 알기
- **표출** 겉으로 드러내어 나타내는 행위
- **이해관계** 서로의 이익과 손해가 걸려 있는 관계
- **집약** 하나로 모아 수렴하는 것

자료 1 다양한 이익의 표출

현대 사회는 과거보다 사람들이 추구하는 가치나 이익 등이 다양해졌고, 민주주의가 발전하면서 시민들의 권리 의식도 높아졌다. 자신들의 가치나 이익을 실현하기 위해 의견을 표출하게 되고, 이 과정에서 충돌과 갈등을 일으키기도 한다.

자료 2 정치 과정의 단계

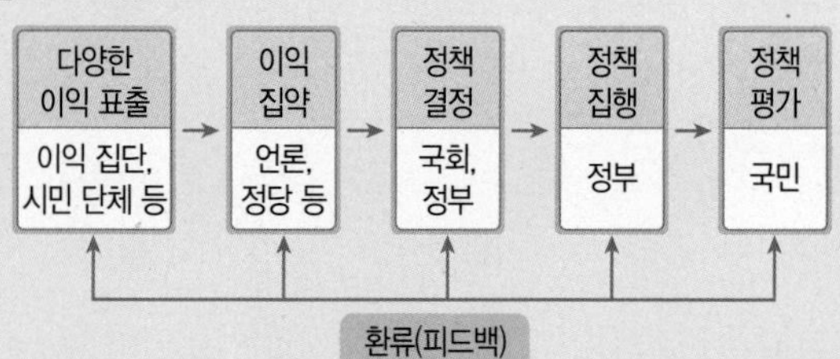

민주 정치에서는 개인이나 집단이 다양한 이익과 가치를 표출하고, 언론 기관이나 정당 등이 이익을 집약한다. 이렇게 여론이 형성되면 정부가 정책을 결정하여 다양한 이해관계를 조정한다. 결정된 정책은 국민의 평가를 받아 수정·보완된다.

2. 정치 과정의 참여 주체

(1) 정치 주체의 의미와 변화

① 의미: 정치에 참여하는 개인이나 집단

② 정치 주체의 변화 → 국회, 정부, 법원을 말해.

- 과거: 공식적 국가 기관 중심으로 정치 과정이 이루어짐
- 현재: 다양한 정치 주체가 정치 과정에 참여함

(2) 다양한 정치 주체 자료 3 자료 4

① 시민(개인) → 가장 기본적이고 중요한 정치 주체야.

- 의미: 자신의 이익을 실현하기 위해 다양한 방법으로 정치 과정에 참여하는 주체
- 참여 방법: 투표나 선거, 집회나 서명 참여, 누리 소통망(SNS) 이용, 언론 투고 등

② 이익 집단 → 노동조합, 변호사 협회, 농민 단체, 의사 협회 등이 있어.

- 의미: 이해관계를 같이하는 사람들이 자신의 특수 이익 실현을 위해 만든 단체
- 역할: 다양한 이익 대변, 전문성을 바탕으로 정책 결정에 도움을 줌, 정당의 기능 보완 등

③ 시민 단체 → 녹색 연합, 참여 연대, 참교육을 위한 전국 학부모회 등이 있어.

- 의미: 공익 실현을 위해 시민들이 자발적으로 만든 집단
- 역할: 여론 형성, 정부 활동 감시 및 비판, 사회 문제 해결을 위한 대안 제시 등

④ 정당 → 정치적 책임을 지는 정치 주체야.

- 의미: 정치권력을 획득하기 위해 정치적 의견을 같이하는 사람들이 만든 단체
- 역할: 여론 형성, 선거에 후보자 추천, 국민의 의견을 국회나 정부에 전달 등

⑤ 언론 → 라디오, 신문, 텔레비전, 인터넷 등이 있어.

- 의미: 정치적 쟁점이나 사회 문제 등 정치 과정 전반에 관한 정보를 제공하는 정치 주체 → 언론은 여론 형성에 주도적인 역할을 해.
- 역할: 여론 형성, 정책에 대한 해설과 비판 제공, 정부 정책의 감시 및 비판 등

⑥ 국가 기관

국회	국민의 대표 기관 → 법률 제정 및 개정, 정부 정책 감시 및 비판 등
정부	국회에 법률안 제출, 정책의 수립 및 집행 등
법원	재판을 통해 법률이나 정책과 관련된 분쟁 해결

학습 내용 들여다보기

■ 정치 주체

정치 과정에서 정책 결정에 영향력을 행사하는 개인이나 집단을 말한다.

■ 이익 집단의 기능

순기능	• 시민의 다양한 의사를 반영 • 국민의 권익 신장에 기여 • 정부 정책을 감시 및 견제 • 전문적인 견해를 정부에 전달
역기능	• 공익과 충돌할 가능성이 있음 • 정책 결정에 혼란 유발 • 정치권력과 결탁할 경우 부정부패 초래

용어 알기

- **투고** 신문·잡지 등에 자기의 요망 사항이나 의견·항의 등을 써서 보내는 일
- **공익** 공공의 이익, 사회 구성원 전체의 이익
- **쟁점** 어떤 상황이나 주제를 둘러싸고 여러 사람의 입장이나 주장이 나뉘어 대립하는 문제
- **부정부패** 바르지 못하고 타락함

자료 3 정치 과정과 정치 주체의 역할

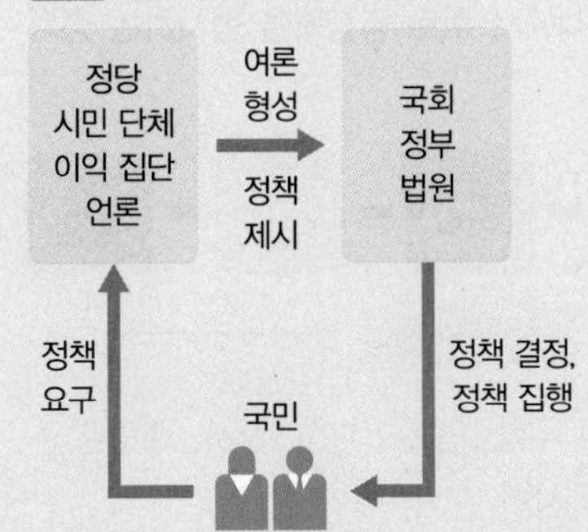

현대 사회의 정치 과정에는 다양한 정치 주체가 참여한다. 국회, 정부, 법원은 공식적으로 정책을 결정하고 집행하는 정치 주체이다. 정당, 시민 단체, 이익 집단, 언론 등은 정책 결정에 공식적인 권한을 가지고 있지 않지만 정치 과정에 영향력을 행사하는 정치 주체이다.

자료 4 이익 집단, 시민 단체, 정당 비교

구분	이익 집단	시민 단체	정당
목적	특수 이익 실현	공익 실현	정권 획득
관심 영역	자기 집단 이익 관련 분야	사회 모든 분야	사회 모든 분야
정치적 책임	정치적 책임을 지지 않음	정치적 책임을 지지 않음	정치적 책임을 짐
공통점	여론을 주도하여 정책 형성과 결정에 영향력을 행사함		

이익 집단, 시민 단체, 정당은 각각의 정치적 역할을 수행하는 동시에 정치 과정에 영향력을 행사한다는 공통점이 있다.

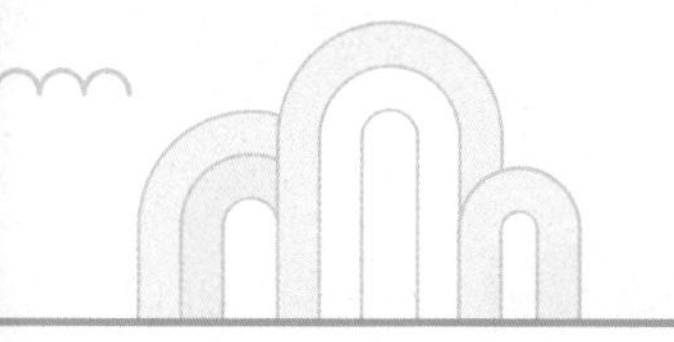
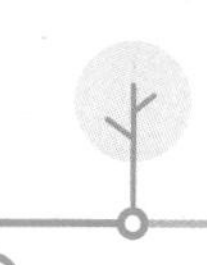

기본 문제

간단 체크

1 다음 설명이 맞으면 ○표, 틀리면 ×표 하시오.

(1) 현대 사회에서 다양한 갈등과 대립이 발생하는 것은 자연스러운 현상이다. (　　)
(2) 현대 사회의 정치 과정에는 다양한 개인과 집단이 참여하여 직접 정책을 결정한다. (　　)
(3) 정당이나 이익 집단이 사회 구성원의 이익이나 주장을 몇 개의 안으로 수렴하여 여론을 형성한다. (　　)

2 정치 과정의 단계를 순서대로 나열하시오.

ㄱ. 정책 집행　　ㄴ. 정책 평가 및 환류
ㄷ. 정책 결정　　ㄹ. 다원적 이익의 표출
ㅁ. 여론 수렴 및 이익 집약

(　　　　　　　　　　　　　　　　)

3 빈칸에 들어갈 알맞은 정치 주체를 쓰시오.

(1) (　　　　)은/는 국가에서 정치적 권리를 갖는 가장 기본적이고 중요한 정치 주체이다.
(2) (　　　　)은/는 정치적 의견을 같이하는 사람들이 정치권력의 획득을 목적으로 만든 집단이다.
(3) (　　　　)은/는 정책 시행에 근거가 되는 법률을 제정하는 공식적인 정치 주체이다.
(4) (　　　　)은/는 자기 집단의 특수한 이익을 추구하며 정책 결정 과정에 압력을 행사한다.
(5) 녹색 연합, 환경 운동 연합, 참여 연대, 경제 정의 실천 연합회 등은 (　　　　)에 속한다.

4 (1)~(3)에 들어갈 알맞은 말을 쓰시오.

구분	이익 집단	(1)	정당
목적	(2)	공익 실현	정권 획득
정치적 책임	정치적 책임을 지지 않음	정치적 책임을 지지 않음	(3)

5 괄호 안의 내용 중 알맞은 말에 ○표 하시오.

(1) 정책을 결정하고 집행하면서 사회 통합을 이루는 과정을 (정책, 정치 과정)이라고 한다.
(2) 민주 정치에서는 개인이나 집단이 다양한 이익과 가치를 표출하면 (정당, 이익 집단) 등이 이익을 집약한다.
(3) 국회, 정부, 법원은 정치 과정에 참여하는 (공식적, 비공식적) 주체이다.

01 현대 사회에서 다양한 이익이 표출되는 원인으로 적절한 것은?

① 공동체 의식이 확산되고 있다.
② 국가의 역할이 축소되고 있다.
③ 직업과 집단이 점점 동일해지고 있다.
④ 사람들이 추구하는 가치나 이익이 획일화되었다.
⑤ 시민의 자유와 권리가 확대되면서 자신의 의견을 적극적으로 표현하게 되었다.

02 빈칸에 들어갈 말로 옳은 것은?

> 다양한 가치와 이해관계를 가진 사람들의 의견과 요구가 표출되고, 이러한 의견과 요구를 집약하여 정책으로 만들고 집행하는 과정을 (　　　)(이)라고 한다.

① 정치 참여　② 이익 갈등　③ 정치 과정
④ 정책 평가　⑤ 정치적 무관심

03 다음 사례에 해당하는 정치 과정의 단계로 옳은 것은?

> ○○시는 무상 급식 실시와 관련하여 국민 여론을 수렴하기 위한 각종 토론회 및 공청회를 개최하였다.

① 이익 표출　② 이익 집약　③ 정책 결정
④ 정책 집행　⑤ 정책 평가

04 정치 과정 중 (가) 단계에서 주로 영향력을 행사하는 정치 주체로 연결된 것은?

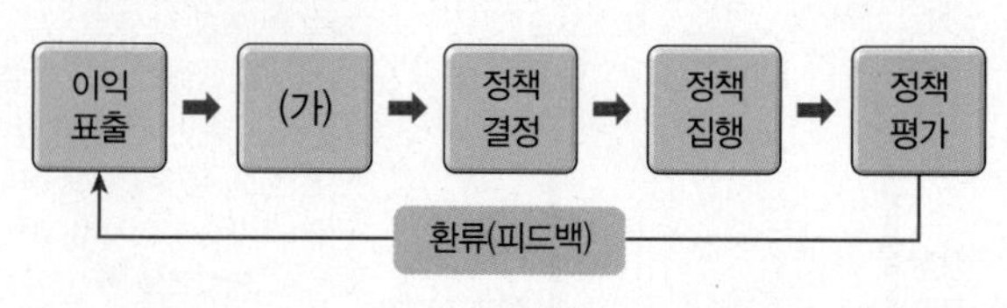

① 국회, 정부　② 국회, 언론　③ 정부, 정당
④ 언론, 정당　⑤ 시민 단체, 이익 집단

[05~06] 다음 정치 과정을 보고 물음에 답하시오.

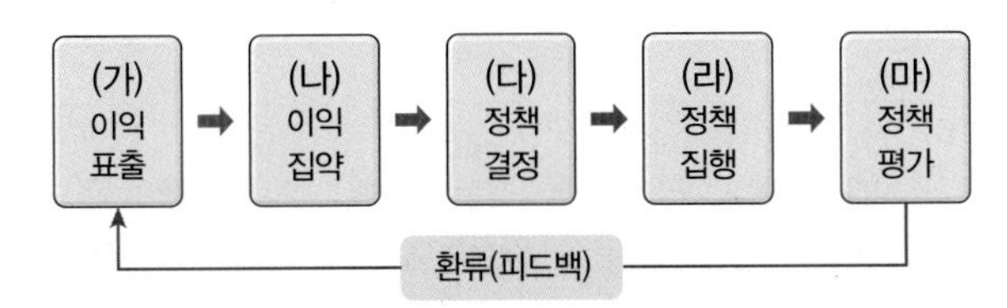

05 **정치 과정의 단계 (가)~(마) 중 다음 내용은 어느 단계에 해당하는가?**

- 군 가산점 부활에 대해 여론 조사를 실시하고자 하였다.
- 교육부는 입학 사정관제 도입과 관련한 대국민 공청회를 개최하였다.

① (가) ② (나) ③ (다) ④ (라) ⑤ (마)

06 **(다)의 역할을 수행하는 정치 주체로 옳은 것은?**

① 시민 ② 정당 ③ 국회
④ 시민 단체 ⑤ 이익 집단

07 **다음 내용에 해당하는 정치 주체로 옳은 것을 〈보기〉에서 고른 것은?**

- 정치 과정에서 핵심적인 역할을 담당한다.
- 국민의 다양한 요구를 반영한 정책을 만들어 정치 주체들 간의 갈등을 해결하는 역할을 한다.

| 보기 |

ㄱ. 국회 ㄴ. 정부
ㄷ. 시민 단체 ㄹ. 이익 집단

① ㄱ, ㄴ ② ㄱ, ㄷ ③ ㄴ, ㄷ
④ ㄴ, ㄹ ⑤ ㄷ, ㄹ

08 **다음 내용에 해당하는 정치 주체로 옳은 것은?**

- 국가와 같은 공동체에서 정치적 권리를 갖는 주체
- 정치 과정에서 가장 기본적이고 중요한 정치 주체

① 국회 ② 정부 ③ 시민
④ 시민 단체 ⑤ 이익 집단

09 **질문에 옳지 않은 답변을 한 학생은?**

학습 주제: 정치 과정의 참여 주체
1. 정당 2. 언론
3. 시민 단체 4. 이익 집단

정치 과정의 참여 주체 중 이익 집단의 특징에 대해 설명해 보세요.

① 희영: 정치적 책임을 지지 않습니다.
② 민아: 공익의 실현을 목적으로 합니다.
③ 소영: 국민 전체의 이익과 충돌할 가능성이 있습니다.
④ 정호: 전문성을 바탕으로 정책 결정에 도움을 줍니다.
⑤ 청아: 정치권력과 결탁할 경우 부정부패가 발생할 수 있습니다.

10 **다음과 같은 활동을 하는 정치 주체가 추구하는 목적으로 가장 적절한 것은?**

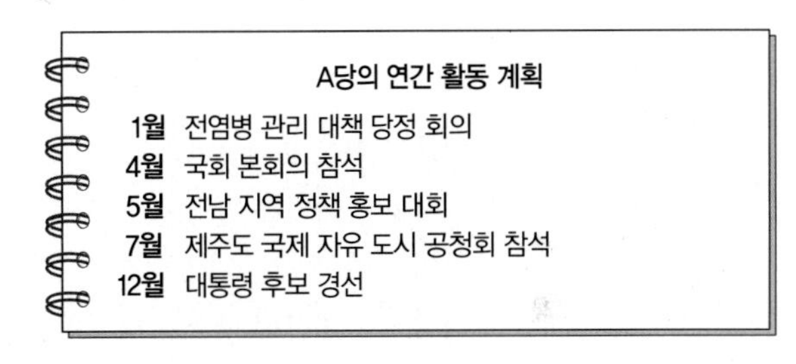
A당의 연간 활동 계획
1월 전염병 관리 대책 당정 회의
4월 국회 본회의 참석
5월 전남 지역 정책 홍보 대회
7월 제주도 국제 자유 도시 공청회 참석
12월 대통령 후보 경선

① 공익의 실현
② 정치권력의 획득 및 유지
③ 정치 문제 해결의 방향 제시
④ 법률을 통한 정치적 문제 적용
⑤ 정치 과정 전반에 대한 안내 및 정보 제공

11 **다음 내용과 관련된 정치 주체로 옳은 것은?**

- 다양한 정치 주체들의 이익을 수렴한다.
- 사회 규모의 확대로 역할이 증대되었다.
- 정책의 결정과 집행을 담당하는 핵심적인 정치 주체이다.

① 언론 ② 국회 ③ 정부
④ 법원 ⑤ 이익 집단

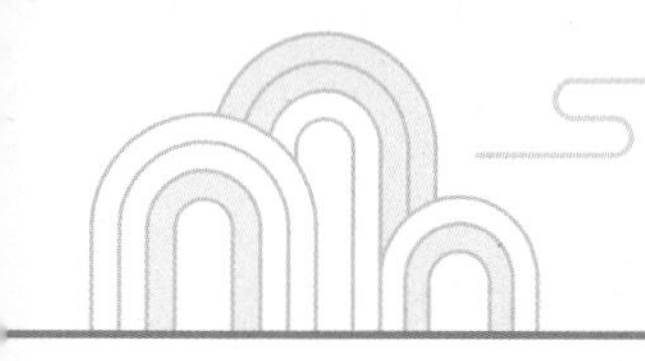

실전 문제

01 **자료와 같은 현상이 나타나게 된 원인으로 옳은 것을 〈보기〉에서 고른 것은?**

▲ 환경 운동 연합

▲ 노동조합

보기

ㄱ. 사회가 복잡해졌기 때문에
ㄴ. 공동체 의식이 확산되었기 때문에
ㄷ. 시민의 자유와 권리가 확대되었기 때문에
ㄹ. 구성원 간의 대립과 갈등이 줄어들었기 때문에

① ㄱ, ㄴ ② ㄱ, ㄷ ③ ㄴ, ㄷ
④ ㄴ, ㄹ ⑤ ㄷ, ㄹ

02 **밑줄 친 '이것'에 대한 설명으로 옳지 않은 것은?**

이것은 다양한 이해관계가 표출되고 집약되어 정책으로 결정되고 집행되는 과정이다.

① 한번 결정된 정책은 수정이 불가능하다.
② 개인이나 집단의 다양한 이익을 반영한다.
③ 오늘날 정치 과정의 참여 주체는 다양해졌다.
④ 사회 문제를 합리적으로 해결해 나가는 방법이다.
⑤ 과거에는 정부나 국회 등이 주도적으로 운영하였다.

03 **정치 과정 중 (가) 단계에 해당하는 사례로 옳은 것은?**

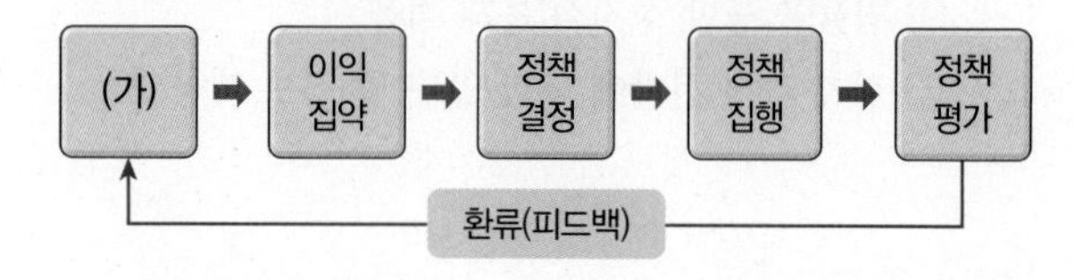

① 자유학기제 지원을 규정한 진로 교육법이 국회에서 제정되었다.
② 진로 교육에 대한 시민의 요구가 커지고 있다는 언론 보도가 있었다.
③ 교육부는 진로 전담 교사 배치를 확대하고, 진로 체험 중심의 교육을 실시하였다.
④ 진로 교사 단체가 학생의 소질과 적성을 계발하기 위한 진로 교육 정책을 강화할 것을 요구하였다.
⑤ 시민들은 진로 체험 장소가 부족했지만 학생들이 체험 활동에 대한 만족도가 높았다고 평가하였다.

★ 중요 ★

04 **정치 과정의 단계 (가)~(마)에 대한 설명으로 옳지 않은 것은?**

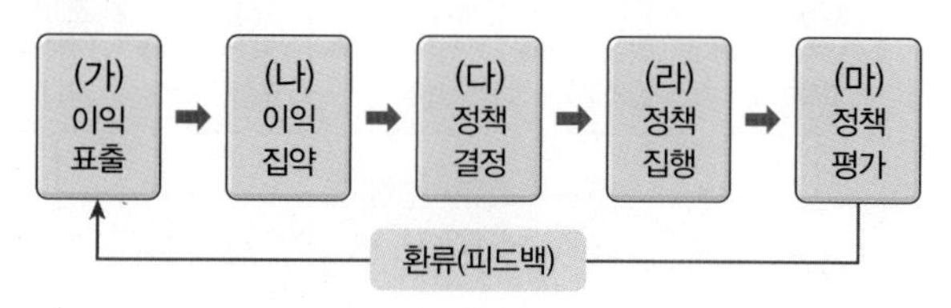

① (가)에서는 개인이나 집단이 다양한 이익과 가치를 표출한다.
② (나)에서는 신문이나 방송 등의 언론을 통해 여론을 형성한다.
③ (다)에서 국회나 정부는 국민의 기본권 보장과 공공복리 실현에 적합한 구체적인 정책을 결정한다.
④ 결정된 정책을 (라)에서 정당이 구체적으로 집행한다.
⑤ 정책이 집행된 후 (마)를 통해 어떤 문제가 발생하는지 파악한다.

05 **다음 질문에 대한 답변을 모두 만족하는 정치 주체로 옳은 것은?**

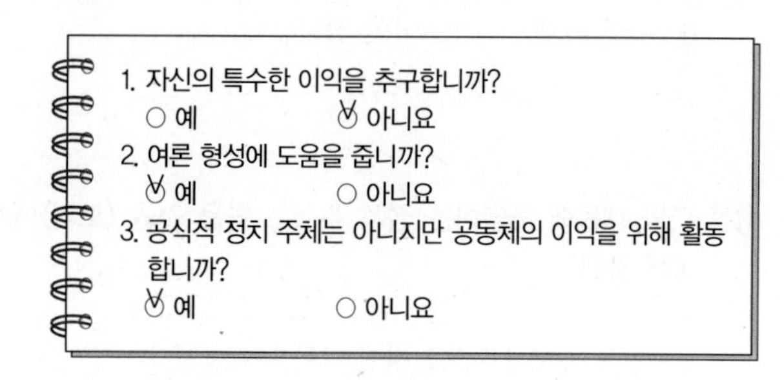

1. 자신의 특수한 이익을 추구합니까?
○ 예 ✓ 아니요
2. 여론 형성에 도움을 줍니까?
✓ 예 ○ 아니요
3. 공식적 정치 주체는 아니지만 공동체의 이익을 위해 활동합니까?
✓ 예 ○ 아니요

① 언론 ② 국회 ③ 정부
④ 이익 집단 ⑤ 시민 단체

06 **그림과 관련 있는 정치 주체에 대한 설명으로 옳지 않은 것은?**

① 정부의 정책을 감시 및 비판한다.
② 여론 형성에 주도적인 역할을 한다.
③ 정치 과정 전반에 관한 정보를 전달한다.
④ 올바른 여론 형성을 위해 공정성을 갖추어야 한다.
⑤ 집단의 특수한 이익을 실현하기 위해 국가 기관에 압력을 행사한다.

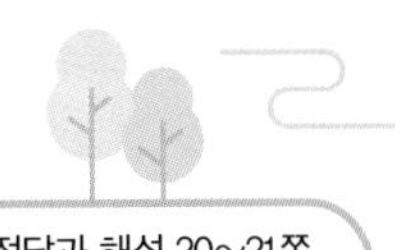

★ 중요 ★

07 시민 단체와 이익 집단을 비교한 내용으로 옳지 않은 것은?

구분	시민 단체	이익 집단
① 목적	공익 실현	집단의 특수 이익 실현
② 분류	공식적 정치 주체	비공식적 정치 주체
③ 역할	사회 문제 해결을 통한 사회 정의 실현	다양한 집단의 이해관계 대변
④ 관심 영역	사회의 모든 관심 영역	집단의 이익과 관련된 특수 영역
⑤ 정치적 책임	없음	없음

고난도

08 그림의 (가)~(라)는 정치 참여 주체이다. 이에 대한 설명으로 옳은 것을 <보기>에서 고른 것은?(단, (가)~(라)는 각각 국회, 정당, 시민 단체, 이익 집단 중 하나이다.)

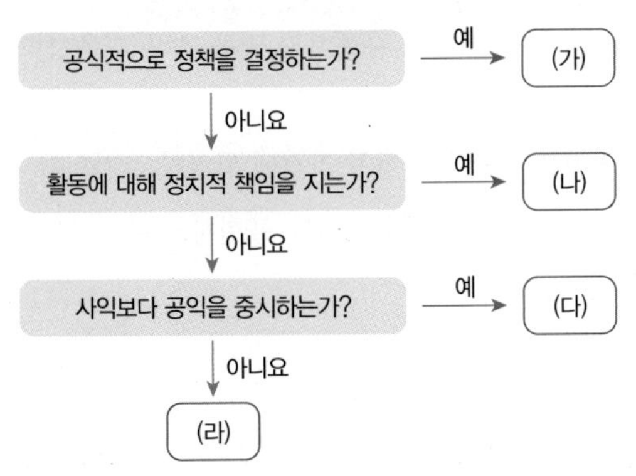

보기

ㄱ. (가)는 언론과 시민 단체에 해당한다.
ㄴ. (나)에 비해 (라)는 관심 영역과 활동 범위가 넓다.
ㄷ. (다)와 (라)는 대의 정치의 한계를 보완하는 기능을 수행한다.
ㄹ. 정치 과정 중 (가)는 정책 결정 단계, (다)와 (라)는 이익 표출 단계에서 참여한다.

① ㄱ, ㄴ ② ㄱ, ㄷ ③ ㄴ, ㄷ
④ ㄴ, ㄹ ⑤ ㄷ, ㄹ

서술형 문제

09 정치 과정 중 (가) 단계에서 주로 활동하는 정치 주체와 그 역할을 서술하시오.

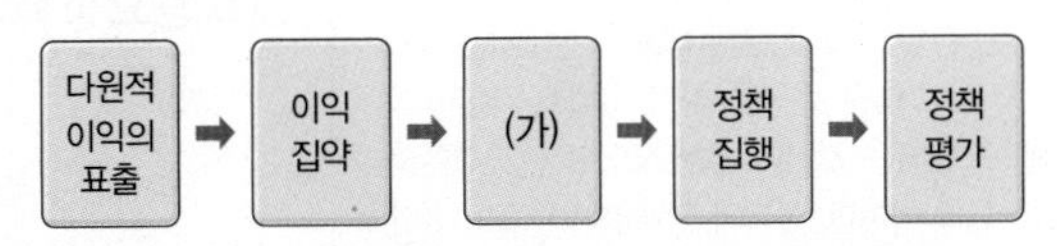

10 신문 기사를 보고 나눈 이익 집단과 시민 단체 대표의 대화를 바탕으로 이익 집단과 시민 단체의 공통점과 차이점을 서술하시오.

○○신문 20△△년 △월 △일

A 지역, 수도권 광역 건설 사업으로 새롭게 태어난다.

자연환경이 아름답기로 유명한 A 지역을 대규모로 개발하는 관광지 지정 및 조성 계획에 대한 보고회가 열렸다. A 지역 관광지 개발 방향에 대한 심도 있는 논의가 진행되었다.

- 이익 집단 대표: 우리 지역에 관광지 조성을 위해 국가가 토지를 수용할 경우 우리의 재산권이 침해될 수 있어서 반대합니다.
- 시민 단체 대표: 우리 지역에 관광지를 조성할 경우 자연환경을 해치고 환경 오염이 심해지므로 관광지 조성을 반대합니다.

11 밑줄 친 (가)에 들어갈 내용을 서술하시오.

정치 주체들 간의 협력은 서로 같은 목표를 추구하거나 공동의 이익이 발생할 때 이루어진다. 예를 들어 정치 발전을 가로막는 지역 이기주의와 같은 문제를 위해 정당은 지역 이기주의에 대한 시민들의 의견을 정부에 전달하고, 국회는 관련 법률을 고치며, 정부는 사회 통합 정책에 노력을 기울여야 한다. 또한 언론은 ______(가)______ 하고, 시민 단체는 지역 이기주의를 청산하기 위한 캠페인을 펼칠 수도 있다.

02 선거와 정치 참여

학습 내용 들여다보기

■ **선거와 투표**
선거는 한 국가나 집단의 대표를 선출하는 것이고, 투표는 어떤 결정을 하기 위해서 자신의 의사를 표현하는 것이다. 일반적으로 선거 과정에서 투표를 하지만, 선거와 관계없는 투표도 있다.

■ **대의 민주주의**
선거를 통하여 국민의 대표를 선출하고, 선출된 대표자가 국민을 대신하여 국가를 운영해 나가는 제도이다.

■ **정당성**
정치권력에 대해 정당하다고 느끼는 관념을 말하며, 국민 다수가 지지할 때 얻을 수 있다.

1. 선거의 의미와 유형

(1) **의미**: 국민을 대신해 나라의 일을 담당할 대표자를 선출하는 과정

(2) **중요성** 자료 1 → 오늘날 대부분의 국가는 영토가 넓고 인구가 많기 때문에 대표자를 선출하여 나라의 일을 맡기는 대의 민주주의를 채택하고 있어.

① 시민이 정치 과정에 참여하는 가장 기본적이고 대표적인 방법

② 대의 민주주의를 유지 · 발전시키며, 민주 정치의 성공과 실패를 좌우함 → '민주주의의 꽃'

(3) **유형**

① **대통령 선거**: 국가 원수이자 행정부의 수반인 대통령을 5년마다 뽑는 선거

② **국회 의원 선거**: 입법부인 국회 구성원으로 법을 만드는 국회 의원을 4년마다 뽑는 선거

③ **지방 선거**: 지방 의회 의원과 지방 자치 단체장 등을 4년마다 뽑는 선거

▲ 대통령 선거

▲ 국회 의원 선거

▲ 지방 선거

2. 선거의 기능 자료 2

(1) **대표자 선출**: 국민의 뜻에 따라 국가의 정치를 담당할 대표자를 선출함

(2) **정치권력에 정당성 부여**: 국민의 지지와 동의를 바탕으로 선출된 대표자는 권위를 인정받아 정당성을 가짐

(3) **정치권력 통제**: 대표자가 맡은 일을 제대로 수행하지 않을 경우 다음 선거에서 책임을 물어 권력을 통제함
→ 정치권력: 개인이나 집단 간의 이해관계를 조정하여 사회 질서를 유지하기 위한 국가의 힘을 의미해.

(4) **시민의 의견 수렴**: 시민의 여론을 드러내어 정치 과정에 반영하는 기회를 제공함

(5) **주권 행사 수단**: 국민은 선거를 통해 자신의 의사를 표현하고 주권을 행사하면서 국가의 주인이라는 인식을 갖게 됨

용어 알기

- **원수** 국제법상 외국에 대하여 자기 나라를 대표하는 자격을 갖는 사람
- **수반** 행정부의 우두머리
- **권위** 다른 사람을 통솔하여 이끄는 힘
- **수렴** 의견이나 사상 따위가 여럿으로 나뉘어 있는 것을 하나로 모아 정리함

자료 1 선거의 중요성

1839년 미국 매사추세츠 주지사를 선출하는 선거에서 단 한 표가 당락을 좌우했다. 당시 후보로 나선 에드워드 에버렛 주지사는 마지막까지 유권자들에게 투표를 독려하다가 투표장에 5분 늦게 도착하는 바람에 정작 자신은 투표하지 못했다. 그런데 개표 결과 딱 한 표 차이로 상대 후보였던 마커스 몰튼에게 패하고 말았다.

오늘날 대부분의 민주 국가에서는 대의 민주제를 시행하고 있다. 선거는 대의 민주제에서 국민의 대표자를 뽑는 절차로, 민주 정치의 성공과 실패를 좌우한다. 따라서 민주 시민은 올바른 대표자를 뽑기 위해 선거에 참여하여 유권자의 권리를 행사해야 한다.

자료 2 선거의 기능

대통령 취임 연설
국민을 대신하여 국정을 담당할 일꾼으로서의 임무를 다하겠습니다.

민주 정치에서 선거는 민주주의를 실현할 수 있는 가장 기본적이며, 중요한 정치 참여 방법이다. 국민은 선거를 통해 대표를 선출함으로써 주권을 행사하고, 그 대표자는 권위를 인정받아 정당성을 가지며, 정치권력을 통제하여 책임 정치가 실현되도록 한다.

3. 민주 선거의 기본 원칙 자료 3

보통 선거 ↔ 제한 선거	• 일정한 연령에 달한 모든 국민에게 선거권을 부여한다는 원칙 • 성별이나 재산, 학력, 직업, 종교 등을 이유로 선거권을 부당하게 제한하지 않아야 함
평등 선거 ↔ 차등 선거	모든 유권자에게 동등하게 한 표씩 투표권을 부여하며, 유권자가 가지는 한 표의 가치는 같아야 한다는 원칙
직접 선거 ↔ 대리 선거	• 선거권을 가진 사람이 직접 투표소에 나가 대표자를 선출해야 한다는 원칙 • 유권자 자신을 대신하여 다른 사람이 투표하는 대리 선거를 인정하지 않음
비밀 선거 ↔ 공개 선거	유권자가 누구에게 투표했는지 다른 사람이 알지 못하도록 비밀을 보장하는 원칙

4. 공정한 선거를 위한 제도와 기관

(1) 선거구 법정주의 자료 4

① 의미: 의회에서 법률로 선거구를 정하도록 하는 제도

② 목적: 선거구가 특정 후보자나 정당에게 유리 또는 불리하게 정해지는 것을 방지함

(2) 선거 공영제

① 의미: 국가 기관에서 선거 과정을 관리하고 선거 운동 비용의 일부를 부담하는 제도

② 목적: 선거 운동의 과열과 부정 선거 방지, 후보자에게 선거 운동의 균등한 기회 보장

경제적 여건과 상관없이 유능한 후보자에게 당선의 기회를 보장하기 위해서야.

(3) 선거 관리 위원회

① 의미: 공정한 선거 관리, 정당 및 정치 자금에 관한 사무 처리를 위한 독립된 국가 기관

중앙 선거 관리 위원회 위원은 국회에서 추천받은 3인, 대통령이 임명하는 3인, 대법원장이 지명하는 3인으로 구성되지.

② 선거 관리 위원회 위원: 헌법에 의해 임기와 신분이 보장되고, 정치적 중립을 위해 특정 정당에 가입하거나 정치에 관여할 수 없음

③ 주요 업무: 후보자 등록 및 선거 운동, 투표·개표 과정 관리, 선거법 위반 행위 예방 및 단속, 선거 관련 정보 제공, 유권자의 선거 참여를 위한 홍보 활동, 정당과 정치 자금에 관한 사무 처리 등

▲ 선거 관리 위원회 홈페이지

학습 내용 들여다보기

■ 간접 선거
유권자를 대신해 대리인이 투표하는 대리 선거를 의미하기도 하지만 유권자가 선거인단을 뽑고 선거인단이 대표를 선출하는 제도를 의미하는 경우도 있다.

■ 선거 공영제
- 관리 공영제: 선거 운동에 대한 선거 관리 위원회의 관리를 원칙으로 함
- 비용 공영제: 선거 비용에 대한 국가 부담을 원칙으로 함

■ 공정 선거에 관한 헌법 조항
- 제41조 ③ 국회 의원의 선거구와 비례 대표제, 기타 선거에 관한 사항은 법률로 정한다.
- 제114조 ① 선거와 국민 투표의 공정한 관리 및 정당에 관한 사무를 처리하기 위하여 선거 관리 위원회를 둔다.
- 제116조 ① 선거 운동은 각급 선거 관리 위원회의 관리하에 법률이 정하는 범위 안에서 하되, 균등한 기회가 보장되어야 한다.

용어 알기
- **유권자** 선거에 참여할 권리를 가진 사람
- **선거 운동** 선거에서 후보자를 당선시키기 위해서 벌이는 여러 활동
- **과열** 지나치게 뜨거워짐

자료 3 민주 선거의 기본 원칙

일정 연령 이상이면 누구나 투표할 수 있습니다.
모든 유권자는 동등하게 한 표씩 행사합니다.
신분증을 보여 주세요.
투표는 본인이 직접 해야 합니다.
누구에게 투표하였는지 비밀이 보장되어야 합니다.
기표소

▲ 보통 선거 ▲ 평등 선거 ▲ 직접 선거 ▲ 비밀 선거

대부분의 나라에서는 공정한 선거를 위하여 민주 선거의 4원칙인 보통 선거, 평등 선거, 직접 선거, 비밀 선거를 원칙을 따르고 있으며, 우리나라 역시 이를 헌법에 규정하고 있다.

자료 4 게리맨더링(gerrymandering)

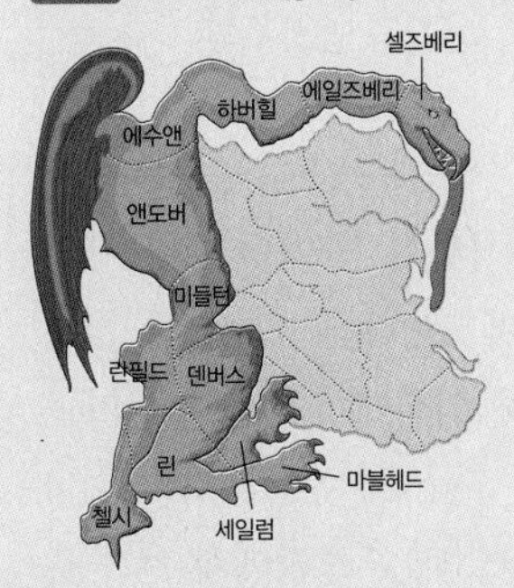

게리맨더링이란 특정 정당이나 후보에게 유리하도록 선거구를 임의로 정하는 것을 말한다. 대부분의 민주 국가에서는 선거구를 의회에서 정하는 선거구 법정주의를 채택하고 있다. 1812년 미국의 매사추세츠 주지사인 게리가 자기 정당에 유리하게 만든 선거구의 모양이 전설 속의 '샐러맨더'라는 괴물과 비슷해서 생긴 말이다.

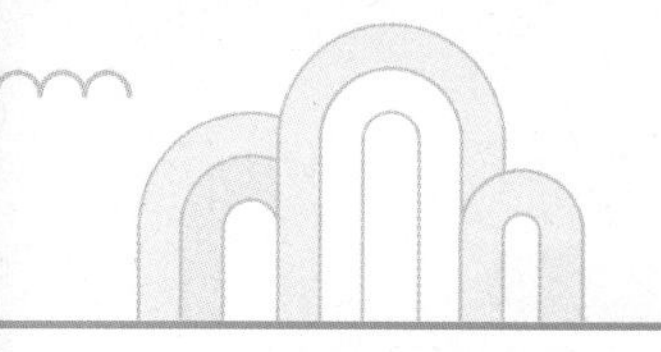
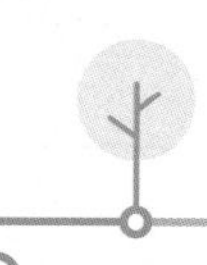

기본 문제

간단 체크

1 빈칸에 들어갈 알맞은 말을 쓰시오.

(1) 현대 국가들은 국민의 대표를 선출해 국민을 대신하여 정치를 담당하도록 하는 (　　　　　)을/를 시행하고 있다.

(2) (　　　　)은/는 민주주의에서 시민이 정치 과정에 참여하는 가장 기본적인 방법으로 '민주주의의 꽃'이라고도 한다.

(3) 국민의 대표자는 선거를 통해 합법적으로 선출되므로 선거는 정치권력에 (　　　　)을/를 부여한다.

(4) 선거는 시민의 여론을 드러내어 (　　　　)에 반영하는 기회를 제공한다.

2 (1)~(3)에 들어갈 선거의 유형을 쓰시오.

(1)	국가 원수이자 행정부의 수반을 5년마다 뽑는 선거
(2)	입법부인 국회 구성원을 4년마다 뽑는 선거
(3)	지방 의회 의원과 지방 자치 단체장 등을 4년마다 뽑는 선거

3 민주 선거의 기본 원칙과 그 내용을 서로 연결하시오.

(1) 보통 선거 •　　• ㉠ 선거권을 가진 본인이 직접 선거함

(2) 평등 선거 •　　• ㉡ 누구에게 투표했는지 공개하지 않음

(3) 직접 선거 •　　• ㉢ 일정한 연령 이상이면 선거권을 부여함

(4) 비밀 선거 •　　• ㉣ 동등하게 한 표씩 투표권을 부여함

4 공정한 선거를 위한 제도와 기관을 〈보기〉에서 고르시오.

보기
ㄱ. 선거 공영제　　ㄴ. 선거구 법정주의
ㄷ. 선거 관리 위원회

(1) 국가 기관에서 선거 운동을 관리하고, 국가와 지방 자치 단체가 선거 비용을 지원하는 제도이다. (　　)

(2) 선거구를 공정하게 정하기 위해 의회에서 법률로 선거구를 정하도록 하는 제도이다. (　　)

(3) 선거 운동의 과열과 부정 선거 방지, 후보자에게 선거 운동의 균등한 기회 보장을 위해 운영하는 국가 기관이다. (　　)

01 (가)에 들어갈 검색어로 옳은 것은?

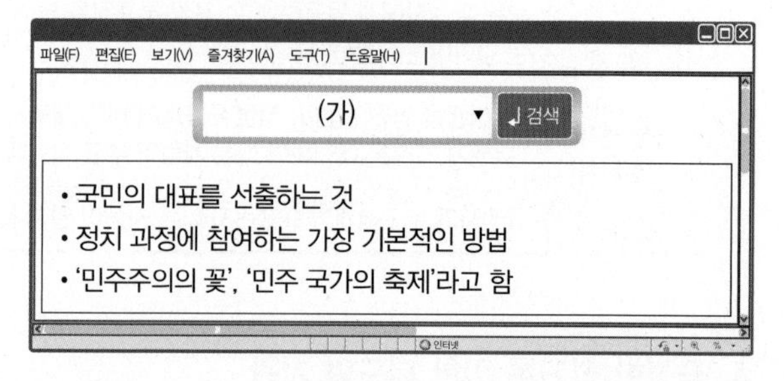

파일(F) 편집(E) 보기(V) 즐겨찾기(A) 도구(T) 도움말(H)
(가)
검색
• 국민의 대표를 선출하는 것
• 정치 과정에 참여하는 가장 기본적인 방법
• '민주주의의 꽃', '민주 국가의 축제'라고 함

① 정당　② 선거　③ 입헌주의
④ 지방 자치　⑤ 국민 투표

02 사례와 관련된 정치 참여 방법으로 적절한 것은?

> 영화배우 김○○ 씨는 국회 의원 후보자들의 공약을 비교·분석하고 투표한 후, 인증 사진을 찍어 자신의 SNS에 올렸다.

① 집회에 참여하기　② 선거에 참여하기
③ 신문에 독자 투고하기　④ 시위 등 집단 행동하기
⑤ 시민 단체를 통해 사회 운동하기

03 학습 주제에 대해 옳지 않은 답변을 한 학생은?

> 학습 주제 : 선거의 기능에 대해 설명할 수 있다.

① 갑: 선거를 통해 시민의 의견을 수렴해요.
② 을: 국가의 정치를 담당할 대표자를 선출할 수 있어요.
③ 병: 선거는 대표자를 심판하거나 통제하는 기능을 해요.
④ 정: 정치권력을 획득하여 정부 정책을 비판하고 대안을 제시해요.
⑤ 무: 선출된 대표자에게 정당성을 부여함으로써 합법적인 권한을 가지게 해요.

04 다음 내용에 해당하는 선거의 기능으로 가장 적절한 것은?

> 국민의 지지와 동의를 바탕으로 선출된 대표자는 임기 동안 대표로서의 합법적인 자격을 인정받아 국민의 뜻을 반영한 공약을 실천한다.

① 주권 행사의 수단　② 시민의 여론 수렴
③ 정치권력에 대한 통제　④ 시민의 주권 의식 신장
⑤ 정치권력에 정당성 부여

05 다음 내용과 관련된 민주 선거의 기본 원칙으로 옳은 것은?

> 우리나라는 일정한 연령이 되면 누구에게나 선거권을 부여하고 있다. 이는 성별, 재산, 학력, 직업 등을 이유로 선거권을 부당하게 제한하지 않아야 한다는 의미이다.

① 직접 선거 ② 비밀 선거 ③ 간접 선거
④ 보통 선거 ⑤ 평등 선거

06 밑줄 친 ㉠, ㉡과 관련된 민주 선거의 기본 원칙을 옳게 연결한 것은?

> 선거 전 유의 사항은 다음과 같다. 투표장 입구에서 ㉠ 유권자 본인임을 확인하는 간단한 절차를 거친 후 투표용지를 받아 ㉡ 기표소 안에 들어가 자신의 선거권을 행사한 후에 투표함에 넣었다.

	(가)	(나)
①	보통 선거	평등 선거
②	비밀 선거	직접 선거
③	평등 선거	직접 선거
④	평등 선거	보통 선거
⑤	직접 선거	비밀 선거

07 사례에서 공통으로 위반하고 있는 민주 선거의 기본 원칙으로 옳은 것은?

> • 프랑스 신분제 의회에서는 신분과 재산의 정도에 따라 투표할 수 있는 표를 차등적으로 배분하였다.
> • 과거 영국에서는 특정 대학교의 졸업생들에게 자신이 거주하는 지역의 선거구에서 한 표를 행사하고, 졸업한 대학교에 설정된 선거구에서도 한 표를 더 행사할 수 있게 하였다.

① 보통 선거 ② 직접 선거 ③ 비밀 선거
④ 평등 선거 ⑤ 간접 선거

08 민주 선거의 기본 원칙이 지켜진 사례로 옳은 것은?

① 일정 연령 이상이면 누구나 투표권을 가진다.
② 학력이 높은 사람들에게는 두 표를 부여한다.
③ 대표 선출에 관심이 많은 노인들만 투표한다.
④ 주민 센터에서 자신의 투표 용지를 타인에게 공개한다.
⑤ 몸이 아픈 사람들은 가족들이 대신 투표할 수 있도록 배려한다.

09 다음 내용에 해당하는 선거 제도로 옳은 것은?

> • 국가나 지방 자치 단체가 선거 운동을 관리하는 것을 원칙으로 한다.
> • 선거 운동에 필요한 일부 비용이나 전액을 국가가 부담한다.

① 대의 제도 ② 선거 공영제 ③ 공직 선거법
④ 선거구 법정주의 ⑤ 지방 자치 제도

10 다음과 같은 제도를 시행하는 이유로 가장 적절한 것은?

> 중앙 선거 관리 위원회 위원은 국회에서 추천받은 3인, 대통령이 임명하는 3인, 대법원장이 지명하는 3인으로 구성되며, 위원은 특정 정당에 가입하여 정당 활동을 할 수 없고, 법이 정한 임기를 보장받는다.

① 보통 선거권을 확립하기 위해서
② 정치적 중립성을 보장하기 위해서
③ 대통령이 국회의 권한을 견제하기 위해
④ 중앙 선거 관리 위원회의 권한을 강화하기 위해서
⑤ 선거에 출마하는 후보자를 선출하는 권한을 부여하기 위해서

11 선거 제도와 기관에 대해 잘못 이해한 학생은?

① 가영: 선거는 정치 과정에 참여하는 가장 기본적인 방법이야.
② 나영: 선거구는 국회에서 정한 법률로 정하는 것이 원칙이야.
③ 다영: 선거에 출마하는 후보자는 모든 선거 비용을 자신이 지불하는 거야.
④ 라영: 선거는 국민을 대신하여 국정을 운영할 대표를 선출하는 절차를 말해.
⑤ 마영: 선거 관리 위원회는 선거 관련 사무와 공정한 선거 관리를 위해 설치된 기관이야.

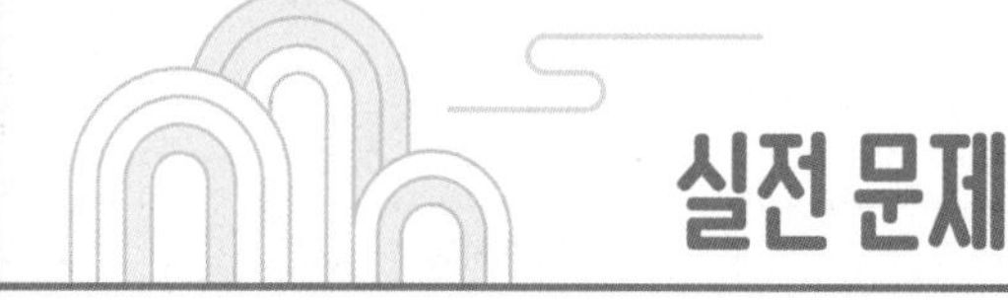

실전 문제

01 선거에 대한 설명으로 옳은 것만을 〈보기〉에서 있는 대로 고른 것은?

보기
ㄱ. 대의 민주주의에서 대표자 선출의 절차이다.
ㄴ. 선거는 정치 과정 중 정책 집행에 해당한다.
ㄷ. 정치 과정에 참여하는 가장 기본적인 방법이다.
ㄹ. 유권자의 의사를 반영하므로 '민주주의의 꽃'이라 불린다.

① ㄱ, ㄴ ② ㄴ, ㄷ ③ ㄷ, ㄹ
④ ㄱ, ㄷ, ㄹ ⑤ ㄴ, ㄷ, ㄹ

02 표는 선거의 유형을 정리한 것이다. ㉠~㉤에 들어갈 말을 옳게 연결한 것은?

대통령 선거	국가 원수이자 행정부의 수반인 대통령을 (㉠)마다 뽑는 선거
(㉡) 선거	입법부인 국회 구성원으로 법을 만드는 (㉡)을/를 (㉢)마다 뽑는 선거
(㉣) 선거	지방 의회 의원과 (㉤) 등을 4년마다 뽑는 선거

① ㉠-4년 ② ㉡-국무총리
③ ㉢-5년 ④ ㉣-지역
⑤ ㉤-지방 자치 단체장

고난도
03 다음 내용과 관련된 선거의 기능으로 가장 적절한 것은?

민아 씨는 지난 선거에서 자신이 뽑은 지역구 국회 의원이 공약을 잘 지키지 않는 것 같아 이번 선거에서는 다른 후보자에게 투표를 할 생각이다. 자신이 뽑은 국회 의원이 법안을 제대로 제출하는 것도 아니고, TV에서는 다른 국회 의원들과 싸우는 모습만을 자주 보여 주어 실망한 것이다.

① 대표자를 선출하는 기능에 해당한다.
② 선거를 통해 대표자에게 정당성을 부여한다.
③ 다음 선거에서 책임을 물어 정치권력을 통제한다.
④ 선거에 참여함으로써 국민에게 주인 의식을 갖게 한다.
⑤ 선거를 통해 후보자는 여론을 기초로 하여 공약을 제시한다.

★ 중요 ★
04 그림과 관련된 선거의 기능으로 옳은 것은?

대통령 취임 연설
국민을 대신하여 국정을 담당할 일꾼으로서의 임무를 다하겠습니다.

① 대표자 선출 ② 국가 정책 결정
③ 주권 의식 함양 ④ 정치권력에 정당성 부여
⑤ 대표자를 심판하거나 통제하는 기능

05 밑줄 친 '오늘날의 선거 원칙'으로 적절한 것은?

근대 시민 혁명 이후 시민들이 정치에 참여할 수 있게 되었다. 그러나 모든 시민이 정치에 참여할 수 있었던 것은 아니며, 일부 재산이 있는 시민에게 선거권을 부여하였다. 이후 시민들의 노력으로 선거권이 확대되었는데, 특히 여성의 선거권은 20세기에 와서야 비로소 보장되었다. 이를 보면 당시에는 <u>오늘날의 선거 원칙</u>이 지켜지지 않았음을 알 수 있다.

① 보통 선거 ② 평등 선거 ③ 직접 선거
④ 비밀 선거 ⑤ 차별 선거

06 A국과 B국에서 위반하고 있는 민주 선거의 기본 원칙을 옳게 연결한 것은?

- A국에서는 고학력자에게는 2표, 저학력자에게는 1표를 행사하게 한다.
- B국에서는 몸이 아프거나 급한 일이 있을 때 본인이 아닌 다른 사람이 투표할 수 있다.

	A국	B국		A국	B국
①	보통 선거	평등 선거	②	비밀 선거	보통 선거
③	평등 선거	직접 선거	④	평등 선거	비밀 선거
⑤	직접 선거	비밀 선거			

07 **다음과 같은 문제점 해결을 위한 선거 제도는?**

> 김○○ 씨는 국회 의원으로 자신의 지역구에서 열심히 활동하고 있으며, 지역 주민들에게 인정받고 있다. 그러나 다음 선거에 출마하기 곤란한 상황에 처하게 되었다. 선거를 치르기 위해서는 비용이 많이 들어가는데, 경제적으로 여유가 없기 때문이다.

① 선거 공영제 ② 보통 선거제
③ 지방 자치제 ④ 직접 선거 제도
⑤ 선거구 법정주의

08 **다음과 같은 문제점을 해결하기 위한 선거 제도는?**

> 특정 정당이나 후보자에게 유리하도록 선거구를 정하는 것으로, 1812년 미국 매사추세츠 주지사 게리가 상원 선거법 개정법의 강행을 위해 자기당인 공화당에 유리하도록 선거구를 분할하였는데, 그 모양이 도롱뇽과 닮은 데서 유래하였다.

① 국민 소환제 ② 선거 공영제
③ 선거구 법정주의 ④ 선거 관리 위원회
⑤ 주민 감사 청구제

★ 중요 ★

09 **밑줄 친 부분에 해당하는 내용으로 옳은 것만을 〈보기〉에서 있는 대로 고른 것은?**

> 우리나라는 공정한 선거를 위해 <u>다양한 기관 및 제도를 운영하고 있다</u>. 공정한 선거란 유권자의 뜻이 선거를 통해 정확하게 투표에 반영되도록 하는 것이다. 공정한 선거가 중요한 이유는 민주 정치가 유지되는 데 있어서 필수적이기 때문이다.

보기
ㄱ. 선거 비용의 일부를 국가가 지원한다.
ㄴ. 선거법을 위반하는 행위가 있는지 감시한다.
ㄷ. 선거 운동의 기회를 균등하게 보장하도록 한다.
ㄹ. 선거구는 선거 때마다 선거 관리 위원회에서 결정한다.

① ㄱ, ㄴ ② ㄴ, ㄷ ③ ㄷ, ㄹ
④ ㄱ, ㄴ, ㄷ ⑤ ㄴ, ㄷ, ㄹ

서술형 문제

10 **자료에 나타난 정치 참여 방법을 쓰고, 이러한 정치 참여 방법의 기능을 서술하시오.**

11 **신문 기사에 나타난 민주 선거의 기본 원칙을 쓰고, 사우디아라비아 여성의 투표권 인정이 갖는 의의를 서술하시오.**

> ○○신문 20△△년 △월 △일
>
> **사우디아라비아, 첫 여성 투표권 인정!**
>
> 2015년 12월 12일은 사우디아라비아에서 지방 선거가 실시된 날로, 최초로 여성의 투표 및 출마가 허용된 역사적 날이다. 사우디아라비아 여성들은 처음으로 입후보와 투표가 가능해지자 기쁨을 감추지 못했다. 여성 유권자의 투표 참여율은 남성 유권자의 2배인 80%에 달할 만큼 여성들의 투표에 대한 열의를 보여줬다. 여성 후보인 A 씨는 '입후보 자체로 이미 승리를 거둔 것'이라고 전했다. 이는 세계 최초로 여성에게 참정권을 허용한 뉴질랜드와 비교하면 무려 122년이나 늦은 것이다.

03 지방 자치와 시민 참여

학습 내용 들여다보기

■ **중앙 정부**
지방 자치 제도가 있는 국가에서 주로 지방 정부와 비교하여 사용하는 말로, 국방과 외교 등과 같이 국가 전체의 일을 처리하는 행정부를 말한다.

■ **독일의 지방 자치 제도(시민 집회)**
독일의 '시민 집회'는 지역 주민의 정치 참여 방법이다. 지방 자치 단체는 지역 주민에게 주요 업무를 설명하기 위해 시민 집회를 소집할 의무가 있고, 일정 수의 시민이 신청할 경우에도 소집해야 한다. 이러한 시민 집회는 해당 지방의 주요 업무에 시민이 직접 참여한다는 점에서 그 의의가 있다.

1. 지방 자치 제도 자료 1 자료 2

→ 지방 자치 단체: 지역 주민들을 위하여 대표들이 지역의 살림살이를 꾸려 나가는 곳이야.

(1) **의미**: 일정한 지역에 살고 있는 주민들이 지방 자치 단체를 구성하여 해당 지역의 공공 문제를 자율적으로 처리하는 제도 → '풀뿌리 민주주의', '민주주의의 학교'

(2) **필요성**
① 한 나라 안에서도 각 지역마다 실정이 다르고 해결해야 할 지역 문제가 다르기 때문
② 중앙 정부가 각 지역에서 일어나는 모든 일을 파악하여 지역 주민의 요구를 수렴하기 어렵기 때문
③ 주민 생활과 밀접한 지역 문제는 그 지역의 실정에 밝은 주민이 스스로 해결하는 것이 바람직하기 때문

(3) **목적**: 지역 특성에 맞는 업무 처리 → 주민의 복리 증진

→ 복리: 주민의 행복과 이익을 말해.

(4) **의의**
① **민주주의의 실천**: 지역 주민이 지역의 주인으로서 지역 문제를 직접 해결하고 처리하는 과정에서 민주주의를 배우고 실천할 수 있음
② **권력 분립의 원리 실현**: 지방 정부가 중앙 정부와 권력을 나누어 맡음으로써 국가의 힘이 중앙 정부에 집중되는 것을 막음
③ **지역 실정에 맞는 정치 실시**: 지역의 실정과 주민의 필요에 맞는 효율적인 정책을 결정하고 집행할 수 있음
④ **주민의 정치 참여 기회 확대**: 지역 주민이 정치에 참여할 기회를 확대하고 주인 의식과 책임감을 높임

(5) **성공 조건**
① **지방 자치 단체의 자율성 확보**: 중앙 정부가 지방 정부의 자율성을 보장해야 함
② **지역 주민의 적극적 참여**: 지역 주민들이 주체적이고 자발적인 자세로 지역 사회의 문제를 해결하는 데 참여해야 함

용어 알기
- **수렴** 여럿으로 흩어져 있는 의견이나 사상 따위를 모아 하나로 정리하거나 받아들임
- **실정** 실제의 사정이나 정세
- **집행** 행정 작용을 담당하는 국가 기관인 행정부의 정책과 계획들을 실행하는 것을 의미함

Q&A

Q 청소년이 지역 사회에 참여할 수 있는 방법에는 무엇이 있을까요?

A 우리 지역에서 발생하는 공공의 문제에 대해 중학생도 참여할 수 있다. 예를 들어 공무원에게 지역 사회 문제에 대한 편지 쓰기, 인터넷에 의견 남기기, 지역 소식지 만들기, 지역 문제 토론하기, 서명 운동에 참여하기 등이 있다.

자료 1 지방 자치를 나타내는 다양한 표현

- 풀뿌리 민주주의: 식물의 많은 잔뿌리가 물과 양분을 흡수하여 아름다운 열매를 맺듯이, 지역 주민들이 지역의 일을 스스로 해결한다.
- 민주주의의 학교: 지역 주민들이 지방 자치를 통해 정치 과정에 직접 참여함으로써 민주주의를 직접 체험하고 배운다.

지역 주민이 지역의 일에 자발적으로 참여하여, 민주주의의 기초를 만들어간다는 의미에서 지방 자치 제도를 '풀뿌리 민주주의'라고 한다. 지역 주민이 민주 시민으로서의 자질을 함양할 수 있으므로 '민주주의의 학교'라고 표현하기도 한다.

자료 2 지방 자치 제도의 실현 사례

▲ 마중 버스(충남 아산시)

최근 인구가 급증한 충청남도 한 지역에서는 버스 노선의 신설을 요구하는 민원이 폭주했다. 하지만 운송 원가가 증가하면서 농촌 오지 지역의 버스 운행이 불가능해졌다. 이에 그 지역의 지방 자치 단체는 주민들의 불편함을 해소하기 위해 마중 버스를 운행하여 맞춤형 교통 서비스를 제공하고 있다.

2. 지방 자치 단체

(1) **종류**

① 광역 자치 단체: 특별시, 광역시, 도, 특별자치도, 특별자치시

② 기초 자치 단체: 시, 군, 구

(2) **구성** → 지방 의회 의원과 지방 자치 단체장은 지방 선거를 통해 선출되며, 임기는 4년이야.

구분	지방 의회(의결 기관)	지방 자치 단체장(집행 기관)
역할	• 조례 제정 • 예산안 심의 및 확정 • 지방 자치 단체의 행정 업무 감사 및 조사	• 규칙 제정 • 지방의 각종 사무 처리 • 지역의 재산 관리 및 예산 집행

서울특별시장, 부산광역시장, 도지사, 군수, 구청장 등이 해당해.

→ 지방 자치 단체장은 지역의 살림살이 계획인 예산안을 지방 의회에 제출해.

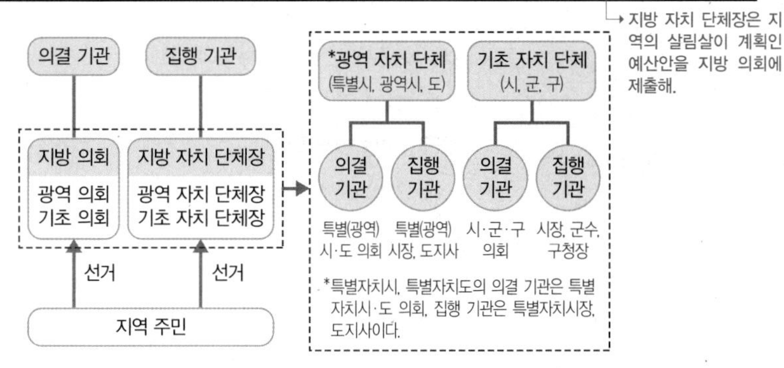

3. 지역 사회의 문제 해결

(1) **주민의 다양한 정치 참여 방법** 자료 3

→ 지역 주민이 지방 자치에 참여하는 가장 기본적인 방법이야.

① 지방 선거: 지방 의회 의원과 지방 자치 단체장을 선출하는 과정

② 주민 투표: 지역 사회의 주요 현안에 대하여 주민이 직접 투표로 결정하는 제도

③ 주민 발의: 주민이 직접 조례안을 작성하여 지방 의회에 제출할 수 있는 제도

④ 주민 소환: 직무를 잘 수행하지 못한 지역 대표를 임기 중에 주민 투표로 해임할 수 있는 제도

→ 해결해야 할 문제로 남아 있는 일을 의미해.

⑤ 주민 감사 청구: 주민이 특정 행정 기관에 대해 감사를 해 달라고 청구하는 제도

⑥ 주민 참여 예산제: 자치 단체의 예산 편성 과정에 주민이 직접 참여하는 제도

⑦ 주민 청원: 지방 자치 단체에 지역 사회의 문제를 해결해 달라고 서면으로 요구할 수 있는 제도

⑧ 기타: 공청회 참석, 행정 기관에 민원 제기, 서명 참여 등

→ 의견이나 문제 등을 논의의 대상으로 내어놓는 것을 말해.

(2) **주민 참여의 중요성**: 주민의 복리 증진과 지역 발전을 위한 지방 자치가 성공적으로 실현하기 위해서는 주민의 적극적인 참여가 필요함

학습 내용 들여다보기

■ **조례**
지방 의회가 법률과 명령의 범위 내에서 그 지방의 사무에 관해 제정하는 자치 법규

■ **규칙**
지방 자치 단체장이 법령과 조례의 범위 내에서 그 권한에 대해 제정하는 자치 법규

■ **공청회**
국가 또는 지방 자치 단체가 중요한 의사 결정을 하기에 앞서 해당 분야의 전문가나 이해 당사자들의 의견을 듣기 위해 개최하는 공개 회의

용어 알기

• **심의** 어떤 안건을 자세히 조사하고 논의하며 결정하는 것
• **해임** 어떤 지위나 맡은 임무를 그만두게 하는 것
• **감사** 법적 권한이 있는 기관이 단체나 조직의 업무 상황을 감독하고 조사하는 일

자료 3 주민의 다양한 정치 참여 방법

▲ 주민 투표

주민 투표는 지방 자치 단체의 주요 결정 사항에 주민들의 직접 참여를 보장함으로써 풀뿌리 민주주의를 실현한다는 의미를 갖는다. 또 중앙 정부가 추진하는 국책 사업에 대한 주민 투표는 중앙 집권적 의사 결정으로 지역 주민들의 자기결정권이 침해당하지 않도록 지역 주민들의 의견을 모으는 수단으로 활용되고 있다.

○○신문 20△△년 △월 △일

주민의 요구로 학생 인권 조례 탄생

A시의 ○○시민 단체는 A시 주민들의 서명을 받아 '학생 인권 조례안'에 관한 주민 발의 청구서와 서명 인명부를 교육청에 제출하였다. 교육청은 이 조례안을 받아들여 A시 의회에 전달하였고, 의회는 '학생 인권 조례안'을 통과시켰다.

사례는 지역에 필요한 '학생 인권 조례안'을 주민이 직접 제안한 주민 발의에 해당한다. 이를 통해 국민 자치의 원리를 실현하고, 시민들은 주권자로서 책임 의식과 시민성을 기를 수 있다.

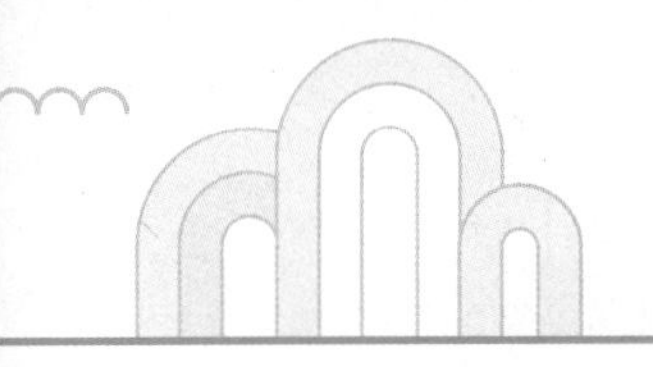

기본 문제

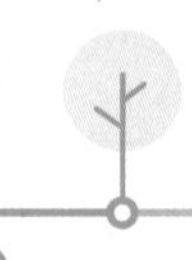

간단 체크

1 빈칸에 들어갈 알맞은 말을 쓰시오.

(1) 지역 주민들이 스스로 선출한 대표를 통하여 그 지역의 일을 자율적으로 처리하는 제도를 (   )(이)라고 한다.
(2) 지역 주민들은 (   )을/를 통해 지방 자치 단체를 구성한다.
(3) 지방 자치 단체는 (   )와/과 지방 자치 단체장으로 구성된다.
(4) 지방 의회는 지방 사무에 관한 (   )을/를 제정한다.
(5) (   )은/는 특별시, 광역시, 특별자치시, 도, 특별자치도로 구분된다.

2 다음 설명이 맞으면 ○표, 틀리면 ×표 하시오.

(1) 주민 자치는 지방 정부의 자율성을 확보하는 것으로 중앙 정부에 대한 의존도를 높이고 지방 재정의 자립도를 낮춰야 한다. (   )
(2) 시장, 도지사, 군수, 구청장은 지방 자치 단체장에 해당한다. (   )
(3) 지방 자치 제도는 주민의 최대한의 자유와 권리 증진을 목적으로 한다. (   )

3 괄호 안의 내용 중 알맞은 말에 ○표 하시오.

(1) 지방 의회는 (의결, 집행) 기관, 지방 자치 단체장은 (의결, 집행) 기관에 해당된다.
(2) 지방 자치 단체장은 지방 자치 단체의 사무를 집행하고 사무에 필요한 (규칙, 조례)을/를 제정한다.
(3) (지방 의회, 지방 자치 단체장)은/는 지역의 재산을 관리 및 예산을 집행한다.

4 (1)~(4)에 들어갈 주민의 정치 참여 방법을 쓰시오.

(1)	지역 주민이 지역의 중요한 문제를 투표로 결정하는 제도
(2)	주민이 직접 조례안을 작성하여 지방 의회에 제출할 수 있는 제도
(3)	선출된 공직자가 직무를 잘 수행하지 못할 때 임기 중에 주민 투표를 통해 해임할 수 있는 제도
(4)	국가 또는 지방 자치 단체가 일정한 사항을 결정함에 있어서 해당 분야의 전문가나 이해 당사자들의 의견을 듣기 위해 개최하는 공개 회의

01 빈칸에 공통으로 들어갈 제도로 옳은 것은?

> 오늘날 우리나라에서 지역 주민들은 (   )을/를 통해 지역의 문제를 해결하기 위한 지방 자치 활동에 직접 참여할 수 있다. 자신의 의사를 적극적으로 정치에 반영함으로써 지역 사회의 주인임을 표현할 수 있다. 이처럼 (   )은/는 민주주의의 이념을 현실에서 실현하는 제도로 흔히 '민주주의의 학교'라고 불린다.

① 선거 공영제　② 의원 내각제
③ 전자 민주주의　④ 복수 정당 제도
⑤ 지방 자치 제도

02 지방 자치 제도에 대한 설명으로 옳은 것을 〈보기〉에서 고른 것은?

> 보기
> ㄱ. 지역의 대표는 국회 의원이 선출한다.
> ㄴ. 국가 권력을 중앙 정부로 집중시킨 제도이다.
> ㄷ. 국민 자치의 원리를 실현하기 위한 제도이다.
> ㄹ. 지역 주민들이 지역 문제를 자율적으로 처리한다.

① ㄱ, ㄴ　② ㄱ, ㄷ　③ ㄴ, ㄷ
④ ㄴ, ㄹ　⑤ ㄷ, ㄹ

03 다음과 같은 지역 사회의 문제를 해결하기 위한 방안으로 가장 적절한 것은?

> ○○군은 요즈음 골프장 건설 문제로 시끄럽다. 골프장을 건설해서 지역 경제를 살려야 한다는 측과 환경 문제를 내세워 건설해서는 안 된다는 양측이 갈등을 겪고 있다. 그런데 ○○군의 주민인 갑은 이런 문제가 그냥 시끄럽기만 하다. 자신과 골프장과는 아무런 관련이 없다고 생각하기 때문이다. 갑의 이런 생각은 점점 주변 사람들에게까지 퍼져 모두들 골프장 문제에 관심을 갖지 않게 되었다.

① 지역 주민의 정치 참여를 제도적으로 강제한다.
② 주민 소환제 등을 통해 지방 자치 단체장을 견제한다.
③ 중앙 정부가 주도적으로 지역의 문제를 해결해야 한다.
④ 지역 주민으로서 주인 의식을 가지고 적극적으로 참여해야 한다.
⑤ 지역의 일을 처리할 수 있도록 지방 의회 의원 수를 늘려야 한다.

04 표는 지방 자치 단체를 구분한 것이다. ㉠, ㉡에 들어갈 지방 자치 단체의 유형을 쓰시오.

종류	유형
㉠	특별시, 광역시, 도, 특별자치시, 특별자치도
㉡	시, 군, 구

05 밑줄 친 기관의 역할에 대한 설명으로 옳은 것은?

> 우리나라의 지방 자치 단체는 지방 의회와 지방 자치 단체장으로 구성된다. 지역 주민은 선거를 통해 지방 의회를 구성하는 지방 의회 의원과 지방 자치 단체장을 직접 선출한다.

① 지역의 재산을 관리한다.
② 지역의 행정 업무를 감사한다.
③ 지방 자치 단체의 집행 기관이다.
④ 조례의 범위 내에서 규칙을 제정한다.
⑤ 주민 복리를 위한 행정 사무를 처리한다.

06 (가), (나)에 해당하는 자치 법규를 옳게 연결한 것은?

> (가) 지방 의회가 제정한 법규
> (나) 지방 자치 단체장이 제정한 법규

	(가)	(나)		(가)	(나)
①	조례	명령	②	조례	규칙
③	규칙	조례	④	명령	조례
⑤	규칙	명령			

07 다음과 같은 역할을 담당하는 기관으로 옳은 것은?

> 지방 자치 단체의 의결 기관으로 해당 지역의 예산안을 심의·확정하며, 자치 활동에 필요한 조례를 제·개정하는 역할을 담당한다.

① 국회　② 정부　③ 법원
④ 지방 의회　⑤ 지방 자치 단체장

08 다음 주소에 거주하고 있는 유권자가 지방 선거를 통해 선출할 대표자로 적절하지 않은 것은?

> 서울특별시 구로구 신도림동 ▾ 검색

① 구로 구청장　② 신도림 동장
③ 서울특별시장　④ 구로구 의회 의원
⑤ 서울시 의회 의원

09 사례에 나타난 사회 문제 해결을 위한 지역 주민의 정치 참여 방법으로 적절한 것은?

> ○○시는 지역 축제 개최와 쓰레기 소각장 설치 등 지역 사회의 주요 정책을 주민들이 찬반 투표를 통해 결정하였다.

① 주민 투표　② 주민 청원　③ 지방 선거
④ 주민 소환　⑤ 주민 참여 예산제

10 다음 내용에 해당하는 지역 주민의 정치 참여 방법으로 옳은 것은?

> • 의미: 지역의 예산 편성 과정에 지역 주민이 직접 참여하는 제도
> • 의의: 지방 자치의 이념 실현

① 지방 선거　② 주민 청원
③ 주민 소환　④ 주민 참여 예산제
⑤ 주민 감사 청구제

11 다음 과제에 대한 댓글을 옳게 작성한 사람은?

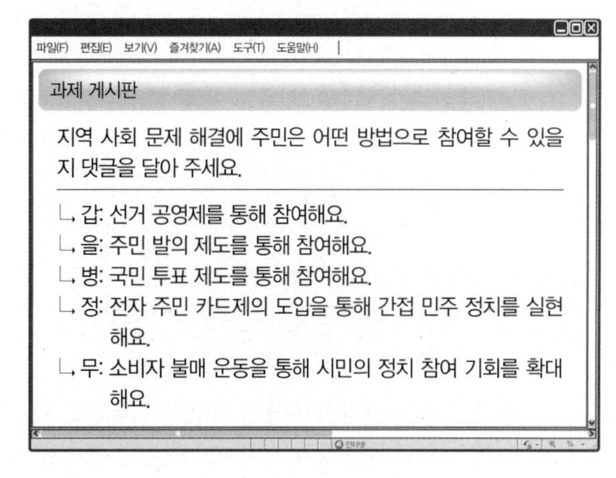
과제 게시판

지역 사회 문제 해결에 주민은 어떤 방법으로 참여할 수 있을지 댓글을 달아 주세요.

└ 갑: 선거 공영제를 통해 참여해요.
└ 을: 주민 발의 제도를 통해 참여해요.
└ 병: 국민 투표 제도를 통해 참여해요.
└ 정: 전자 주민 카드제의 도입을 통해 간접 민주 정치를 실현해요.
└ 무: 소비자 불매 운동을 통해 시민의 정치 참여 기회를 확대해요.

① 갑　② 을　③ 병　④ 정　⑤ 무

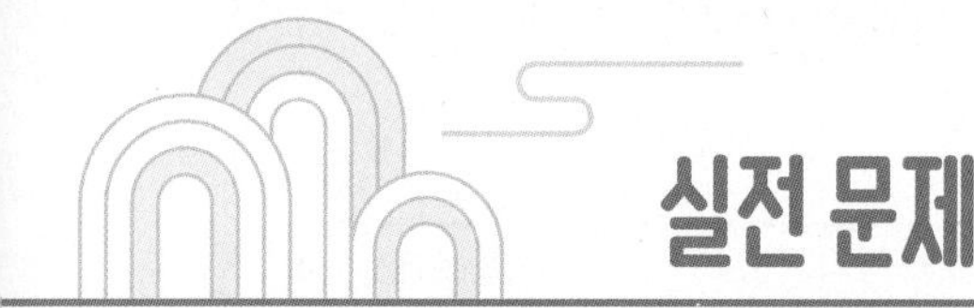

실전 문제

01 (가)에 들어갈 검색어로 가장 적절한 것은?

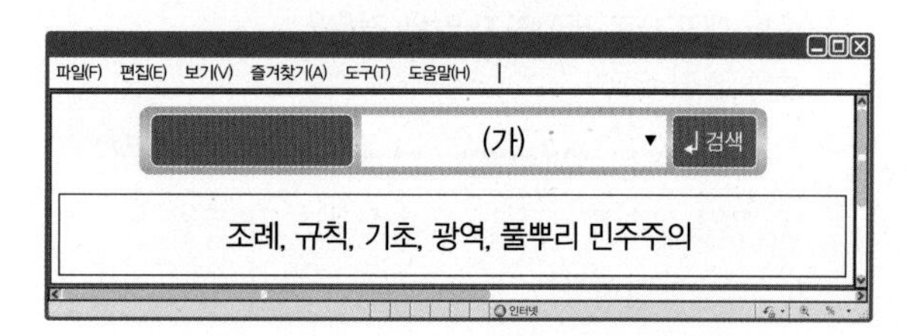

① 선거 제도　② 정당 제도　③ 중앙 집권 제도　④ 지방 자치 제도　⑤ 직접 민주 정치 제도

02 다음과 같은 제도를 실시하는 궁극적인 목적으로 가장 적절한 것은?

> 이 제도는 일정한 지역의 주민들이 스스로 선출한 기관을 통해 자기 지역의 문제를 스스로 해결해 나가는 제도이다.

① 효율적인 국토 개발을 위해
② 다수당의 횡포를 견제하기 위해
③ 일관성 있는 정책의 운영을 위해
④ 지역 주민의 복지를 증진하기 위해
⑤ 지역의 특색 있는 정책을 수립하기 위해

03 다음과 같은 정부의 정책 도입에 대한 평가로 적절하지 <u>않은</u> 것은?

> • 지역 사회의 주요 정책을 해결하기 위해 주민 투표, 주민 참여 예산제, 주민 소환, 주민 발의 등의 도입을 적극적으로 검토하기로 하였다.
> • 초·중등학교의 교육 과정 및 고교 평준화 실시 여부 또한 시, 군, 구가 자율적으로 결정하는 방안을 적극적으로 추진하고 있다.

① 국토의 균형적인 발전이 이루어진다.
② 권력 분립의 원리를 실현하는 계기가 된다.
③ 지역 주민이 정치에 참여할 기회가 확대된다.
④ 지역 주민의 실질적인 자치 행정권이 보장된다.
⑤ 지역 사회의 자율성과 지역성을 반영한 정책을 결정할 수 있다.

고난도

04 그림에 나타난 기관의 역할로 옳은 것을 〈보기〉에서 고른 것은?

보기
ㄱ. 지역 사회의 주요 정책을 집행한다.
ㄴ. 지역의 예산안을 심의, 의결하는 기관이다.
ㄷ. 주민의 복리를 위한 행정 사무를 처리한다.
ㄹ. 지역 사회의 행정에 필요한 조례를 제정 및 개정한다.

① ㄱ, ㄴ　② ㄱ, ㄷ　③ ㄴ, ㄷ　④ ㄴ, ㄹ　⑤ ㄷ, ㄹ

★ 중요 ★

05 그림은 지방 자치 단체를 나타낸 것이다. (가), (나)에 대한 설명으로 옳은 것은?

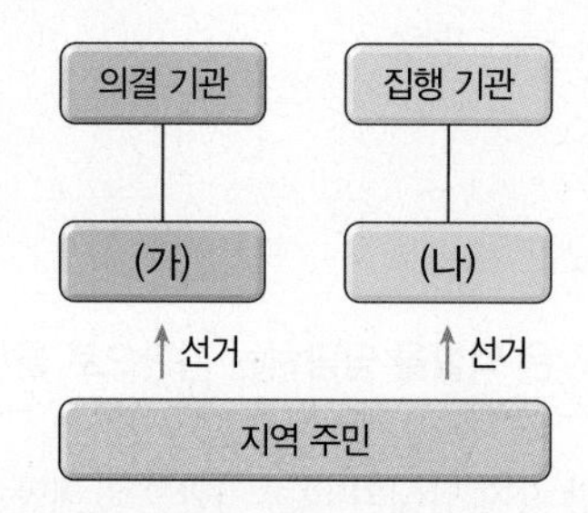

① (가)는 지역 내의 행정권을 행사한다.
② (나)는 지역 예산안을 심의·확정한다.
③ 주민들은 국민 투표를 통해 (나)를 구성한다.
④ 지방 자치 단체는 (가)와 (나)로 이루어져 있다.
⑤ (나)는 (가)의 행정 사무에 대한 감사를 진행한다.

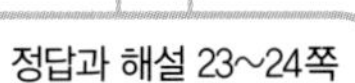

06 **지방 의회와 지방 자치 단체장의 역할을 〈보기〉에서 골라 옳게 연결한 것은?**

보기
ㄱ. 지역 상황에 맞는 정책을 집행한다.
ㄴ. 조례의 범위 안에서 규칙을 제정한다.
ㄷ. 지역 자치 단체가 사용할 예산안을 의결한다.
ㄹ. 지방 자치 단체의 행정 사무에 대해 감사한다.

	지방 의회	지방 자치 단체장
①	ㄱ, ㄴ	ㄷ, ㄹ
②	ㄱ, ㄷ	ㄴ, ㄹ
③	ㄴ, ㄷ	ㄱ, ㄹ
④	ㄴ, ㄹ	ㄱ, ㄷ
⑤	ㄷ, ㄹ	ㄱ, ㄴ

07 **신문 기사에 나타난 지역 주민의 정치 참여 방법으로 옳은 것은?**

○○신문 20△△년 △월 △일

○○시, 최초로 모바일을 통해 주민 투표 !

○○시가 지역의 살림을 편성할 때 반영할 사업 선정을 위한 주민 투표를 실시한다. 특히 모바일 투표를 도입하여 ○○시 주민이라면 휴대 전화를 이용하여 시청 모바일 누리집에 접속하면 누구나 편리하게 투표할 수 있다.

① 지방 선거를 통해 대표자를 선출한다.
② 주민 소환제를 통해 공직자를 해임한다.
③ 주민 발의를 통해 지역 사회 문제를 직접 해결한다.
④ 공청회에 참석하여 주민의 의견을 정책 결정에 반영한다.
⑤ 주민 참여 예산제를 통해 지역의 예산 편성 과정에 참여한다.

08 **지역 주민이 정치에 참여하는 방법으로 적절하지 않은 것은?**

① 공청회에 참여하여 자신의 의견을 전달한다.
② 주민 회의를 구성하여 문제를 논의하고 해결한다.
③ 관련 행정 기관에 청원을 하거나 민원을 제기한다.
④ 국민 투표나 국민 소환을 통해 직접 정치에 참여한다.
⑤ 주민 발의나 주민 참여 예산 제도를 통해 지방 정치에 참여한다.

서술형 문제

09 **다음과 관련된 민주 정치 제도를 쓰고, 이렇게 부르는 이유를 서술하시오.**

• 풀뿌리 민주주의 • 민주주의의 학교

10 **그림은 지방 자치 단체의 구성을 나타낸 것이다. (가)에 들어갈 기관을 쓰고, 이 기관의 역할을 두 가지 서술하시오.**

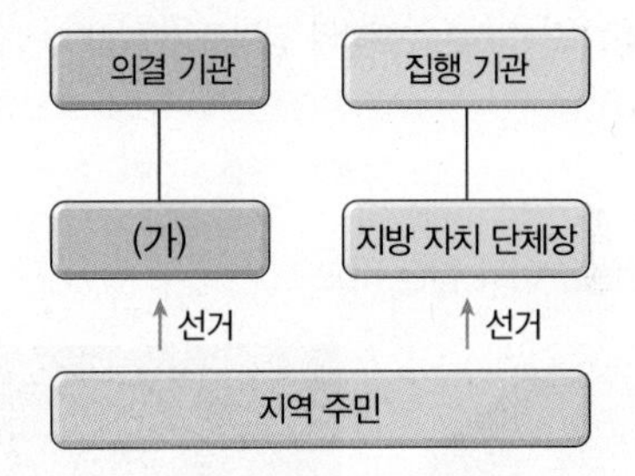

11 **A, B 제도를 쓰고, 이러한 제도를 운영하는 이유에 대해 지방 자치와 관련하여 서술하시오.**

• A 제도는 주민이 지방 자치 단체의 행정에 관한 희망 사항이나 개선 사항을 서면으로 요구하는 것이다. 이 제도를 통해 주민은 피해의 구제, 공무원의 위법·부당한 행위에 대한 시정이나 징계의 요구, 조례·규칙 등의 제정·개정 또는 폐지, 공공의 제도 또는 시설의 운영 등을 요구할 수 있다.
• B 제도는 지역의 공직자가 주민의 의사에 반하거나 직무를 잘 수행하지 못했을 때 주민 투표를 통해 해임시키는 제도이다.

대단원 정리

❶ 정치 과정의 단계 이해

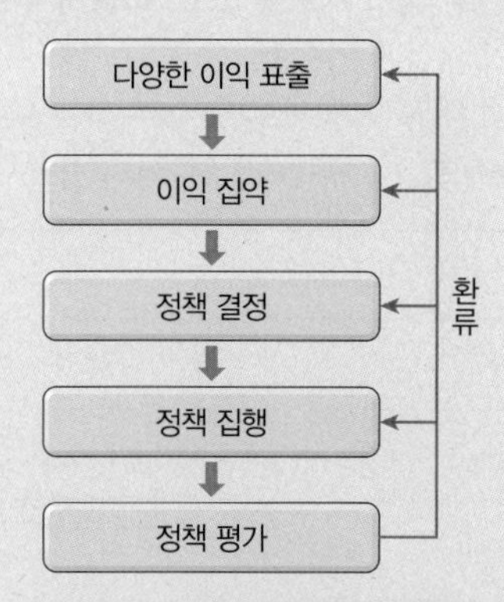

개인이나 집단이 다양한 요구와 이익을 표출하면, (①　　　　)(이)나 언론 등은 이를 집약하여 (②　　　　)으로 형성한다. 이를 바탕으로 (③　　　　)와/과 국회는 정책을 결정하고, 정부는 결정된 정책을 집행한다. 정책은 집행 후에도 (④　　　　)의 평가를 받아 수정·보완된다.

답 ① 정당 ② 여론 ③ 정부 ④ 국민

❷ 시민 단체와 이익 집단 비교

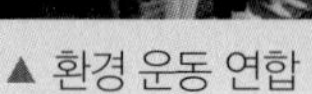
▲ 환경 운동 연합

▲ 노동조합

- 환경 운동 연합은 (①　　　　), 노동조합은 이익 집단에 해당한다.
- 환경 운동 연합은 (②　　　　) 실현을, 노동조합은 (③　　　　) 실현을 목적으로 한다.
- 환경 운동 연합과 노동조합은 모두 여론을 주도하여 정책 형성과 결정에 영향력을 행사한다.

답 ① 시민 단체 ② 공익 ③ 특수 이익

❸ 민주 선거의 기본 원칙 이해

일정 연령 이상이면 누구나 투표할 수 있습니다.

▲ (①　　　　)

모든 유권자는 동등하게 한 표씩 행사합니다.

▲ (②　　　　)

신분증을 보여 주세요.

투표는 본인이 직접 해야 합니다.

▲ (③　　　　)

누구에게 투표하였는지 비밀이 보장되어야 합니다.

▲ (④　　　　)

답 ① 보통 선거 ② 평등 선거 ③ 직접 선거 ④ 비밀 선거

1. 정치 과정과 정치 주체

(1) 정치 과정의 의미와 단계 및 의의 ❶

구분		내용
의미		다양한 이해관계가 표출·집약되어 정책으로 집행되는 과정
단계	이익 표출	개인이나 집단이 다양한 요구를 여러 가지 방법으로 드러냄
	이익 집약	정당이나 언론 등이 사회 구성원의 의견을 수렴하여 여론을 형성함
	정책 결정	시민의 다양한 의견을 반영하여 국회나 정부가 정책을 결정함
	정책 집행	결정된 정책을 정부가 구체적으로 시행함
	정책 평가	정책이 집행된 후에 국민의 평가를 통해 어떤 문제가 발생하는지 파악함
	환류	국민의 평가를 반영하여 정책을 수정·보완함
의의		구성원 간의 갈등과 사회 문제를 합리적인 방식으로 해결하는 데 기여, 다양한 이익과 가치들을 조정하여 사회의 통합 및 발전에 기여

(2) 정치 과정의 참여 주체 ❷

주체	내용
시민(개인)	자신의 이익을 실현하기 위해 다양한 방법으로 정치 과정에 참여하는 주체
이익 집단	이해관계를 같이하는 사람들이 자신의 특수 이익을 실현하기 위해 만든 단체
시민 단체	공익을 실현하기 위해 시민들이 자발적으로 만든 집단
정당	정치권력을 획득하기 위해 정치적 의견을 같이하는 사람들이 만든 단체
언론	쟁점이나 사회 문제 등 정치 과정 전반에 관한 정보를 제공하는 정치 주체
국가 기관	• 국회: 법률 제정 및 개정 • 정부: 정책의 수립 및 집행 • 법원: 재판을 통해 분쟁 해결

2. 선거와 정치 참여

(1) 선거의 의미와 기능

구분	내용
의미	국민을 대신해 나라의 일을 담당할 대표자를 선출하는 과정
유형	대통령 선거, 국회 의원 선거, 지방 선거
기능	대표자 선출, 정치권력에 정당성 부여, 정치권력 통제, 시민의 의견 수렴, 주권 행사 수단 등

(2) 민주 선거의 기본 원칙 ❸

원칙	내용
보통 선거	일정한 연령에 달한 모든 국민에게 선거권을 부여한다는 원칙
평등 선거	모든 유권자가 동등한 가치의 투표권을 행사할 수 있다는 원칙
직접 선거	선거권을 가진 사람이 직접 투표소에서 대표자를 선출해야 한다는 원칙
비밀 선거	유권자가 누구에게 투표했는지 타인이 알지 못하도록 하는 원칙

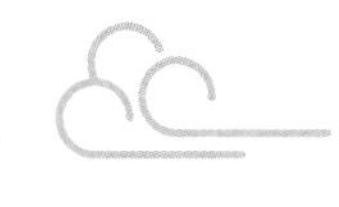

(3) 공정한 선거를 위한 제도와 기관 ❹

선거구 법정주의	• 의미: 의회에서 법률로 선거구를 정하도록 하는 제도 • 목적: 선거구가 특정 후보자나 정당에게 유리 또는 불리하게 정해지는 것을 방지함
선거 공영제	• 의미: 국가 기관에서 선거 과정을 관리하고 선거 운동 비용의 일부를 부담하는 제도 • 목적: 선거 운동의 과열과 부정 선거 방지, 후보자에게 선거 운동의 균등한 기회 보장
선거 관리 위원회	• 의미: 공정한 선거 관리, 정당 및 정치 자금에 관한 사무 처리를 위한 독립된 국가 기관 • 주요 업무: 후보자 등록 및 선거 운동, 투표 · 개표 과정 관리, 선거법 위반 행위 예방 및 단속, 선거 참여를 위한 홍보 활동 등

3. 지방 자치와 시민 참여

(1) 지방 자치 제도

의미	지역 주민들이 지방 자치 단체를 구성하여 지역의 문제를 자율적으로 처리하는 제도
목적	지역 특성에 맞는 업무 처리 → 주민의 복리 증진
의의	민주주의의 실천, 권력 분립의 원리 실현, 지역 실정에 맞는 정치 실시, 주민의 정치 참여 기회 확대 등

(2) 지방 자치 단체 ❺

종류	• 광역 자치 단체: 특별시, 광역시, 도, 특별자치시, 특별자치도 • 기초 자치 단체: 시, 군, 구	
구성	지방 의회	• 의결 기관 • 조례 제정, 예산안 심의 및 확정, 지방 자치 단체의 행정 업무 감사
	지방 자치 단체장	• 집행 기관 • 규칙 제정, 지방의 각종 사무 처리, 지역의 재산 관리 및 예산 집행

(3) 지역 주민의 정치 참여 방법 ❻

지방 선거	지방 의회 의원과 지방 자치 단체장을 선출하는 과정
주민 투표	지역 사회의 주요 현안에 대하여 주민이 직접 투표로 결정하는 제도
주민 발의	주민이 직접 조례안을 작성하여 지방 의회에 제출할 수 있는 제도
주민 소환	직무를 잘 수행하지 못한 지역 대표를 임기 중에 주민 투표로 해임할 수 있는 제도
주민 청원	지방 자치 단체에 지역 사회의 문제를 해결해 달라고 서면으로 요구할 수 있는 제도
주민 참여 예산제	자치 단체의 예산 편성 과정에 주민이 직접 참여하는 제도
기타	공청회 참석, 행정 기관에 민원 제기, 서명 참여 등

❹ 공정한 선거를 위한 제도 이해

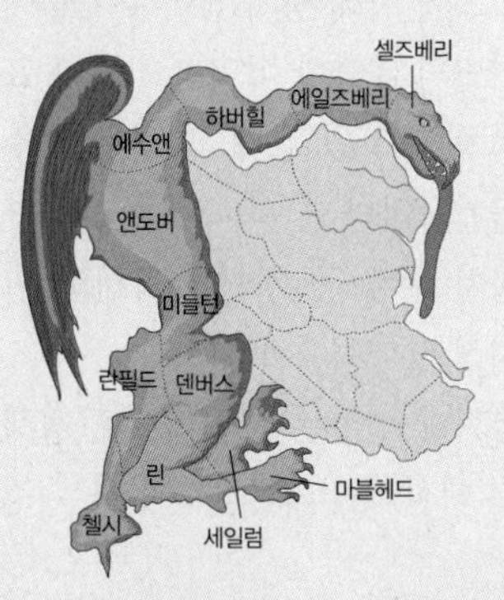

특정 정당이나 후보자에게 유리하거나 불리하도록 선거구를 일방적으로 결정하는 것을 (①)(이)라고 한다. 우리나라에서는 (①)을/를 방지하기 위해 선거구를 의회에서 법률로 정하는 (②)이/가 도입되었다.

답 ① 게리맨더링 ② 선거구 법정주의

❺ 지방 자치 단체의 구성 이해

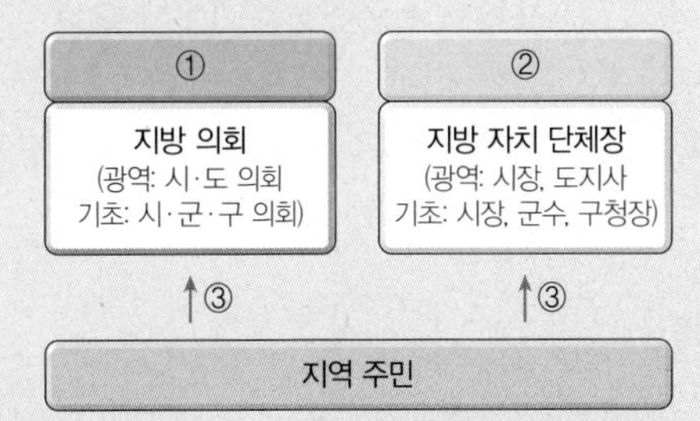

우리나라의 지방 자치 단체는 광역 자치 단체와 기초 자치 단체로 나뉜다. 그리고 각 자치 단체는 (①)인 지방 의회와 (②)인 지방 자치 단체장으로 구성된다. 지방 의회 의원과 지방 자치 단체장은 지역 주민의 (③)(으)로 구성된다.

답 ① 의결 기관 ② 집행 기관 ③ 선거(지방 선거)

❻ 지역 주민의 정치 참여 방법 이해

> A시가 B 지역 아파트 단지를 관통하는 경전철 사업을 추진한다고 밝혔다. 이에 B 지역 주민 4,171명은 이에 반발하면서 A시 의회에 노선 변경을 요구하는 내용의 서면을 제출하였다. A시는 경전철 노선 변경의 찬반 의견을 주민들에게 직접 물어 과반수의 득표를 얻으면 노선을 변경할 계획이다.

B 지역 주민이 노선 변경을 요구하는 내용의 서면을 의회에 제출한 것은 지역 주민의 정치 참여 방법 중 (①)에 해당한다. 또한 A시가 B 지역 주민들에게 경전철 노선 변경의 찬반 의견을 묻는다는 것은 (②)을/를 통해 결정하려고 한다는 것을 알 수 있다.

답 ① 주민 청원 ② 주민 투표

대단원 마무리

01 **정치 과정 및 정치 주체에 대한 설명으로 옳지 않은 것은?**

① 과거에 비해 정치 참여 주체들이 다양화되었다.
② 시민의 다양한 이익과 가치가 표출되고 집약된다.
③ 정치 과정을 통해 결정된 내용은 수정이나 보완이 불가능하다.
④ 정치 주체 중 개인은 자신의 이익을 실현하고자 정치적 영향력을 행사한다.
⑤ 국회나 정부는 공식적으로 정책을 결정하고 집행하는 핵심적인 역할을 담당하는 정치 주체이다.

02 **다음의 역할을 수행하는 정치 주체가 주로 참여하는 정치 과정의 단계는?**

• 여론 형성　　　　• 정책에 대한 해설과 비판 제공
• 다양한 정치 주체의 활동 감시 및 비판

① 이익 표출　② 이익 집약　③ 정책 결정
④ 정책 집행　⑤ 정책 평가

03 **(가)~(마)를 정치 과정의 단계에 따라 순서대로 나열한 것은?**

(가) ○○ 정당은 어린이집 CCTV 설치 의무화 관련 법안을 마련하였다.
(나) 정부가 전국의 어린이집에 CCTV 설치를 위한 보조금을 지원하였다.
(다) 국회는 어린이집 CCTV 설치 의무화와 관련된 영유아 보육법을 개정하였다.
(라) 보육 교사 협회는 어린이집 CCTV 설치로 보육 교사의 사생활이 침해되고 있다고 주장하였다.
(마) 아동 학대 추방을 위한 시민 모임은 어린이집 CCTV 설치 의무화를 요구하며 서명 운동을 하였다.

① (가)-(나)-(마)-(라)-(다)
② (가)-(라)-(다)-(마)-(나)
③ (나)-(라)-(가)-(다)-(마)
④ (라)-(가)-(마)-(나)-(다)
⑤ (마)-(가)-(다)-(나)-(라)

04 **다음 정치 주체의 특징으로 옳은 것을 〈보기〉에서 고른 것은?**

▲ 환경단체

▲ 환경 운동 연합

| 보기 |
ㄱ. 정책 결정에 대한 정치적 책임을 진다.
ㄴ. 정부와 의회를 연결하는 매개체 역할을 한다.
ㄷ. 시민이 자발적으로 만든 단체로 여론을 형성한다.
ㄹ. 공익 실현을 위해 정책을 비판하고 대안을 제시한다.

① ㄱ, ㄴ　② ㄱ, ㄷ　③ ㄴ, ㄷ
④ ㄴ, ㄹ　⑤ ㄷ, ㄹ

05 **다음과 같은 역할을 수행하는 정치 주체에 대한 설명으로 옳지 않은 것은?**

정치권력의 획득을 목적으로 정치적 견해를 같이하는 사람들이 만든 단체이다.

① 선거에 후보자를 추천한다.
② 집단의 특수한 이익을 추구한다.
③ 여론을 기반으로 정책을 수립한다.
④ 정책 결정에 비공식적으로 참여한다.
⑤ 국민의 의견을 조직화하여 국가 기관에 전달한다.

06 **다음 내용을 통해 추론할 수 있는 언론의 역할은?**

최근 들어 언론들이 전세 가격이 급등하고 있다고 보도하자 가만히 있던 집주인까지 나서서 전세 가격을 올리는 바람에 세입자의 피해가 커지고 있다. 결국 부동산 중개업 협회가 언론 보도에 신중을 기해달라고 요청하는 일까지 벌어졌다. ○○ 시민 단체 역시 "현실을 알리는 것도 중요하지만, 정부 당국에 대해 정책 대안을 제시해 주어야 하는 것이 더 중요하다."며 언론의 보도에 우려를 표명했다.

① 공익보다 사익을 우선시해야 한다.
② 올바른 방향으로 여론을 이끌어야 한다.
③ 국민들에게 신속하게 정보를 제공해야 한다.
④ 개인의 명예나 사생활을 침해해서는 안 된다.
⑤ 정부의 정책 결정과 집행을 감시하고 견제해야 한다.

07 **정치 주체 (가)~(다)에 대한 설명으로 옳은 것은?**

구분	(가)	(나)	(다)
공익을 추구한다.	○	×	○
정치적 책임을 진다.	○	×	×
정치권력 획득을 목적으로 한다.	○	×	×

(예: ○, 아니요: ×)

① (가)는 특수한 이익 실현을 위해 만든 단체이다.
② (가)와 (나)는 선거에 후보자를 추천한다.
③ (나)는 (다)에 비해 광범위한 영역에 관심을 갖는다.
④ 정치 과정 단계에서 (나)와 (다)는 정책 결정 및 집행에서 중요한 역할을 한다.
⑤ (가)~(다)는 정책 형성 및 결정에 영향력을 미친다.

08 **(가), (나)에 해당하는 정치 주체를 쓰고, 이러한 정치 주체들이 공통적으로 정치 생활에 미치는 영향을 두 가지 서술하시오.**

(가) ☆☆ 소비자 연대, □□ 운동 연합
(나) △△ 의사 협회, ○○ 변호사 협회

09 **다음 사례에 나타난 선거의 기능으로 옳은 것은?**

김○○ 의원이 여기자 성추행 사건으로 물의를 일으킨 사건이 연일 언론에서 보도되고 있다. 태민 씨는 지난 지역구 국회 의원 선거에서 김 의원의 공약이 마음에 들어 투표를 했으나 지금은 후회하고 있다. 그래서 이번 선거에는 다른 후보자에게 투표할 생각이다.

① 여론을 통제하는 기능을 한다.
② 대표자에게 정당성을 부여한다.
③ 국민의 대표자를 선출하는 과정이다.
④ 선거 과정을 통해 주권 의식이 신장된다.
⑤ 자질이 없는 대표자를 선출하지 않음으로써 정치권력을 통제한다.

10 **다음 내용에 해당하는 정치 참여 방법으로 옳은 것은?**

- 시민이 주권을 행사하는 기본적 · 합법적인 방법이다.
- 대통령, 국회 의원, 지방 의회 의원, 지방 자치 단체장, 시도 교육감 등 대표자를 선출한다.

① 정당 창설하기
② 선거에 참여하기
③ 이익 집단 결성하기
④ 주민 회의 참석하기
⑤ 시민 단체의 집회 참석하기

11 **그림 (가), (나)에 나타난 민주 선거의 기본 원칙을 옳게 연결한 것은?**

	(가)	(나)		(가)	(나)
①	보통 선거	평등 선거	②	비밀 선거	직접 선거
③	평등 선거	직접 선거	④	평등 선거	비밀 선거
⑤	직접 선거	비밀 선거			

12 **그림에 나타난 선거 방식의 문제점을 〈보기〉에서 고른 것은?**

보기
ㄱ. 차등 선거가 실시되었다.
ㄴ. 선거인의 투표 내용을 공개하였다.
ㄷ. 연령 이외의 다른 조건에 따라 투표권을 부여하였다.
ㄹ. 다른 사람이 선거권을 가진 사람을 대신하여 투표하였다.

① ㄱ, ㄴ
② ㄱ, ㄷ
③ ㄴ, ㄷ
④ ㄴ, ㄹ
⑤ ㄷ, ㄹ

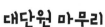

13 **다음 A 국의 선거 제도가 위반하고 있는 민주 선거의 기본 원칙 두 가지를 쓰고, 그 이유에 대해 서술하시오.**

> A 국은 재산에 따라 선거권이 차등적으로 부여된다. 상위 10%는 5표를 가지며, 하위 10%는 1표를 가진다. 또한 자신이 선택한 후보자가 누구인지 투표 이후에 기록하도록 되어 있다. 이 제도로 인해 선거가 종료되자마자 빠른 시간 내에 당선된 후보자를 알 수 있다.

14 **민주 선거의 원칙에 대한 설명으로 옳지 않은 것은?**

① 모든 유권자는 똑같이 한 표를 행사한다.
② 자신이 후보자를 직접 선택하여 투표한다.
③ 일정한 연령 이상의 국민은 누구나 선거권을 가진다.
④ 어느 후보자에게 투표했는지 알 수 없게 비밀을 보장한다.
⑤ 우리나라 국민이라 하더라도 외국에 거주하면 선거에 참여할 수 없다.

15 **다음과 같은 역할을 하는 기관으로 적절한 것은?**

> • 공정한 선거를 위한 홍보
> • 장애인을 위한 기표소와 기표 용구 관리
> • 후보자 등록, 투표, 개표 등 선거의 전 과정을 맡아 공정하게 관리

① 국회　　② 법원
③ 이익 집단　　④ 공정 거래 위원회
⑤ 선거 관리 위원회

16 **다음 제도들을 실시하는 공통적인 목적으로 적절한 것은?**

> • 선거 공영제　　• 선거구 법정주의
> • 선거 관리 위원회의 설치 및 운영

① 보통 선거권을 확립하기 위해
② 시민의 신속한 여론 형성을 위해
③ 선거의 참여율을 향상시키기 위해
④ 주민 자치의 원리를 실현하기 위해
⑤ 공정한 선거 문화를 실현하기 위해

17 **밑줄 친 ㉠~㉤과 관련된 내용으로 옳지 않은 것은?**

> 우리나라에서는 ㉠ 국민을 대신하여 나라의 일을 담당할 대표를 선출한다. ㉡ 일정 연령 이상의 국민이면 누구나 투표를 할 수 있는 등 공정한 선거를 위해 … (중략) … 또한 ㉢ 선거를 공정하게 치르기 위해 선거에 관한 사무를 담당하는 독립된 국가 기관을 두고 있으며, ㉣ 국가가 선거 비용의 일부를 부담하는 제도를 시행하고 있다. 그리고 ㉤ 선거구를 마음대로 변경하지 못하도록 선거구를 법률로 정하고 있다.

① ㉠ – 선거
② ㉡ – 보통 선거
③ ㉢ – 선거 관리 위원회 설치
④ ㉣ – 선거 공영제
⑤ ㉤ – 게리맨더링

18 **자료와 같은 현상을 일컫는 용어를 쓰고, 이와 같은 현상을 방지하기 위해 만든 선거 제도에 대해 서술하시오.**

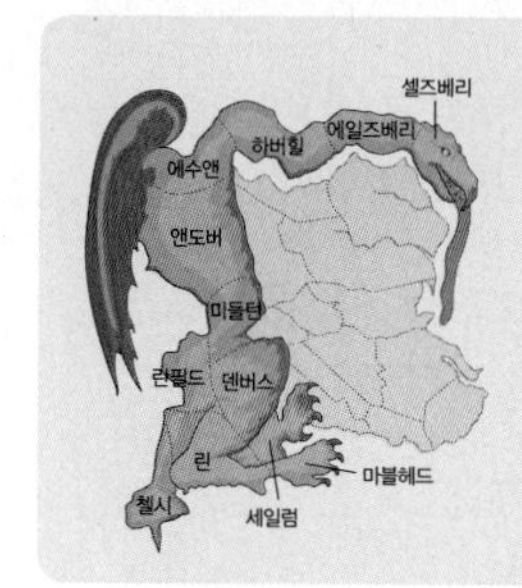

> 선거구를 어떻게 결정하느냐에 따라 선거 결과가 특정 정당이나 인물에게 유리하도록 결정된 데에서 유래된 것이다.

19 **밑줄 친 '이 제도'에 대한 설명으로 가장 적절한 것은?**

> 주민이 정치에 참여할 수 있는 기회를 확대하고, 이 제도를 통해 지역의 주인임을 체험할 수 있도록 하므로 '민주주의의 학교'라고 불린다.

① 권력이 중앙 정부에 집중된다.
② 중앙 정부의 감독과 지시가 강화된다.
③ 지역 주민들의 주인 의식이 전제되어야 한다.
④ 사회의 다원화, 복잡화 현상에 따라 발생했다.
⑤ 중앙 정부와 지방 자치 단체 간에 갈등이 빈번하게 일어난다.

20 **지방 자치 제도에 대한 설명으로 옳지 않은 것은?**

① 지방 자치 단체의 장은 집행 기관으로 조례를 제정할 수 있다.
② 지방 자치 단체는 지방 의회와 지방 자치 단체의 장으로 구성된다.
③ 중앙 정부의 일을 나누어 맡음으로써 권력 분립의 원리 실현에 기여한다.
④ 지역 주민이나 지방 정부 스스로가 자기 지역의 일을 처리하는 제도를 말한다.
⑤ 지역 주민이 지역의 주인임을 체험할 수 있기 때문에 '민주주의의 학교'라고 한다.

21 **다음과 같은 일정에 따라 일하는 서울특별시 공무원을 〈보기〉에서 고른 것은?**

오전	• 주간 업무 회의 참석 • 자전거 이용 활성화 시행 규칙 제정
오후	• 문화 예술 공원 조성을 위한 예산 집행 • 주요 건물 및 시설에 관한 안전 점검 지시

보기
ㄱ. 중구청장　　ㄴ. 서울특별시장
ㄷ. 중구 의회 의원　　ㄹ. 서울특별시 의회 의원

① ㄱ, ㄴ　② ㄱ, ㄷ　③ ㄴ, ㄷ
④ ㄴ, ㄹ　⑤ ㄷ, ㄹ

22 **그림은 지방 자치 단체의 구성을 나타낸 것이다. (가)에 해당하는 기관의 역할로 옳은 것을 〈보기〉에서 고른 것은?**

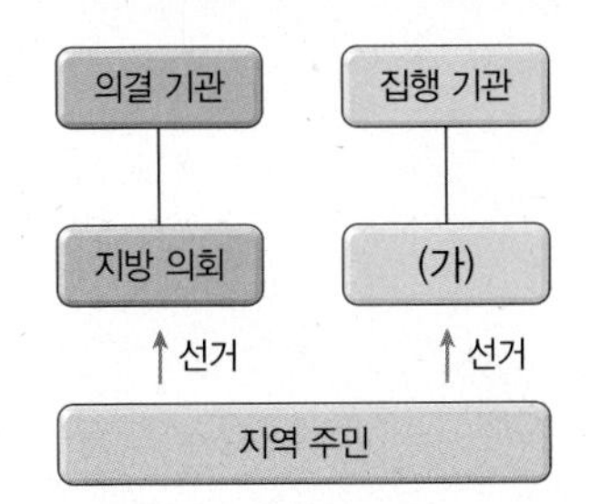

보기
ㄱ. 주요 정책이나 의사를 결정한다.
ㄴ. 지역 상황에 맞는 정책을 집행한다.
ㄷ. 조례의 범위 안에서 규칙을 제정한다.
ㄹ. 지역 자치 단체가 사용할 예산안을 심의·의결한다.

① ㄱ, ㄴ　② ㄱ, ㄷ　③ ㄴ, ㄷ
④ ㄴ, ㄹ　⑤ ㄷ, ㄹ

23 **㉠, ㉡에 들어갈 지역 주민의 정치 참여 방법을 옳게 연결한 것은?**

• 음주운전으로 물의를 일으킨 A시의 시장이 업무에 복귀하자 A시 지역 주민들은 강하게 반발하며, 시장에 대한 (㉠)을/를 청구하였으며, 그 결과 주민의 과반수가 찬성하여 A시의 시장은 즉시 해임되었다.
• B 지역 유권자의 대부분이 이번 달 시행되는 지방 의회 의원과 지방 자치 단체장을 선출하는 (㉡)에 참여하여 주권을 행사하겠다는 의견이 많아 성공을 기대하고 있다.

	㉠	㉡		㉠	㉡
①	독자 투고	주민 발의	②	주민 청원	주민 소환
③	주민 투표	주민 청원	④	주민 소환	지방 선거
⑤	주민 투표	지방 선거			

24 **다음 사례와 관련된 지역 주민의 정치 참여 방법은?**

△△ 지방 자치 단체는 △△지역에 소각장 설치와 더불어 새로운 역사 건설에 대한 주민의 요구와 필요를 반영하여 계획안을 만들고자 한다. 이를 위해 당사자와 전문가, 지역 주민들이 참여하여 공개적인 토론을 통해 의견을 수렴하였다.

① 지방 선거　② 주민 청원
③ 주민 투표　④ 공청회 참여
⑤ 주민 감사 청구

25 **지역 사회 문제 해결을 위한 지역 주민의 정치 참여 방법으로 옳은 것을 〈보기〉에서 고른 것은?**

보기
ㄱ. 대통령 선거를 통해 국가의 대표를 선출한다.
ㄴ. 지방 선거를 통해 지방 의회 의원과 지방 자치 단체장을 선출한다.
ㄷ. 국가의 중요한 안건을 결정하기 위해 국민 투표에 직접 참여한다.
ㄹ. 공청회와 설명회에 참석하여 지역 사회 문제 해결에 필요한 자신의 의견을 반영한다.

① ㄱ, ㄴ　② ㄱ, ㄷ　③ ㄴ, ㄷ
④ ㄴ, ㄹ　⑤ ㄷ, ㄹ

XI 일상생활과 법

법의 의미와 목적

학습 내용 들여다보기

■ **관혼상제**
인간의 일생 중에서 중요하게 여긴 네 가지 예법인 관례, 혼례, 상례, 제례를 일컫는다.

■ **사회 규범의 사례**
- 관습: 장례식장에서는 검은 옷이나 흰 옷을 입어야 한다.
- 종교 규범: 우상을 섬기지 마라. 살생하지 마라.
- 도덕: 부모에게 효도하라. 도둑질하지 마라.
- 법: 이사를 하면 14일 이내에 전입신고를 해야 한다.

1. 사회 규범의 의미와 종류 자료 1

(1) **의미**: 사회 구성원들이 사회생활을 하면서 지켜야 할 행동의 기준
→ 사회 구성원 간의 갈등을 해결하고 사회 질서를 유지하기 위해 사회 규범이 필요해.

(2) **종류**

① **관습**: 한 사회에서 오랫동안 지켜져 내려온 행동 양식
예 관혼상제, 예절 등

② **종교 규범**: 특정 종교에서 지키도록 정해 놓은 교리
예 십계명, 불경 등

③ **도덕**: 인간의 양심과 관련하여 인간이 마땅히 지켜야 할 도리
예 어른 공경, 효도 등

④ **법**: 사회 구성원들의 합의에 따라 국가가 제정한 규범
예 헌법, 민법, 도로 교통법, 교육 기본법 등

2. 법의 의미와 특징

(1) **법과 도덕의 비교**

구분	법	도덕
목적	정의의 실현 → 법이 추구하는 가장 중요한 목적이야.	선(善)의 실현
규율 대상	행위의 결과	행위의 동기
준수 근거	국가의 강제성	개인의 자율성
위반 시 제재	국가에 의한 처벌	양심의 가책, 사회적 비난

(2) **법의 의미**: 국가에 의해 강제되는 사회 규범

(3) **법의 특징** 자료 2

① **강제성**: 사회 구성원이 법을 지키지 않을 경우 국가에 의해 제재를 받음

② **명확성**: 법은 해야 할 일과 하지 말아야 할 일을 구체적으로 명확하게 규정하고 있음

(4) **일상생활 속의 법** → 법은 판사, 검사, 변호사와 같은 법률 전문가들만의 영역이 아니야.

① **우리 생활과 법의 관계**: 법은 생활 속에 깊이 스며들어 있어 우리의 일상생활과 밀접한 관계를 맺고 있음

용어 알기

- **교리** 종교적인 원리나 이치를 말하는 것으로 각 종교에서 진리라고 규정한 내용
- **가책** 자신의 잘못이 후회되어 스스로 뉘우치고 꾸짖음
- **제재** 법이나 규정을 어겼을 때 국가가 처벌이나 금지 등을 행하는 일

자료 1 법과 도덕의 관계

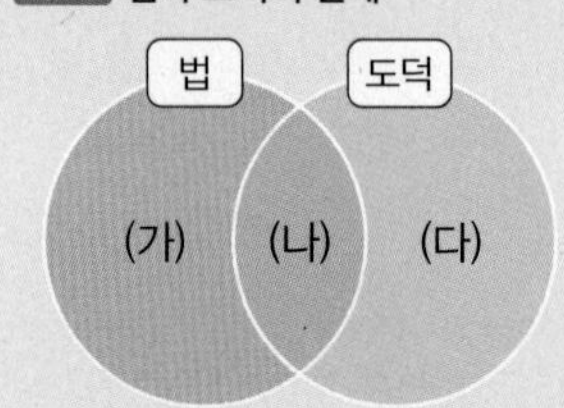

(가): 순수한 법 영역
(나): 도덕에 바탕을 둔 법 영역
(다): 순수한 도덕 영역

법은 도덕을 바탕으로 만들어지는 경우가 많다. 그림의 (나)는 도덕의 내용 중 반드시 지켜야 할 내용만을 법으로 규정한 영역이다. 예를 들어 타인의 물건을 훔쳤을 경우, 도덕적으로 비난을 받을 뿐만 아니라 법적 처벌도 받을 수 있다. (가)는 공동생활의 편의를 위해 만들어진 영역이고, (다)는 강제성 없이 개인이 자율적으로 지키도록 하는 순수한 도덕 영역이다.

자료 2 착한 사마리아인의 법

▲ 유대인을 구조해 주는 사마리아인

심각한 위험에 처해 도움을 필요로 하는 사람을 발견했을 때 아무런 구조 조치도 하지 않는 비도덕적인 행위를 법으로 처벌하는 것을 '착한 사마리아인의 법'이라고 한다. 이 법의 명칭은 강도를 당해 길에 쓰러졌던 유대인을 사마리아인만이 구해 주었다는 이야기에서 유래되었다.

② 일상생활 속 법의 사례

- 도로 교통법: 등·하교할 때 횡단보도에서 안전하게 통행할 수 있음
- 교육 기본법: 일정한 나이가 되면 학교에 입학하여 의무 교육을 받을 수 있음
- 학교 급식법: 점심시간에 위생적이고 맛있는 급식을 먹을 수 있음
- 가족 관계의 등록 등에 관한 법률: 아이가 태어나면 주민 센터에 출생 신고를 해야 함

▲ 도로 교통법에 따라 어린이 보호 구역에서 자동차는 속도를 줄여야 한다.

▲ 교육 기본법에 따라 일정 연령 이상이면 의무 교육을 받는다.

▲ 아이가 태어나면 가족 관계의 등록 등에 관한 법률에 따라 출생 신고를 해야 한다.

학습 내용 들여다보기

■ **도로 교통법**
도로에서 발생하는 위험을 방지하여 안전하고 원활한 교통질서를 확립하기 위해 제정된 법률

■ **교육 기본법**
교육에 관한 국민의 권리, 의무, 국가 및 지방 자치 단체의 책임, 교육 제도와 그 운영에 관한 기본적인 사항을 규정한 법

■ **정의 실현과 공공복리 증진 사례**
- 정의 실현 사례: 모든 국민에게 균등하게 교육의 기회를 부여하는 것, 능력에 따라 성과급을 지급하는 것 등
- 공공복리 증진 사례: 공공장소에서 흡연을 규제하여 대다수 사람의 건강을 보호하는 것, 학교 주변에 유해 시설 설치를 금지하여 학생들의 교육 환경을 보호하는 것 등

3. 법의 목적과 기능

(1) **법의 목적** 자료 3

① 정의 실현
- 모든 사람이 각자의 능력과 노력에 따라 정당하게 대우를 받는 것
- '같은 것은 같게, 다른 것은 다르게' 대우하는 것

② 공공복리 증진: 법은 개인이나 특정 집단의 이익뿐만 아니라 사회 구성원 다수의 행복과 이익을 추구함
→ 다수의 이익이 잘 조화될 때 성립하는 전체의 이익을 의미해.

(2) **법의 기능** 자료 4

① 분쟁의 예방과 갈등 해결
- 분쟁 발생 시 가장 좋은 방법: 당사자 간의 대화와 타협을 통한 합의
- 합리적 해결 방법: 이해관계나 의견의 차이로 합의가 어려울 경우 법이 분쟁과 갈등을 해결하는 객관적이고 공정한 기준을 명확하게 규정하고 있음

② 개인의 권리 보호: 개인이 가진 권리의 내용을 명확히 하고, 이를 침해하는 행위를 제재하고 있음

③ 사회 질서 유지: 법을 위반한 행위에 대한 처벌을 통해 사회의 갈등과 혼란을 방지함

용어 알기
- **분쟁** 말썽을 일으켜 시끄럽고 복잡하게 다툼
- **당사자** 어떤 일이나 사건에 직접 관계가 있거나 관계한 사람
- **권리** 일정한 이익을 주장하고 그것을 누릴 수 있는 법률상의 힘

자료 3 **정의의 상징물**

▲ 정의의 여신상

▲ 해태상

정의의 여신상이 두 눈을 가린 것은 공정한 법의 판단, 저울은 공평한 법의 판결, 칼은 법을 엄격하게 집행하겠다는 강제성을 의미한다. 해태는 선악을 구분하고 옳고 그름을 판단한다는 상상의 동물로, 동양에서 정의의 상징으로 여겨진다.

자료 4 **법의 기능**

- 갑자기 교통사고로 아버지가 유언도 없이 돌아가시자 유산을 두고 자녀들 간의 다툼이 생겼다. 결국 상속에 관한 법률에 따라 재산이 상속되었다.
- 결혼한 지 얼마 안 된 갑은 집주인이 자꾸 전세금을 올려 달라고 해서 고통을 받고 있다. 그런데 「주택 임대차 보호법」에 따라 보호받을 수 있는 것을 알고, 문제를 원만히 해결하였다.

법은 분쟁을 합리적으로 해결할 수 있는 객관적이고 공정한 판단 기준을 제공하므로 재산 상속에 관한 법률을 통해 자녀들 간 다툼을 해결할 수 있다. 이뿐만 아니라 법은 국민이 가진 권리의 내용과 침해된 권리의 구제 방법을 명확히 규정하여 권리를 침해할 수 있는 행위를 제재할 수 있다.

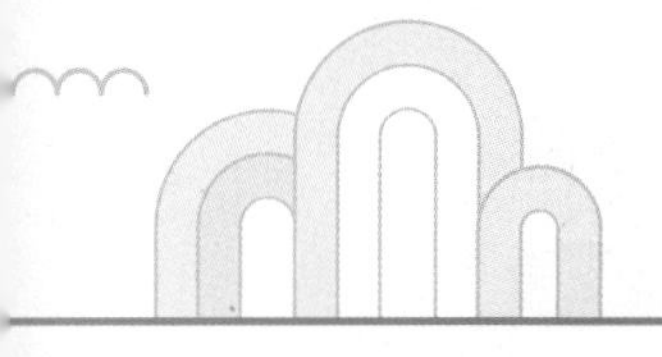
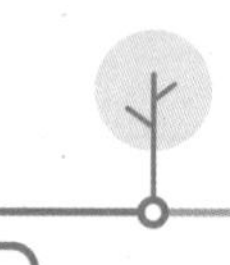

기본 문제

간단 체크

1 빈칸에 들어갈 알맞은 말을 쓰시오.

(1) 사회 구성원들이 사회생활을 하면서 지켜야 할 행동의 기준을 (　　　　)(이)라고 한다.

(2) (　　　　)은/는 장례 의식과 같이 한 사회에서 오랫동안 지켜 온 행동 양식이 규범화된 것이다.

(3) (　　　　)은/는 인간이라면 마땅히 지켜야 할 도리를 말한다.

(4) 법은 사회 구성원이 합의를 통해 지키기로 한 사회적 약속으로, (　　　　)에서 정한 사회 규범이다.

(5) (　　　　)은/는 도덕과 달리 강제성이 있기 때문에 지키지 않으면 국가의 처벌을 받게 된다.

2 표는 법과 도덕을 비교한 것이다. (1)~(3)에 들어갈 알맞은 말을 쓰시오.

구분	법	도덕
목적	(1)	선(善)의 실현
규율 대상	행위의 결과	행위의 동기
준수 근거	(2)	개인의 자율성
위반 시 제재	국가에 의한 처벌	(3) +사회적 비난

3 다음 설명이 맞으면 ○표, 틀리면 ×표 하시오.

(1) 각자가 노력한 만큼 정당하게 대우받는 것을 정의라고 한다. (　　)

(2) 법이 추구하는 가장 중요한 목적은 선의 실현에 있다. (　　)

(3) 현대 사회에서는 사회 구성원 다수의 이익과 행복을 증진하는 공공복리를 추구한다. (　　)

(4) 법은 사람들이 사회생활에서 지켜야 할 행동 기준을 명확히 제시함으로써 분쟁을 원만하게 해결해 준다. (　　)

4 괄호 안의 내용 중 알맞은 말에 ○표 하시오.

(1) 도덕은 (선, 정의)의 실현을 목적으로 한다.

(2) 법은 (행위의 동기, 행위의 결과)를 규율한다.

(3) 어려운 이웃을 돕는 것은 (도덕, 법)의 실현 사례이다.

(4) 모든 국민에게 균등하게 교육의 기회를 부여하는 것은 (선, 정의)의 실현 사례이다.

01 다음 내용들의 공통점으로 옳은 것은?

- 다른 사람의 물건을 훔치면 안 된다.
- 제사상에서 생선은 동쪽에, 고기는 서쪽에 놓는다.
- 사람을 살해한 자는 사형, 무기 징역 또는 5년 이상의 징역에 처한다.

① 행위의 결과보다 동기를 중요시한다.
② 현대 사회보다 근대 사회에서 영향력이 컸다.
③ 사회 질서를 유지하기 위한 행동의 기준이다.
④ 스스로 판단하여 지켜야 하며 강제성이 없다.
⑤ 정의 실현과 공공복리 증진을 목적으로 한다.

02 (가)에 들어갈 검색어로 옳은 것은?

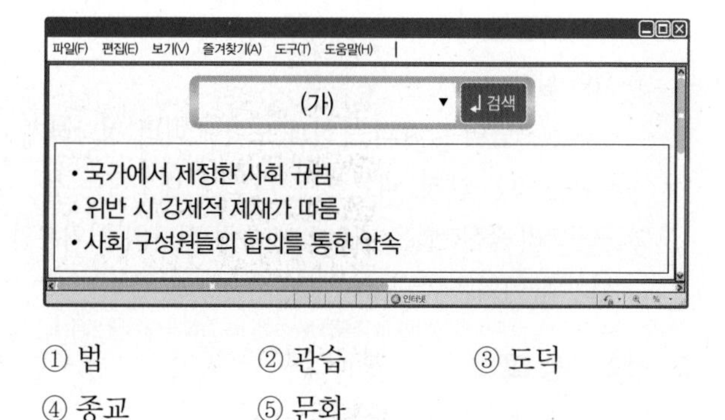

파일(F) 편집(E) 보기(V) 즐겨찾기(A) 도구(T) 도움말(H)
(가)
검색
• 국가에서 제정한 사회 규범
• 위반 시 강제적 제재가 따름
• 사회 구성원들의 합의를 통한 약속

① 법　② 관습　③ 도덕
④ 종교　⑤ 문화

03 사례에 공통으로 나타난 사회 규범에 대한 설명으로 옳은 것은?

- 부부 관계를 인정받기 위해서는 혼인 신고를 해야 한다.
- 한 세대에 속하는 전원 또는 일부가 거주지를 이동하면 14일 이내에 전입 신고를 해야 한다.

① 도덕을 바탕으로 만들어졌다.
② 법률 전문가들만이 지켜야 할 규범이다.
③ 사람들이 해야 할 일을 구체적으로 규정하고 있다.
④ 개인의 양심에 따라 자발적으로 지키도록 하는 규범이다.
⑤ 한 사회에서 오랫동안 반복되어 지켜져 내려온 행동 양식이다.

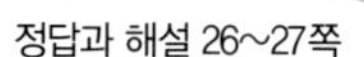

04 **대화의 밑줄 친 '이 법'으로 가장 적절한 것은?**

법은 너무 어려운 것 같아. 일상생활에 흔히 접할 수 있는 법이 있을까?

예를 들어 등·하굣길에서 우리가 안전하게 길을 건널 수 있는 것은 이 법이 있기 때문이야.

① 학교 보건법　② 도로 교통법
③ 교육 기본법　④ 청소년 보호법
⑤ 임대차 보호법

05 **법의 특징으로 옳은 것만을 〈보기〉에서 있는 대로 고른 것은?**

보기
ㄱ. 사회 구성원들의 합의를 통해 만든 것이다.
ㄴ. 다른 사회 규범에 비하여 그 내용이 명확하다.
ㄷ. 법에 의해 규율되는 생활 영역이 점점 넓어지고 있다.
ㄹ. 자율성을 지닌 행동 규범으로 지키지 않아도 제재를 받지 않는다.

① ㄱ, ㄷ　② ㄴ, ㄹ　③ ㄴ, ㄹ
④ ㄱ, ㄴ, ㄷ　⑤ ㄴ, ㄷ, ㄹ

06 **다음 사례에 나타난 법의 목적을 쓰시오.**

- 소득이 많은 사람은 소득이 적은 사람보다 세금을 더 많이 내도록 한다.
- 대학 수학 능력 시험에서 시각 장애인의 시험 시간을 일반 학생의 시험 시간보다 길게 한다.

07 **법이 추구하는 목적으로 옳은 것을 〈보기〉에서 고른 것은?**

보기
ㄱ. 선의 실현　ㄴ. 정의의 실현
ㄷ. 공공복리의 추구　ㄹ. 양심과 관련된 도리

① ㄱ, ㄴ　② ㄱ, ㄷ　③ ㄴ, ㄷ
④ ㄴ, ㄹ　⑤ ㄷ, ㄹ

08 **다음 내용에 해당하는 법이 추구하고 있는 목적으로 옳은 것은?**

법의 제정이나 적용은 다수의 사람들이 보다 편리하고 행복한 사회생활을 할 수 있는 방향으로 이루어져야 한다.

① 정의의 실현　② 법의 명확성 실현
③ 공공복리의 증진　④ 법의 강제성 실현
⑤ 분쟁 예방 및 갈등 해결

09 **자료에서 해태가 상징적으로 추구하는 목적으로 옳은 것은?**

동양의 '해태'는 옳고 그름과 굽고 곧은 것을 판별할 줄 알아서 재판할 때 해태를 놓아두면 사악한 자나 부정한 자에게 가서 뿔로 들이받아 부정을 가려냈다고 한다.

① 질서 유지　② 선의 실현
③ 사회 통합　④ 정의의 실현
⑤ 공공복리의 증진

10 **다음의 문제를 해결하는 법의 기능으로 가장 적절한 것은?**

갑은 을에게 돈을 빌려주었는데, 서로 다른 주장을 하고 있다. 갑은 을에게 돈을 빌려주었는데 받지 못했다고 주장하고, 을은 빌린 돈을 모두 갚았다고 주장한다.

① 사회 질서 유지
② 국가 안전 보장
③ 공공복리의 증진
④ 개인 간 분쟁의 해결
⑤ 사회적 약자의 자유와 권리 보호

실전 문제

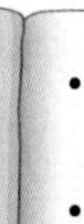

01 (가), (나)에 해당하는 사회 규범을 옳게 연결한 것은?

> (가) 기독교 신자는 십계명을 지켜야 한다.
> (나) 버스에서는 노약자에게 자리를 양보해야 한다.

	(가)	(나)
①	종교	도덕
②	종교	관습
③	도덕	종교
④	도덕	관습
⑤	관습	종교

02 다음 규범들의 공통적인 특징으로 옳은 것을 〈보기〉에서 고른 것은?

> •법 •관습 •종교 •도덕

| 보기 |

ㄱ. 정의의 실현을 목적으로 한다.
ㄴ. 사회 질서를 유지하기 위해 만들어졌다.
ㄷ. 사람들이 해야 할 일과 하지 말아야 할 일을 명확히 정해 놓은 규칙이다.
ㄹ. 일상생활과 밀접한 관련을 맺으면서 사회 구성원들의 행동을 규율한다.

① ㄱ, ㄴ ② ㄱ, ㄹ ③ ㄴ, ㄷ
④ ㄴ, ㄹ ⑤ ㄷ, ㄹ

03 제시된 내용에 대한 사례로 적절한 것은?

> '법은 도덕의 최소한이다.'

① 부모님께 효도해야 한다.
② 생활이 어려운 이웃을 도와주어야 한다.
③ 신호등이 빨간 불일 때는 멈춰 서야 한다.
④ 결혼을 한 신랑, 신부는 혼인 신고를 해야 한다.
⑤ 타인의 물건을 절취한 자는 6년 이하의 징역 또는 1천만 원 이하의 벌금에 처한다.

04 다음 사회 규범의 특징으로 옳은 것을 〈보기〉에서 고른 것은?

> • 다른 사람의 물건을 훔친 자는 징역이나 벌금에 처한다.
> • 사람의 신체를 상해한 자는 7년 이하의 징역이나 10년 이하의 자격 정지 또는 1천만 원 이하의 벌금에 처한다.

| 보기 |

ㄱ. 선의 추구를 목적으로 한다.
ㄴ. 국가에 의한 강제성을 띤다.
ㄷ. 행위의 결과를 규율 대상으로 삼는다.
ㄹ. 양심이나 동기를 규율 대상으로 삼는다.

① ㄱ, ㄴ ② ㄱ, ㄷ ③ ㄴ, ㄷ ④ ㄴ, ㄹ ⑤ ㄷ, ㄹ

05 다음 사례를 통해 알 수 있는 법의 특징으로 옳은 것은?

> 추운 어느 겨울 장발장은 일자리를 구할 수가 없었다. 배고픔에 허덕이는 어린 조카들을 먹이기 위해 광장의 빵집 유리를 깨고 빵을 훔치다 주인에게 잡혀 재판정에서 유죄를 선고 받았다.

① 선의 실현을 목적으로 한다.
② 상황에 따라 법을 어길 수도 있다.
③ 행위의 동기보다 결과를 중시한다.
④ 인간의 양심에 따라 마땅히 지켜야 할 도리이다.
⑤ 그 사람이 처한 상황을 고려하여 다르게 적용된다.

★ 중요 ★

06 다음 내용에 공통적으로 나타난 법의 목적으로 가장 적절한 것은?

> • 청소년 보호법은 청소년이 건전한 인격체로 성장할 수 있도록 청소년 유해 매체물, 청소년 유해 약물, 청소년 유해 업소, 청소년 폭력 및 학대, 청소년 유해 환경 등으로부터 보호하기 위해 제정되었다.
> • 학교 보건법에 따르면 전염병 확산을 막기 위해서 학교장이 전염병 환자에 대해서 등교 중지 조치를 취할 수 있다.

① 분쟁의 해결 ② 정의의 실현
③ 공공복리의 증진 ④ 사회 질서의 유지
⑤ 사회적 약자의 권리 보호

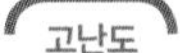

07 **다음에서 설명하는 법이 추구하는 목적이 실현된 사례로 적절한 것은?**

> 법이 추구하는 궁극적인 이념이자 모두에게 각자가 받아야 할 정당한 몫을 주는 것이다.

① 가난하다는 이유로 학교 입학을 거절당했다.
② 중간고사에 부정행위를 하여 90점을 받았다.
③ 친한 경찰이 교통 신호 위반을 눈감아 주었다.
④ 중요한 약속 시간에 늦을 것 같아 무단횡단을 하였다.
⑤ 다른 사람보다 더 열심히 일하여 부장으로 승진하였다.

08 **그림은 정의의 여신상을 나타낸 것이다. '저울'이 의미하는 것은?**

① 법의 형평성　　② 법의 강제성
③ 법의 자율성　　④ 법의 실효성
⑤ 법의 자의성

09 **질문에 대한 답변을 통해 알 수 있는 법의 기능으로 적절한 것은?**

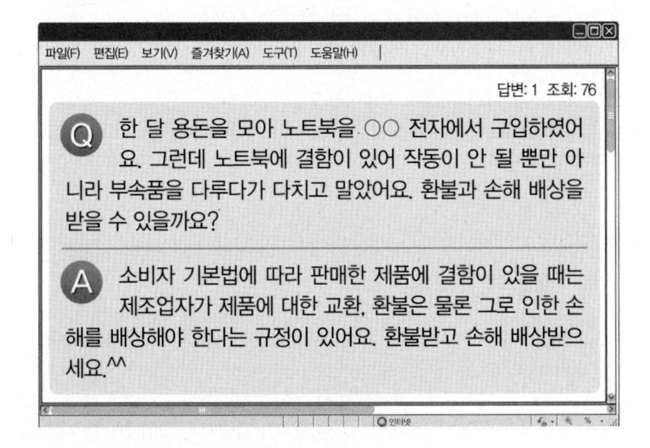

파일(F) 편집(E) 보기(V) 즐겨찾기(A) 도구(T) 도움말(H)
답변: 1 조회: 76
Q 한 달 용돈을 모아 노트북을 ○○ 전자에서 구입하였어요. 그런데 노트북에 결함이 있어 작동이 안 될 뿐만 아니라 부속품을 다루다가 다치고 말았어요. 환불과 손해 배상을 받을 수 있을까요?
A 소비자 기본법에 따라 판매한 제품에 결함이 있을 때는 제조업자가 제품에 대한 교환, 환불은 물론 그로 인한 손해를 배상해야 한다는 규정이 있어요. 환불받고 손해 배상받으세요.^^

① 효율적인 사회생활에 기여한다.
② 양심에 따르는 행동을 하도록 유도한다.
③ 범죄를 예방하여 사회 질서를 유지한다.
④ 분쟁을 해결하고 개인의 권리를 보호한다.
⑤ 국가 기관에 의한 기본권 침해를 구제한다.

서술형 문제

10 **(가), (나)에 해당하는 사회 규범을 쓰고, (가)와 달리 (나)만이 가진 특징을 두 가지 서술하시오.**

(가)	(나)
• 길에서 어른을 보면 인사를 해야 한다. • 몸이 불편한 장애인에게는 자리를 양보해야 한다.	• 신호등이 초록불일 때 횡단보도를 건넌다. • 소득에 비례하여 세금을 낸다.

11 **사례를 통해 알 수 있는 법의 기능을 제시된 단어를 모두 사용하여 서술하시오.**

> 30년간 통행로로 이용되던 길을 소유주인 이○○ 씨가 "통행료를 내거나 다른 길로 가라."며 골목길의 통행을 금지하자 지역 주민들이 소송을 제기하였다. 법원은 "일반 공중의 통행을 막는 것은 권리 행사의 남용에 해당된다."며 지역 주민의 손을 들어 주었다.

• 기준　• 분쟁　• 해결　• 예방

12 **그림을 통해 알 수 있는 법의 기능을 서술하시오.**

02 법의 유형과 특징

학습 내용 들여다보기

■ 사법(私法)과 사법(司法)
사법(私法)은 개인 간의 권리와 의무에 관한 법을 의미하고, 사법(司法)은 법을 적용하는 국가의 작용을 의미한다.

■ 사회법에 속한 법
- 근로 기준법: 근로 조건의 기준을 정하여 노동자의 기본적 생활을 보장하고 향상시키며 국민 경제의 균형적인 발전을 위해 만들어진 법
- 노동조합 및 노동관계 조정법: 노동자의 단결권, 단체 교섭권, 단체 행동권을 보장하고 노동 관계를 공정하게 조정하고자 하는 법
- 독점 규제 및 공정 거래에 관한 법률: 기업의 시장 독점과 횡포를 방지하고, 부당 공동 행위 및 불공정 거래를 규제하기 위해 제정된 법률
- 소비자 기본법: 소비자의 권익을 보호하기 위한 국가 기관의 구성과 활동을 규정한 법
- 국민 기초 생활 보장법: 생활이 어려운 사람에게 필요한 급여를 제공하여 이들의 최저 생활을 보장하고 자활을 돕기 위한 법
- 국민 연금법: 노령, 장애, 사망 등으로 소득이 없을 때 기본적인 생활이 가능하도록 연금을 지급하기 위한 법

1. 공법과 사법 자료 1

→ 법은 규율하는 생활 영역에 따라 공법, 사법, 사회법으로 구분되지.

→ 헌법은 한 나라의 최고법이야.

(1) **공법**: 개인과 국가 또는 국가 기관 간의 공적인 생활 관계를 규율하는 법

헌법	국민의 권리와 의무 및 국가의 통치 구조를 정해 놓은 법
형법	범죄의 유형과 그에 따른 형벌의 내용을 정해 놓은 법
행정법	행정 기관의 조직과 작용 및 구제에 관한 법
소송법	재판이 이루어지는 절차를 규정한 법 ⓔ 민사 소송법, 형사 소송법

(2) **사법**: 개인과 개인 사이의 사적인 생활 관계를 규율하는 법

민법	개인 간의 가족 관계 및 재산 관계를 규율하는 법
상법	상거래와 관련된 경제생활 관계를 규율하는 법

가족생활과 관련된 출생·혼인·유언·상속 등을 규정해.

재산과 관련된 집·토지 등의 부동산 거래에 필요한 계약서 작성, 등기 등을 규정해.

2. 사회법 자료 2

(1) **의미**: 개인 간의 생활 영역에 국가가 개입하여 사회·경제적 약자를 보호하기 위한 법 → 사법과 공법의 중간적 성격

(2) **등장 배경**

→ 이윤 획득을 위한 개인의 자유로운 경제 활동을 보장하는 경제 체제야.

① 근대 이후 자본주의의 발달로 인해 발생한 빈부 격차, 환경 오염, 노동 문제 등의 사회 문제가 심각해짐

② 사회·경제적 약자의 권리 침해 문제를 국가가 적극적으로 개입하여 해결해야 한다는 주장이 제기됨

(3) **목적**: 사회·경제적 약자의 권리 보호 → 모든 국민의 최소한의 인간다운 삶 보장

→ 노동자, 장애인, 저소득층 등을 말해.

(4) **종류**

노동법	• 의미: 노동자의 권리를 보호하기 위한 법 • 종류: 근로 기준법, 노동조합 및 노동관계 조정법, 남녀 고용 평등법, 최저 임금법 등
경제법	• 의미: 공정한 경제 질서를 유지하고 소비자의 권익을 보호하는 법 • 종류: 독점 규제 및 공정 거래에 관한 법률, 소비자 기본법 등
사회 보장법	• 의미: 모든 국민의 기본적인 생활을 보장하는 법 • 종류: 국민 기초 생활 보장법, 국민 연금법, 국민 건강 보험법, 장애인 복지법 등

용어 알기

- **규율** 규칙에 따라 행동하도록 다스리는 것
- **노동조합** 노동자의 지위 향상, 근로 조건 개선 등을 목적으로 노동자들이 자주적으로 조직한 단체
- **독점** 특정 기업이 유일한 시장 공급자이기 때문에 생산과 시장을 지배하여 이익을 독차지하는 것

자료 1 생활 속 공법과 사법의 사례

▲ 공적인 생활 관계

▲ 사적인 생활 관계

국가에 세금을 내거나 선거에 참여하는 것 등은 개인이 공법의 적용을 받는 공적인 생활 관계에 해당한다. 한편, 개인은 살아가면서 돈을 빌리거나 빌려주기도 하고 결혼을 하여 가족을 이루기도 한다. 이때 사법은 개인 간 사적인 생활 관계를 규율한다.

자료 2 사회법의 등장 배경

근대 시민 사회에서는 국가가 사적 생활 영역에 개입하는 것을 최소화하고 개인의 자유와 권리를 최대한 보장하였다. 그러나 산업 혁명 이후 자본주의가 발달하면서 여러 가지 사회 문제가 발생하였고, 최소한의 인간다운 생활조차 누리기 어려운 사람들이 많아졌다. 이에 국가가 사법적 영역에 개입하도록 하는 사회법이 등장하였다.

사회법은 국가가 개인 간의 생활 영역에 개입하여 근대 이후 자본주의의 발달로 인해 발생한 빈부 격차, 환경 오염, 노동 문제 등의 사회 문제를 해결하고, 사회·경제적 약자를 보호하여 모든 국민의 최소한의 인간다운 삶을 보장하기 위해 등장하였다.

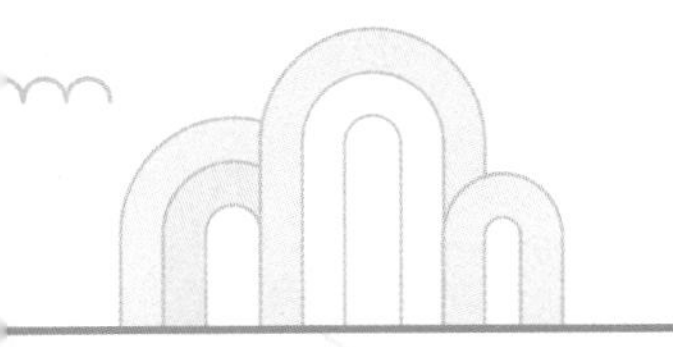

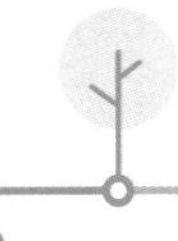

기본 문제

간단 체크

1 빈칸에 들어갈 알맞은 말을 쓰시오.

(1) (　　　　)은/는 개인과 국가, 또는 국가 기관 간의 공적인 생활 관계를 규율하는 법이다.
(2) (　　　　)은/는 개인과 개인 간의 사적인 생활 관계를 규율하는 법이다.
(3) (　　　　)은/는 모든 국민에게 최소한의 인간다운 생활을 보장하기 위해 등장한 새로운 법이다.

2 공법에 대한 내용을 서로 연결하시오.

(1) 헌법 •　　• ㉠ 재판의 절차와 방법 규정
(2) 형법 •　　• ㉡ 범죄의 유형과 형벌의 정도 규정
(3) 행정법 •　　• ㉢ 행정 기관의 조직과 작용 및 구제 규정
(4) 소송법 •　　• ㉣ 국민의 권리와 의무, 국가의 통치 구조 규정

3 괄호 안의 내용 중 알맞은 말에 ○표 하시오.

(1) 민법과 상법은 대표적인 (사법, 공법)이다.
(2) (민법, 상법)은 개인 간의 가족 관계와 재산 관계를 규율하는 법이다.
(3) (민법, 상법)은 상거래와 관련된 경제생활 관계를 규율하는 법이다.
(4) 사회법은 근대 (자본주의, 사회주의)의 문제점을 해결하기 위해 등장한 법이다.

4 사회법의 유형을 〈보기〉에서 고르시오.

| 보기 |
ㄱ. 근로 기준법　　ㄴ. 국민 연금법
ㄷ. 최저 임금법　　ㄹ. 소비자 기본법
ㅁ. 국민 건강 보험법　　ㅂ. 국민 기초 생활 보장법
ㅅ. 독점 규제 및 공정 거래에 관한 법률

(1) 노동법 (　　　)
(2) 경제법 (　　　)
(3) 사회 보장법 (　　　)

01 개인과 국가 간의 공적인 생활 관계를 규율하는 법에 속하지 않는 것은?

① 형법　② 헌법　③ 행정법
④ 경제법　⑤ 형사 소송법

02 (가)에 해당하는 법 영역에 대한 설명으로 가장 적절한 것은?

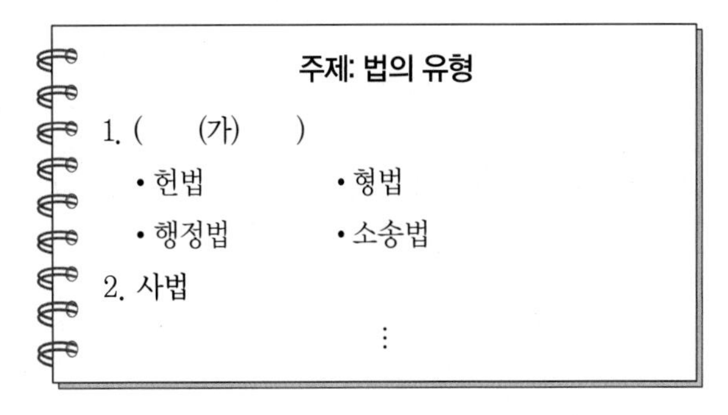
주제: 법의 유형
1. (　(가)　)
• 헌법　• 형법
• 행정법　• 소송법
2. 사법
⋮

① 노동자의 권리를 보호하기 위한 법이다.
② 국가의 경제 질서를 바로잡기 위해 제정되었다.
③ 오늘날 복지 국가에서 그 중요성이 더욱 강조되고 있다.
④ 개인과 국가 또는 국가 기관 간의 공적인 생활 관계를 다룬다.
⑤ 개인의 재산 관계나 가족 관계, 기업 간의 경제생활 등을 규정한다.

03 다음과 같은 법 영역의 적용을 받는 사례로 적절한 것은?

> 국가 기관과 관련된 일이나 개인과 국가 간의 공적인 생활 관계를 다룬다.

① 아버지로부터 재산을 상속받았다.
② 아들이 태어나자 출생 신고를 하였다.
③ 결혼식을 올린 후 혼인 신고를 하였다.
④ 토지를 구입 후 세금을 은행에 납부하였다.
⑤ 부동산 가격이 떨어지기 전에 가지고 있던 땅을 팔았다.

04 사법(私法)에 대한 설명으로 옳지 않은 것은?

① 민법, 상법 등이 해당한다.
② 개인과 개인 간의 사적인 관계를 규율한다.
③ 국가와 개인 사이의 관계를 규율하는 법이다.
④ 출생 신고, 사망 신고를 하는 것과 관련 있다.
⑤ 물건을 사는 것, 계약서를 작성하는 것, 회사를 세우고 유지하는 것 등이 포함된다.

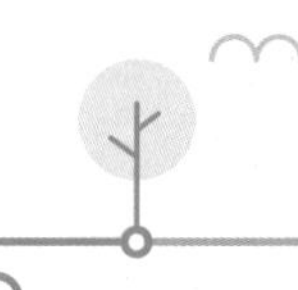

05 다음과 같은 내용을 규율하고 있는 법의 유형으로 옳은 것은?

- 출생 신고
- 혼인 신고
- 사망 신고
- 재산의 상속 및 증여

① 민법　② 형법　③ 상법
④ 행정법　⑤ 경제법

06 다음과 같은 법의 영역에 해당하는 사례로 적절하지 않은 것은?

개인과 개인 간의 사적인 생활 관계를 규율하는 법

① 사망 신고　② 혼인 신고
③ 재산의 상속　④ 부동산 매매
⑤ 세금의 납부

07 그림과 같이 법을 분류할 때, (가)에 들어갈 법에 대한 설명으로 옳은 것은?

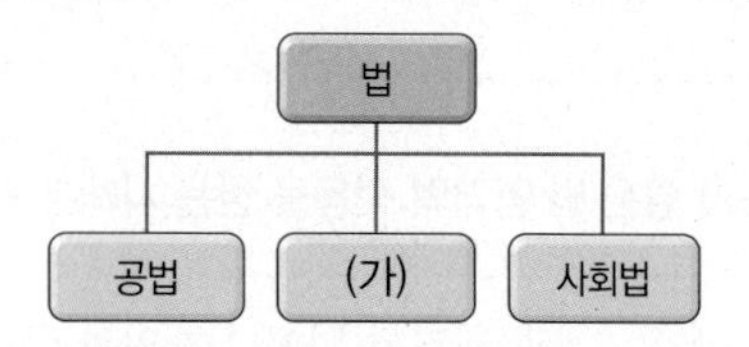

① 민법과 상법 등이 속한다.
② 개인과 국가 간의 공적인 생활 관계를 규율한다.
③ 국민의 최소한의 인간다운 삶을 보장하고자 한다.
④ 근대 자본주의의 문제점을 해결하기 위해 등장하였다.
⑤ 세금을 내거나 선거에 참가하는 것과 관련된 내용을 다룬다.

08 빈칸에 들어갈 법으로 가장 적절한 것은?

갑은 다니던 직장을 그만두고 개인 커피 전문점을 개업하려고 한다. 그래서 여유 자금이 없어 대출 등 창업과 관련된 (　　)을 살펴보고 있다.

① 민법　② 상법　③ 행정법
④ 근로 기준법　⑤ 소비자 기본법

09 사회법에 대한 설명으로 옳은 것만을 〈보기〉에서 있는 대로 고른 것은?

보기
ㄱ. 사회·경제적 약자를 보호하기 위한 법이다.
ㄴ. 자본주의의 모순을 해결하는 과정에서 등장하였다.
ㄷ. 경제 활동에 대한 국가의 개입을 최소화하고자 한다.
ㄹ. 근대 자본주의 사회의 정치 질서를 확립하기 위한 법이다.

① ㄱ, ㄴ　② ㄴ, ㄷ　③ ㄷ, ㄹ
④ ㄱ, ㄴ, ㄷ　⑤ ㄴ, ㄷ, ㄹ

10 밑줄 친 (가)에 들어갈 내용으로 가장 적절한 것은?

사법과 공법의 중간 영역에 해당하는 이 법은 ___(가)___하기 위해 등장하였다. 이 법을 통해 사적인 영역으로 간주되었던 생활 영역에 국가가 개입할 수 있게 되었다.

① 공적인 생활 관계를 규율
② 사적인 생활 관계를 규율
③ 국가 권력을 감시하고 통제
④ 통치 원리를 규정하고 기본권을 보장
⑤ 모든 사람의 최소한의 인간다운 삶을 보장

11 다음 문제를 해결하기 위해 만들어진 법의 유형으로 옳은 것을 〈보기〉에서 고른 것은?

산업 혁명 이후 개인에게 경제적 자유를 최대한 보장하고 국가의 간섭을 최소화하였다. 고용자는 생산 비용을 낮추기 위해 임금이 낮은 부녀자와 어린이를 장시간 노동시키며 이윤을 늘렸고, 노동자들은 실업자가 되어 많은 사람이 더욱 가난해졌다.

보기
ㄱ. 헌법　ㄴ. 경제법
ㄷ. 민법　ㄹ. 사회 보장법

① ㄱ, ㄴ　② ㄱ, ㄷ　③ ㄴ, ㄷ
④ ㄴ, ㄹ　⑤ ㄷ, ㄹ

실전 문제

정답과 해설 28~29쪽

01 강철이에게 적용되는 법에 대한 설명으로 옳은 것은?

○○ 중학교 3학년 학생인 강철이는 동급생인 약한 이를 부하처럼 데리고 다니면서 숙제를 대신하라고 하는 등 각종 심부름을 시키고 자신의 요구에 응하지 않을 경우 폭행도 하였다.

① 개인 간의 가족 관계를 규율한다.
② 계약 자유의 원칙을 특징으로 한다.
③ 개인과 개인 간의 관계를 다루는 법이다.
④ 사회 · 경제적 약자를 보호하기 위해 만들어졌다.
⑤ 범죄의 유무와 형벌의 정도를 정한 법의 적용을 받는다.

02 밑줄 친 ㉠~㉤ 중 생활 관계를 규율하는 법의 영역이 다른 하나는?

은찬이네 부모님은 결혼을 한 후 ㉠ 혼인 신고를 하였고, 은찬이가 태어나자 ㉡ 출생 신고를 하였다. 은찬이가 성장하여 ㉢ 해병대에 입대하여 군 복무를 마치고 회사에 입사하였다. 최근 은찬이는 결혼을 하기 위해 ㉣ 은행에서 대출을 받아 집을 마련하였고, 부모님은 은찬이네 부부와 함께 살기 위해 이사를 하고 ㉤ 전입 신고를 마쳤다.

① ㉠ ② ㉡ ③ ㉢ ④ ㉣ ⑤ ㉤

★ 중요 ★

03 (가), (나)에 적용되는 법의 영역이 옳게 연결된 것은?

	(가)	(나)		(가)	(나)
①	공법	사법	②	공법	사회법
③	사법	공법	④	사법	사회법
⑤	사회법	사법			

04 ㉠, ㉡에 들어갈 법의 영역을 옳게 연결한 것은?

• 층간 소음 문제로 위층에 사는 이웃과 말다툼 끝에 시비가 붙어 싸움을 하게 된 □□ 씨는 일방적으로 상대를 폭행했다는 혐의로 (㉠)에 따라 처벌을 받게 되었다.
• 평소 친하게 지내던 ○○ 씨에게 돈을 빌려 준 △△ 씨는 약속된 날짜가 지났는데도 돈을 갚지 않자 (㉡)에 따라 상대방을 고소하기로 하였다.

	㉠	㉡		㉠	㉡
①	상법	민법	②	형법	상법
③	형법	민법	④	민법	형법
⑤	민법	상법			

05 판서 내용 중 (가)에 들어갈 내용으로 적절하지 않은 것은?

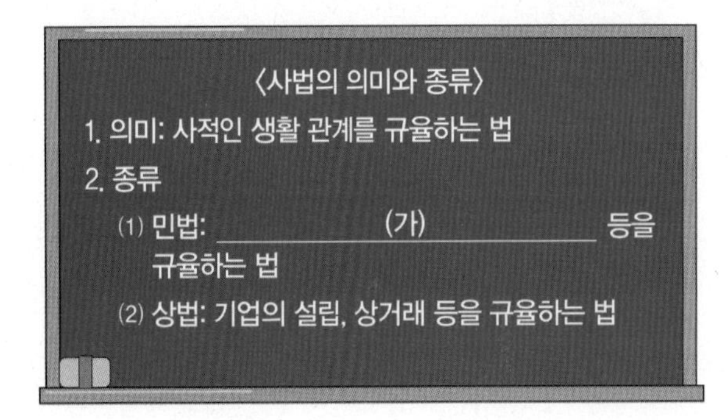

① 혼인 및 이혼 ② 손해에 대한 배상
③ 물건에 대한 소유권 ④ 재판의 절차와 방법
⑤ 재산의 상속 및 증여

06 법의 적용을 받는 생활 모습으로 적절하지 않은 것은?

① 사법 – 결혼을 한 신랑 신부가 구청에 혼인 신고를 하였다.
② 사법 – 교통 법규를 위반한 운전자에게 범칙금을 부과하였다.
③ 공법 – 교통사고를 내고 뺑소니를 친 사람을 고발하였다.
④ 공법 – 소프트웨어 불법 복제를 일삼는 일당이 처벌을 받았다.
⑤ 사회법 – 생활이 어려운 사람에게 국가가 생활 보조금을 지급하였다.

07 그림의 (가)에 들어갈 내용으로 적절한 것은?

① 세금의 부과 및 징수에 관한 법이야.
② 재판이 이루어지는 절차가 담겨 있어.
③ 범죄의 종류와 형벌에 대해 정하고 있어.
④ 국민의 권리와 의무를 정해 놓은 법이야.
⑤ 행정부의 조직과 기능에 대해 다루는 법이야.

고난도

08 밑줄 친 '사법'의 의미가 다른 하나는?

① 시민은 사법 감시 활동에 참여할 수 있다.
② 국가는 사법 작용을 통하여 분쟁을 해결한다.
③ 법을 해석하고 적용하는 국가 작용을 사법이라고 한다.
④ 사법에는 가족 관계, 재산 관계 등을 규정한 민법이 있다.
⑤ 공정한 분쟁 해결을 위해 민주적 사법 제도 운영에 힘써야 한다.

09 다음 법 조항에 나타난 법 영역에 대한 설명으로 옳은 것은?

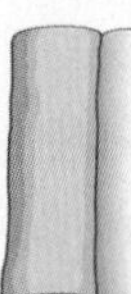

제812조 ① 혼인은 「가족 관계의 등록 등에 관한 법률」에 정한 바에 의하여 신고함으로써 그 효력이 생긴다.

① 개인과 국가의 관계를 규율하는 법이다.
② 형사 소송법, 민사 소송법 등이 같은 영역에 속한다.
③ 개인의 자유와 권리를 중시했던 근대 이후부터 강조되었다.
④ 모든 국민의 최소한의 인간다운 삶을 보장하기 위한 법이다.
⑤ 자본주의가 발달함에 따라 발생한 문제점을 해결하기 위한 법이다.

10 다음과 같은 상황을 개선하고자 만든 법에 대한 설명으로 옳지 않은 것은?

- 산업 혁명기의 노동자들은 일요일도 없이 하루 16시간씩 일하는 게 보통이었으며, 임금이 싸다는 이유로 어린이들까지 고용하였다. 작업 도중 사고가 나면 보상 한 푼 못 받고 쫓겨나기 일쑤였다.
- 소비자들은 독점 기업에서 생산한 물건의 품질이 다소 떨어지고 가격이 비싸더라도 그 제품을 구입하여 쓸 수밖에 없었다.

① 복지 국가의 실현을 목적으로 생겨났다.
② 근로 기준법, 소비자 보호법 등이 해당한다.
③ 자유 경쟁의 원리를 실현하고자 만든 법이다.
④ 개인과 개인 간의 관계에 국가가 개입하는 법이다.
⑤ 모든 국민의 최소한의 인간다운 생활을 보장하기 위해 만든 법이다.

11 밑줄 친 '이 법'의 유형으로 적절하지 않은 것은?

이 법은 자본주의의 발달로 인해 나타난 문제의 해결을 위하여 국가가 개인 간의 생활 영역에 개입하여 사회 문제를 해결하고 모든 국민의 인간다운 삶을 보장하기 위하여 등장하였다.

① 행정법 ② 근로 기준법
③ 노인 복지법 ④ 소비자 기본법
⑤ 국민 기초 생활 보장법

★ 중요 ★

12 그림에서 (가) 영역에 해당하는 법의 성격으로 옳은 것은?

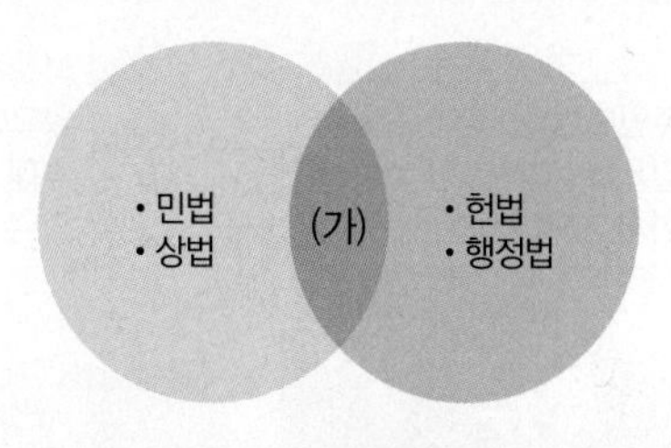

① 개인 간의 권리 다툼을 해결해 준다.
② 국민이 정치에 참여할 수 있는 권리를 보장한다.
③ 법 앞에서 균등한 기회를 가질 수 있도록 보장한다.
④ 일정한 범위 안에서 자유로운 경제 활동을 보장한다.
⑤ 최소한의 인간다운 생활을 요구할 수 있는 권리를 갖는다.

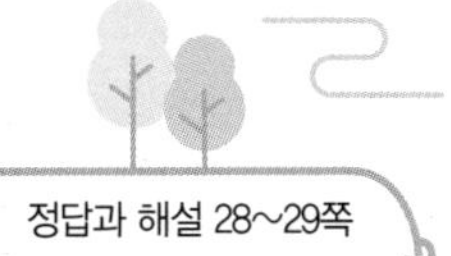

13 제시된 법들의 공통적인 특징으로 적절한 것은?

• 최저 임금법 • 국민 연금법 • 소비자 기본법

① 재판의 절차를 규정한다.
② 행위의 결과보다 동기를 중시한다.
③ 개인과 개인 간의 분쟁을 해결한다.
④ 위반을 할 경우 사회적 비난을 받는다.
⑤ 사회·경제적 약자를 보호하기 위한 법이다.

14 갑이 다음과 같은 권리 침해를 당했을 때, 구제받을 수 있는 근거가 되는 법으로 옳은 것은?

갑이 근무하는 ○○회사 사업주가 경영상의 어려움을 이유로 생산직 인원을 감축하면서 1일 노동 시간을 12시간으로 연장하였다. 갑은 아무런 협의 없이 노동 시간을 연장한 것은 부당하다며 다시 1일 8시간으로 되돌릴 것을 요구하였으나 ○○회사 측은 이를 받아들이지 않았다.

① 공정 거래법 ② 생활 보호법
③ 국민 연금법 ④ 근로 기준법
⑤ 중소기업 관계법

15 신문 기사에 나타난 문제를 해결하기 위한 법 영역에 대한 설명으로 옳지 않은 것은?

○○신문 20△△년 △월 △일

1인 가구 10명 중 2명 독거노인

가족과 떨어져 혼자 사는 노인이 매년 큰 폭으로 증가하고 있으며 이들 중 많은 노인들이 열악한 환경에 처해 있어, 사회적 관심과 정책적 지원이 절실한 상황이다. 보건복지부의 조사에 따르면 통계청의 2020년 인구 주택 총조사 결과 일반 가구(노인 요양 시설 등 집단 가구 제외) 구성원 중 65세 이상 가구원은 784만 6천 명, 이 가운데 1인 가구인 사람은 166만 1천 명으로 21.2%를 차지한다.

① 오늘날과 같은 복지 국가에서 중요성이 강조되고 있다.
② 개인의 자유와 권리를 중요시했던 근대 사회에서 강조되었다.
③ 모든 사회 구성원의 인간다운 생활을 보장하는 것을 목적으로 한다.
④ 개인 간의 사적인 영역에 국가가 개입하여 사회적 약자를 보호하기 위해 제정되었다.
⑤ 빈부 격차, 노사 갈등과 같은 자본주의 발달에 따른 부작용을 해결하기 위해 등장하였다.

서술형 문제

16 그림은 규율하는 생활 영역에 따라 법을 분류한 것이다. (가)~(다)에 해당하는 법의 영역을 쓰고, 규율하는 생활 관계에 대해 서술하시오.

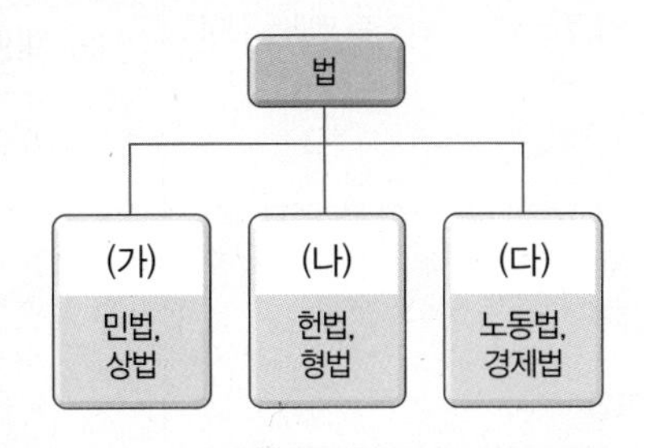

17 자료에 나타난 문제를 해결하기 위해 등장한 법 영역을 쓰고, 이러한 법의 목적을 서술하시오.

〈1830년대 영국의 아동 노동 실태 보고서〉

산업 혁명 당시 영국에서는 수많은 어린아이가 생계를 위해 면직 공장에서 일했다. 이르면 만 4세부터 아이들은 하루에 12~18시간씩 일을 했다. 아동 노동이 전체 노동자 수에서 차지하는 비중은 면직 공장이 약 35%, 모직 공장이 약 40%였다. 이러한 아이들은 10시간 이상 일을 하면서 때로는 목숨을 잃기도 했다.

03 재판의 이해

1. 재판의 의미와 종류

→ 재판은 법적 분쟁을 해결하는 가장 대표적인 방법이지만 개인 간에 분쟁이나 문제가 생겼을 때 가장 바람직한 해결 방법은 사건 당사자들끼리 합의하는 거야.

(1) **재판**: 법원이 공정하게 법을 적용하여 옳고 그름을 밝히는 과정 → 분쟁 해결, 사회 질서 유지, 국민의 권리 보호, 정의 실현 등

(2) **재판의 종류**

민사 재판	개인 간에 일어난 분쟁을 해결하기 위한 재판
형사 재판	범죄의 유무를 판단하고 형벌의 정도를 결정하는 재판
가사 재판	가족이나 친족 간의 다툼을 해결하기 위한 재판
행정 재판	행정 기관이 국민의 권리를 침해하였는지 판단하는 재판
선거 재판	선거와 당선의 유·무효를 결정하는 재판
소년 보호 재판	소년의 범죄나 비행을 다루는 재판

→ 민사 재판은 돈을 빌리고 빌려주는 과정에서 일어난 다툼, 손해에 대한 배상과 같이 개인 사이에서 일어난 분쟁을 해결해.

→ 형사 재판은 폭행, 절도 등의 범죄가 발생하였을 때 국가가 범죄의 유무와 형벌의 정도를 결정하는 재판이야.

→ 10세 이상 19세 미만의 소년이 저지른 범죄나 잘못된 행동을 다루는 재판이야.

2. 민사 재판과 형사 재판 자료 1

(1) 민사 재판의 절차와 참여자

① 민사 재판의 절차

② 민사 재판의 참여자

원고	민사 재판을 청구하는 사람
피고	민사 재판에서 소송을 제기당한 사람
소송 대리인(변호사)	민사 재판에서 원고나 피고의 편에 서서 법률적인 도움을 주는 사람
법관	재판에서 판결을 내리는 사람

(2) 형사 재판의 절차와 참여자 자료 2

① 형사 재판의 절차

→ 범죄 혐의가 있어서 수사를 받고 있지만 아직 공소가 제기되지 않은 사람을 말해.

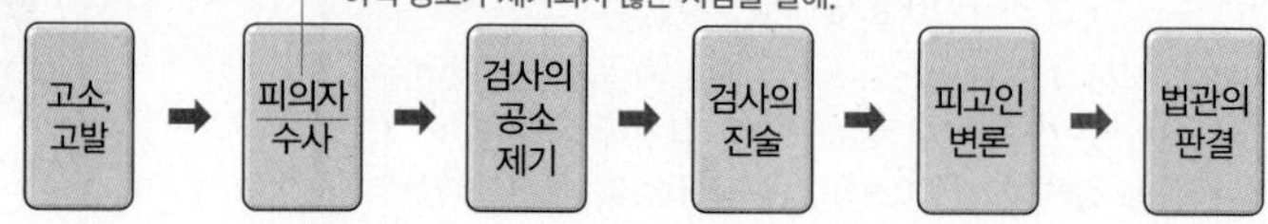

학습 내용 들여다보기

■ **증인**
소송 당사자가 아니면서 법원의 신문에 대하여 자신의 경험을 진술하는 사람으로 재판에 참여할 수 있다.

■ **법관**
헌법과 법원 조직법이 정한 바에 따라 임명되어 사법부를 구성하고 대법원과 각급 법원에서 재판 사무를 담당하는 공무원을 말한다.

■ **고소와 고발**

고소	범죄 피해자가 범죄 사실을 직접 신고하는 것
고발	제3자가 범죄 사실을 신고하는 것

■ **공소 제기**
검사가 형사 사건에 대해 법원에 재판을 청구하는 것으로 기소라고도 한다.

용어 알기

- **범죄** 사회의 안전과 질서를 무너뜨리는 행위로, 사기, 절도, 폭행, 방화 등이 있음
- **소장** 원고가 소송을 제기하기 위하여 법원에 제출하는 서류
- **변론** 소송 당사자나 변호인이 법정에서 피고인을 변호하여 진술함

자료 1 민사 재판정과 형사 재판정

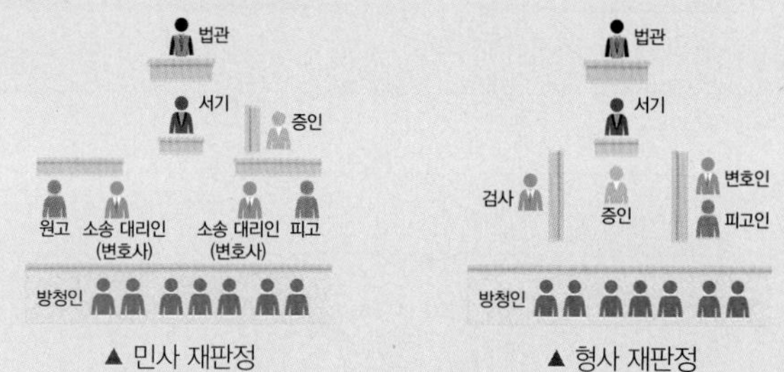

▲ 민사 재판정 ▲ 형사 재판정

민사 재판에는 소송을 제기한 원고와 소송을 제기당한 피고가 참여한다. 이외에도 원고와 피고의 편에서 법률적인 도움을 주는 소송 대리인(변호사)과 증인도 참여할 수 있다. 한편, 형사 재판은 검사가 원고가 되어 공소를 제기하면서 시작되고, 형사 재판을 받는 피고인, 변호인과 사건에 대해 자기가 경험한 사실을 진술하는 증인도 참여할 수 있다.

자료 2 국민 참여 재판

우리나라에서는 만 20세 이상의 일반 국민이 배심원으로 형사 재판에 참여하여 피고인의 유·무죄 및 형량에 대한 의견을 제시하는 국민 참여 재판 제도가 있다. 법관은 배심원의 평결을 존중하지만, 반드시 따라야 할 의무는 없다. 그러나 평결을 따르지 않을 때는 판결문에 그 이유를 반드시 밝혀야 한다.

② 형사 재판의 참여자

검사	형사 재판을 청구하여 피고인의 처벌을 요구하는 사람
피고인	범죄 혐의가 있어 형사 재판을 받는 사람
변호인	형사 재판에서 피고인의 편에 서서 법률적인 도움을 주는 사람
법관	재판에서 판결을 내리는 사람

3. 공정한 재판을 위한 제도

(1) 사법권의 독립 자료 3

① 의미: 법원의 조직이나 운영을 다른 국가 기관으로부터 독립하여 외부의 간섭이나 압력을 받지 않도록 하는 것

② 목적: 공정한 재판을 통한 국민의 기본권 보장

③ 실현 방법

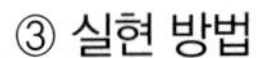

- 법원의 독립: 법원의 조직이나 운영에 대해 외부의 간섭이나 영향을 받지 않음
- 법관의 신분 보장: 법관의 임기를 법률로 정하고, 법관이 헌법과 법률에 의하여 양심에 따라 독립하여 심판함

(2) 공개 재판주의와 증거 재판주의

공개 재판주의	재판의 과정과 결과를 일반인에게 공개해야 한다는 원칙
증거 재판주의	구체적인 증거를 바탕으로 판결을 해야 한다는 원칙

→ 형사 재판에서 다른 증거 없이 피고인의 자백만으로는 유죄 판결을 내릴 수 없어.

(3) 심급 제도 자료 4

① 의미: 법원에 급을 두어 한 사건에 대해 여러 번 재판을 받을 수 있게 하는 제도 → 우리나라는 하나의 사건에 대해 세 번까지 재판을 받을 수 있는 3심제를 원칙으로 함

② 목적: 법관의 잘못된 판결로 발생할 수 있는 피해를 최소화하고, 공정한 재판을 통해 국민의 자유와 권리를 보호하기 위함

③ 상소: 재판 당사자가 하급 법원의 판결에 불만이 있을 경우 상급 법원에 다시 재판을 청구하는 것

→ 판결에 불만이 있는 당사자라면 원고, 피고, 검사, 피고인 누구나 상소할 수 있어.

- 항소: 1심 법원의 판결에 불복하여 2심을 청구하는 것
- 상고: 2심 법원의 판결에 불복하여 3심을 청구하는 것

학습 내용 들여다보기

■ 공개 재판주의의 예외
국가 안전 보장 또는 사회 질서를 방해하거나 선량한 풍속을 해칠 염려가 있을 때에는 법원의 결정으로 공개하지 않을 수 있다. 이를 제외하고는 모든 재판 과정은 일반 시민들이 방청할 수 있도록 공개한다.

■ 증거 재판주의를 규정한 헌법 조항
헌법 제12조 ⑦ 피고인의 자백이 고문·폭행·협박·구속의 부당한 장기화 또는 기망 기타의 방법에 의하여 자의로 진술된 것이 아니라고 인정될 때 또는 정식 재판에 있어서 피고인의 자백이 그에게 불리한 유일한 증거일 때에는 이를 유죄의 증거로 삼거나 이를 이유로 처벌할 수 없다.

용어 알기
- **청구** 상대방에게 일정한 행위나 물품을 요구함
- **임기** 임무를 맡아 보는 일정한 기간
- **불복** 어떤 명령이나 결정 따위를 그대로 따르지 않음

자료 3 사법권의 독립을 규정한 헌법 조항

제101조 ① 사법권은 법관으로 구성된 법원에 속한다.
③ 법관의 자격은 법률로 정한다.
제102조 ③ 대법원과 각급 법원의 조직은 법률로 정한다.
제103조 법관은 헌법과 법률에 의하여 그 양심에 따라 독립하여 심판한다.

우리나라는 사법권의 독립을 위해 법관이 어떠한 외부의 간섭도 받지 않고 헌법과 법률에 근거하여 양심에 따라 판단하도록 법관의 임기와 신분이 헌법으로 보장된다. 또한 법원이 외부의 간섭이나 영향을 받지 않도록 하기 위해 법원의 조직은 법률에 의해 구성된다는 것을 헌법에 명시하고 있다.

자료 4 심급 제도

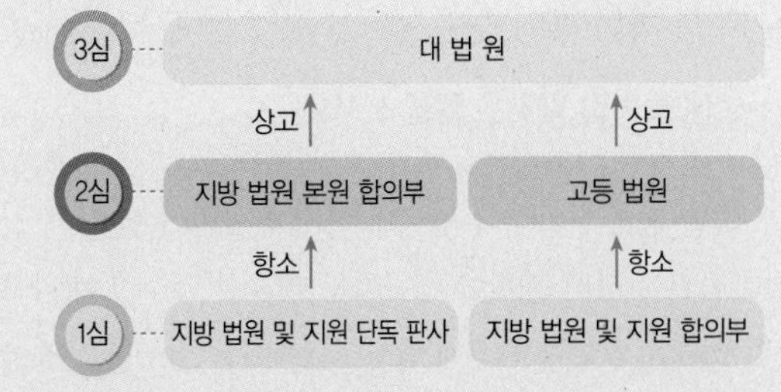

우리나라는 공정한 재판을 위하여 법원에 급을 두어 여러 번 재판을 받을 수 있게 하는 심급 제도를 두고 있다. 일반적으로 민사 재판, 형사 재판, 행정 재판, 가사 재판 등은 '지방 법원 → 고등 법원 → 대법원'에 이르는 3심제로 실시되지만, 특허 재판은 2심제, 선거 재판은 단심제로 실시된다.

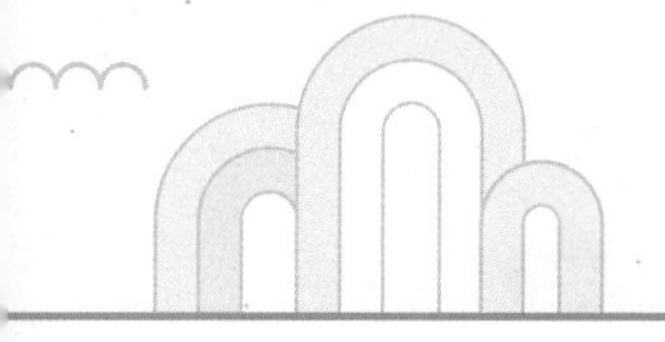

기본 문제

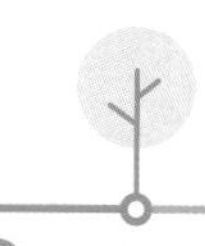

간단 체크

1 빈칸에 들어갈 알맞은 말을 쓰시오.

(1) (　　　　)은/는 법원이 공정하게 법을 적용하여 옳고 그름을 밝히는 과정이다.

(2) (　　　　)은/는 개인 간의 권리와 의무에 관한 분쟁을 해결하기 위한 재판이다.

(3) (　　　　)은/는 범죄가 발생할 경우 범죄의 유무와 형벌의 정도를 결정하는 재판이다.

(4) 우리나라에서는 형사 재판 중 (　　　　)(으)로 열리는 재판에 일반 국민이 배심원으로 참여할 수 있다.

2 밑줄 친 부분을 옳게 고쳐 쓰시오.

(1) <u>피고인</u>은 민사 재판에서 소송을 제기당한 사람이다. (　　　　)

(2) <u>판사</u>는 형사 재판을 청구하여 피고인의 처벌을 요구하는 사람이다. (　　　　)

(3) <u>피고</u>는 범죄 혐의가 있어 형사 재판을 받는 사람이다. (　　　　)

3 다음 내용에 해당하는 제도를 <보기>에서 고르시오.

보기
ㄱ. 심급 제도	ㄴ. 사법권의 독립
ㄷ. 공개 재판주의	ㄹ. 증거 재판주의

(1) 재판의 과정과 결과를 일반 시민들에게 공개해야 한다는 원칙 (　　)

(2) 재판은 엄격하고 객관적인 증거에 의해 진행되어야 한다는 원칙 (　　)

(3) 한 사건에 대해 급이 다른 법원에서 여러 번 재판을 받을 수 있게 한 제도 (　　)

(4) 법원의 조직이나 운영에 대해 외부의 간섭이나 영향을 받지 않도록 하여 법에 의해서만 엄격하게 판결이 이루어지도록 하는 것 (　　)

4 ㉠~㉢에 들어갈 알맞은 말을 쓰시오.

> 재판 당사자가 하급 법원의 판결에 불만이 있을 때 상급 법원에 다시 재판을 청구하는 것을 (㉠)(이)라고 한다. 1심 법원의 판결에 불복하여 2심을 청구하는 것을 (㉡), 2심 법원의 판결에 불복하여 대법원에 3심을 청구하는 것을 (㉢)(이)라고 한다.

㉠: (　　　　), ㉡: (　　　　), ㉢: (　　　　)

01 판서 내용 중 빈칸에 들어갈 말로 옳은 것은?

> 학습 주제: (　　　)의 의미와 기능
> 1. 의미 : 분쟁이나 범죄에 대해 법원이 공정하게 법을 적용하여 옳고 그름을 판단하는 과정
> 2. 기능 : 분쟁 해결, 사회 질서 유지, 국민의 권리 보호 등

① 입법　② 행정　③ 재판
④ 상소　⑤ 항소

02 다음과 같은 사건을 다루는 재판의 종류로 옳은 것은?

> 민호는 돌아가신 아버지의 유산 문제로 형제간에 다툼이 발생하여 재판을 청구하였다.

① 민사 재판　② 형사 재판　③ 가사 재판
④ 행정 재판　⑤ 선거 재판

03 다음 재판에 참여할 수 있는 사람으로 옳은 것을 <보기>에서 고른 것은?

> 김 씨는 평소 알고 지내던 박 씨가 높은 이자를 준다며 돈을 빌려 달라고 하여 수차례에 걸쳐 박 씨에게 총 1,000만 원을 빌려주었다. 그러나 박 씨가 1년이 지나도록 원금과 이자를 갚지 않고 있어 김 씨는 빌려 준 돈을 받기 위하여 법원에 재판을 청구하였다.

보기
ㄱ. 원고	ㄴ. 검사	ㄷ. 증인
ㄹ. 피고인	ㅁ. 판사	ㅂ. 배심원

① ㄱ, ㄴ, ㄷ　② ㄱ, ㄷ, ㅁ　③ ㄴ, ㄹ, ㅂ
④ ㄷ, ㄹ, ㅁ　⑤ ㄹ, ㅁ, ㅂ

04 형사 재판에서 다루어질 사건으로 적절하지 <u>않은</u> 것은?

① 대학생이 무면허 운전을 하다가 교통사고를 냈다.
② 회사원이 사소한 시비 끝에 직장 동료를 폭행하였다.
③ 친구에게 빌려 준 돈을 받지 못해 피해가 발생하였다.
④ 강도가 침입해 흉기를 들고 식구들을 위협한 뒤 현금을 빼앗아 달아났다.
⑤ 부동산 업자가 개발이 불가능한 토지를 주택지로 속여 투자자에게 판매하였다.

05 그림은 어떤 재판의 모습이다. 이에 대한 설명으로 옳지 않은 것은?

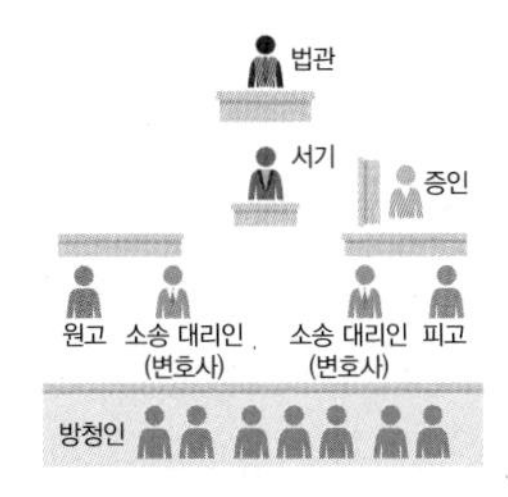

① 소송을 제기한 사람이 원고이다.
② 피고에 해당하는 사람은 검사이다.
③ 이 재판은 3심제의 적용을 받는다.
④ 개인 간의 분쟁을 해결하기 위한 재판이다.
⑤ 원고, 피고 모두 소송 대리인의 도움을 받을 수 있다.

06 자료는 모의재판을 위한 대본이다. 이와 관련 있는 재판의 종류로 옳은 것은?

> 판사: 원고는 왜 피고를 상대로 소송을 제기하였나요?
> 원고: 피고의 개가 제 다리를 물어, 그 상해에 대해 300만 원의 손해 배상을 받고 싶습니다.
> 판사: 피고의 개가 원고에게 상해를 입힌 사실이 있습니까?
> 피고: 네, 그렇습니다. 순식간에 일어난 사건이라 저도 어쩔 수 없었습니다.
> 판사: 우리 법률은 "동물의 점유자는 그 동물이 타인에게 가한 손해를 배상할 책임이 있다."라고 규정하고 있습니다. 그러므로 피고는 원고에게 300만 원을 배상할 것을 선고합니다.

① 민사 재판 ② 형사 재판 ③ 행정 재판
④ 선거 재판 ⑤ 헌법 재판

07 다음 내용에 해당하는 재판을 위한 제도로 옳은 것은?

> 사실의 인정은 반드시 그것을 증명할 수 있는 근거에 의해야 한다는 원칙이다. 이 원칙은 모든 재판에서 중요하지만 형사 재판에서 특히 중요하다. 형사 재판에서 사실을 증명할 명확한 근거 없이 피고인의 자백만으로 유죄 판결을 내린다면, 죄 없는 사람이 억울한 누명을 쓸 수도 있기 때문이다.

① 영장주의 ② 사법권의 독립
③ 증거 재판주의 ④ 공개 재판주의
⑤ 무죄 추정의 원칙

08 우리나라의 국민 참여 재판 제도에 대한 설명으로 옳지 않은 것은?

① 국민들이 사법 과정에 참여할 수 있는 기회이다.
② 판사는 만장일치로 결정한 배심원의 평결을 반드시 따라야 한다.
③ 배심원은 독립적으로 피고인의 유무죄와 형량에 관해 판결을 내린다.
④ 만 20세 이상의 국민이면 누구나 재판 과정에 배심원으로 참여할 수 있다.
⑤ 형사 재판 가운데 피고인이 희망하는 경우에는 국민 참여 재판이 가능하다.

09 다음의 헌법 조항이 보장하고 있는 것은?

> 제101조 ③ 법관의 자격은 법률로 정한다.
> 제102조 ③ 대법원과 각급 법원의 조직은 법률로 정한다.
> 제103조 법관은 헌법과 법률에 의하여 그 양심에 따라 독립하여 심판한다.

① 심급 제도 ② 상소 제도
③ 공정한 재판 ④ 법에 의한 지배
⑤ 사법권의 독립

10 사법권의 독립을 보장하기 위한 제도로 옳은 것을 〈보기〉에서 고른 것은?

> 보기
> ㄱ. 심급 제도 ㄴ. 죄형 법정주의
> ㄷ. 법관의 신분 보장 ㄹ. 법원 조직의 독립

① ㄱ, ㄴ ② ㄱ, ㄷ ③ ㄴ, ㄷ
④ ㄴ, ㄹ ⑤ ㄷ, ㄹ

11 다음 제도들의 공통적인 목적으로 가장 적절한 것은?

> • 재판을 일반인에게도 공개한다.
> • 법관의 신분을 법률로 보장한다.
> • 같은 사건에 대하여 여러 번 재판을 받을 수 있다.

① 신속한 재판 ② 사법권의 독립
③ 국가 권력의 보호 ④ 판사의 전문성 향상
⑤ 공정한 재판을 통한 국민의 기본권 보장

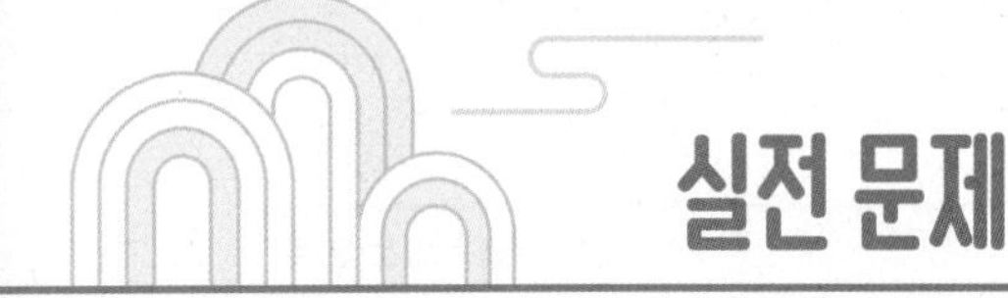

실전 문제

01 재판에 대한 설명으로 옳지 않은 것은?

① 대표적으로 민사 재판과 형사 재판이 있다.
② 우리나라에서는 사법부인 법원에서 담당한다.
③ 공정하게 법을 적용하여 옳고 그름을 판단하는 과정이다.
④ 모든 분쟁은 재판을 통해 해결하는 것이 가장 바람직하다.
⑤ 국민의 권리를 보호하고 사회 질서를 유지하는 기능을 한다.

★ 중요 ★

02 재판의 종류와 그에 대한 설명으로 옳은 것은?

① 헌법 재판: 범죄의 유무와 형벌의 종류를 결정한다.
② 행정 재판: 선거 절차나 당선에 관한 다툼을 해결한다.
③ 민사 재판: 개인 간의 권리와 의무에 관한 다툼을 해결한다.
④ 형사 재판: 행정 기관이 국민의 권리를 침해하였는지를 판단한다.
⑤ 선거 재판: 법률의 위헌 여부 또는 기본권 침해 여부를 결정한다.

03 다음은 판결문의 일부이다. 이와 관련 있는 재판의 종류로 옳은 것은?

> **판결**
>
> **사건:** 절도
> **피고인:** ◇◇◇
> **검사:** □□□
> **변호인:** △△△
> **판결 주문:** 피고인을 징역 6개월에 처한다.
> **이유:** 피고인은 20○○년 ○월 ○일 버스 안이 복잡한 틈을 타 피해자 ◎◎◎의 가방에 들어 있던 지갑을 절취하였다.

① 형사 재판 ② 행정 재판 ③ 민사 재판
④ 헌법 재판 ⑤ 선거 재판

04 밑줄 친 '재판'에 대한 설명으로 옳은 것은?

> 신혼부부인 A 씨 부부는 세 들어 살고 있는 집의 전세 계약 기간이 끝나 다른 집으로 이사를 가려고 집주인에게 전세금을 돌려달라고 하였다. 그런데 집주인 B 씨는 돈이 없다며 미뤘고 부동산에 내놓은 집도 나가지 않아 A 씨가 돈을 받기 힘든 상태이다. 이에 A 씨는 집주인 B 씨를 상대로 <u>재판</u>을 청구하여 전세금을 돌려받고자 한다.

① A 씨는 피고, B 씨는 원고가 된다.
② 검사가 양측의 변론을 듣고 판결한다.
③ 원고와 피고는 변호사의 도움을 받을 수 있다.
④ 형법과 형사 소송법에 의한 형사 재판이 진행된다.
⑤ 소송 대리인은 양측의 주장과 근거를 토대로 피고의 유무죄를 판단한다.

05 재판과 관련된 용어에 대한 설명으로 옳은 것은?

① **원고:** 민사 재판에서 소송을 제기당한 사람
② **피고인:** 형사 재판에서 범죄 피해를 입은 사람
③ **공소 제기:** 검사가 형사 사건에 대해 재판을 청구하는 것
④ **변호사:** 형사 재판에서 피고인의 편에 서서 법률적인 도움을 주는 사람
⑤ **구형:** 옳고 그름을 밝히기 위해 소송 당사자나 변호인이 법정에서 주장하거나 진술하는 것

06 그림에 나타난 재판에서 다룰 수 있는 사건으로 적절한 것은?

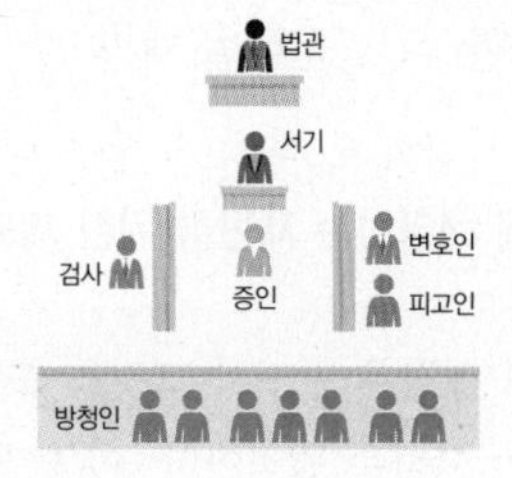

① 법률이 헌법에 위배되는지를 판단하는 것
② 계약을 위반한 여행사에 책임이 있는지를 판단하는 것
③ 자전거를 훔친 사람에게 어떤 형벌을 줄 것인지 판단하는 것
④ 자녀 대신 조카가 유산 상속을 받을 수 있는지를 판단하는 것
⑤ 담을 넘어 온 이웃집 대추나무의 소유권은 누구에게 있는지 판단하는 것

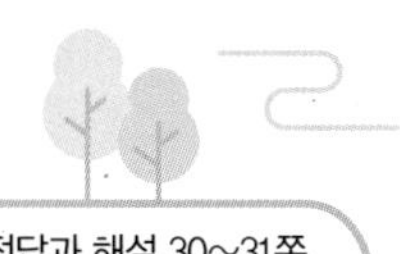

07 ㉠~㉢에 들어갈 말을 옳게 연결한 것은?

형사 재판은 범죄가 발생하면 피의자에 대해 수사 기관이 수사한 다음, (㉠)이/가 법원에 공소를 제기함으로써 시작된다. (㉠)은/는 법정에서 피고인의 범죄 사실을 밝히고, 피고인은 (㉡)의 도움을 받아 자신을 변론한다. (㉢)은/는 이를 바탕으로 범죄의 유무와 형벌의 정도를 결정한다.

	㉠	㉡	㉢
①	검사	판사	변호인
②	검사	변호인	판사
③	피의자	검사	판사
④	변호인	검사	판사
⑤	변호인	판사	검사

고난도

08 그림의 사법 제도에 대한 설명으로 옳지 않은 것은?

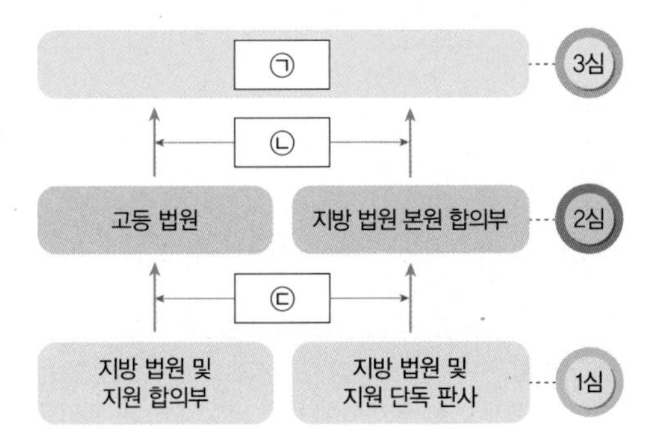

① 심급 제도라고 한다.
② ㉠은 우리나라 최고 법원이다.
③ ㉡은 항소, ㉢은 상고에 해당한다.
④ 재판의 공정성을 확보하기 위한 제도이다.
⑤ 억울한 사람에게 다시 재판을 받을 수 있는 기회를 제공한다.

★ 중요 ★

09 다음 제도들의 공통적인 목적으로 가장 적절한 것은?

• 사법권의 독립 • 심급 제도
• 공개 재판주의 • 증거 재판주의

① 공정한 재판 ② 법관의 지위 보장
③ 국가 권력의 강화 ④ 재판 절차의 간소화
⑤ 사법부의 기능 축소

서술형 문제

10 빈칸에 공통으로 들어갈 개념을 쓰고, 그 기능을 두 가지 서술하시오.

일상생활에서 분쟁이 일어났을 때에는 당사자끼리 합의하여 평화적으로 해결하는 것이 바람직하다. 그러나 당사자끼리 분쟁을 원만하게 해결하기 어려울 때에는 (   )을/를 통해 분쟁을 해결할 수 있다. (   )(이)란 법원이 객관적인 입장에서 공정하게 법을 적용하여 옳고 그름을 밝히는 과정이다.

11 (가), (나)에 해당하는 재판의 종류를 쓰고, 그 차이점을 서술하시오.

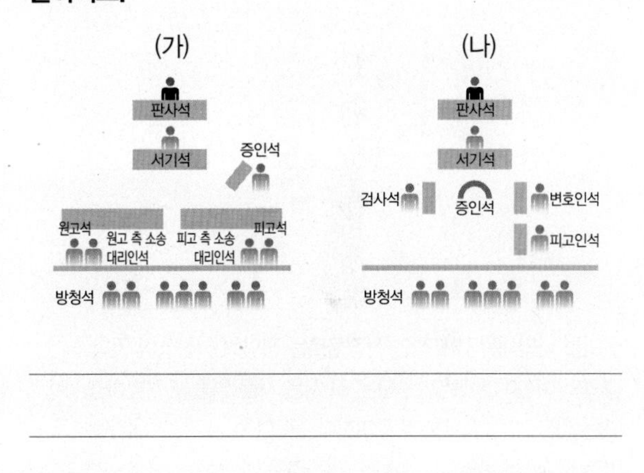

12 밑줄 친 부분에 나타난 공정한 재판을 위한 제도를 쓰고, 이 제도가 필요한 이유를 서술하시오.

절도죄를 저지르지 않은 갑은 1심 재판에 이어 2심 재판에서도 유죄 판결을 받자, 즉시 상고하였다. 갑의 유죄를 입증하기 위해 사용된 증거는 갑과 관련 없는 다른 사람의 물건이었다. 갑은 대법원에서 자신의 무죄를 주장하였고, 재판 결과 대법원은 갑에게 무죄를 선고하였다.

대단원 정리

❶ 사회 규범의 사례 이해

- (①　　　　): 장례식장에서는 검은 옷이나 흰 옷을 입어야 한다.
- (②　　　　): 우상을 섬기지 마라, 살생하지 마라.
- 도덕: 부모에게 효도하라. 도둑질하지 마라.
- (③　　　　): 이사를 하면 14일 이내에 전입 신고를 해야 한다.

(①　　　　)은/는 한 사회에서 오랫동안 지켜져 내려온 행동 양식을 의미하고, (②　　　　)은/는 특정 종교에서 지키도록 정해 놓은 교리이다. 한편, 도덕은 인간이 마땅히 지켜야 할 도리이고, (③　　　　)은/는 국가에 의해 강제되는 규범이다.

답 ① 관습 ② 종교 규범 ③ 법

❷ 정의의 상징물 이해

정의를 나타내는 대표적인 상징물로는 정의의 여신상이 있다. 정의의 여신이 들고 있는 칼은 죄 지은 자를 엄중히 처벌하겠다는 (①　　　　)을/를 의미한다. 한편, (②　　　　)은/는 법과 판결의 형평성을, 두 눈을 가린 것은 법의 (③　　　　)을/를 상징한다.

답 ① 강제성 ② 저울 ③ 공정성

❸ 공법과 사법의 사례 이해

(가)　　　　(나)

저 사람이 내 가방을 소매치기 했어요.
바로 옆에 비슷한 이름으로 가게를 열다니!

- (가)의 소매치기는 절도에 해당하므로 공법 중 범죄의 유형과 형벌의 정도를 규정한 (①　　　　)이/가 적용된다.
- (나)는 사법 중 상거래와 관련된 경제생활 관계를 규율하는 (②　　　　)이/가 적용된다.

답 ① 형법 ② 상법

1. 법의 의미와 목적

(1) 사회 규범의 종류 ❶

관습	한 사회에서 오랫동안 지켜져 내려온 행동 양식 ㉰ 관혼상제, 예절 등
종교 규범	특정 종교에서 지키도록 정해 놓은 교리 ㉰ 십계명 등
도덕	인간이 마땅히 지켜야 할 도리 ㉰ 효도 등
법	사회 구성원들의 합의에 따라 국가가 제정한 규범 ㉰ 헌법, 민법, 도로 교통법 등

(2) 법과 도덕의 비교

구분	법	도덕
목적	정의의 실현	선(善)의 실현
규율 대상	행위의 결과	행위의 동기
준수 근거	국가의 강제성	개인의 자율성
위반 시 제재	국가에 의한 처벌	양심의 가책, 사회적 비난

(3) 법의 특징

강제성	사회 구성원이 법을 지키지 않을 경우 국가에 의해 제재를 받음
명확성	법은 해야 할 일과 하지 말아야 할 일을 구체적으로 명확하게 규정하고 있음

(4) 법의 목적과 기능 ❷

목적	• 정의 실현: 모든 사람이 각자 능력과 노력에 따라 정당하게 대우받는 것 • 공공복리 증진: 사회 구성원 다수의 행복과 이익을 추구하는 것
기능	• 분쟁 해결: 분쟁을 해결하는 객관적이고 공정한 기준을 명확하게 규정함 • 개인의 권리 보호: 권리의 내용을 명확히 하고, 권리를 침해하는 행위를 제재함 • 사회 질서 유지: 법을 위반한 행위에 대한 처벌을 통해 사회의 갈등과 혼란을 방지함

2. 법의 유형과 특징

(1) 공법의 종류 ❸

헌법	국민의 권리와 의무 및 국가의 통치 구조를 정해 놓은 법
형법	범죄의 유형과 그에 따른 형벌의 내용을 정해 놓은 법
행정법	행정 기관의 조직과 작용 및 구제에 관한 법
소송법	재판이 이루어지는 절차를 규정한 법

(2) 사법의 종류

민법	개인 간의 가족 관계 및 재산 관계를 규율하는 법
상법	상거래와 관련된 경제생활 관계를 규율하는 법

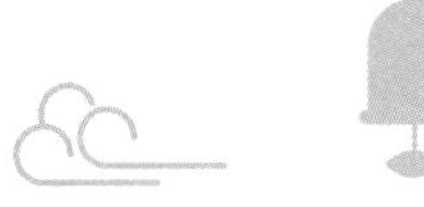

(3) 사회법의 의미와 목적 ❹

의미	개인 간의 생활 영역에 국가가 개입하여 사회·경제적 약자를 보호하기 위한 법 → 사법과 공법의 중간적 성격
등장 배경	근대 이후 자본주의의 발달로 인해 발생한 빈부 격차, 환경 오염, 노동 문제 등의 사회 문제가 심각해짐
목적	사회·경제적 약자의 권리 보호 → 모든 국민의 최소한의 인간다운 삶 보장

(4) 사회법의 종류

노동법	• 의미: 노동자의 권리를 보호하기 위한 법 • 종류: 근로 기준법, 노동조합 및 노동관계 조정법, 남녀 고용 평등법, 최저 임금법 등
경제법	• 의미: 공정한 경제 질서를 유지하고 소비자의 권익을 보호하는 법 • 종류: 독점 규제 및 공정 거래에 관한 법률, 소비자 기본법 등
사회 보장법	• 의미: 모든 국민의 기본적인 생활을 보장하는 법 • 종류: 국민 기초 생활 보장법, 국민 연금법, 국민 건강 보험법, 장애인 복지법 등

3. 재판의 이해

(1) 재판의 종류 ❺

민사 재판	개인 간에 일어난 분쟁을 해결하기 위한 재판
형사 재판	범죄의 유무를 판단하고 형벌의 정도를 결정하는 재판
가사 재판	가족이나 친족 간의 다툼을 해결하기 위한 재판
행정 재판	행정 기관이 국민의 권리를 침해하였는지 판단하는 재판
선거 재판	선거와 당선의 유·무효를 결정하는 재판
소년 보호 재판	소년의 범죄나 비행을 다루는 재판

(2) **민사 재판의 절차:** 원고의 소장 제출 → 피고의 답변서 제출 → 원고와 피고의 증거 제출 → 증인 신문 및 변론 → 법관의 판결

(3) **형사 재판의 절차:** 고소, 고발 → 피의자 수사 → 검사의 공소 제기 → 검사의 진술 → 피고인 변론 → 법관의 판결

(4) 공정한 재판을 위한 제도 ❻

사법권의 독립		• 의미: 법원의 조직이나 운영을 외부의 간섭이나 압력을 받지 않도록 하는 것 • 실현 방법: 법원의 독립, 법관의 신분 보장 등
공개 재판주의		재판의 과정과 결과를 일반인에게 공개해야 한다는 원칙
증거 재판주의		구체적인 증거를 바탕으로 판결을 해야 한다는 원칙
심급 제도	의미	법원에 급을 두어 한 사건에 대해 여러 번 재판을 받을 수 있게 하는 제도 → 3심제를 원칙으로 함
	상소	• 의미: 재판 당사자가 하급 법원의 판결에 불만이 있을 경우 상급 법원에 다시 재판을 청구하는 것 • 항소: 1심 법원의 판결에 불복하여 2심을 청구하는 것 • 상고: 2심 법원의 판결에 불복하여 3심을 청구하는 것

❹ 사회법의 등장 배경 이해

근대 시민 사회
국가가 사적 생활 영역에 개입하는 것을 최소화하고 개인의 자유와 권리를 최대한 보장하였음

⬇

(①　　　　) 이후
기계를 이용한 대량 생산이 가능해지자 숙련된 성인 노동자에 비해 임금이 낮았던 아동 노동자의 노동 착취, 환경 오염, 빈부 격차 등 사회 문제가 나타남

⬇

현대 (②　　　　) 등장
국가가 적극적으로 개입하여 사회·경제적 약자들을 보호하고 사회 문제를 해결하고, 모든 국민의 인간다운 생활을 보장하기 위해 (③　　)이/가 등장함

답 ① 산업 혁명 ② 복지 국가 ③ 사회법

❺ 민사 재판정과 형사 재판정 구분

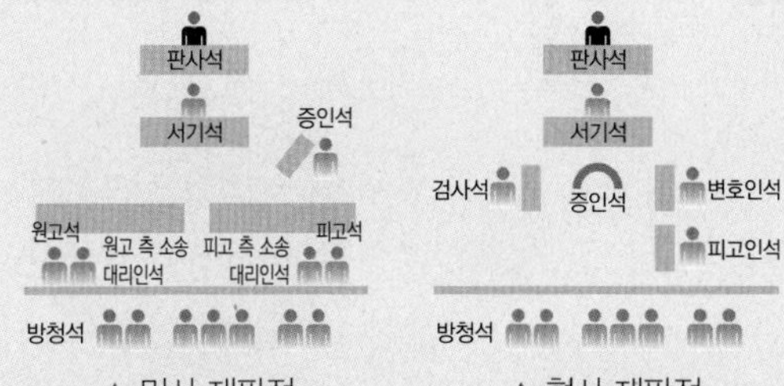

▲ 민사 재판정　　▲ 형사 재판정

민사 재판은 개인 간의 다툼을 해결하는 재판으로 (①　　　　)은/는 재판을 청구한 사람이고, (②　　　　)은/는 재판을 받게 된 사람이다. 한편, 형사 재판은 중앙의 판사를 기준으로 양쪽에 (③　　　　)와/과 (④　　　　) 및 변호인이 위치한다. 형사 재판은 (③　　　　)이/가 법원에 재판을 청구하면서 시작되기 때문에 (③　　　　)이/가 원고가 되고, 피의자가 (④　　　　)이/가 된다.

답 ① 원고 ② 피고 ③ 검사 ④ 피고인

❻ 심급 제도의 이해

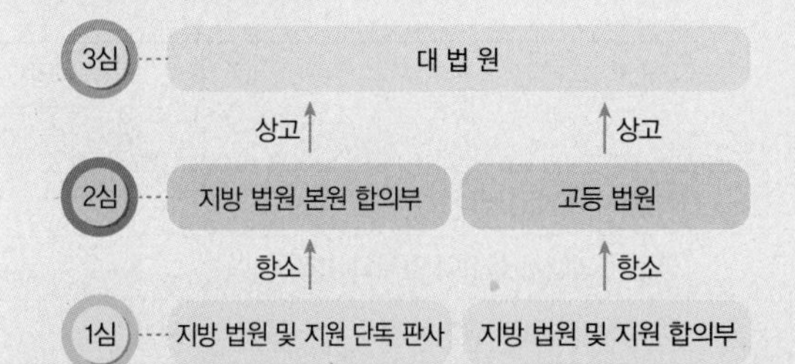

우리나라는 하나의 사건에 대해 세 번까지 재판을 받을 수 있는 (①　　　　)을/를 원칙으로 한다. 재판 당사자가 1심 재판의 결과에 불복하여 상급 법원에 2심 재판을 청구하는 일을 (②　　　　)(이)라고 하고, 2심 재판의 결과에 불복하여 최고 법원인 대법원에 3심 재판을 청구하는 것을 (③　　　　)(이)라고 한다.

답 ① 3심제 ② 항소 ③ 상고

대단원 마무리

01 (가), (나)와 관련된 사회 규범의 특징을 옳게 비교한 것은?

> (가) 노약자에게 자리를 양보해야 한다.
> (나) 승용차가 주차금지 위반을 한 경우에는 4만 원의 과태료가 부과된다.

	구분	(가)	(나)
①	목적	정의의 실현	선의 실현
②	준수 근거	개인의 자율성	국가의 강제성
③	성격	외면성	내면성
④	규율 대상	행위의 결과	행위의 동기
⑤	위반의 결과	국가의 처벌	양심의 가책

02 다음 그림의 A 영역에 대한 설명으로 옳은 것은?

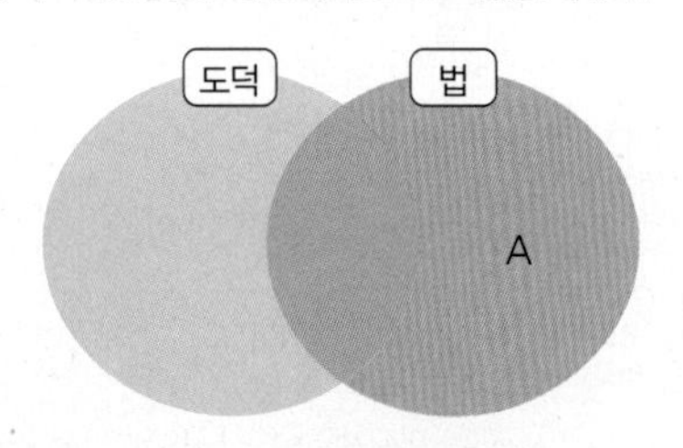

① 위반 시에는 양심의 가책을 느낀다.
② '법은 도덕의 최소한이다.'라는 말과 관련 있다.
③ 강제성 없이 개인의 도덕적 자율성에 의해 지켜진다.
④ 도로 교통법이나 출생 신고 규정 등을 예로 들 수 있다.
⑤ 도덕에 바탕을 두고 사회 질서를 유지하기 위해 반드시 지켜야 한다.

03 표는 어떤 사회 규범에 대한 질문에 대한 응답이다. 이러한 사회 규범에 대한 설명으로 옳은 것은?

질문	응답	
	예	아니요
어길 시 처벌을 받나요?		○
국가에 의해서 실현이 강제되나요?		○
행위의 결과보다 동기를 중요시하나요?	○	

① 의무보다는 권리를 주로 규율하는 규범이다.
② 특정 종교에서 지키도록 정해 놓은 교리이다.
③ 오랜 세월 동안 지켜져 내려온 행동 양식이다.
④ 인간의 양심과 관련하여 마땅히 지켜야 할 도리이다.
⑤ '우상을 섬기지 마라.', '살생하지 마라.' 등이 이에 속한다.

04 다음 내용을 통해 볼 때 다른 사회 규범과 구별되는 법의 특징으로 옳은 것은?

> • 사람을 살해한 자는 사형, 무기 징역 또는 5년 이상의 징역에 처한다.
> • 사람의 신체를 상해한 자는 7년 이하의 징역이나 10년 이하의 자격 정지 또는 1천만 원 이하의 벌금에 처한다.

① 행위의 동기를 중요시한다.
② 어기면 양심의 가책을 느낀다.
③ 모든 나라에서 동일하게 적용된다.
④ 국가에 의한 강제력을 가지고 있다.
⑤ 자연법칙에 의해 지배되는 사회 규범이다.

05 교사의 질문에 옳지 <u>않은</u> 답변을 한 학생은?

> 교사: 오늘은 법의 기능에 대해 발표해 볼까요?
> 학생: ______________________

① 갑: 분쟁을 예방하거나 해결해요.
② 을: 사회의 갈등과 혼란을 막아 줘요.
③ 병: 인간의 도리를 지킬 수 있게 해 줘요.
④ 정: 사회 구성원의 자유와 권리를 보호해요.
⑤ 무: 다른 사람의 권리를 침해하는 행위를 제재해요.

06 그림에 나타난 법의 기능으로 가장 적절한 것은?

① 사회적 약자에게 복지를 제공한다.
② 분쟁을 해결하는 최우선의 방법이다.
③ 분쟁을 해결하는 객관적인 기준을 제공한다.
④ 범죄자의 처벌을 통해 사회 질서를 유지한다.
⑤ 국가에 의해 개인의 자유가 침해되는 것을 막는다.

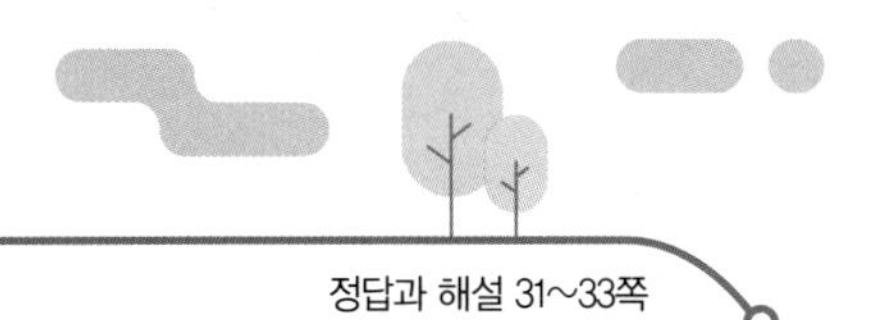

07 다음 사례를 통해 알 수 있는 사실로 옳은 것은?

- 학교 주변에서는 속도를 줄이도록 도로 교통법으로 정하고 있다.
- 청소년 보호법에서는 미성년자에게 술이나 담배 등을 판매하는 것을 금지하고 있다.

① 미성년자는 법을 어겨도 처벌받지 않는다.
② 법을 지키지 않으면 사회적 비난을 받는다.
③ 법은 국민을 통제하고 처벌하기 위한 것이다.
④ 법은 우리의 일상생활과 밀접하게 관련되어 있다.
⑤ 법은 한 사회에서 오랜 세월 동안 반복되어 온 행동 양식이다.

08 다음과 같은 목적을 가진 규범의 사례로 적절한 것은?

- 각자가 받아야 할 정당한 몫을 주는 것
- '같은 것은 같게, 다른 것은 다르게' 대우하는 것

① 해는 동쪽에서 떠서 서쪽으로 진다.
② 살아 있는 생명을 함부로 해치지 않아야 한다.
③ 제사상을 차릴 때 붉은 음식은 동쪽에 놓아야 한다.
④ 타인의 물건을 훔친 자는 6년 이하의 징역에 처한다.
⑤ 대중교통을 이용할 때 노약자에게 자리를 양보한다.

09 사례와 관련된 법의 유형으로 적절한 것은?

중학생인 갑은 어젯밤 좋아하는 아이돌 스타와 결혼하는 꿈을 꾼 후 자신도 결혼할 수 있는지 궁금해졌다. 부모님께 여쭤 보니 아직 법적으로 결혼을 할 수 있는 나이가 아니라고 하신다.

① 민법 ② 상법 ③ 형법
④ 행정법 ⑤ 소송법

서술형

10 (가), (나)에 들어갈 법 영역을 각각 쓰고, 그 차이점을 규율 대상을 중심으로 서술하시오.

구분	유형
(가)	민법, 상법 등
(나)	헌법, 형법, 소송법, 행정법 등

11 사법(私法)의 사례로 옳은 것을 〈보기〉에서 고른 것은?

보기
ㄱ. 부동산을 산 후에는 등기소에서 등기를 해야 한다.
ㄴ. 아기가 태어나면 1개월 이내에 주민 센터에 출생 신고를 해야 한다.
ㄷ. 대한민국의 주권은 국민에게 있고, 모든 권력은 국민으로부터 나온다.
ㄹ. 타인의 재물을 절취한 자는 6년 이하의 징역 또는 1천만 원 이하의 벌금에 처한다.

① ㄱ, ㄴ ② ㄱ, ㄷ ③ ㄴ, ㄷ
④ ㄴ, ㄹ ⑤ ㄷ, ㄹ

12 ㉠~㉤ 중 공법의 규율을 받는 생활 모습으로 적절한 것은?

20○○년 ○○월 ○○일

결혼한 지 5년 만에 이모가 예쁜 조카를 낳아서 이모 집에 가기로 하였다. 가는 길에 엄마는 은행에 들러 ㉠공과금을 납부하셨다. 이모네 집에 도착하니 이모부는 ㉡출생 신고를 하러 주민 센터에 가셨다. 몇 달 전에 ㉢아기 옷을 인터넷 쇼핑몰에서 구입한 엄마는 예쁜 아기 옷을 이모에게 선물했다. 이모는 아기가 태어나서 더 큰 집이 필요하기 때문에 ㉣돈을 빌려서라도 ㉤아파트를 구입해야겠다고 하셨다.

① ㉠ ② ㉡ ③ ㉢ ④ ㉣ ⑤ ㉤

13 다음과 같이 법의 영역을 분류할 때, (가)에 대한 설명으로 적절한 것은?

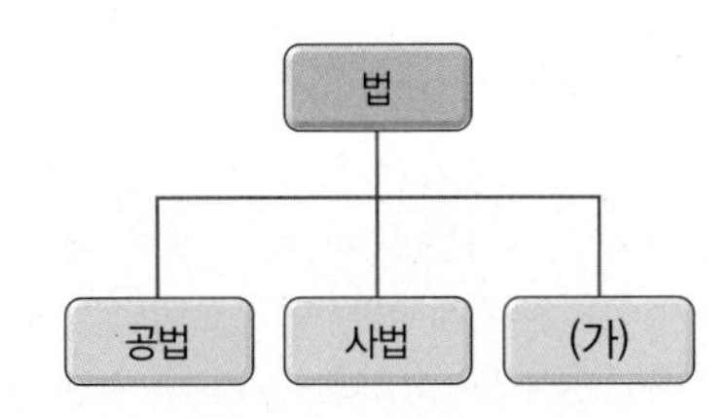

① 공적인 생활 관계를 규율한다.
② 헌법, 형법, 소송법 등이 해당된다.
③ 개인 간의 사적인 생활 관계를 규율한다.
④ 국민 생활에 대한 국가의 개입을 최소화한다.
⑤ 모든 국민의 최소한의 인간다운 삶의 보장을 추구한다.

14 다음 법들의 공통적인 특징으로 옳은 것을 〈보기〉에서 고른 것은?

• 노동법 • 경제법 • 사회 보장법

보기

ㄱ. 사회·경제적 약자를 보호하는 데 목적이 있다.
ㄴ. 사적인 생활 영역에 국가가 개입하여 만들어졌다.
ㄷ. 공정한 경쟁을 통해 바람직한 경제 활동을 보장한다.
ㄹ. 노동자와 사용자 간의 대립을 완화하기 위한 법이다.

① ㄱ, ㄴ ② ㄱ, ㄷ ③ ㄴ, ㄷ
④ ㄴ, ㄹ ⑤ ㄷ, ㄹ

15 밑줄 친 ㉠~㉤ 중 옳은 것은?

일반적으로 법은 ㉠ 개인과 국가 또는 국가 기관 상호 간의 사적 생활 관계를 규율하는 공법과 ㉡ 개인 간의 공적 생활 관계를 규율하는 사법, 그리고 이 두 가지 법의 중간적인 성격을 띠는 사회법으로 구분된다. 공법에는 ㉢ 국민의 권리와 의무 및 국가의 통치 구조를 정해 놓은 헌법, 범죄의 종류와 형벌의 정도를 정해 놓은 형법 등이 있다. 사법에는 ㉣ 재산 관계와 가족 관계를 규율하는 상법, ㉤ 상인과 기업의 경제생활 관계를 규정한 민법 등이 있다. 사회법에는 노동법, 경제법, 사회 보장법 등이 있다.

① ㉠ ② ㉡ ③ ㉢ ④ ㉣ ⑤ ㉤

16 다음 사건을 해결하기 위한 재판의 참여자로 적절하지 않은 것은?

A 씨는 아들과 공원에 산책을 하던 중에 목줄이 풀린 개에게 아들이 물려 큰 상처를 입었다. A 씨는 개 주인인 B 씨에게 아들의 치료비와 성형 수술 비용을 배상해 줄 것을 요구하였으나, B 씨는 치료비는 줄 수 있으나 성형 수술비는 책임질 수 없다고 주장하였다. 이에 A 씨는 B 씨를 상대로 재판을 청구하였다.

① 검사 ② 원고 ③ 피고
④ 판사 ⑤ 변호사

17 원고와 피고가 있는 재판에서 다룰 수 있는 사건으로 적절한 것은?

① 음주 운전으로 물건을 부순 사건
② 친구 간에 말다툼이 커져 폭행한 사건
③ 친구에게 돈을 빌려주고 제 날짜에 받지 못한 사건
④ 학교 앞에 세워져 있는 자전거를 몰래 훔치다 발각된 사건
⑤ 시험 점수를 올리기 위해 시험 시간에 부정행위를 저지른 사건

18 다음은 모의재판을 위한 대본이다. 이에 대한 설명으로 옳은 것을 〈보기〉에서 고른 것은?

갑: 을에게 한 달 전에 빌려준 300만 원을 요구하였으나 거절당하였습니다. 그래서 재판을 청구하게 되었습니다.
을: 제가 갑에게 300만 원을 빌린 것은 사실입니다. 그러나 갑자기 이자까지 400만 원을 지불하라고 하는 을의 요구는 부당합니다.
판사: 을의 주장이 사실로 인정됩니다. 을은 갑에게 300만 원을 지급하세요.

보기

ㄱ. 형사 재판을 위한 대본이다.
ㄴ. 판사의 판결은 강제성이 없다.
ㄷ. 갑은 원고, 을은 피고에 해당한다.
ㄹ. 개인 간에 일어난 분쟁을 해결하기 위한 재판이다.

① ㄱ, ㄴ ② ㄱ, ㄷ ③ ㄴ, ㄷ
④ ㄴ, ㄹ ⑤ ㄷ, ㄹ

19 재판의 종류와 그 사례를 옳게 연결한 것은?

① 가사 재판: A 씨는 불법적인 선거 운동을 통해 당선되었다.
② 민사 재판: B 씨는 지나가는 사람을 폭행하여 다치게 하였다.
③ 가사 재판: C 씨는 음주운전을 하다가 사람을 치어 다치게 하였다.
④ 형사 재판: D 씨는 친구가 돈을 빌려갔으나 갚지 않아 다툼이 일어났다.
⑤ 행정 재판: E 씨는 경찰서로부터 부당하게 운전면허 취소 처분을 받았다.

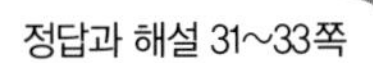

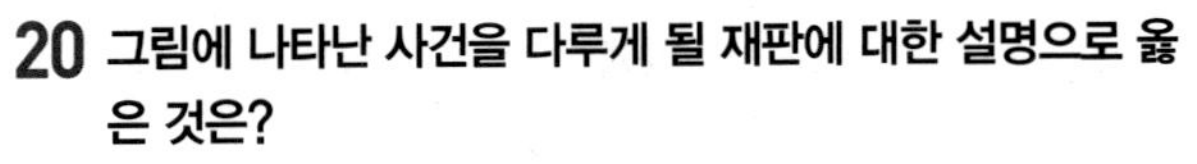

20 그림에 나타난 사건을 다루게 될 재판에 대한 설명으로 옳은 것은?

① 원고와 피고는 모두 일반인이다.
② 검사가 법원에 기소를 함으로써 시작된다.
③ 개인 간에 발생한 분쟁을 해결하기 위한 재판이다.
④ 필요한 경우 원고는 변호인의 도움을 받을 수 있다.
⑤ 원고와 피고는 각자의 증거를 제출하며 주장을 입증한다.

21 형사 재판의 절차를 순서대로 옳게 나열한 것은?

(가) 검사 측과 피고인 측은 변론한다.
(나) 판사는 죄의 유무와 형량 등을 결정한다.
(다) 검사와 경찰이 피의자를 대상으로 수사한다.
(라) 검사가 법원에 사건에 대한 재판을 요구한다.
(마) 범죄 피해자나 제3자가 범죄 사실을 신고한다.

① (다) – (라) – (가) – (마) – (나)
② (다) – (마) – (라) – (가) – (나)
③ (라) – (마) – (다) – (나) – (가)
④ (마) – (다) – (라) – (가) – (나)
⑤ (마) – (라) – (다) – (나) – (가)

22 그림은 어떤 사건의 재판 절차를 나타낸 것이다. 이 재판에 대한 설명으로 옳은 것은?

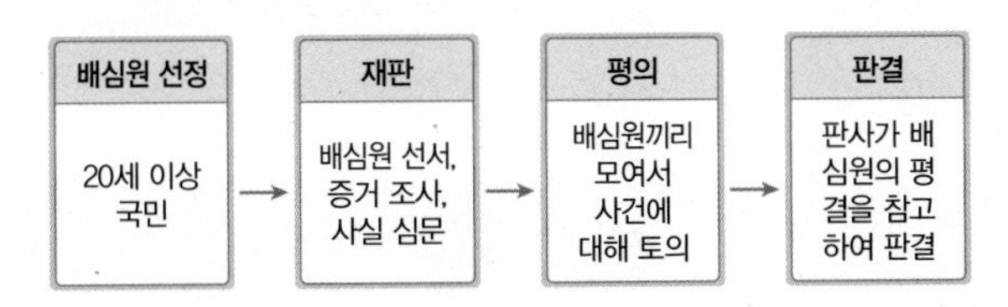

① 재판을 신속하게 진행할 수 있다.
② 피고인의 형량을 낮추는 데 기여한다.
③ 법적 지식이 있어야 배심원이 될 수 있다.
④ 배심원은 피고인의 석방 여부를 결정한다.
⑤ 법관은 배심원의 평결을 반드시 따라야 하는 것은 아니다.

23 다음 헌법 조항이 보장하고 있는 제도로 옳은 것은?

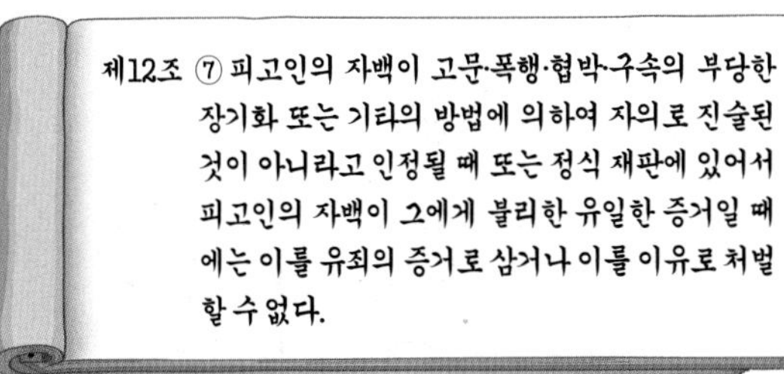

제12조 ⑦ 피고인의 자백이 고문·폭행·협박·구속의 부당한 장기화 또는 기타의 방법에 의하여 자의로 진술된 것이 아니라고 인정될 때 또는 정식 재판에 있어서 피고인의 자백이 그에게 불리한 유일한 증거일 때에는 이를 유죄의 증거로 삼거나 이를 이유로 처벌할 수 없다.

① 증거 재판주의
② 공개 재판주의
③ 죄형 법정주의
④ 사법권의 독립
⑤ 무죄 추정의 원칙

24 사례에 나타난 재판 제도의 목적으로 가장 적절한 것은?

어느 절도범이 쇠창살을 뜯고 건물 안으로 침입하던 중, 이 지역을 순찰하던 경찰관에게 붙잡혔다. 그런데, 이 절도범은 심문 과정에서 평소 자신과 가깝게 지내던 김 씨를 공범으로 지목했다. 이 때문에 김 씨는 1심에서 징역 1년 6개월을 선고받았다. 이에 불복한 김 씨는 즉시 고등 법원에 항소하였고, 고등 법원에서는 증거 불충분으로 무죄 판결을 내렸다. 그러자, 이번에는 검찰 측에서 다시 재판을 청구하였다. 현재 이 사건은 대법원에서 재판이 진행되고 있다.

① 공정한 재판
② 신속한 재판
③ 범죄 재발 방지
④ 재판 비용 절약
⑤ 검찰의 권위 확립

서술형

25 그림에서 ㉠에 들어갈 국가 기관을 쓰고, 이와 같은 제도를 실시하는 목적을 서술하시오.

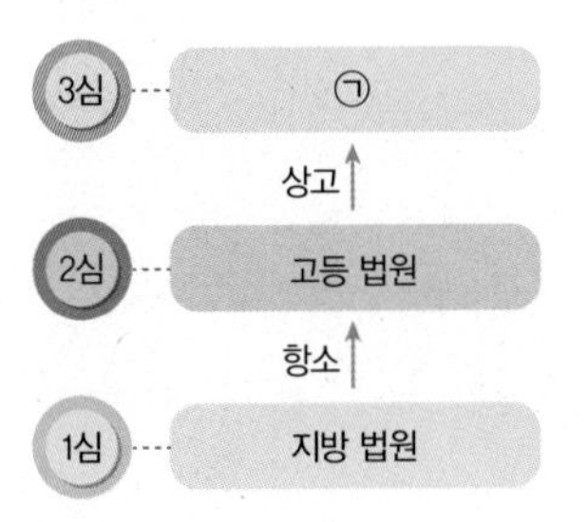

사회 변동과 사회 문제

01 현대 사회의 변동

학습 내용 들여다보기

■ 계몽사상
17~18세기 인간의 이성을 통해 불합리한 제도를 개혁하고자 한 사상으로, 시민 혁명에 영향을 주어 근대 사회 형성에 기여하였다.

■ 현대 사회 변동의 특징
- 물질 영역의 변동은 가치관이나 사고방식과 같은 비물질 영역보다 변동 속도가 더 빠른 편이다.
- 사회 구성 요소들은 상호 밀접한 관련을 맺고 있어 어느 한 영역의 변화는 다른 영역의 변화를 유발하거나 촉진하는 경우가 많다.

■ 다품종 소량 생산
같은 생산 시설을 이용해서 다른 모양의 제품을 소량으로 생산하는 방식을 말한다.

1. 사회 변동

(1) 사회 변동의 의미와 요인

① 의미: 사회를 구성하는 제도, 규범, 가치관 등이 부분적 또는 전체적으로 변화하는 현상

② 요인

- **교통·통신 및 과학 기술의 발달**: 현대 사회 변동을 이끈 주요 요인임
- **가치관의 변화**: 계몽사상, 양성평등 사상과 같은 가치관의 변화가 사회 변동을 가져옴
- **문화 전파**: 다른 사회와 접촉 과정에서 새로운 문화 요소가 전파되고 수용됨
  → 중국의 나침반이 유럽으로 전파되어 유럽의 신항로 개척이 가능해졌어.
- **기타**: 정부 정책 및 인구 변화, 전쟁과 교역 등
  → 외국인 노동자 및 국제결혼 이민자의 증가로 다문화 사회로 변화되었어.

(2) 인류 사회의 변동 과정: 원시 사회 → 농업 사회 → 산업 사회 → 정보 사회 자료 1

① **원시 사회**: 수렵·채집 활동을 하면서 이동 생활을 하였음

② **농경 사회**: 농경과 정착 생활 시작 → 토지와 노동력 중심

③ **산업 사회**: 산업 혁명을 통해 공장에서 대량 생산과 대량 소비가 이루어짐 → 자본과 노동력 중심
→ 18세기 중엽 영국에서 시작된 기술 혁신과 이에 수반하여 일어난 사회·경제 구조의 변혁이야.

④ **정보 사회**: 정보 통신 기술의 발달로 다품종 소량 생산 방식으로 변화함 → 정보와 지식 중심

(3) 현대 사회 변동의 특징 자료 2

① **빠른 변동 속도**: 현대 사회에 들어서면서 사회 변동 속도가 매우 빠르게 이루어짐

② **광범위한 변동**: 생활 전반에 걸쳐 다차원적이고 광범위한 변동이 일어남
→ 물질적인 변화뿐만 아니라 생활 양식과 사고방식에 이르기까지 생활 전반에 걸쳐 다차원적이고 광범위한 변화를 말해.

2. 현대 사회의 변동 양상

(1) 산업화 자료 3

① 의미: 한 사회의 전체 산업에서 공업이 차지하는 비율이 높아지는 현상

② 영향

정치	대중의 정치 참여 확대
경제	• 기계의 등장으로 대량 생산·대량 소비가 가능해지면서 물질적으로 풍요로워짐 • 일자리가 많은 도시로 인구가 집중되어 도시화 현상이 나타남
사회·문화	교육의 기회가 확대되어 대중의 사회적 지위가 향상됨

용어 알기
- **교역** 나라와 나라 사이에서 물건을 사고팔며 서로 교환함
- **양성평등** 성에 따른 차별을 받지 않고 자신의 능력에 따라 동등한 기회와 권리를 누리는 것
- **대중** 현대 사회를 구성하는 대다수의 사람

자료 1 인류 사회의 변동 과정

▲ 농업 사회

➡ 산업 혁명

▲ 산업 사회

➡ 정보 혁명

▲ 정보 사회

인류 사회는 수렵·채집 시대를 거쳐 농경 사회, 산업 사회, 정보 사회로 발전해 오고 있다. 전통적인 농업 사회는 산업 혁명을 통한 기계의 발명으로 대량 생산과 대량 소비가 가능해져 산업 사회로 이행하였다. 산업 사회란 사회의 전체 산업 중에서 공업이 차지하는 비율이 높은 사회를 말한다. 이러한 산업 사회는 정보 통신 기술의 발달에 힘입어 지식과 정보가 중심이 되어 사회 변화를 이끌어 가는 정보 사회로 진입하였다.

자료 2 현대 사회의 변동 특징

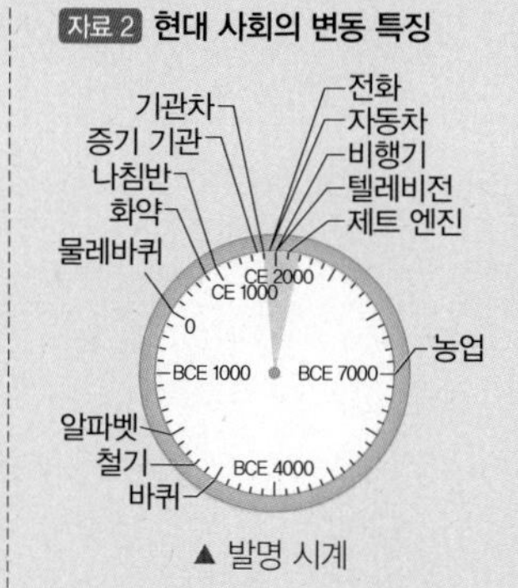

▲ 발명 시계

인류의 역사를 12시간으로 생각한다면, 근대 사회의 발전은 11시 59분 30초에 시작되었다. 마지막 30초 동안에 과학 기술의 발전이 이루어진 것이다. 인류의 역사를 보았을 때, 이는 현대 사회로 올수록 변동의 속도가 점점 빨라지고 있으며, 그 폭도 커지고 있음을 의미한다.

③ 문제점

- **환경 오염:** 무분별한 개발에 따라 생산 활동과 소비 활동이 급격하게 늘면서 발생하였음
- **노동 문제:** 근로자와 사용자 간의 갈등 증가 등
- **빈부 격차 및 도시와 농촌 간 격차 심화:** 산업화의 혜택이 일부 계층이나 지역에 집중됨
- **기타:** 인간 소외 현상, 가치관의 혼란 등
  → 인간이 본래 지니고 있는 인간성이 상실되어 인간다운 삶을 잃어버리는 현상을 말해.

(2) **정보화**

① 의미: 지식과 정보가 중심이 되어 사회의 변화를 이끌어 가는 현상

② 등장 배경: 정보 통신 기술의 발달

③ 영향

→ 인터넷을 통한 여론 수렴이 가능해졌어.

정치	전자 민주주의가 확산되어 시민의 정치 참여가 활발해짐
경제	• 다품종 소량 생산이 가능해져 개인의 선택 폭이 넓어짐 • 전자 상거래와 인터넷 뱅킹 등이 일반화됨 (→ 컴퓨터나 인터넷 환경을 통해 상품을 사고파는 행위를 말해.)
사회·문화	• 시간적·공간적 제약이 줄어들면서 정보와 지식의 이동이 자유로워짐 • 인간의 개성과 창의력이 중시됨

④ 문제점: 정보 격차 심화, 인터넷 중독 및 사이버 범죄 증가, 사생활 침해 등
→ 개인 정보 유출 등으로 발생해.

(3) **세계화** 자료 4

① 의미: 국경을 넘어 사람과 물자, 기술, 자본 등이 자유롭게 이동하면서 국가 간의 상호 의존성이 높아지는 현상 ← 교통 및 정보 통신 기술의 발달 → 정보화는 세계화를 가속화시키는 요인이 되었어.

② 영향

정치	• 서구 사회의 민주주의 이념과 가치가 확산됨 • 국제 협력을 통해 전 지구적 차원의 문제를 해결할 수 있게 됨
경제	• 자유로운 거래가 이루어지면서 세계가 하나의 시장이 됨 • 소비자의 상품 선택 기회가 확대되고 생산자는 넓은 소비 시장을 확보함
사회·문화	문화 교류가 활발해져 다양한 문화를 접할 수 있는 기회가 확대됨

③ 문제점

- 자유 무역의 확대로 인한 지나친 경쟁과 무역 분쟁 발생
- 선진국과 개발 도상국 간의 경제적 격차 심화
- 약소국이나 소수 민족의 문화가 소멸되어 문화의 획일화 초래 → 다국적 기업의 문화가 미치는 영향력이 커지면서 약소국이나 소수 민족의 문화가 소멸되는 결과를 가져오기도 함

학습 내용 들여다보기

■ **전자 민주주의**
인터넷을 통해 시민이 정치 과정에 직접 참여하는 민주주의를 말한다. 인터넷을 통한 여론 수렴, 온라인 투표, 선거 캠페인 및 홍보, 정책 결정에 따른 시민의 참여 및 토론 등이 모두 전자 민주주의에 포함된다.

■ **정보 격차**
정보를 활용할 수 있는 능력을 가진 사람과 그렇지 못한 사람 간에 격차가 심화되는 현상을 말한다.

■ **다국적 기업**
세계 각지에 회사와 공장을 확보하고 국제적 규모로 생산·판매 활동을 하는 기업

용어 알기

- **가치관** 인간이 삶이나 어떤 대상에 대해서 무엇이 좋고, 옳고, 바람직한 것인지를 판단하는 관점
- **물자** 물건을 만드는 재료 또는 재료를 활용하여 생성된 산출물을 포괄적으로 의미함

자료 3 **산업화와 정보화**

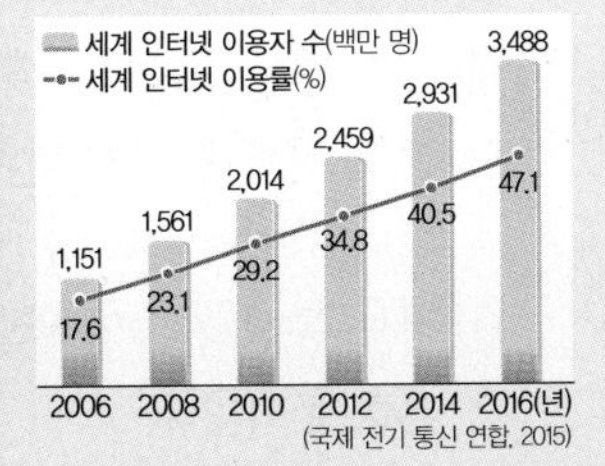

- 18세기 후반 산업 혁명 당시 영국에서 증기 기관이 발명되어, 이를 방적기와 방직기에 동력으로 사용함으로써 공업이 크게 발달하였으며 대량 생산이 가능해졌다.
- 오른쪽 자료는 세계 인터넷 이용자 수와 이용률이 급증하고 있음을 보여 준다. 이를 통해 정보 통신 기술이 발달하면서 정보 사회로 변화하고 있음을 알 수 있다.

자료 4 **세계화의 문제점**

세계화를 통한 자유 무역의 확대로 선진국과 개발 도상국 간의 빈부 격차가 심화되었다. 선진국과 개발 도상국 간의 경제적 격차와 이에 따른 세계 경제의 여러 문제를 '남북문제'라고 한다. 이는 선진국이 주로 북반구에 위치해 있고, 개발 도상국이 남반구에 위치해 있는 것을 비유적으로 표현한 것이다.

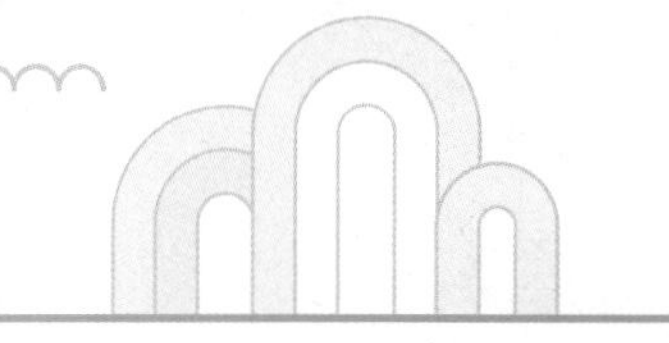
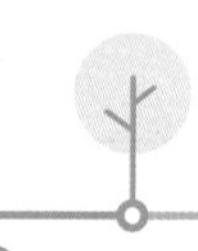

기본 문제

간단 체크

1 빈칸에 들어갈 알맞은 말을 쓰시오.

(1) 인류 사회는 수렵 · 채집 생활에서 농경 사회, (　　　　) 사회, 정보 사회로 변화하였다.

(2) 17~18세기 프랑스에서 유행한 계몽사상의 영향으로 (　　　　)이/가 발생하였으며, 이로 인해 근대 시민 사회가 성립되었다.

(3) 한 사회가 다른 사회와 교류하거나 접촉하는 과정에서 새로운 문화 요소가 (　　　　)되고 수용되면서 사회가 변동한다.

2 괄호 안의 내용 중 알맞은 말에 ○표 하시오.

(1) (산업 혁명, 정보 혁명)은 18세기 후반 영국에서 기계의 발명과 기술의 변혁에 따른 사회 · 경제적 변화를 말한다.

(2) (산업화, 정보화)로 인해 빈부 격차, 도시와 농촌 간의 격차, 가치관의 혼란, 환경 오염 등이 발생하였다.

(3) (정보화, 세계화)는 국경을 넘어 사람과 물자, 기술, 자본 등이 자유롭게 교류되면서 세계 전체의 상호 의존성이 높아지는 현상을 의미한다.

(4) 세계화가 진행되면서 선진국의 거대 기업에 의해 지역 문화가 소멸되고 문화가 (다양화, 획일화)되는 문제가 발생하였다.

3 다음 설명이 맞으면 ○표, 틀리면 ×표 하시오.

(1) 현대 사회 변동은 변화의 범위가 매우 넓게 나타나는 광범위성을 특징으로 한다. (　　)

(2) 정보 사회에서는 자본과 노동이 중요한 생산 수단이 되고, 대량 생산과 대량 소비가 가능해졌다. (　　)

4 산업화, 정보화, 세계화의 문제점을 〈보기〉에서 골라 기호를 쓰시오.

| 보기 |

ㄱ. 도시와 농촌 간의 빈부 격차가 심화된다.
ㄴ. 개인 정보의 유출로 사생활 침해가 확대된다.
ㄷ. 약소국과 소수 민족의 문화가 파괴되기도 한다.
ㄹ. 자유 무역의 확대로 국가 간 무역 분쟁이 빈번하다.
ㅁ. 인간이 물질의 수단이 되는 인간 소외 현상이 발생한다.
ㅂ. 불법 복제를 위한 다운로드로 지적 재산권 침해 문제가 심각하다.

(1) 산업화 (　　　　)　(2) 정보화 (　　　　)
(3) 세계화 (　　　　)

01 빈칸에 들어갈 용어로 옳은 것은?

우리가 사는 사회의 모습은 끊임없이 변화한다. 수천 년 동안 유지되어 온 농업 위주의 사회가 산업 사회를 거쳐 정보 사회로 변화해 온 것처럼 시간이 흐름에 따라 사회의 모습이나 질서에 일정한 규모 이상의 변화가 나타나는 현상을 (　　)(이)라고 한다.

① 사회 이동　② 사회 변동　③ 사회 문화
④ 사회 문제　⑤ 가치관의 혼란

02 교사의 질문에 대해 적절한 대답을 한 학생은?

중국에서 발명된 나침반이 유럽의 항해술에 영향을 주어 신항로 개척을 가능하게 하였어요. 이것은 어떠한 사회 변동의 요인일까요?

① 갑: 문화 전파에 해당합니다.
② 을: 인구의 이동에 해당합니다.
③ 병: 가치관이 변화한 것입니다.
④ 정: 자연환경이 변화한 것입니다.
⑤ 무: 정부 정책의 변화에 따른 것입니다.

03 현대 사회의 변동 특징으로 옳지 않은 것은?

① 국경의 의미가 강화되고 있다.
② 사회 변동 속도가 매우 빠르다.
③ 생활 전반에 걸쳐 다차원적이고 광범위하게 이루어진다.
④ 정보 통신 기술의 발달로 시간과 공간의 제약을 극복하게 되었다.
⑤ 자연환경의 변화, 새로운 문화의 전파, 집단 간의 갈등 등 다양한 요소가 상호 작용하는 과정에서 나타난다.

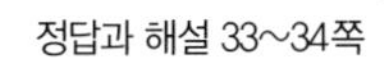
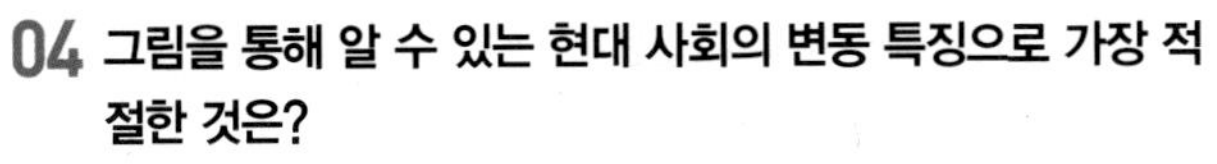

04 **그림을 통해 알 수 있는 현대 사회의 변동 특징으로 가장 적절한 것은?**

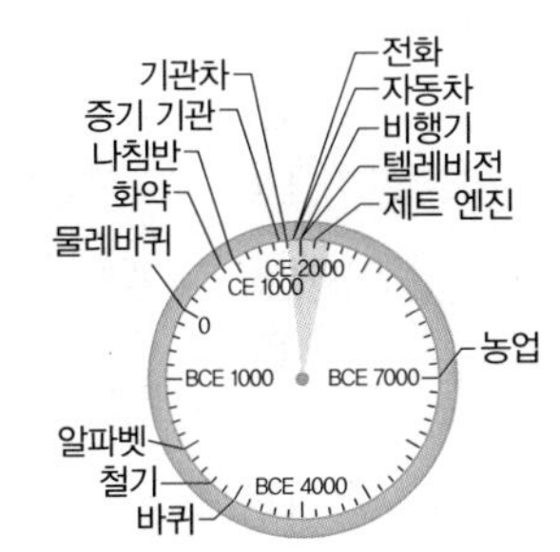

▲ 인류의 발명 역사를 담은 발명 시계

① 알파벳의 발명이 사회 변동을 주도한다.
② 인류 전체가 동시 다발적인 변동을 겪고 있다.
③ 현대 사회로 올수록 사회 변동의 속도가 빨라진다.
④ 정보 통신 기술의 발전으로 인간관계가 확대되었다.
⑤ 과학 기술의 발달로 정치, 경제, 사회의 모든 영역에 걸쳐 변화가 일어난다.

05 **다음과 같은 결과가 나타나게 된 배경으로 옳은 것은?**

- 인간의 노동 시간을 단축시키고, 물질적 풍요를 가져다주었다.
- 환경 오염, 노사 갈등, 빈부 격차 등의 부작용이 나타나게 되었다.

① 농업 혁명 ② 산업 혁명 ③ 시민 혁명
④ 정보 혁명 ⑤ 인구 증가

06 **다음과 같은 사회 변동으로 나타난 결과로 옳은 것을 〈보기〉에서 고른 것은?**

생산 활동이 분업화되고 기계화되면서 전체 산업에서 공업이 차지하는 비율이 높아지고 그에 따라 생활 양식이 변화하였다.

보기
ㄱ. 빈부 격차가 해소되었다.
ㄴ. 일거리를 찾아 인구가 도시로 이동하였다.
ㄷ. 교육의 기회가 확대되어 대중의 사회적 지위가 높아졌다.
ㄹ. 시공간의 제약에서 벗어나 전자 상거래가 활성화되었다.

① ㄱ, ㄴ ② ㄱ, ㄷ ③ ㄴ, ㄷ
④ ㄴ, ㄹ ⑤ ㄷ, ㄹ

07 **다음과 같은 사회 변화에 따라 나타난 경제 현상으로 적절하지 않은 것은?**

컴퓨터와 정보 통신 기술의 발달은 우리 생활 전반에 큰 변화를 가져오고 있다. 이제는 직접 시장에 가지 않아도, 인터넷이 연결된 PC만 있으면 집에서 물건을 사고팔 수 있다. 또 인터넷 뱅킹을 이용해 은행 거래를 할 수 있으며 굳이 직장에 나가지 않고도 회사 업무를 처리할 수 있다.

① 제조업의 비중이 커진다.
② 정보 · 지식 산업이 발달한다.
③ 인터넷 쇼핑몰이 활성화된다.
④ 재래시장의 기능이 약화된다.
⑤ 현금보다 신용 카드의 사용이 증가한다.

08 **다음 내용에 나타난 정보 사회의 문제점을 쓰시오.**

산업 사회에서 자본을 비롯한 생산 수단의 소유 정도에 따른 빈부 격차가 심각한 사회 문제였다면 정보 사회에서는 정보의 소유 및 접근에 따른 격차가 심각한 문제이다. 정보 사회에서는 지식과 정보가 부의 원천으로 작용하므로, 지식과 정보의 소유 또는 접근 정도에 따라 사회 계층이 분화될 가능성이 높다.

09 **다음 신문 기사의 제목으로 가장 적절한 것은?**

○○신문 20△△년 △월 △일
제목: (   )

① 정치의 다원화 ② 한국의 세계화
③ 세계 경제의 획일화 ④ 급속한 사회 변동, 정보화
⑤ 인구 이동으로 인한 도시화

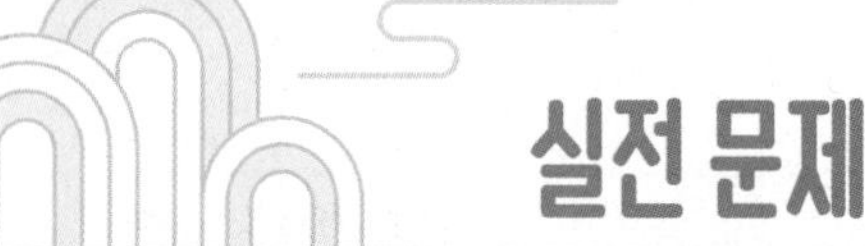

실전 문제

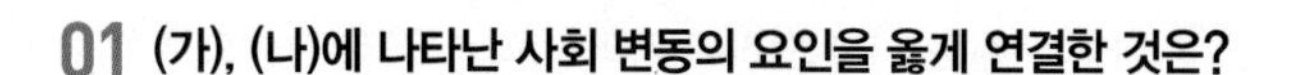

01 (가), (나)에 나타난 사회 변동의 요인을 옳게 연결한 것은?

> (가) 증기 기관의 발명으로 산업 혁명이 일어났다.
> (나) 현대 사회의 저출산·고령화 현상으로 실버산업이 발달하였다.

보기
ㄱ. 문화 전파　　ㄴ. 인구 변화
ㄷ. 과학 기술의 발달　　ㄹ. 가치관 및 이념의 변화

	(가)	(나)		(가)	(나)
①	ㄱ	ㄴ	②	ㄱ	ㄷ
③	ㄴ	ㄱ	④	ㄷ	ㄴ
⑤	ㄷ	ㄹ			

02 그림은 인류 사회의 변동 과정을 나타낸 것이다. (가) 사회의 특징으로 옳은 것을 〈보기〉에서 고른 것은?

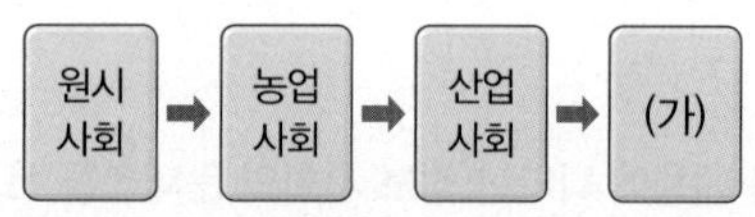

보기
ㄱ. 인간의 개성과 다양성이 중시된다.
ㄴ. 정보와 지식이 중심이 되는 사회이다.
ㄷ. 공장에서 대량 생산과 대량 소비가 이루어진다.
ㄹ. 전자 민주주의가 확산되면서 시민의 정치 참여가 줄어든다.

① ㄱ, ㄴ　② ㄱ, ㄷ　③ ㄴ, ㄷ
④ ㄴ, ㄹ　⑤ ㄷ, ㄹ

03 다음과 같은 현대 사회의 변동 과정에서 나타나는 문제점으로 적절한 것은?

> 18세기 후반 영국에서 증기 기관의 발명으로 공업이 크게 발전하여 농업 중심에서 공업 중심의 사회로 변화하였다. 삶의 터전은 도시로 옮겨 갔고, 공장제 기계 공업으로 대량 생산이 가능해졌다. 사회의 생산성이 증가하고, 대량 소비가 가능해지면서 사람들은 물질적으로 풍요로운 생활을 누릴 수 있게 되었다.

① 국가 간 빈부 격차 심화
② 개인의 사생활 침해 사례 증가
③ 대기 오염 및 지구 온난화 심화
④ 문화 다양성 증가로 인한 국가 간 충돌 증가
⑤ 정보 소유 불평등으로 인한 정보 격차의 심화

04 A 사회에서 B 사회로의 변화를 초래한 ㉠ 사건으로 적절한 것은?

〈A 사회〉

㉠ ⇒

〈B 사회〉

① 르네상스　② 농업 혁명　③ 산업 혁명
④ 정보 혁명　⑤ 신항로 개척

05 신문 기사 제목에서 알 수 있는 현대 사회의 변동 양상은?

날짜	제목	신문명
○월 ○일	가구당 PC 보급률 서울 1위	○○ 신문
○월 ○일	지식 기반의 사회를 대비한 미래형 인재 양성	△△ 신문
○월 ○일	초·중생 사이버 가정 학습 전면 실시	◎◎ 신문
○월 ○일	초·중·고생 10명 중 3명은 휴대폰 사용 시간 3시간 이상	□□ 신문

① 도시화　② 세계화　③ 정보화
④ 공업화　⑤ 다원화

★ 중요 ★

06 교사의 질문에 대해 옳지 않은 답변을 한 학생은?

> 교사: 정보화에 따라 우리의 생활은 어떻게 변화하였을까요?
> 학생: ______________________

① 가영: 다품종 소량 생산 방식으로 변화했어요.
② 나영: 여가 시간이 늘고 재택근무가 가능해요.
③ 다영: 소비자 의견이 반영된 제품이 생산돼요.
④ 정영: 언제 어디서나 사회 문제에 참여할 수 있어요.
⑤ 무영: 인터넷 쇼핑, 홈쇼핑 등으로 유통 비용이 증대되었어요.

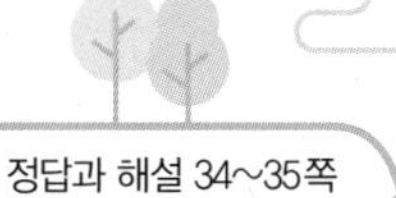

07 **빈칸에 들어갈 내용으로 인해 나타난 현상으로 보기 어려운 것은?**

> 오늘날 우리는 지구 반대편에서 일어나는 일들이 나의 삶에 밀접한 영향을 미치는 세상에서 살고 있다. 사회·경제적 공동체가 국가를 벗어나 지구적 차원에서 확대되는 (   )은/는 현대 사회 변동 양상 가운데 두드러진 특징이다.

① 국가 간의 인구 이동이 감소하고 있다.
② 국가 간의 상품 이동이 증가하고 있다.
③ 세계적 차원의 분업이 활발해지고 있다.
④ 국가 간의 교류가 점점 활발해지고 있다.
⑤ 국가 간의 상호 의존 관계가 심화되고 있다.

08 **신문 기사 내용과 관련 있는 현대 사회의 변동 양상은?**

> **○○신문** 20△△년 △월 △일
>
> 많은 사람들이 사용하고 있는 ○○ 스마트폰은 미국에서 개발하고 설계되었다. 그러나 도쿄의 한 모바일 기기 조사 업체에 따르면, ○○ 스마트폰에 들어가는 부품 중 한국산 부품의 비중은 27%로 가장 높고, 미국산(25.6%)과 일본산(13.2%)이 뒤를 잇는다. 그 밖에 대만, 중국 등의 부품도 사용되었다.

① 도시화　　② 산업화　　③ 세계화
④ 민주화　　⑤ 정보화

09 **다음과 같은 반세계화 운동이 일어나고 있는 이유로 가장 적절한 것은?**

> 아시아·유럽 정상회의(ASEM) 외무장관 회담이 열린 28일 독일 북부 함부르크 시내에서 반세계화 시위대 4천 명이 '완전한 자유' 등의 구호가 적힌 펼침막을 들고 거리 행진을 벌이고 있다. 이 날 시위대와 경찰이 충돌해 양쪽에서 1명씩 다치고, 21명이 체포됐다.

① 자유 무역이 축소되었기 때문에
② 약소국의 독립성과 자율성이 침해되었기 때문에
③ 다국적 기업의 몰락으로 일자리가 줄었기 때문에
④ 국가 간, 산업 간 빈부 격차가 완화되었기 때문에
⑤ 경제 교류에 집중되어 인권 문제가 심화되었기 때문에

서술형 문제

10 **밑줄 친 변화가 일어난 가장 큰 요인을 쓰고, 이와 관련 있는 현대 사회의 변동 특징을 서술하시오.**

> 인류는 약 50만 년 동안 지구에서 생활해 왔다. 그러나 정착 생활을 가능하게 했던 농업은 겨우 1만 2천 년 전에야 시작되었고, 문명의 시작은 약 6천 년 전에 이루어졌다. 만약 50만 년을 하루로 생각한다면 농업은 밤 11시56분에 시작되었고, 문명은 11시 57분, 근대 사회의 발전은 11시 59분 30초에 겨우 시작되었다. 하지만 최근 30초 동안 발생한 인류 사회의 변화는 나머지 시간 동안 발생한 모든 변화와 맞먹을 정도로 엄청난 것이다.
>
> – 앤서니 기든스, 『현대 사회학』 –

고난도

11 **(가), (나) 자료를 통해 알 수 있는 현대 사회의 변동 양상을 쓰고, 긍정적 영향을 각각 서술하시오.**

(가) 인터넷 이용자 수

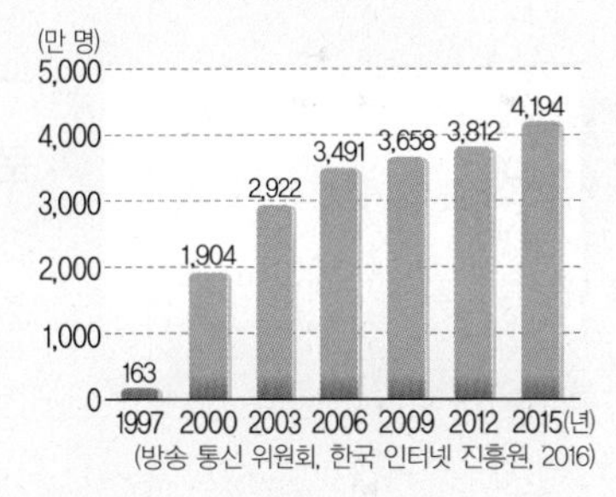

(방송 통신 위원회, 한국 인터넷 진흥원, 2016)

(나) 무역 규모 추이

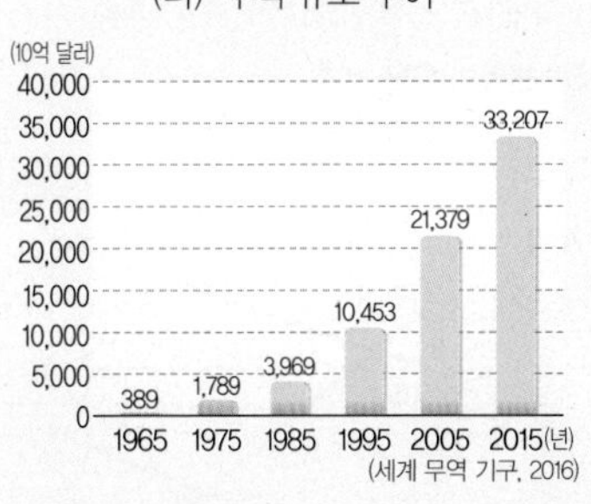

(세계 무역 기구, 2016)

02 한국 사회 변동의 최근 경향

1. 한국 사회의 변동 과정 자료 1

(1) 급격한 사회 변동

① 농업 사회(1960년 초반): 인구의 대부분이 농업에 종사하는 특징을 보임

② 산업 사회(1960년대 중반 이후): 정부 주도의 경제 개발로 급속한 산업화가 진행됨

③ 정보 사회(1990년대 이후): 정보 통신 기술의 비약적인 발달로 정보 사회로 진입함

(2) 한국 사회 변동의 특징

→ 서구 사회가 200여 년에 걸쳐 이룬 산업화를 불과 30여 년 만에 이루어 낸 우리나라의 급속한 경제 발전을 '한강의 기적'이라고 불러.

① 급격한 사회 변동: 짧은 기간에 산업화와 정보화를 모두 경험함

② 정부 주도의 경제 개발: 1960년대 경제 개발 5개년 계획을 통해 급속하게 진행됨

(3) 한국 사회의 변동 모습

긍정적 측면	부정적 측면
• 시민 중심의 민주주의 사회로 변화 • 생활 환경 개선으로 삶의 질 향상 • 개인의 능력과 창의력 중시 • 여성의 사회 참여 증가	• 경제적 산업 구조의 불균형 • 빈부 격차와 지역 간 불균형 심화 • 급격한 변동으로 인한 가치관의 혼란 • 환경 오염 문제 발생

2. 저출산·고령화 현상 자료 2 자료 3

(1) 의미: 출생아의 수는 줄고, 전체 인구에서 노인 인구의 비율은 높아지는 현상

→ 만 65세 이상 인구를 말해.

(2) 원인

저출산	• 여성의 사회 진출 증가 • 자녀 양육에 대한 경제적 부담 증가 • 결혼에 대한 가치관의 변화로 비혼과 만혼 증가 → 독신 가구 증가 및 초혼 연령 상승, 핵가족의 보편화도 결혼관 변화에 영향을 주었어.
고령화	생활 수준의 향상과 의료 기술의 발달로 평균 수명 연장

(3) 문제점

① 생산 가능 인구의 감소로 경제 성장이 둔화되고 국가 경쟁력이 약화됨

② 노인 인구 부양 부담이 증가하고 노인 빈곤, 질병, 소외감 등의 노인 문제가 발생함

학습 내용 들여다보기

■ **경제 개발 5개년 계획**
1962년부터 1981년까지 국민 경제 발전을 목적으로 5년 단위로 정부가 주도했던 경제 계획을 말한다. 경제 개발 계획이 추진됨에 따라 '한강의 기적'이라 불리는 고도의 성장을 이루었으나, 경제의 대외 의존 심화, 빈부 격차 심화, 대기업 위주의 경제 구조가 출현하는 등의 부작용을 가져오기도 했다.

■ **고령화 사회의 구분**

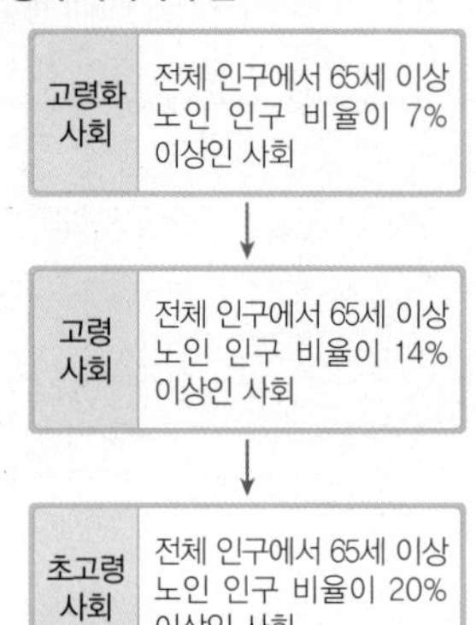

고령화 사회
전체 인구에서 65세 이상 노인 인구 비율이 7% 이상인 사회
고령 사회
전체 인구에서 65세 이상 노인 인구 비율이 14% 이상인 사회
초고령 사회
전체 인구에서 65세 이상 노인 인구 비율이 20% 이상인 사회

■ **생산 가능 인구**
15~64세 인구를 말한다. 이 중 경제 활동이 가장 활발한 시기인 25~49세에 해당하는 인구를 핵심 생산 인구라고도 한다.

용어 알기

- **비약** 말이나 생각 따위가 일정한 단계나 순서를 따르지 않고 건너뜀
- **비혼** 결혼을 하지 않고 독신을 선택하는 것을 말함
- **만혼** 나이가 들어 늦게 하는 결혼을 말함

자료 1 한국 사회 변동의 특징

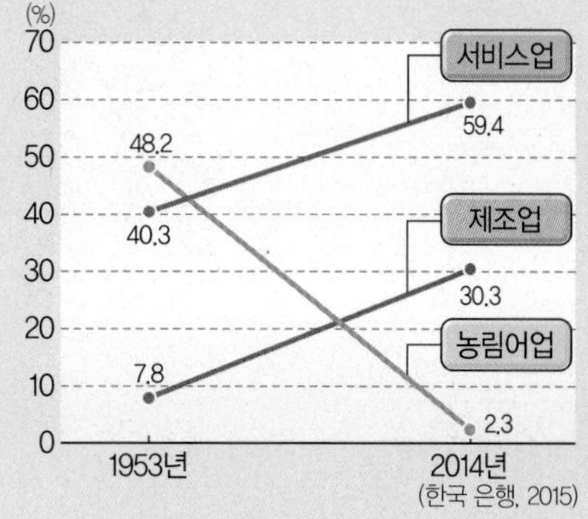

▲ 우리나라 산업 구조의 변화

우리나라는 1960년대 초반까지만 해도 인구의 대부분이 농업에 종사하는 농업 국가였으나, 1960년대 중반 이후 정부 주도의 경제 성장 정책으로 산업화와 도시화가 빠르게 진행되었다. 최근에는 정보 통신 기술의 발달로 정보 사회로 변화하고 있다.

자료 2 우리나라의 저출산 현상

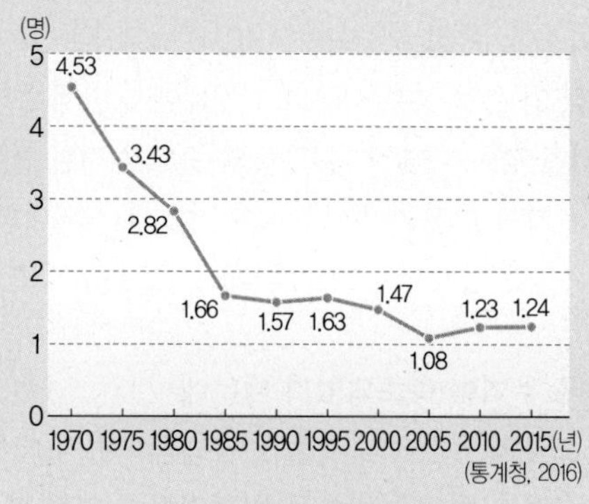

▲ 우리나라 합계 출산율

우리나라의 합계 출산율(여성 한 명이 가임 기간 동안 낳을 수 있는 평균 자녀 수)은 1970년에는 4.53명이었지만, 점차 줄어 2015년에는 1.24명인 것으로 나타났다. 인구를 유지하는 데 필요한 최소한의 수준(2.1명)보다 출산율이 떨어져 저출산의 심각성을 보여 준다.

(4) 대응 방안

① 저출산

- 출산과 양육을 지원하는 정책과 제도 마련
- 육아 휴직 제도 확대 시행, 영유아 보육비 지원 확대
- 양성평등 문화의 확립을 통한 여성의 육아 부담 경감

② 고령화

- 노년 부양비 감소를 위해 국민연금과 같은 사회 보장 제도 강화
- 노년층의 경제 활동을 장려하고 활용하는 방안 마련
- 노년기의 삶의 질 향상을 국가 과제로 보는 사회적 인식 마련
  → 노인들을 위한 편의 시설 및 의료·복지 시설과 관련된 실버산업을 확대하는 정책을 마련해야 해.

3. 다문화 사회로의 변화 자료 4

(1) 다문화 사회의 의미와 등장 배경

① 의미: 민족, 언어, 문화 등 다양한 배경을 가진 사람들이 함께 어울려 사는 사회

② 등장 배경: 세계화에 따른 국제 이주의 증가 → 외국인 근로자, 국제결혼 이민자, 외국인 유학생 증가 등

(2) 다문화 사회의 영향

긍정적 측면	부정적 측면
• 저출산·고령화로 인한 노동력 부족 문제 완화 • 문화적 다양성 실현을 통한 문화 발전 토대 마련 • 국제결혼 이민자로 인한 농어촌 지역의 활력 증진	• 가치관과 문화 차이로 인한 갈등 • 언어 차이로 인한 의사소통의 어려움 • 다문화 가정, 외국인 근로자 등에 대한 고정 관념과 차별로 인한 갈등

(3) 다문화 사회의 대응 방안

① 의식적 측면: 이주민을 사회의 구성원으로 인정하는 태도, 문화의 다양성을 편견 없이 이해하고 수용하려는 개방적인 태도 등

② 제도적 측면: 다문화 가족에 대한 복지 확대, 다문화 가족 지원법 강화, 체계적인 다문화 교육 프로그램 마련, 외국인 근로자의 노동 환경 개선을 위한 법률 제정 등

학습 내용 들여다보기

■ **노년 부양비**
생산 가능 인구(15~64세) 100명이 부양해야 하는 65세 이상 노인 인구의 백분비를 말한다. 고령 인구에 대한 생산 가능 인구의 경제적 부담을 나타내는 지표이다.

■ **다문화 가족 지원법**
다문화 가족의 안정적인 생활을 위해 제정된 법으로, 다문화 가족이 생활하는 데 필요한 정보 제공 및 지원을 규정하고 있다.

■ **다문화 교육**
다문화 교육은 인종, 민족, 종교, 생활 방식의 차이를 편견 없이 바라보고 다양한 문화를 이해하기 위해 필요한 지식, 태도, 가치를 가르치는 것이다.

용어 알기

- **연금** 노후 생활의 안정을 위해 적립한 후 은퇴 후에 받는 돈
- **사회 보장 제도** 빈곤, 실업, 질병과 같은 사회적 위험을 예방하고 국가가 최소한의 인간다운 생활을 보장하기 위해 실시하는 제도

자료 3 우리나라의 고령화 현상

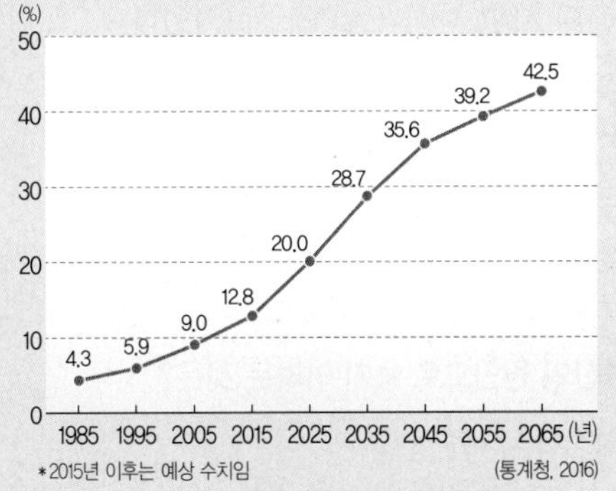

▲ 우리나라 65세 이상 인구 구성 비율

65세 이상 노인 인구의 비율이 전체 인구의 7% 이상이면 고령화 사회, 14% 이상이면 고령 사회, 20% 이상이면 초고령 사회라고 한다. 우리나라는 2000년에 고령화 사회, 2018년에는 고령 사회에 진입하였고, 2026년에는 초고령 사회에 진입할 것으로 예측된다.

자료 4 다문화 사회로의 변화

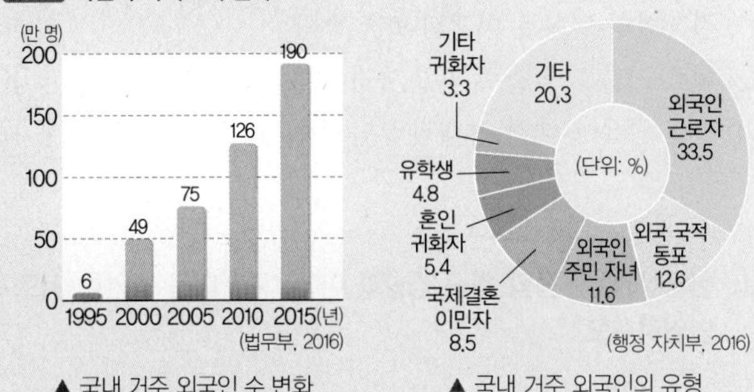

▲ 국내 거주 외국인 수 변화　▲ 국내 거주 외국인의 유형

자료를 통해 우리 사회에 외국인 유입이 늘어나고 있음을 알 수 있다. 국내에 거주하는 외국인은 외국인 근로자, 외국 국적 동포, 국제결혼 이민자, 유학생 등으로 구성되어 있다. 특히 취업, 결혼, 유학을 목적으로 국내에 거주하는 외국인 이주민이 증가하였다.

기본 문제

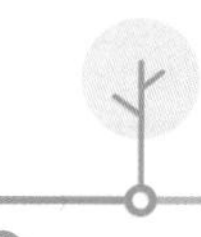

간단 체크

1 빈칸에 들어갈 알맞은 말을 쓰시오.

(1) 1960년대 중반 이후 우리나라는 (   ) 주도의 경제 개발 정책으로 빠르게 산업화되었다.
(2) 한국 사회는 50년 남짓한 짧은 기간에 산업화와 (   )을/를 모두 이루어 내는 급격한 사회 변동을 경험하였다.
(3) (   )(이)란 태어나는 아이의 수가 줄어드는 현상을 말한다.
(4) 고령화는 전체 인구에서 (   ) 이상 노인 인구의 비율이 높아지는 현상이다.
(5) 민족, 언어, 문화 등 다양한 배경을 가진 사람들이 함께 어울려 사는 사회를 (   ) 사회라고 한다.

2 괄호 안의 내용 중 알맞은 말에 ○표 하시오.

(1) 우리나라의 합계 출산율은 (증가, 감소) 추세이고, 평균 수명의 (단축, 연장)으로 인구의 고령화가 진행 중이다.
(2) 가임 여성 1명이 평생 낳을 것으로 예상되는 평균 자녀의 수를 (고령화 지수, 합계 출산율)(이)라고 한다.
(3) 우리나라는 외국인 근로자, 국제결혼 이민자, 외국인 유학생 등이 (증가, 감소)하고 있다.
(4) 다문화 사회로의 변화는 저출산·고령화 사회를 맞이하여 발생한 노동력 (부족, 증가) 문제를 완화하여 국가 경제 발전에 이바지한다.

3 다음 내용이 저출산 현상의 원인에 해당하면 '저', 고령화 현상의 원인에 해당하면 '고'라고 쓰시오.

(1) 여성의 사회 진출 증가 (   )
(2) 결혼관의 변화로 비혼과 만혼 증가 (   )
(3) 의료 기술의 발달로 평균 수명 연장 (   )
(4) 자녀 양육에 대한 경제적 부담 증가 (   )

4 한국 사회 변동의 최근 경향과 이에 대한 대응 방안을 서로 연결하시오.

(1) 저출산 현상 •　　　　• ㉠ 육아 휴직 제도 확대
(2) 고령화 현상 •　　　　• ㉡ 외국인 근로자의 노동 환경 개선
(3) 다문화 사회 •　　　　• ㉢ 국민연금 등 사회 보장 제도 강화

01 한국 사회 변동 과정의 특징으로 옳은 것을 〈보기〉에서 고른 것은?

보기
ㄱ. 도시의 급속한 성장 ㄴ. 산업 간 균형적인 발전 ㄷ. 민간 주도의 경제 개발 추진 ㄹ. 단기간에 이루어진 경제 성장

① ㄱ, ㄴ　② ㄱ, ㄹ　③ ㄴ, ㄷ
④ ㄴ, ㄹ　⑤ ㄷ, ㄹ

02 밑줄 친 부분에 해당하는 내용으로 적절하지 않은 것은?

> 우리나라는 1960년대 초까지만 해도 농업을 중심으로 한 전통 사회였다. 그러나 1960년대 중반 이후 정부가 빠른 경제 성장을 목표로 경제 개발 정책을 추진하면서 우리 <u>사회는 급속도로 변동하기 시작</u>하였다.

① 이촌 향도 현상
② 국민 소득 증가
③ 국토의 균형적인 발전
④ 수출을 목표로 한 제조업 육성
⑤ 사회 간접 자본에 대한 투자 증가

03 밑줄 친 부분에 해당하는 한국 사회 변동 과정의 특징은?

> 한국 사회의 변동은 많은 부분에서 서구의 사회 변동과 비슷한 과정을 따르고 있지만 <u>서구와는 다른 특징적인 모습</u>을 나타내는 측면도 있다.

① 정부가 사회 변동을 주도하였다.
② 근대 시민 사회가 일찍 성립되었다.
③ 농업을 중심으로 산업이 발달하였다.
④ 수입 위주의 공업화 정책을 추구하였다.
⑤ 분배를 중시하면서 산업화가 이루어졌다.

04 저출산의 원인으로 보기 어려운 것은?

① 생활 수준의 향상
② 맞벌이 부부의 증가
③ 여성의 교육 수준 향상
④ 자녀에 대한 가치관의 변화
⑤ 늦은 결혼과 1인 가구의 증가

05 그래프를 통해 알 수 있는 한국 사회 변동의 최근 경향이 지속될 경우 나타날 수 있는 문제점으로 옳지 <u>않은</u> 것은?

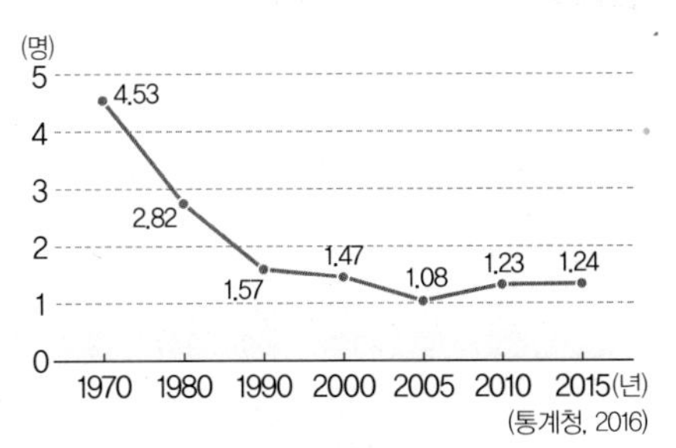

▲ 우리나라 합계 출산율

① 노동력이 부족해질 것이다.
② 경제 활동이 침체될 것이다.
③ 국가의 경쟁력이 저하될 것이다.
④ 부부의 이혼율이 증가할 것이다.
⑤ 노인 부양 부담이 증가할 것이다.

06 ㉠~㉢에 들어갈 말을 옳게 연결한 것은?

	㉠	㉡	㉢
①	고령 사회	초고령 사회	고령화 사회
②	고령 사회	고령화 사회	초고령 사회
③	고령화 사회	고령 사회	초고령 사회
④	고령화 사회	초고령 사회	고령 사회
⑤	초고령 사회	고령 사회	고령화 사회

07 저출산·고령화 현상으로 인해 발생하는 문제점으로 옳은 것을 〈보기〉에서 고른 것은?

보기
ㄱ. 노동력 부족으로 인한 경제 성장 둔화
ㄴ. 도시로의 인구 집중으로 주택 문제 발생
ㄷ. 노년 부양비 등 사회 복지 비용 부담 증가
ㄹ. 실업과 범죄 증가로 인한 사회적 비용 발생

① ㄱ, ㄴ　② ㄱ, ㄷ　③ ㄴ, ㄷ
④ ㄴ, ㄹ　⑤ ㄷ, ㄹ

[08~09] 다음 자료를 보고 물음에 답하시오.

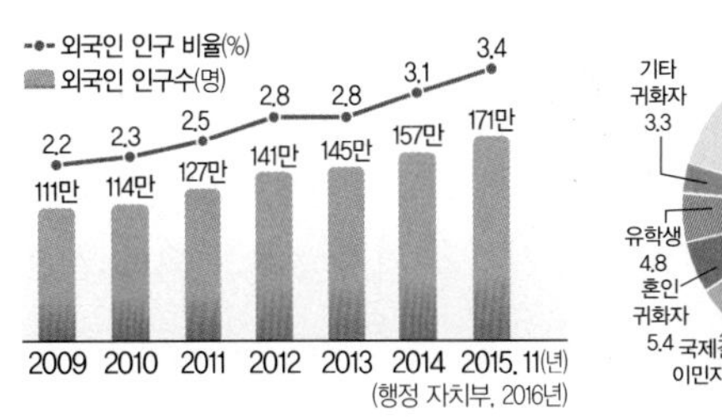

▲ 우리나라에 거주하는 외국인 인구 비율 및 인구수

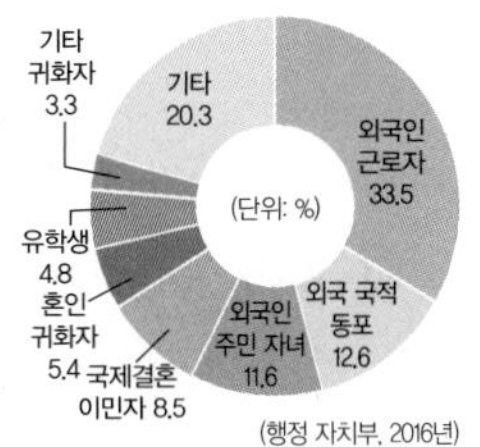

▲ 우리나라에 거주하는 외국인의 유형

08 위와 같은 한국 사회 변동의 원인으로 적절한 것을 〈보기〉에서 고른 것은?

보기
ㄱ. 국제결혼 이민자와 외국인 유학생의 증가
ㄴ. 내국인과 외국인 사이의 경제적 격차 심화
ㄷ. 여성들의 학력 신장에 따른 사회 진출 증가
ㄹ. 국내 경제 활동 인구 감소로 외국인 근로자 증가

① ㄱ, ㄴ　② ㄱ, ㄹ　③ ㄴ, ㄷ
④ ㄴ, ㄹ　⑤ ㄷ, ㄹ

09 위와 같은 현상이 지속적으로 나타날 때 우리에게 요구되는 태도를 옳게 제시한 사람만을 있는 대로 고른 것은?

갑: 다양한 문화 접촉 기회를 통해 우리 문화를 더욱 발전시켜 나가야 해.
을: 다름을 인정하고, 문화적 차이를 받아들일 수 있는 열린 자세가 필요해.
병: 우리의 단일 민족적 전통을 지켜 나가기 위해 다문화 가정에 대한 지원 마련이 필요해.

① 갑　② 을　③ 병
④ 갑, 을　⑤ 을, 병

10 (가)로 인해 나타날 수 있는 긍정적인 영향으로 보기 <u>어려운</u> 것은?

(　(가)　)은/는 민족, 언어, 문화 등 다양한 배경을 가진 사람들이 함께 어울려 사는 사회를 말한다.

① 문화의 선택 폭이 넓어진다.
② 문화 간의 교류가 활발해진다.
③ 전반적인 문화 수준이 향상된다.
④ 민족 문화에 대한 자부심이 강화된다.
⑤ 한 사회 안에서 다양한 문화가 공존한다.

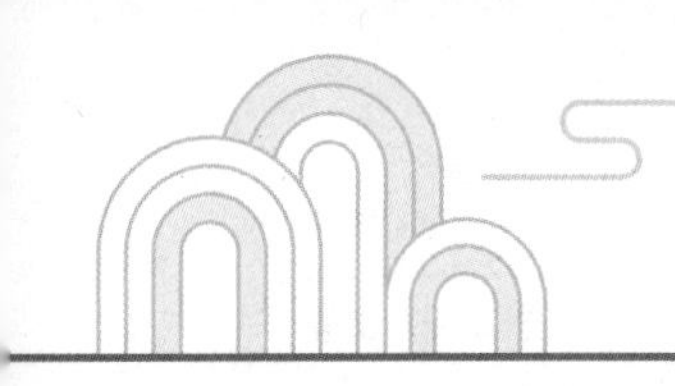

실전 문제

01 한국 사회 변동의 특징에 대한 설명으로 적절하지 않은 것은?

① 정부 주도하에 경제 발전이 이루어졌다.
② 짧은 기간에 급격한 사회 변화가 이루어졌다.
③ 농업 사회에서 산업 사회를 거쳐 정보 사회로 발전하였다.
④ 급속한 산업화로 빈부 격차와 지역 간 불균형이 발생하였다.
⑤ 도시와 농촌이 고루 발전하여 인구가 전국적으로 분산되었다.

02 우리 사회에 다음의 변화를 가져온 원인으로 가장 적절한 것은?

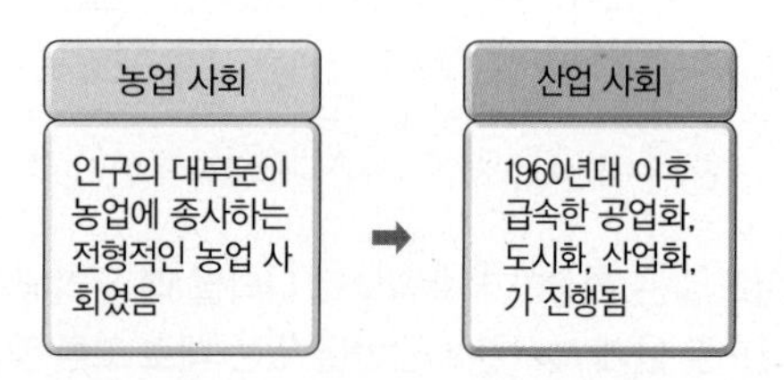

농업 사회
인구의 대부분이 농업에 종사하는 전형적인 농업 사회였음
산업 사회
1960년대 이후 급속한 공업화, 도시화, 산업화가 진행됨

① 4·19 혁명　② 민주화 운동
③ 제2차 세계 대전　④ 경제 개발 정책
⑤ 일본의 식민 지배

★ 중요 ★

03 (가)에 들어갈 내용으로 가장 적절한 것은?

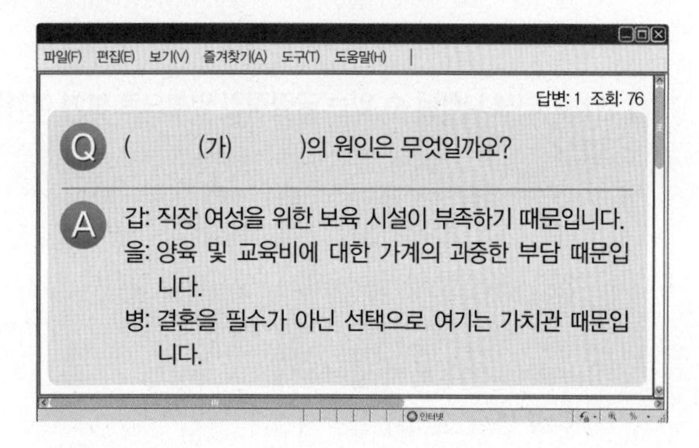

파일(F) 편집(E) 보기(V) 즐겨찾기(A) 도구(T) 도움말(H)
답변: 1 조회: 76
Q ((가))의 원인은 무엇일까요?
A 갑: 직장 여성을 위한 보육 시설이 부족하기 때문입니다.
을: 양육 및 교육비에 대한 가계의 과중한 부담 때문입니다.
병: 결혼을 필수가 아닌 선택으로 여기는 가치관 때문입니다.

① 저출산　② 고령화
③ 이혼율 급증　④ 세대 간 갈등
⑤ 남아 선호 풍조

04 그래프와 같은 현상이 지속될 경우 나타날 수 있는 변화 양상으로 적절하지 않은 것은?

연도	생산 가능 인구(만 명)	노년 인구 구성비(%)
1990	2,970	5.1
2000	3,370	7.2
2010	3,598	11.0
2020	3,656	15.7
2030	3,289	24.3
2040	2,887	32.3
2050	2,535	37.4

(통계청, 2016)

▲ 생산 가능 인구(15~64세)와 65세 이상 인구 구성비의 변화

① 실버산업이 발달할 것이다.
② 세대 갈등이 완화될 것이다.
③ 노동의 생산성이 낮아질 것이다.
④ 노인층의 정치적 영향력이 강화될 것이다.
⑤ 노인 부양에 따른 복지 비용이 증가할 것이다.

★ 중요 ★

05 밑줄 친 '다문화적 변화'에 대해 교사가 제시할 자료로 적절한 것을 〈보기〉에서 고른 것은?

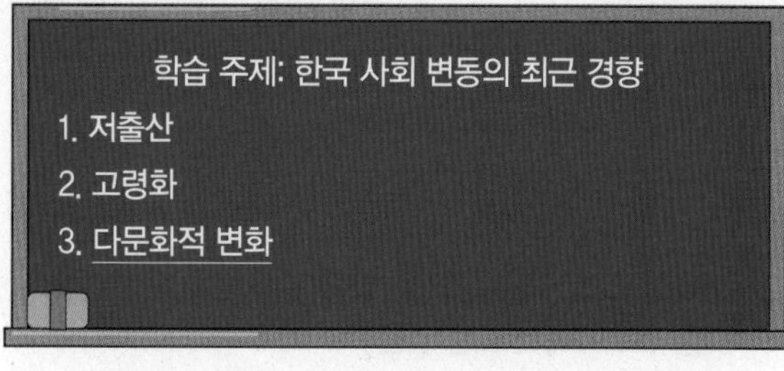

학습 주제: 한국 사회 변동의 최근 경향
1. 저출산
2. 고령화
3. 다문화적 변화

보기
ㄱ. 국제결혼 비율과 다문화 가정의 비율 분석 뉴스
ㄴ. 여성의 경제 활동 참여율이 증가한다는 신문 기사
ㄷ. 국내의 도시와 각국의 도시 간 자매결연 체결 현황
ㄹ. 경제 활동 인구 중 외국인 노동자 비율 통계청 자료

① ㄱ, ㄴ　② ㄱ, ㄹ　③ ㄴ, ㄷ
④ ㄴ, ㄹ　⑤ ㄷ, ㄹ

★ 중요 ★

06 자료에 나타난 현상이 지속될 경우 우리나라 미래 사회의 특징에 대한 추론으로 적절하지 않은 것은?

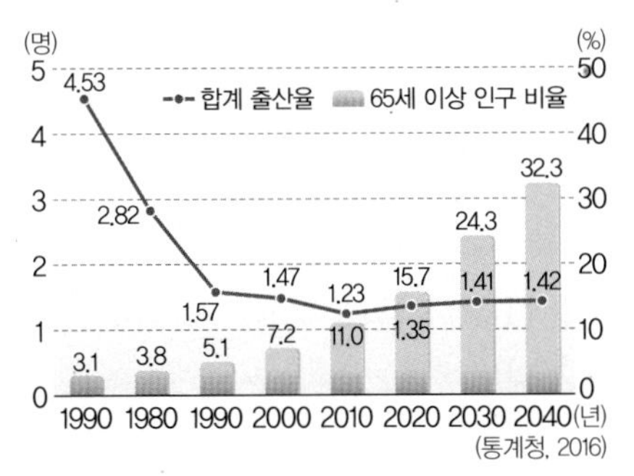

* 합계 출산율: 임신 가능한 여성이 평생 동안 낳는 자녀의 평균 수

① 총 인구수 감소 ② 노동 생산성 둔화
③ 취학 아동 수 감소 ④ 사회 보장 비용 증가
⑤ 출생 성비의 불균형 심화

07 밑줄 친 부분의 원인으로 가장 적절한 것은?

> 국제결혼을 통해 다문화 가족을 이룬 사람들은 일반적으로 결혼 이주 여성이 한국말을 잘해서 아이를 한국 사람으로 잘 키우고, 내조를 잘하여 남편의 부모, 형제 등 시댁에 대한 의무를 다하길 바란다. 그러나 동남아 출신 결혼 이주 여성들은 자신의 모국어, 본토 음식 역시 자신의 문화의 일부라고 생각하고, 사회·경제 활동을 통해 친정을 돕는 것이 도덕적으로 칭찬받을 일이라고 여긴다. 이에 따라 한국인 가족과 결혼 이주 여성 간의 갈등이 발생하기도 한다.

① 언어의 차이 ② 종교의 차이 ③ 얼굴색의 차이
④ 경제력의 차이 ⑤ 가족 문화의 차이

08 질문에 대해 옳지 않은 답변을 한 학생은?

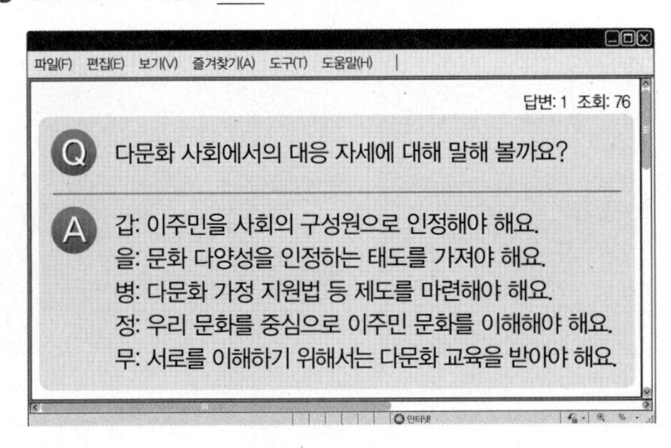

① 갑 ② 을 ③ 병
④ 정 ⑤ 무

서술형 문제

09 자료를 통해 알 수 있는 한국 사회 변동의 최근 경향을 쓰고, 이러한 문제점을 해결하기 위한 대응 방안을 두 가지 서술하시오.

▲ 1970년대 초등학교 교실

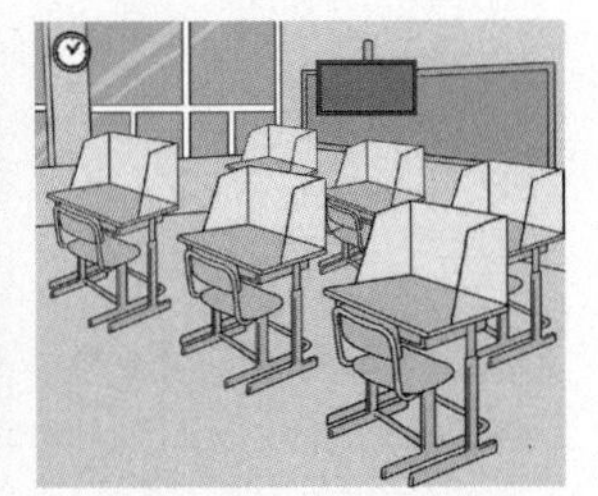
▲ 2021년 초등학교 교실

★ 중요 ★

10 (가), (나) 자료를 참고하여 한국 사회 변동의 최근 경향을 쓰고, 이로 인해 발생할 문제점을 두 가지 서술하시오.

(가) 우리나라 합계 출산율과 출생아 수 변화

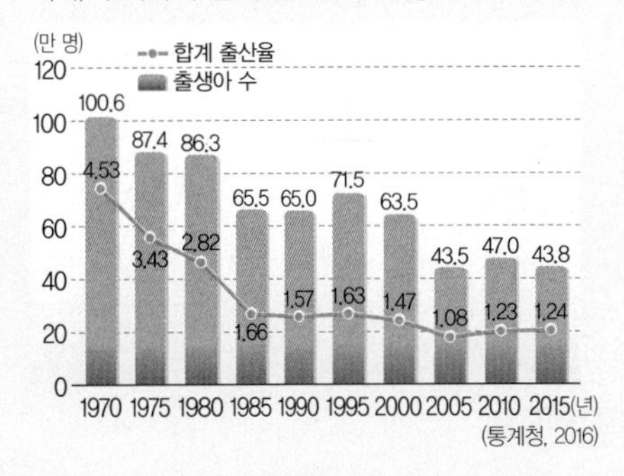

(나) 노년 부양비 변화

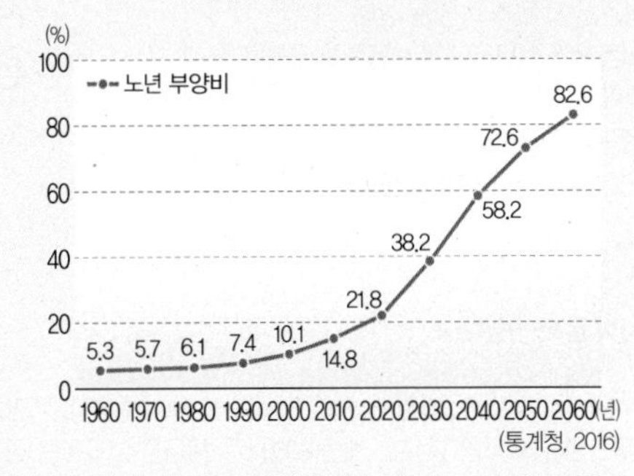

* 합계 출산율: 임신 가능한 여성이 평생 동안 낳는 자녀의 평균 수
** 노년 부양비: 생산 가능 인구(15~64세) 100명이 부양해야 하는 65세 이상 인구수

03 현대 사회의 사회 문제

학습 내용 들여다보기

■ 사회 문제로 볼 수 없는 것
- 인간의 의지로 발생한 것이 아니며, 인간의 힘으로 해결하기 어려운 것 예 홍수, 가뭄 등의 자연재해 등
- 개인적인 문제처럼 대다수의 사회 구성원이 개선의 필요성을 느끼지 않는 것 예 진로 고민, 개인 간의 다툼 등

■ 비정규직 노동자의 고용 문제

비정규직 노동자들은 정규직과의 차별 대우, 저임금·장시간 노동 등에 시달린다. 또한 계약 기간이 만료되면 일을 할 수 없다는 고용 불안 등을 겪는다. 최근에는 비정규직 근로자의 고용 문제가 심각한 사회 문제로 대두되고 있다.

1. 사회 문제의 의미와 특징

(1) **의미**: 사회 구성원 대다수가 개선되어야 한다고 생각하는 사회 현상

(2) **발생 원인**: 사회 변동이나 가치관의 변화, 사회 구조나 제도의 결함 등으로 발생함

(3) **사회 문제의 성립 요건**

① 발생 원인이 사회에 있음

② 사회 구성원 대다수가 문제라고 여기는 사회 현상임

③ 인간의 노력으로 해결 가능한 것임 → 개인에게 국한된 일이나 자연재해 등은 사회 문제가 아니야.

(4) **특징**: 사회 구성원의 인식 변화와 사회의 상황에 따라 달라질 수 있음, 사회 문제를 원만하게 해결하면 사회가 더욱 발전하는 계기가 됨 자료 1

→ 사회 문제는 사회의 잘못된 부분을 드러내어 이를 해결할 기회를 제공해 주어 사회 통합과 사회 발전의 밑거름이 될 수도 있어.

2. 현대 사회의 주요 사회 문제와 해결 방안

(1) **현대 사회 문제의 유형**

① 인구 문제

선진국	개발 도상국
• 저출산·고령화로 인한 노동력 부족 • 경제 성장 둔화 • 노인 부양 부담 증가	• 인구 급증으로 인한 식량 부족 • 기아 및 빈곤 문제 • 일자리와 각종 시설 부족

② 노동 문제

실업 문제	고용 감소와 노동 환경 변화로 실업률 증가
노사 갈등	노동자와 사용자 간의 입장 차이로 인한 갈등
임금 차별	외국인·여성·비정규직 노동자에 대한 임금 차별
고용 불안	고용 안정을 보장받지 못한 비정규직 노동자 증가

비정규직 노동자: 근로 기간 및 고용의 지속성 등에서 정규직과 달리 보장을 받지 못하는 계약직, 임시직, 일용직 등을 말해.

③ 환경 문제 자료 2

- **자원 고갈**: 석탄, 석유와 같은 화석 연료의 고갈
- **환경 오염**: 산업화에 따른 무분별한 개발로 대기·수질·토양 오염 심화
- **지구 온난화**: 온실가스 배출량의 증가로 이상 기후 현상과 해수면 상승

화석 연료: 지질 시대의 생물이 땅속에 묻혀 오랜 시간 동안 변성되어 오늘날 연료로 사용되는 석탄, 석유, 천연가스와 같은 천연자원을 말해.

용어 알기

- **실업** 노동할 의지와 능력을 갖춘 사람이 노동의 기회를 얻지 못하고 있는 상태
- **임금** 노동자가 사용자에게 노동력을 제공하고 받는 대가
- **고용** 돈과 노동력의 교환으로 일하는 상태

자료 1 사회 문제의 상대성

- 일부 서구 국가에서는 비만이 사회 문제로 크게 대두되자, 비만을 유발하는 당류를 다량 함유한 제품에 별도로 세금을 부과하는 정책을 시행하고 있다.
- 경제적으로 낙후된 지역에서는 아직도 기아로 고통받는 사람들이 많다. 이들 지역은 가뭄과 내전이 계속되고 있어 국제기구의 구호 활동에도 불구하고 기아 인구는 더 늘어나고 있다.

시대와 사회에 따라 사회 문제를 규정하는 기준은 달라진다. 따라서 동일한 사회 현상이라도 사회 문제로 인식되는지의 여부는 달라지는 상대성을 지니고 있다. 사례와 같이 서구 사회에서는 비만이, 경제적으로 낙후된 국가에서는 기아와 빈곤이 사회 문제이다.

자료 2 환경 문제(지구 온난화)

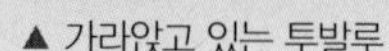
▲ 가라앉고 있는 투발루

▲ 빙하가 녹고 있는 북극

남태평양의 섬나라인 투발루가 지구 온난화에 따른 해수면의 상승으로 일부 섬이 바닷물에 잠겨 사라졌고, 나머지 섬들도 가라앉고 있어 2001년 마침내 국토 포기를 선언하였다. 지구 온난화로 인한 기온 상승으로 북극의 빙하가 녹아 북극곰의 서식지와 함께 사냥 가능 지역이 줄어들게 되었다.

• 열대림 파괴: 경제 개발로 인한 열대 우림 감소
• 사막화: 과도한 농경지와 목축지 개발로 야기
• 오존층 파괴: 자외선이 그대로 지구에 도달하여 피부암 유발

④ 기타
• 정보화에 따른 문제: 인터넷 중독, 사이버 범죄, 개인 정보 유출, 정보 격차 등
• 사회 구조적 문제: 도시 간·지역 간 발전을 둘러싼 사회·경제적 불평등, 계층 양극화 등
• 기타: 사회적 약자에 대한 차별 문제, 빈부 격차 심화, 전쟁과 테러 등

→ 인류의 미래를 위협하는 현대 사회의 주요한 사회 문제야.

(2) 현대 사회 문제의 유형별 해결 방안 자료 3

① 인구 문제 → 우리나라는 저출산·고령화 사회에 대한 대비책을 마련해야 해.
• 선진국: 육아 휴직 제도 확충, 출산·양육 보조금 지급, 노인 일자리 창출, 사회 보장 대책 마련 등
• 개발 도상국: 가족계획 사업을 통해 출산율 조정 등

② 노동 문제
• 제도적 측면: 일자리 창출 및 고용 안정 정책의 실시, 최저 임금제, 임금 체불 등에 대한 철저한 관리 감독 등
• 의식적 측면: 적극적인 구직 활동 및 업무 능력 향상 노력, 동반자적 노사 관계 확립 등

③ 환경 문제: 전 지구적 차원의 문제로 국가 간의 협력이 필요함

→ 지속 가능한 발전을 위한 지구촌 차원의 원칙과 실천 방안을 마련해야 해.

• 개인: 에너지 절약 생활화, 재활용 및 쓰레기 분리 배출 생활화, 대중교통 이용하기 등
• 기업: 오염 정화 시설 설치, 친환경 생산 기술 개발 등
• 정부: 쓰레기 종량제 실시 등 법적·제도적 장치 마련
• 국제 사회: 유엔(UN) 기후 변화 협약 체결 등 국제적 연대 강화

→ 가정과 공장 등에서 배출한 쓰레기의 양에 따라 폐기물 처리 비용을 부담하는 제도야.

(3) 사회 문제의 해결 노력 자료 4

→ 양성평등 의식 확산을 위한 공익 광고 홍보 및 캠페인 활동 등이 있어.

① 의식적 측면: 사회 구성원의 공동체 의식 함양, 사회 문제 해결을 위한 적극적인 참여, 일상생활에서의 실천 노력 및 시민운동 참여
② 제도적 측면: 사회 문제 해결에 필요한 정책 및 제도 마련
③ 국제적 측면: 국제적 차원에서 구체적이고 실질적인 협력 필요, 환경 문제, 빈곤, 전쟁과 테러에 대한 국제적 협력의 필요성 증대

학습 내용 들여다보기

■ 사막화
토지가 사막으로 변화하는 현상으로, 오래 지속된 가뭄과 인간의 무분별한 경지 확장 및 과도한 방목이 주요 원인이다.

■ 정보 격차
정보 기술에 접근하여 정보를 소유할 수 있는 능력을 보유한 사람과 보유하지 못한 사람 사이에 경제적·사회적 격차가 심화되는 현상이다.

■ 지속 가능한 발전
자연과 인간이 조화를 이루는 개발을 통해 미래 세대의 삶의 질을 보장하려는 것이다.

■ 유엔(UN) 기후 변화 협약 '파리 협정'
2015년 파리에서 열린 기후 변화 협약 당사국 총회 본회의에서 195개 당사국이 채택한 협정이다. 산업화 이전 수준 대비 지구 평균 온도가 2℃ 이상 상승하지 않도록 온실가스 배출량을 단계적으로 감축하는 내용을 담고 있다.

용어 알기

• **계층 양극화** 경제적으로 부유한 계층과 어려움을 겪는 계층 간의 빈부 격차가 더 커지는 현상
• **테러** 폭력을 사용하여 적이나 상대편을 위협하거나 공포에 빠뜨리게 하는 행위
• **최저 임금제** 일정 금액 이상의 임금을 근로자에게 지불하도록 법적으로 강제하는 제도
• **체불** 마땅히 지급하여야 할 것을 지급하지 못하고 미룸
• **동반자** 어떤 행동을 할 때 짝이 되어 함께하는 사람

자료 3 환경 문제 해결을 위한 노력

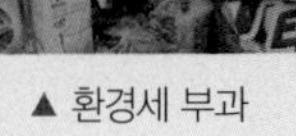
▲ 환경세 부과

▲ 국제 협약 체결

환경 문제는 다양한 요소가 복합적으로 작용하여 발생하므로 통합적인 해결 노력이 필요하다. 개인적 차원에서는 재활용 및 쓰레기 분리 배출 등 환경 보호를 위한 실천이, 정부는 환경 오염 유발 요인에 대해 세금을 부과하는 등 제도적 장치 마련이 필요하다. 또한 환경 문제는 기후 변화 협약 체결과 같은 국가 간의 적극적인 협력이 요구된다.

자료 4 사회 문제의 합리적 해결 절차

단계	내용
원인 파악	정치, 경제, 사회 등 여러 측면에서 사회 문제의 원인을 파악한다.
해결 방안 모색	당사자의 요구 및 유사 사례의 해결 과정 등을 고려해야 하고, 의식적 측면과 제도적 측면으로 나누어 해결 방안을 모색한다.
해결 방안 적용 결과 예측	긍정적·부정적 측면을 적용할 때 나타날 수 있는 새로운 문제나 집단 간 갈등 등을 고려해야 한다.
해결 방안 선택 및 적용	최선의 해결 방안을 선택하며, 결정된 해결 방안을 적용하면서 새로운 문제가 나타나지 않는지를 평가하고 확대 적용한다.

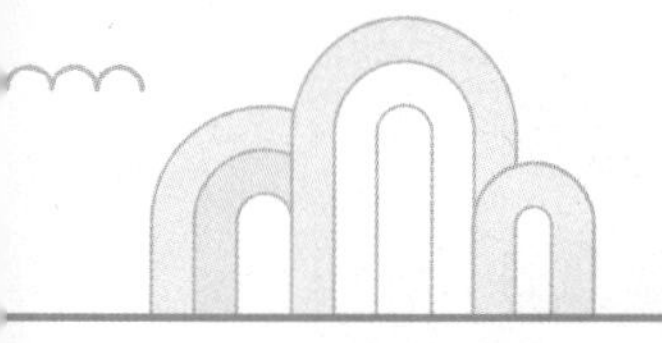

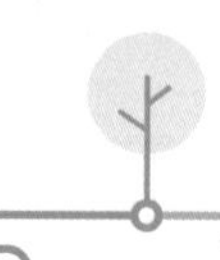

기본 문제

간단 체크

1 **다음 설명이 맞으면 ○표, 틀리면 ×표 하시오.**

(1) 사회 문제는 발생 원인이 사회에 있고, 인간의 노력으로 해결이 가능한 것이다. ( )

(2) 사회 문제는 인간 사회라면 모든 시대마다 존재한다. ( )

(3) 시대나 장소에 관계없이 사회 문제로 여겨지는 현상은 동일하다. ( )

(4) 인간의 의지로 발생한 것이 아니며, 인간의 힘으로 해결하기 어려운 사안일수록 더 심각한 사회 문제이다. ( )

2 **선진국과 개발 도상국의 인구 문제를 〈보기〉에서 골라 기호를 쓰시오.**

보기
ㄱ. 식량 부족과 빈곤
ㄴ. 인구의 폭발적 증가
ㄷ. 인구 감소 및 고령화
ㄹ. 경제 성장 둔화 및 복지비용 증가

(1) 선진국 ········ ( )

(2) 개발 도상국 ········ ( )

3 **환경 문제를 〈보기〉에서 있는 대로 고르시오.**

보기	
ㄱ. 실업	ㄴ. 사막화
ㄷ. 임금 격차	ㄹ. 지구 온난화
ㅁ. 비정규직 문제	ㅂ. 오존층 파괴

( )

4 **사회 문제와 그 해결 방안을 연결하시오.**

(1) 노동 문제 • • ㉠ 출산 보조금 지급

(2) 인구 문제 • • ㉡ 최저 임금제 실시

(3) 환경 문제 • • ㉢ 지속 가능한 성장의 추구

5 **사회 문제의 합리적 해결 절차를 순서대로 나열하시오.**

(가) 해결 방안 모색	(나) 해결 방안 적용
(다) 해결 방안 선택	(라) 사회 문제의 원인 파악
(마) 해결 방안의 적용 결과 예측	

( )

01 **밑줄 친 '이것'에 대한 설명으로 옳지 않은 것은?**

> 이것은 사회 구성원 대다수가 개선되어야 한다고 생각하는 사회 현상이다.

① 어느 시대, 어느 장소에서나 존재한다.
② 사회 구성원 대다수에게 영향을 미친다.
③ 잘 해결하면 사회가 더욱 발전할 수 있다.
④ 해결하지 못할 경우 사회적 혼란을 유발한다.
⑤ 시대와 장소와 상관없이 항상 동일한 현상으로 나타난다.

02 **사회 문제에 해당하는 사례로 옳은 것은?**

① 민호는 기말고사 성적이 떨어져 걱정하고 있다.
② 얼마 전에 일본 도쿄 지역에서 지진이 일어났다.
③ 지난 여름에 집중 호우로 인해 인명과 재산 피해가 컸다.
④ 친구들과 영화를 볼지, 놀이 공원에 갈지 고민하고 있다.
⑤ 영산강에 하굿둑을 건설한 후 수질이 오염되고 물고기가 많이 죽었다.

03 **개발 도상국의 인구 문제에 대한 설명으로 옳은 것은?**

① 인구 감소로 경제 성장 둔화
② 저출산 · 고령화로 노동력 부족
③ 일자리와 사회 시설 부족으로 삶의 질 저하
④ 노인 인구 증가로 인한 노인 부양 부담 증가
⑤ 출산 및 육아 수당 지급 등 육아 문제 해결 요구

04 **그래프에 나타난 사회 문제의 유형으로 적절한 것은?**

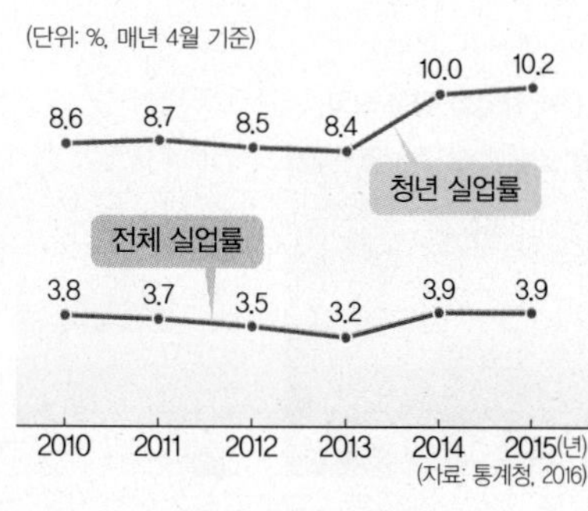

▲ 우리나라의 실업률

① 인구 문제 ② 노동 문제
③ 환경 문제 ④ 정보 격차
⑤ 사회 구조적 문제

05 환경 문제를 주제로 한 수업 장면이다. 교사의 질문에 옳게 답한 학생은?

사진에 나타난 환경 문제의 원인에 대해 발표해 볼까요?
황사 때문이에요.
오존층이 파괴되었기 때문이에요.
갑
을
병
정
무
사막화 현상 때문이에요.
지구 온난화 때문이에요.
수질 오염 때문이에요.

① 갑 ② 을 ③ 병 ④ 정 ⑤ 무

06 다음과 같은 정부 정책으로 해결하고자 하는 사회 문제의 유형으로 가장 적절한 것은?

- 장애인 고용 촉진법 및 직업 재활법
- 외국인 근로자의 노동 환경 개선을 위한 법률
- 남녀 고용 평등과 일·가정 양립 지원에 관한 법률

① 정보 격차 ② 실업 문제
③ 환경 문제 ④ 지역 간 불균형
⑤ 사회적 약자에 대한 차별 문제

07 다음의 사회 문제를 해결하기 위해 우리에게 가장 필요한 것은?

- 인구 문제
- 환경 문제
- 노동 문제
- 정보화에 따른 문제

① 군비 강화 ② 자유 무역 실현
③ 과학 기술의 발달 ④ 실리 위주의 외교
⑤ 지구 공동체 의식

08 다음과 같은 사회 문제를 해결하기 위한 방법으로 적절하지 않은 것은?

○○신문 20△△년 △월 △일

사이버 중독이란 '정보 이용자가 지나치게 컴퓨터에 접속하여 일상생활에 심각한 사회적, 정신적, 육체적 및 금전적 지장을 받고 있는 상태'라고 정의할 수 있다. 특히 현대 사회의 필수품인 스마트폰 중독은 심각해져가고 있다. 지난해 이른바 '스마트폰 중독' 증상을 보인 스마트폰 과의존 위험군 비율이 전체 23.3%로 전년(20.0%) 대비 3.3%포인트 늘어난 것으로 나타났다. 스마트폰 과의존은 스마트폰을 과도하게 사용해 스마트폰이 일상에서 가장 우선시 되고, 이용 조절력이 감소하거나 통제력을 완전히 상실해 사회적 문제를 겪고 있는 상태를 말한다. 전 연령대에서 과의존 위험군 비율이 늘어난 가운데 청소년 비율이 35.8%로 가장 높은 것으로 집계됐다.

① 운동 등 신체적 활동의 시간을 늘린다.
② 시간을 정해 놓고 스마트폰을 사용한다.
③ 개인의 문제이므로 가정에서 해결책을 찾는다.
④ 상담 센터 등을 방문하여 사이버 중독을 치료받는다.
⑤ 사이버 공간이 아닌 현실 공간에서 대인 관계를 늘린다.

09 다음의 문제를 해결하기 위해 필요한 자세를 제시한 학생을 〈보기〉에서 고른 것은?

우리가 즐겨 마시는 커피 전문점의 커피 한 잔 가격은 약 2,000~6,500원 정도이다. 그중 200원 정도가 커피 열매를 따는 제3세계 빈곤국 근로자에게 노동의 대가로 주어진다. 초콜릿 생산도 이와 비슷하게 생산된다. 하루 종일 학교에도 가지 못하고 카카오 열매를 따지만 정작 그 어린이는 초콜릿 맛을 모른다.

| 보기 |

갑: 전 지구적 차원의 문제이므로 공동체 의식이 필요해요.
을: 쓰레기 분리 배출 등 환경 보호를 위한 실천이 필요해요.
병: 개인주의적 가치관을 가지고, 자발적으로 후원 사업에 동참해야 해요.
정: 국제 협약 등을 통해 구체적이고 실질적으로 협력하려는 노력이 필요해요.

① 갑, 을 ② 갑, 정 ③ 을, 병
④ 을, 정 ⑤ 병, 정

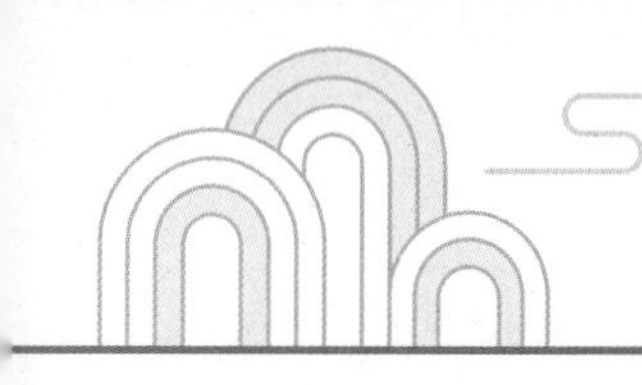

실전 문제

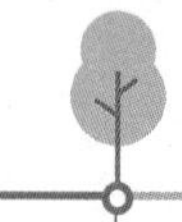

01 사회 문제인지 아닌지를 판단할 수 있는 질문으로 적절하지 <u>않은</u> 것은?

① 발생 원인이 사회 내부에 있는가?
② 이전부터 항상 있었던 사회 문제인가?
③ 사회의 일반적인 규범에서 벗어난 상황인가?
④ 인간과 사회의 노력으로 해결할 수 있는 문제인가?
⑤ 사회 구성원 대다수에게 부정적 영향을 주는 현상인가?

02 다음 내용에 해당하는 사례로 적절한 것은?

> 사회에서 발생하는 여러 가지 문제 중 발생 원인이 사회에 있고 사회 구성원 대다수가 문제라고 여기는 사회 현상 중 인간의 노력으로 해결 가능한 것이다.

① 자연재해
② 개인의 건강 문제
③ 고등학생의 진학 고민
④ 친구 간의 사소한 말다툼
⑤ 인간의 무분별한 개발로 인한 대기 오염과 토양 오염

★ 중요 ★

03 사례를 통해 알 수 있는 사회 문제의 특징으로 옳은 것은?

> 1970년대 우리나라에 있었던 우량아 선발 대회는 빈곤이 사회 문제였던 시절 잘 먹고 잘 크는 우량아에 대한 부모의 열망이 반영된 것으로 볼 수 있다. 그러나 급속한 경제 성장으로 풍족한 생활을 누리고 있는 우리나라는 매년 40만 명씩 비만 인구가 늘어나고 이로 인해 비만이 사회 문제로 인식되고 있다. 한편, 최근에는 이와 반대로 과도한 다이어트 때문에 발생하는 거식증과 영양 결핍이 사회 문제가 되어 빈번하게 대중 매체를 통해 보도되고 있다.

① 사회 문제는 사회적 상황에 따라 달라진다.
② 사회 문제는 사회 통합의 밑거름이 될 수 있다.
③ 사회 문제는 사회 구조의 문제로 인해 발생한다.
④ 사회 문제는 사회의 잘못된 부분을 해결할 기회를 제공한다.
⑤ 사회 문제는 새로운 변화가 기존 질서와 충돌하면서 발생한다.

04 선진국에서 나타나는 인구 문제로 옳은 것을 〈보기〉에서 고른 것은?

보기
ㄱ. 사회 복지 문제
ㄴ. 경제 성장 둔화
ㄷ. 식량 부족과 기아 문제
ㄹ. 일자리와 각종 시설 부족

① ㄱ, ㄴ ② ㄱ, ㄷ ③ ㄴ, ㄷ ④ ㄴ, ㄹ ⑤ ㄷ, ㄹ

05 표는 환경 문제의 원인별 유형을 정리한 것이다. 밑줄 친 ㉠~㉤ 중 옳지 <u>않은</u> 것은?

유형	원인
환경 오염	㉠ <u>산업화에 따른 무분별한 개발</u>
지구 온난화	• ㉡ <u>온실가스 배출량의 증가</u> • ㉢ <u>화석 연료의 무분별한 사용</u>
사막화	• 과도한 농경지 개발 • ㉣ <u>목축지 개발 사업의 축소</u>
열대림 파괴	㉤ <u>무분별한 벌목</u>

① ㉠ ② ㉡ ③ ㉢ ④ ㉣ ⑤ ㉤

06 다음 우리나라 헌법 조항의 내용을 위반한 사회 문제의 사례로 옳은 것을 〈보기〉에서 고른 것은?

> 제11조 ① 모든 국민은 법 앞에 평등하다. 누구든지 성별·종교 또는 사회적 신분에 의하여 정치적·경제적·사회적·문화적 생활의 모든 영역에 있어서 차별을 받지 아니한다.

보기
ㄱ. 과도한 농경지와 목축지 개발로 발생한 문제
ㄴ. 외국인 근로자의 저임금과 임금 체불을 당연시 하는 기업 문화
ㄷ. 성장을 중시하는 사용자와 분배를 중시하는 노동자 간의 노사 문제
ㄹ. 육아와 가사 업무를 고려하여 기혼 여성의 사직을 권고하는 기업 문화

① ㄱ, ㄴ ② ㄱ, ㄷ ③ ㄴ, ㄷ
④ ㄴ, ㄹ ⑤ ㄷ, ㄹ

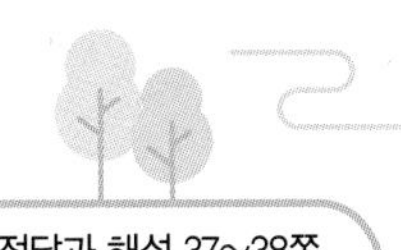

07 **노동 문제의 유형에 대한 설명으로 옳지 않은 것은?**

① 실업 문제: 고용 감소와 노동 환경 변화로 발생한다.
② 임금 체불: 정당한 노동에 대해 임금을 지불하지 않는 문제이다.
③ 노사 갈등: 사용자와 노동자가 갖는 노동 환경 등에 대한 입장 차이로 발생한다.
④ 임금 차별: 외국인, 여성 등은 근로 기간 및 고용의 지속성 등에서 임금 차별을 받는다.
⑤ 고용 불안: 정규직은 고용의 지속성을 보장받지 못하고 사용자와 일시적 근로 관계를 맺는다.

08 **사회 문제에 대한 수업 중 교사의 질문에 옳게 답한 학생은?**

그림은 노사 간의 갈등 모습입니다. 이러한 사회 문제의 해결 방안에 대해 발표해 볼까요?
갑
을
병
정
무

① 갑: 출산 장려금을 지원해야 해요.
② 을: 노인 복지 제도를 확대해야 해요.
③ 병: 근로 환경 개선, 최저 임금제가 필요해요.
④ 정: 대기 오염을 줄이는 정책을 시행해야 해요.
⑤ 무: 빈부 격차를 해소하기 위한 정책을 시행해야 해요.

09 **'지속 가능한 발전'의 실천 자세로 적절하지 않은 것은?**

> 지속 가능한 발전은 자연과 인간이 조화를 이루는 개발을 통해 미래 세대의 삶의 질을 보장하려는 것이다.

① 일회용품을 사용하지 않도록 노력한다.
② 환경적 차원에서 자연과 공존할 수 있는 방법을 모색해야 한다.
③ 친환경적인 생산과 소비를 위해 생산자와 소비자가 모두 노력한다.
④ 고성장 위주의 정책보다는 환경을 고려한 방식의 생산을 위해 노력한다.
⑤ 국가 내에서 발생한 환경 문제는 개별 국가의 법과 제도 마련을 통해 해결한다.

서술형 문제

10 **(가), (나) 중 사회 문제에 해당하는 것의 기호를 쓰고, 그 이유를 서술하시오.**

(가)

화산 폭발 발생

(나)

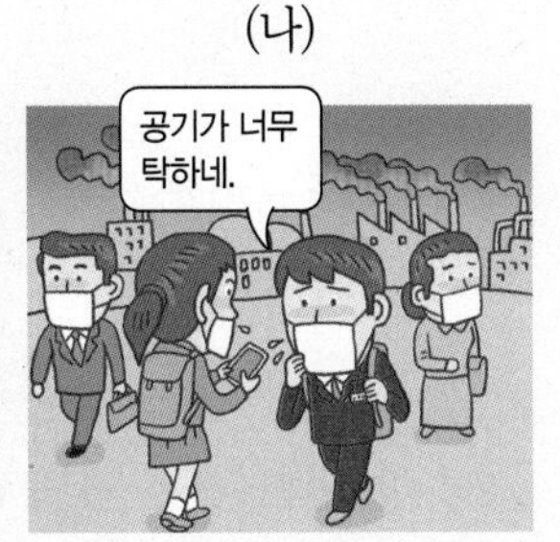
공기가 너무 탁하네.

고난도

11 **(가)에 들어갈 사회 문제의 유형을 쓰고, (나)에 들어갈 해결 방안을 개인적·사회적·국제적 차원에서 서술하시오.**

사회 학습지

○반 ○번 ○○○

* 사회 문제에 대한 자료를 제시하고, 이러한 사회 문제의 해결 방안 조사하기

1. 사회 문제의 유형: (가)

▲ 지구 온난화　▲ 사막화

2. 사회 문제의 해결 방안

(나)

대단원 정리

❶ 발명 시계를 통해 본 현대 사회 변동의 특징 이해

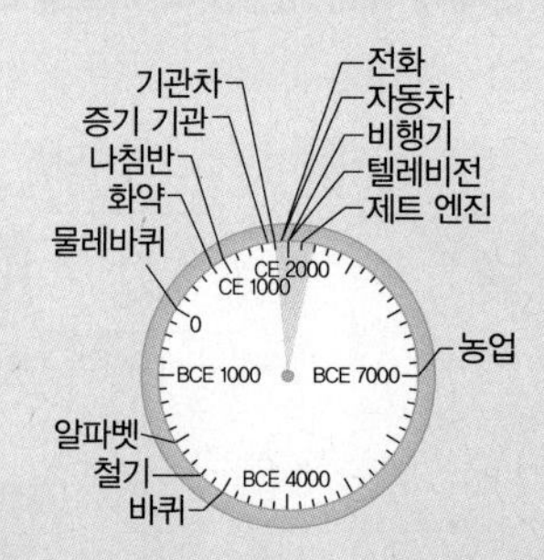

• 발명 시계는 1만 2천 년 동안을 압축해 놓은 것으로 사회를 변화시킨 주요 발명들이 (①) 사회 이후에 집중되어 있음을 알 수 있다. 또한 사회 변동을 이끈 주요 요인이 (②)의 발전이며, 변화 속도가 매우 (③) 은/는 것을 알 수 있다.

답 ① 근대 ② 과학 기술 ③ 빠르다

❷ 산업화, 세계화의 문제점 이해

▲ 환경 오염

▲ 반세계화 시위

(①)이/가 진행되면서 환경 오염, 노동 문제, 빈부 격차, 도시 문제 등이 심각해졌다. 한편, (②)에 따라 선진국이나 거대 기업의 문화가 미치는 영향력이 커지면서 약소국이나 소수 민족의 자율성과 독립성이 침해되어 반세계화 운동이 일어나고 있다.

답 ① 산업화 ② 세계화

❸ 한국 사회 변동의 특징 이해

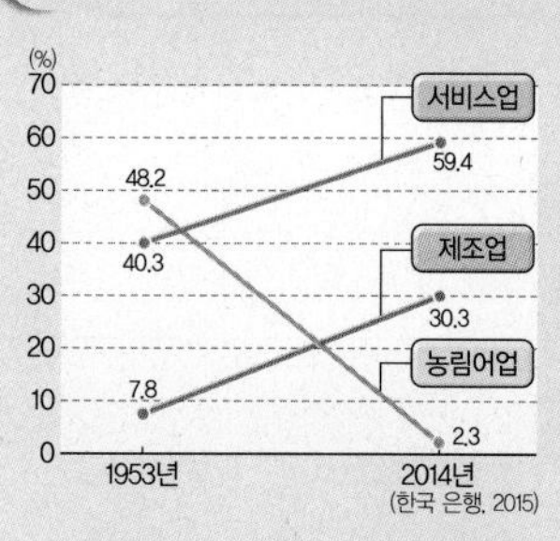

▲ 우리나라 산업 구조의 변화

1960년대 이후 정부 주도의 급속한 (①)이/가 이루어져 '한강의 기적'이라고 일컬어졌다. 최근 정보 통신 기술 발달로 (②) 사회로 변화하였다.

답 ① 산업화 ② 정보

1. 현대 사회의 변동

(1) 사회 변동 ❶

의미	사회를 구성하는 제도, 규범, 가치관 등이 부분적 또는 전체적으로 변화하는 현상
요인	• 교통 · 통신 및 과학 기술의 발달 • 사회 구성원의 가치관의 변화 • 문화 전파, 정부 정책 및 인구 변화
인류 사회의 변동 과정	농업 사회 → (산업 혁명) → 산업 사회 → (정보 혁명) → 정보 사회
현대 사회 변동의 특징	• 급속한 사회 변동 • 생활 전반에 걸친 광범위한 변동

(2) 산업화 ❷

영향	• 정치: 대중의 정치 참여 확대 • 경제: 대량 생산 · 대량 소비, 도시화 진행 • 사회 · 문화: 교육의 기회 확대, 대중의 사회적 지위 향상
문제점	환경 오염, 노동 문제, 빈부 격차, 인간 소외 현상

(3) 정보화

영향	• 정치: 전자 민주주의 실현 • 경제: 다품종 소량 생산 방식, 전자 상거래, 인터넷 뱅킹 발달 • 사회 · 문화: 시간적 · 공간적 제약에서 벗어남, 인간의 개성과 창의력이 중시됨
문제점	정보 격차, 사이버 범죄, 개인 정보 유출, 사생활 침해

(4) 세계화 ❷

영향	• 정치: 민주주의 이념과 가치 확산 • 경제: 자유 무역의 확대, 무한 경쟁 초래, 소비자의 상품 선택 기회 확대, 생산자는 넓은 소비 시장 확보 등 • 사회 · 문화: 문화 교류가 활발해져 다양한 문화를 접할 수 있게 됨
문제점	지나친 경쟁으로 무역 분쟁 발생, 선진국과 개발 도상국 간의 빈부 격차 심화, 문화의 획일화로 약소국과 소수 민족의 문화 소멸

2. 한국 사회 변동의 최근 경향 ❸

(1) 한국 사회의 변동 과정

변동 과정	농업 사회 (1960년대 초반)	인구 대부분이 농업에 종사하는 전형적인 농업 사회
	산업 사회 (1960년대 중반 이후)	정부 주도의 경제 개발로 빠르게 산업 사회로 이행
	정보 사회 (1990년대 이후)	정보 통신 기술의 발달로 정보 사회 진입
변동 특징	• 급격한 사회 변동: 짧은 기간에 산업화와 정보화를 모두 경험함 • 정부 주도의 경제 개발: 1960년대 경제 개발 5개년 계획을 통해 급속하게 진행됨	

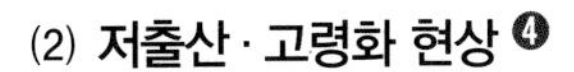

(2) 저출산·고령화 현상 ❹

원인	• 저출산: 여성의 사회 진출 증가, 자녀 양육에 대한 경제적 부담 증가, 결혼과 출산에 대한 가치관 변화 • 고령화: 생활 수준의 향상 및 의료 기술의 발달, 평균 수명의 연장
문제점	생산 가능 인구 감소로 노동력 부족, 경제 성장 둔화로 국가 경쟁력 약화, 노인 빈곤과 질병 및 소외 문제 발생, 노년 부양비 및 사회 복지 비용 증가
대응 방안	• 저출산: 출산 장려 정책 시행, 육아 휴직 제도 확대, 양성평등 문화 확립 • 고령화: 사회 안전망 확립, 노인 일자리 창출, 실버산업 육성

(3) 다문화 사회로의 변화 ❺

등장 배경	외국인 노동자의 유입, 국제결혼 이주민 증가 등
영향	국내 노동력 부족 문제 완화, 문화 다양성 실현을 통한 문화 발전, 가치관과 문화 차이로 인한 갈등, 이주민들에 대한 고정 관념과 차별
대응 방안	• 이주민을 사회 구성원으로 인정, 문화의 다양성을 인정하고 존중 • 다문화 가정에 대한 복지 확대, 다문화 교육 프로그램 마련

3. 현대 사회의 사회 문제

(1) 사회 문제의 의미와 특징 ❻

의미	사회 구성원 대다수가 개선되어야 한다고 생각하는 사회 현상
특징	• 발생 원인이 사회에 있고, 인간의 노력으로 해결 가능함 • 시대와 장소, 사회의 상황에 따라 달라지는 상대성을 지님 • 사회 문제를 원만하게 해결한다면 사회가 더욱 발전하는 계기가 됨

(2) 현대 사회의 주요 사회 문제

인구 문제	• 선진국: 저출산·고령화 사회, 노동력 부족, 경제 성장 둔화, 노인 부양 부담 증가 • 개발 도상국: 폭발적인 인구 증가, 빈곤 및 기아, 일자리와 각종 시설 부족
노동 문제	실업 문제, 노사 갈등, 임금 차별, 고용 불안 등
환경 문제	자원 고갈, 환경 오염, 지구 온난화, 열대림 파괴, 사막화, 오존층 파괴

(3) 현대 사회 문제의 해결 방안

인구 문제	• 선진국: 육아 휴직 제도 확충, 출산·양육 보조금 지급, 노인 일자리 창출, 사회 보장 대책 마련 등 • 개발 도상국: 가족계획 사업을 통해 출산율 조정 등
노동 문제	• 제도적 측면: 일자리 창출, 고용 안정 정책의 실시, 최저 임금제 등 • 의식적 측면: 적극적인 구직 활동 및 업무 능력 향상 노력, 동반자적 노사 관계 확립 등
환경 문제	• 개인: 에너지 절약 생활화, 재활용 및 쓰레기 분리 배출 생활화, 대중교통 이용하기 등 • 기업: 오염 정화 시설 설치, 친환경 생산 기술 개발 등 • 정부: 쓰레기 종량제 실시 등 법적·제도적 장치 마련 • 국제 사회: 환경 문제 해결을 위한 국제적 연대 강화

❹ 저출산·고령화 현상 이해

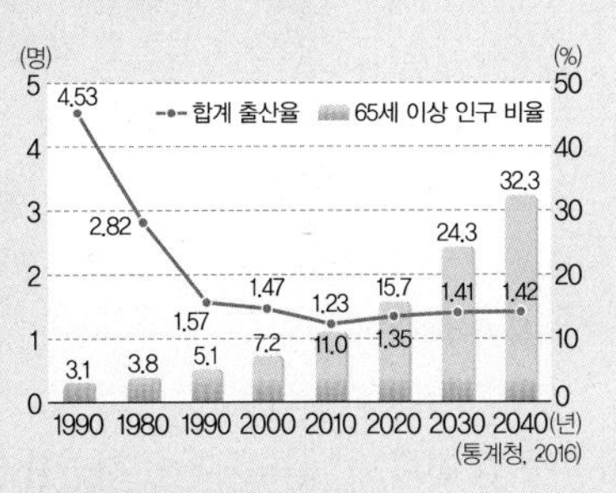

저출산·고령화 현상이 지속되면 (①) 인구가 부족해지고, 노인 인구수가 (②)하여 노인 부양에 대한 개인과 국가의 경제적 부담이 (③)

답 ① 생산 가능(경제 활동) ② 증가 ③ 커졌다.

❺ 다문화 사회로의 변화 이해

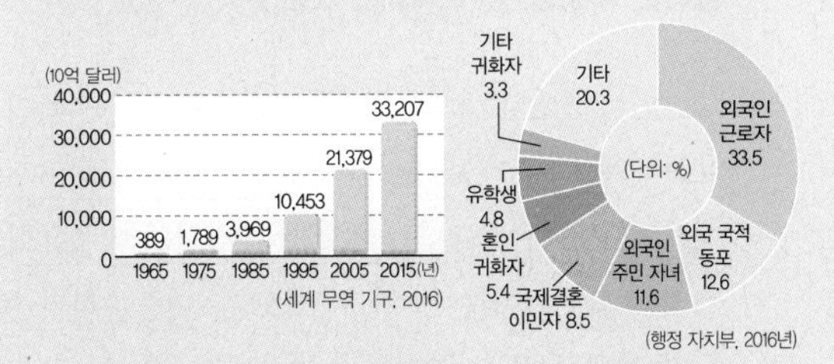

▲ 국내 거주 외국인 수 변화 ▲ 국내 거주 외국인의 유형

한국 사회는 외국인 근로자, 국제결혼 이민자, 유학생 등 국내 거주 외국인 수가 꾸준히 (①)하고 있다. 이를 통해 우리나라가 (②) 사회로 변화하고 있음을 알 수 있다. 사회의 변화에 대응하기 위해서는 이주민을 동등한 사회 구성원으로 인정하고, 다양한 문화를 (③) 없이 이해하고 수용하려는 개방적 태도가 필요하다.

답 ① 증가 ② 다문화 ③ 편견

❻ 사회 문제의 특징 이해

1970년대에는 장발과 미니스커트를 '퇴폐 풍조'로 규정하고 이를 엄격하게 단속하였다. 경찰이 가위와 자를 들고 다니며 거리에서 남성의 머리카락을 자르고 여성의 무릎과 치마 사이 길이를 쟀다. 그러나 오늘날에는 개인의 개성을 중시하는 사회로 장발을 하거나 짧은 치마를 입는 것을 사회 문제로 인식하지 않는다.

사례는 사회 문제가 시대나 장소에 따라 다르게 나타나는 (①)을/를 가지고 있음을 보여 준다. 동일한 사회 현상이라도 시대나 장소에 따라 (②)(으)로 인식되는지의 여부는 달라진다.

답 ① 상대성 ② 사회 문제

대단원 마무리

01 다음 내용에 공통으로 나타난 사회 변동의 요인은?

- 계몽사상은 17~18세기 인간의 이성을 통해 불합리한 제도를 개혁하고자 한 사상으로, 시민 혁명에 영향을 주어 근대 사회 형성에 기여하였다.
- 오늘날 양성평등 사상이 확산되어 여성의 사회 참여 기회가 확대되었다.

① 인구의 변화　② 자연환경의 변화
③ 과학 기술의 발달　④ 정부 정책의 변화
⑤ 가치관과 이념의 변화

02 밑줄 친 ㉠~㉢은 A~C 사회의 특징이다. A~C 사회에 해당하는 특징을 옳게 짝지은 것은?

일반적으로 대부분의 사회는 발달 단계에 따라 독특한 산업 구조가 나타난다. ㉠ 대량 생산과 대량 소비를 특징으로 하여 물질적 풍요와 동질적인 대중문화를 누리는 사회가 있는 반면, 아직도 ㉡ 대중문화가 형성되지 못하고 토지에 생산 기반을 둔 사회도 있다. 또는 ㉢ 개별화된 문화 소비가 가능한 사회도 존재한다.

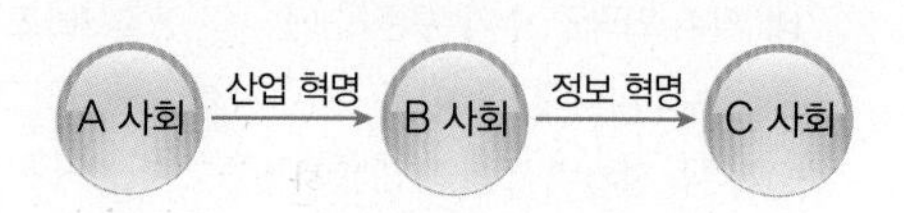

	A 사회	B 사회	C 사회
①	㉠	㉡	㉢
②	㉠	㉢	㉡
③	㉡	㉠	㉢
④	㉡	㉢	㉠
⑤	㉢	㉡	㉠

03 다음과 같은 문제점의 발생 원인으로 옳은 것은?

- 노동자와 사용자 간의 대립이 심화되었다.
- 도시의 환경 오염, 교통 문제 등이 심각해졌다.
- 도시로 인구가 집중되어 주택 부족, 실업 등의 각종 도시 문제가 발생하였다.

① 정보 격차　② 급속한 산업화
③ 선진 문화의 전파　④ 급속한 가치관의 변화
⑤ 정보 통신 기술의 발달

04 '○○○'의 등장 배경으로 옳은 것을 〈보기〉에서 고른 것은?

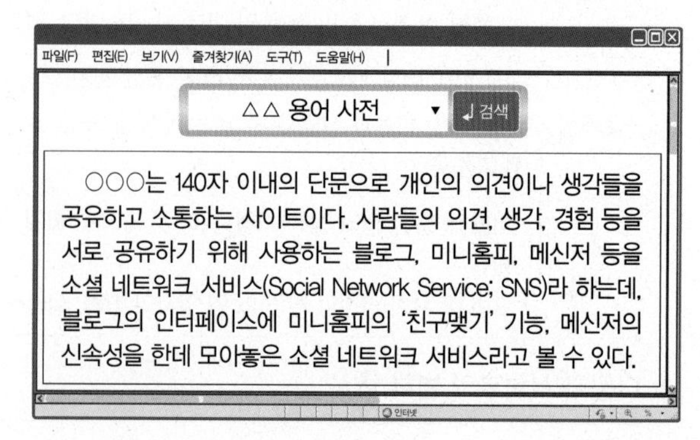

○○○는 140자 이내의 단문으로 개인의 의견이나 생각들을 공유하고 소통하는 사이트이다. 사람들의 의견, 생각, 경험 등을 서로 공유하기 위해 사용하는 블로그, 미니홈피, 메신저 등을 소셜 네트워크 서비스(Social Network Service; SNS)라 하는데, 블로그의 인터페이스에 미니홈피의 '친구맺기' 기능, 메신저의 신속성을 한데 모아놓은 소셜 네트워크 서비스라고 볼 수 있다.

보기
ㄱ. 정보 접근 기회의 확대
ㄴ. 정보 통신 기술의 발달
ㄷ. 전인격적 인간관계의 발달
ㄹ. 자본주의 경제 체제의 확립

① ㄱ, ㄴ　② ㄱ, ㄷ　③ ㄴ, ㄷ　④ ㄴ, ㄹ　⑤ ㄷ, ㄹ

05 판서 내용 중 (가)에 들어갈 내용을 두 가지 이상 서술하시오.

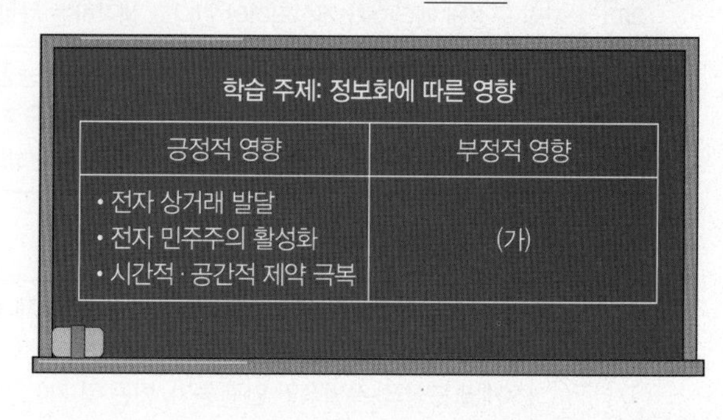

학습 주제: 정보화에 따른 영향

긍정적 영향	부정적 영향
• 전자 상거래 발달 • 전자 민주주의 활성화 • 시간적·공간적 제약 극복	(가)

06 ㉠으로 인해 나타난 사회의 변화에 대해 잘못 말한 학생은?

(㉠)(이)란 정보 통신 기술의 발달, 특히 컴퓨터와 인터넷의 발달로 산업 구조 및 일상생활이 변화하는 것을 말한다.

① 미영: 지식과 정보 산업이 급격히 발달해요.
② 소민: 소품종 대량 생산 방식이 일반화되었어요.
③ 서영: 프로게이머와 같은 신종 직업이 생겨났어요.
④ 민수: 외국에 사는 친구와 화상으로 대화할 수 있어요.
⑤ 채영: 집에서 인터넷으로 쇼핑을 할 수 있어서 편리해요.

[07~08] 다음 글을 읽고 물음에 답하시오.

> 우리는 집 안에서 방송이나 인터넷을 통해 다른 나라에서 일어나는 다양한 사건들을 알 수 있고, 반대로 우리나라에서 일어난 사건들은 실시간으로 다른 나라에 알려지고 있다. 또한, 각국의 다양한 음식을 즐길 수 있고, 세계적인 상표의 옷과 신발을 누구나 쉽게 접할 수 있다.

07 위와 같은 변화가 나타나게 된 배경으로 적절한 것은?

① 견고해진 국가 간 경계
② 보호 무역의 세계적 확대
③ 세계 시장의 획일화 경향
④ 교통 및 정보 통신 기술의 발달
⑤ 국가 간 물자 및 기술적 교류 감소

08 위와 같은 현상으로 인해 나타날 수 있는 문제점으로 적절하지 않은 것은?

① 개별 국가의 문화적 정체성 약화
② 국가 간 경제적 불평등 현상 심화
③ 이념에 따른 문화권 간의 대립 심화
④ 다국적 기업의 확산으로 문화의 획일화 초래
⑤ 국가 간 무한 경쟁으로 인한 빈부 격차 심화

09 다음 그래프와 같은 경향이 지속될 경우 나타날 수 있는 현상으로 옳은 것을 〈보기〉에서 고른 것은?

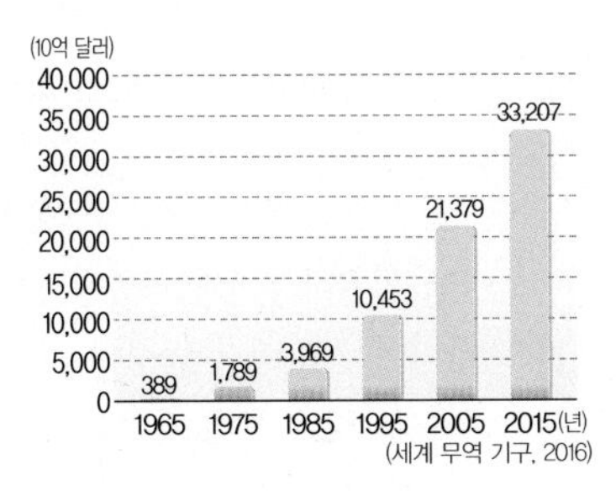

▲ 세계 무역 규모 추이

보기

ㄱ. 약소국의 자율성이 더욱 확대될 것이다.
ㄴ. 다른 나라의 다양한 문화를 체험할 기회가 많아진다.
ㄷ. 선진국과 개발 도상국의 경제적 격차가 줄어들 것이다.
ㄹ. 경쟁력 있는 우리 산업이 세계 시장으로 진출할 것이다.

① ㄱ, ㄴ ② ㄱ, ㄷ ③ ㄴ, ㄷ
④ ㄴ, ㄹ ⑤ ㄷ, ㄹ

10 밑줄 친 ㉠~㉤ 중 옳지 않은 것은?

> ㉠ 사회를 구성하는 정치, 경제, 사회 제도나 가치관 등이 부분적 또는 전체적으로 변화하는 현상을 사회 변동이라고 한다. 이러한 ㉡ 사회 변동은 과학 기술의 발달만으로 이루어진다. 현대 사회의 주요 변동 양상으로는 ㉢ 공업의 비율이 높아지고, 대량 생산과 대량 소비가 이루어지는 산업화, ㉣ 정보와 지식이 중심이 되는 정보화, ㉤ 세계 여러 나라가 다양한 분야에서 서로 영향을 주고받으며 긴밀한 관계를 형성하고 있는 세계화가 있다. 그러나 이러한 사회 변동은 여러 가지 문제점을 초래하기도 한다.

① ㉠ ② ㉡ ③ ㉢ ④ ㉣ ⑤ ㉤

11 다음과 같은 한국 사회 변동 과정에서 발생한 문제점으로 옳은 것을 〈보기〉에서 고른 것은?

> 우리나라는 1960년대 중반 이후 정부 주도의 경제 개발 정책으로 산업화 바람이 일면서 짧은 기간에 급속한 경제 성장을 이루었다.

보기

ㄱ. 도시와 농촌 간의 빈부 격차
ㄴ. 급격한 사회 변동으로 인한 가치관의 혼란
ㄷ. 개인 정보 유출, 사생활 침해로 인한 문제
ㄹ. 불법 다운로드로 인한 지적 재산권을 둘러싼 갈등

① ㄱ, ㄴ ② ㄱ, ㄷ ③ ㄴ, ㄷ ④ ㄴ, ㄹ ⑤ ㄷ, ㄹ

12 다음과 같은 현상의 원인으로 옳지 않은 것은?

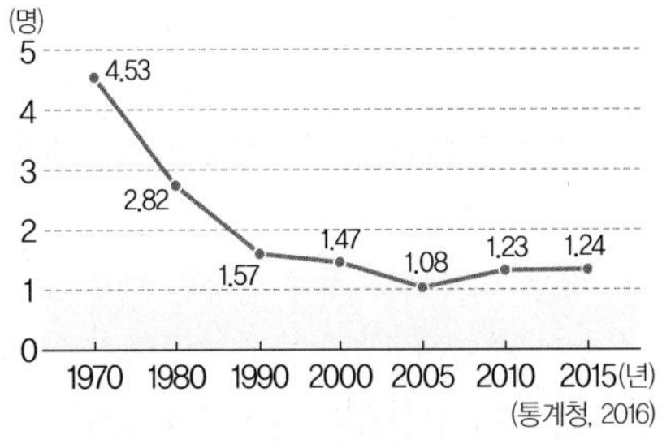

▲ 우리나라 합계 출산율의 변화

*합계 출산율: 임신 가능한 여성이 평생 동안 낳는 자녀의 평균 수

① 여성의 지위 하락 ② 자녀 양육비의 증가
③ 사교육비의 부담 증가 ④ 결혼에 대한 가치관 변화
⑤ 일과 가정의 양립 어려움

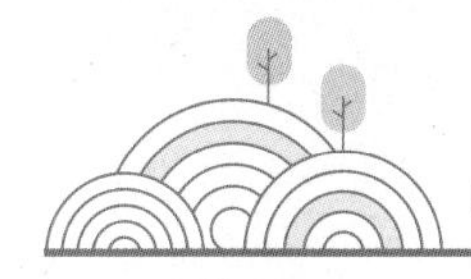

13 **자료에 나타난 최근 한국 사회의 변동 경향을 쓰고, 이러한 현상이 발생하는 원인에 대하여 서술하시오.**

경로석
경로석
이런 모습, 상상은 해보셨나요?

14 **그래프에 나타난 현상에 대한 적절한 대응 방안으로 옳은 것을 〈보기〉에서 고른 것은?**

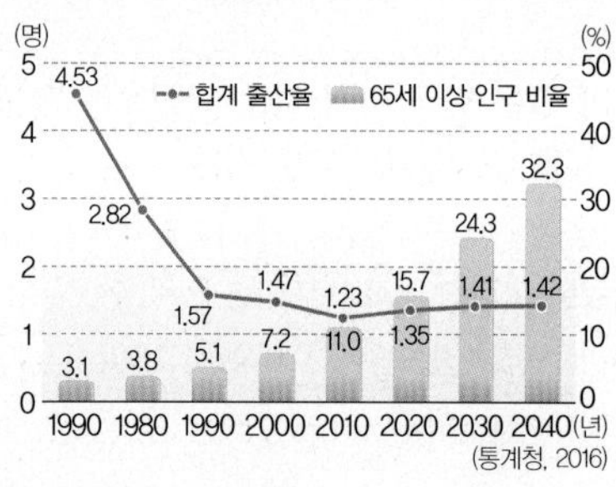

보기
ㄱ. 출산 장려 정책의 시행
ㄴ. 노인 관련 복지의 정비
ㄷ. 여성의 사회 진출 제한
ㄹ. 노인 부양에 대한 개인 책임 강화

① ㄱ, ㄴ ② ㄱ, ㄷ ③ ㄴ, ㄷ ④ ㄴ, ㄹ ⑤ ㄷ, ㄹ

15 **우리나라가 다문화 사회로 변화하고 있음을 옳게 제시한 사람을 〈보기〉에서 고른 것은?**

보기
ㄱ. 민영: 전체 혼인 건수에서 국제결혼의 비중이 증가하였어.
ㄴ. 채영: 일자리를 찾아 입국한 이주 노동자들의 수가 늘어났어.
ㄷ. 수영: 역사 교육의 강화로 자문화 중심주의적 사고를 가진 사람이 많아졌어.
ㄹ. 진영: 국내의 부유한 가정의 자녀들을 중심으로 조기 유학가는 학생이 많아졌어.

① ㄱ, ㄴ ② ㄱ, ㄷ ③ ㄴ, ㄷ ④ ㄴ, ㄹ ⑤ ㄷ, ㄹ

16 **그래프는 다문화 가족이 한국에서 겪는 어려움을 나타낸 것이다. 이를 해결하기 위한 대책으로 적절하지 않은 것은?**

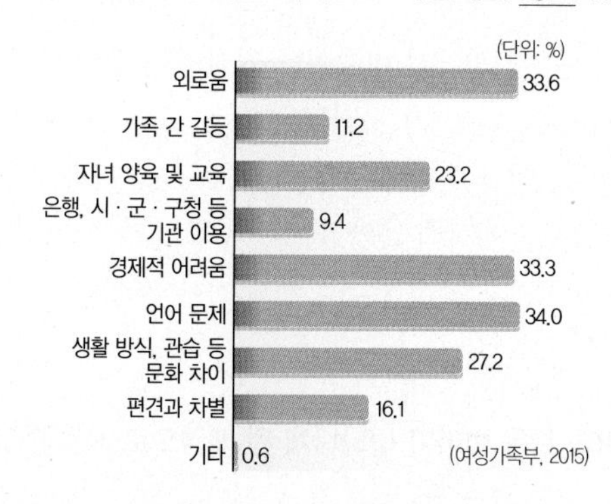

① 체계적인 다문화 교육을 실시한다.
② 문화적 차이를 존중하는 자세를 함양한다.
③ 다문화 가정에 대한 복지 제도를 확대한다.
④ 우리나라가 단일 민족 국가임을 긍지로 여긴다.
⑤ 이주민을 사회 구성원으로 인정하는 태도를 가진다.

17 **사회 문제에 대한 설명으로 옳지 않은 것은?**

① 인간의 노력으로 해결이 가능한 것이다.
② 개인에게 국한된 일은 사회 문제가 아니다.
③ 부정적으로 인식되는 현상은 모두 사회 문제이다.
④ 대다수의 사회 구성원들이 문제라고 인식하고 있어야 한다.
⑤ 한 사회의 사회 문제가 다른 사회에서는 전혀 문제가 되지 않을 수도 있다.

18 **다음 글에 나타난 사회 문제의 특징으로 적절한 것은?**

1970년대에는 장발과 미니스커트를 '퇴폐 풍조'로 규정하고 이를 엄격하게 단속하였다. 경찰이 가위와 자를 들고 다니며 거리에서 남성의 머리카락을 자르고 여성의 무릎과 치마 사이 길이를 쟀다. 그러나 오늘날에는 개인의 개성을 중시하는 사회로 장발을 하거나 짧은 치마를 입는 것은 개인의 취향일 뿐이다.

① 사회 문제는 사회 구성원 사이의 갈등을 심화시킨다.
② 사회 문제는 개별 국가의 노력만으로 해결할 수 있다.
③ 시대나 장소에 따라 사회 문제로 여겨지는 현상은 달라진다.
④ 사회 문제의 해결 과정에서 사회 구성원의 결속력이 강화되기도 한다.
⑤ 과학 기술의 발달로 예전에 없던 사회 문제가 새롭게 등장하기도 한다.

19 개발 도상국과 선진국의 인구 문제를 〈보기〉에서 골라 옳게 짝지은 것은?

| 보기 |
ㄱ. 경제 성장이 둔화된다.
ㄴ. 노인 복지 비용 부담이 증가한다.
ㄷ. 일자리와 주택 시설 부족 문제가 발생한다.
ㄹ. 식량 부족으로 기아와 빈곤 문제가 발생한다.

	개발 도상국	선진국		개발 도상국	선진국
①	ㄱ, ㄴ	ㄷ, ㄹ	②	ㄱ, ㄷ	ㄴ, ㄹ
③	ㄱ, ㄹ	ㄴ, ㄷ	④	ㄴ, ㄹ	ㄱ, ㄷ
⑤	ㄷ, ㄹ	ㄱ, ㄴ			

서술형

20 밑줄 친 '긍정적 영향'을 서술하시오.

사회 문제는 구성원들에게 고통을 주고 사회적 혼란을 가져오는 등 여러 가지 부정적인 영향을 끼친다. 하지만 사회가 존재하는 곳에는 사회 문제가 발생하기 마련이며, 사회 문제의 긍정적 영향도 있으므로 사회 문제를 외면하기보다는 합리적 의사 결정 구조를 마련하여 해결하도록 노력해야 한다.

21 그래프에 나타난 사회 문제의 해결 방안으로 적절한 것은?

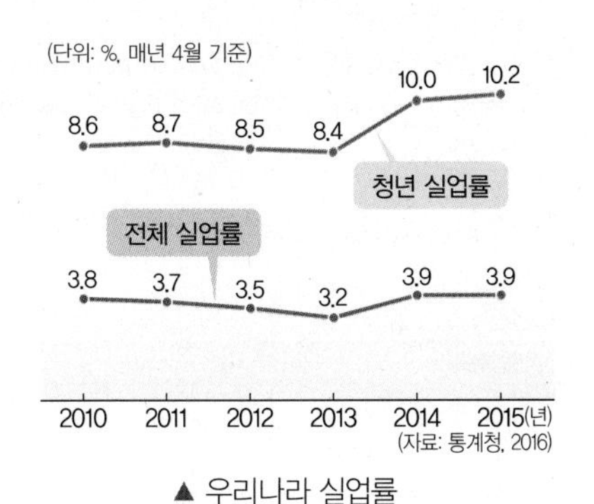

▲ 우리나라 실업률

① 근로자의 최저 임금을 보장한다.
② 실업 수당 등 사회 보장 제도를 확대한다.
③ 비정규직 근로자를 정규직 근로자로 전환한다.
④ 원만한 노사 관계를 위해 근로자와 사업자가 협력해야 한다.
⑤ 청년 실업자를 위한 일자리를 창출하고 기업이 투자를 확대한다.

22 노트 필기의 (가)에 들어갈 환경 문제로 옳은 것은?

((가))

원인	화석 연료의 사용과 온실가스 배출량 증가
결과	지구의 평균 기온 상승, 해수면 상승, 생태계 변화 등
대책	화석 연료 사용 억제 등

① 사막화 ② 산성비 ③ 자원 고갈
④ 수질 오염 ⑤ 지구 온난화

23 신문 기사를 보고 예상되는 현대 사회의 문제로 적절한 것은?

△△신문 20○○년 ○월 ○일

휴대 전화 위치 정보 서비스 제공

정보 통신 기술의 발달로 상대방의 번호만 알면 휴대폰을 들고 있는 사람의 위치와 이동 방향이 휴대 전화 화면에 나타나게 할 수 있는 수준에 이르렀다. 또한 휴대 전화 소유자 상호 간의 거리를 10m까지 알 수 있는 서비스를 제공하기로 하였다.

① 전통문화 소멸 ② 인권 침해 증가
③ 가치관의 획일화 ④ 소득 불평등 심화
⑤ 공동체 의식 상실

24 다음 글에서 얻을 수 있는 교훈으로 가장 적절한 것은?

수백만 명 이상의 인구가 굶어 죽은 아프리카의 기근은 가뭄이 원인이 된 것이었으나, 실제로는 과잉 농경과 방목에 의한 지나친 토지의 이용, 삼림의 훼손, 무절제한 식수원의 개발에 있다. 이들 나라에서는 늘어나는 인구를 먹여 살리기 위해 자연환경을 파괴시키지 않을 수 없고, 환경이 오염됨에 따라 사람들의 삶의 질이 급격히 떨어지고, 더 이상 사람들이 살 수 없는 지역들이 발생하게 되었다.

① 자연재해를 막을 수 있는 방법은 없다.
② 환경 보호를 위해 개발을 중단해야 한다.
③ 자연환경과 인간의 삶의 질은 관련성이 없다.
④ 미래 세대보다 현세대의 삶을 위한 개발이 이루어져야 한다.
⑤ 자연과 인간이 조화를 이루는 지속 가능한 발전이 필요하다.

쪽	사진	출처
9쪽	재사회화	ⓒ연합뉴스
9쪽, 26쪽	재사회화	ⓒ연합뉴스
14쪽	성취 지위	ⓒ연합뉴스
22쪽	회사	ⓒ연합뉴스
24쪽, 27쪽	가정	ⓒ연합뉴스
24쪽	회사	ⓒ연합뉴스
25쪽	또래 집단	ⓒ연합뉴스
25쪽, 26쪽, 27쪽	학교	ⓒ연합뉴스
26쪽	걸음마	ⓒ연합뉴스
26쪽	대중 매체	ⓒdpa/연합뉴스
27쪽	조기 축구회	ⓒ연합뉴스
27쪽	버스 안 승객	ⓒ연합뉴스
34쪽	의복 문화	ⓒ연합뉴스
34쪽, 52쪽	공연 문화	ⓒ연합뉴스
34쪽, 38쪽	한대 지역 의복	ⓒimageBROKER / Alamy Stock Photo
40쪽, 44쪽	하트라 파괴	ⓒ연합뉴스
41쪽, 실전 모의고사 12쪽	신사 참배	ⓒ서문당
41쪽, 43쪽	천하도	ⓒ서울대학교규장각한국학연구원
41쪽	명예살인 반대 시위	ⓒPacific Press Media Production Corp. / Alamy Stock Photo
42쪽	티베트 조장	ⓒHemis / Alamy Stock Photo
46쪽	1인 미디어	ⓒ연합뉴스
47쪽	데이 마케팅	ⓒ연합뉴스
52쪽	발레공연	ⓒEPA / 연합뉴스
52쪽	음식 문화	ⓒ연합뉴스
53쪽	힌두교 암소 숭배	ⓒEyeEm / Alamy Stock Photo
60쪽	공청회	ⓒ연합뉴스
60쪽	주민 참여 정책 간담회	ⓒ연합뉴스
63쪽	국회 본회의	ⓒ연합뉴스
63쪽	주민 회의	ⓒ연합뉴스
64쪽	도편 추방제	ⓒDe Agostini via Getty Images / 게티이미지코리아
69쪽	국민 신문고 사이트	ⓒ국민 신문고
76쪽	프랑스 혁명	ⓒHeritage Image Partnership Ltd / Alamy Stock Photo
84쪽, 88쪽, 104쪽	환경단체	ⓒ연합뉴스
84쪽, 88쪽, 102쪽, 104쪽	환경 운동 연합	ⓒ연합뉴스
90쪽	대선	ⓒ클립아트코리아
90쪽	총선	ⓒ클립아트코리아
90쪽, 실전 모의고사 23쪽	지방 선거	ⓒ클립아트코리아
91쪽, 실전 모의고사 22쪽	중앙선거관리위원회 사이트	ⓒ중앙선거관리위원회
96쪽	마중버스	아산마중버스ⓒhyolee2 / CC BY-SA 4.0, https://ko.m.wikipedia.org/wiki/%ED%8C%8C%EC%9D%BC:Asan_Majung_Bus_1161.JPG
97쪽	주민 투표	ⓒ연합뉴스
102쪽	노동 조합	ⓒ연합뉴스
121쪽	아동 노동	ⓒGlasshouse Images / Alamy Stock Photo
116쪽	공적인 생활 관계	ⓒ연합뉴스
122쪽	국민 참여 재판	ⓒ연합뉴스
123쪽	법원	ⓒ연합뉴스
136쪽, 140쪽, 실전 모의고사 33쪽, 37쪽	농업 사회	ⓒ연합뉴스
136쪽, 140쪽, 실전 모의고사 33쪽, 37쪽	산업 사회	ⓒ연합뉴스
136쪽, 실전 모의고사 33쪽, 37쪽	정보 사회	ⓒ연합뉴스
137쪽	산업혁명 당시의 모습	ⓒGranger Historical Picture Archive / Alamy Stock Photo
139쪽	k-pop(BTS)	ⓒErik Pendzich / Alamy Stock Photo
139쪽	비빔밥	ⓒ연합뉴스
148쪽	투발루	ⓒAP/연합뉴스
148쪽, 151쪽, 153쪽	북극곰	ⓒ연합뉴스
149쪽	환경세 부과	ⓒ연합뉴스
149쪽	국제 협약	ⓒEPA/연합뉴스
153쪽	사막화	ⓒ연합뉴스
154쪽	반세계화	ⓒVintage Photos / Alamy Stock Photo
158쪽, 실전 모의고사 34쪽	저출산 · 고령화	ⓒ한국방송광고진흥공사

필독
중학 국어로 수능 잡기

중학도 역시 EBS

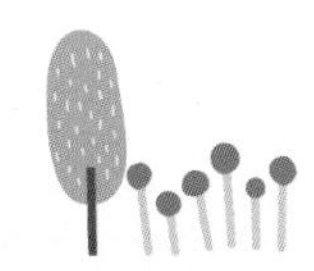

실전모의고사

사회를 한 권으로
가뿐하게!

중학 사회
①-2

핵심 평가 15 주제

민주 정치 제도

1 직접 민주 정치

의미	모든 국민이 법률과 정책 결정에 직접 참여하는 정치 형태
사례	고대 그리스 아테네의 ❶ ______
한계	모든 국민의 직접적인 의사 표현과 참여로 인해 토론과 결정에 많은 시간과 비용이 듦

2 ❷ ______ 민주 정치

의미	국민이 선출한 대표가 의회와 정부를 구성하여 법률과 정책을 결정하는 정치
등장 배경	• 영토가 넓고 인구가 많아 모든 국민의 직접 참여가 어렵기 때문 • 사회의 복잡화, 전문화로 전문적 지식이 필요해졌기 때문
장점	대규모 국가에서 효율적인 민주 정치 실현
한계	국민의 정치 참여 기회가 제한되기 쉽고, 국민의 의사가 정확히 전달되기 어려움 → 국민의 정치적 ❸ ______ 을 초래할 가능성이 있음
보완책	직접 민주 정치 요소 도입 ⓔ 지방 자치 제도, 국민 투표, 국민 발안, 국민 소환 등

답 ❶ 민회 ❷ 간접 ❸ 무관심

1 다음 설명이 직접 민주 정치에 해당하면 '직', 간접 민주 정치에 해당하면 '간'이라고 쓰시오.

(1) 대의 정치 제도라고도 한다. ( )

(2) 시간과 비용이 많이 든다는 단점이 있다. ( )

(3) 오늘날 대부분의 국가에서 채택하고 있다. ( )

(4) 국민 자치의 원리를 충실하게 실현하는 방법이다. ( )

2 ( )은/는 국민이 투표를 통해 선출한 공직자를 임기가 끝나기 전에 파면시키는 제도이다.

3 밑줄 친 ㉠, ㉡에 대한 설명으로 옳지 않은 것은?

> 민주주의 국가에서는 국민 자치의 원리에 따라 주권을 가진 국민이 스스로 나라를 다스릴 수 있다. 국민 자치의 원리를 실현하는 방법에는 ㉠ 직접 민주 정치 제도와 ㉡ 간접 민주 정치 제도가 있다.

① ㉠은 고대 그리스 아테네에서 실시되었다.

② ㉡에서는 국민이 대표자를 통해 주권을 행사한다.

③ ㉠은 ㉡에 비하여 공동체의 규모가 작은 국가에 적합한 제도이다.

④ ㉡은 ㉠에 비하여 시민의 의견을 정책에 제대로 반영하기 어렵다.

⑤ 오늘날 대부분의 나라들은 일반적으로 ㉡보다는 ㉠을 채택하고 있다.

답 1 (1) 간 (2) 직 (3) 간 (4) 직 2 국민 소환 3 ⑤

핵심 평가 16 주제

민주 정치와 정부 형태

1 의원 내각제와 대통령제

구분	의원 내각제	대통령제
의미	입법부와 행정부가 ❶ ______ 된 정부 형태	입법부와 행정부가 엄격하게 분리되어 견제와 균형을 이루는 정부 형태
구성	국민이 선거를 통해 의회 의원 선출 → 의회 다수당 대표가 ❷ ______ (수상)가 되어 내각 구성	국민이 선거를 통해 의회 의원과 대통령 선출 → 대통령이 행정부를 독립적으로 구성
특징	의회 의원이 내각의 각부 장관 겸직 가능, 총리와 내각의 법률안 제출권, 내각 불신임권, 의회 해산권 등	의회 의원이 내각의 각부 장관 겸직 불가, 대통령의 법률안 ❸ ______, 의회의 탄핵 소추권, 국정 감사권 등
장단점	• 장점: 책임 정치 실현, 효율적인 국정 운영 • 단점: 다수당의 횡포 우려, 군소 정당 난립 시 국정 혼란 초래	• 장점: 지속적이고 강력한 정책 추진 • 단점: 대통령의 독재 우려, 행정부와 의회 대립 시 조정이 어려움

2 우리나라의 정부 형태

특징	❹ ______ 를 기본적으로 채택 + 의원 내각제 요소를 일부 도입
대통령제 요소	• 국민이 선거를 통해 국회 의원과 대통령을 각각 선출 • 대통령의 법률안 거부권 행사를 통한 다수당의 횡포를 방지 • 국회가 국정 감사 및 조사권, 탄핵 소추권 등을 통해 행정부 견제
의원 내각제 요소	국회 의원의 행정부의 장관 겸직 가능, 행정부의 법률안 제출권, 국무총리 제도 등

답 ❶ 융합 ❷ 총리 ❸ 거부권 ❹ 대통령제

1 괄호 안의 내용 중 알맞은 말에 ○표 하시오.

(1) 의원 내각제에서 행정부가 국정을 잘못 운영하면 의회가 (의회 해산권, 내각 불신임권)을 행사할 수 있다.

(2) 대통령제에서 행정부 수반은 (법률안 제출권, 법률안 거부권)을 통해 의회 다수당의 횡포를 견제할 수 있다.

2 우리나라의 정부 형태를 〈보기〉에서 골라 기호를 쓰시오.

보기

ㄱ. 국무총리 제도

ㄴ. 국회의 국정 감사권

ㄷ. 대통령의 법률안 거부권

ㄹ. 행정부의 법률안 제출권

(1) 우리나라의 대통령제 요소 ( )

(2) 우리나라의 의원 내각제 요소 ( )

답 1 (1) 내각 불신임권 (2) 법률안 거부권 2 (1) ㄴ, ㄷ (2) ㄱ, ㄹ

정치 과정의 이해

1 다원화된 현대 사회

다양한 이익 표출 배경	• 사회의 다원화·복잡화 → 가치와 이익의 다양화 • 민주주의의 발달 → 시민의 자유와 권리 ❶ ____
정치 과정의 필요성	• 다양한 가치와 이익을 추구하는 과정에서 이해관계가 대립되거나 충돌함 • 정치 과정을 통해 사회 구성원 간의 갈등을 조정하면서 사회 문제를 해결함

2 정치 과정의 단계

의미	다양한 이해관계가 표출·집약되어 정책으로 결정·집행되는 과정	
단계	이익 ❷ ____	개인이나 집단이 다양한 요구를 여러 가지 방법을 통해 드러냄
	이익 ❸ ____	정당이나 언론 등이 사회 구성원의 의견을 수렴하여 여론을 형성함
	정책 결정	시민의 다양한 의견을 반영하여 국회나 정부가 정책을 결정함
	정책 집행	결정된 정책을 정부가 구체적으로 시행함
	정책 평가	정책이 집행된 후에 국민의 평가를 통해 어떤 문제가 발생하는지 파악함
	❹ ____	국민의 평가를 반영하여 정책을 수정 또는 보완하기도 함

답 ❶ 확대 ❷ 표출 ❸ 집약 ❹ 환류

1 빈칸에 들어갈 개념을 쓰시오.

> 정치 과정은 다양하게 표출된 이해관계를 집약하여 (   )(으)로 결정·집행하는 과정이다.

2 정치 과정의 단계를 순서대로 나열하시오.

> (가) 정부가 정책을 구체적으로 시행한다.
> (나) 시민의 다양한 의견을 반영하여 국회나 정부가 정책을 결정한다.
> (다) 정책이 집행된 후 국민의 평가를 반영하여 정책을 수정 또는 보완한다.
> (라) 개인이나 집단이 다양한 이해관계나 요구를 여러 가지 방법으로 드러낸다.
> (마) 정당이나 언론 등이 사회 구성원의 이익이나 주장을 몇 개의 안으로 수렴하여 여론을 형성한다.

3 다음 사례에 해당하는 정치 과정의 단계로 옳은 것은?

> 대학생들이 등록금 인상을 반대하며 대규모 집회를 열었고, 시민 단체들은 대학교의 등록금 인상을 억제하는 법안을 마련해 달라고 요구하고 있다.

① 이익 표출 ② 이익 집약 ③ 정책 결정 ④ 정책 집행 ⑤ 정책 평가

답 1 정책 2 (라)-(마)-(나)-(가)-(다) 3 ①

민주 정치의 기본 원리

국민 주권의 원리	의미	국가의 의사를 최종적으로 결정하는 최고 권력인 주권이 ❶ ____ 에게 있다는 원리
	내용	국민은 국가의 주인으로서 권리를 행사할 수 있으며, 국가 권력은 국민의 동의와 지지를 바탕으로 형성되고 행사되어야 함
❷ ____ 의 원리	의미	주권을 가진 국민이 스스로 나라를 다스릴 수 있다는 원리
	실현 방법	• 직접 민주 정치: 모든 국민이 직접 나라의 일을 결정하는 제도 → 국민 자치의 원리를 충실하게 실현 • 간접 민주 정치: 국민이 선출한 대표자가 나라를 다스리게 하는 제도 → 오늘날 대부분의 국가에서 채택
❸ ____ 의 원리	의미	헌법에 따라 국가 기관을 구성하고, 정치권력을 행사해야 한다는 원리
	목적	국가 권력의 남용 방지, 국민의 자유와 권리 보장
❹ ____ 의 원리	의미	국가 권력을 분리하여 독립된 기관이 나누어 맡도록 하는 원리
	목적	국가 기관 간 상호 견제와 균형을 통한 권력의 남용과 횡포 방지 → 국민의 자유와 권리 보장

답 ❶ 국민 ❷ 국민 자치 ❸ 입헌주의 ❹ 권력 분립

1 밑줄 친 부분에 공통으로 나타난 민주 정치의 기본 원리를 쓰시오.

> • 국가의 통치권은 국민에게 있다. 어떤 단체나 개인도 국민으로부터 나오지 않은 권력을 행사할 수 없다.
> – 프랑스 인권 선언문 제3조 –
> • 국민의, 국민에 의한, 국민을 위한 정부는 지상에서 절대 사라지지 않을 것입니다.
> – 미국 링컨의 게티즈버그 연설 –

2 그림을 통해 알 수 있는 민주 정치의 기본 원리를 쓰시오.

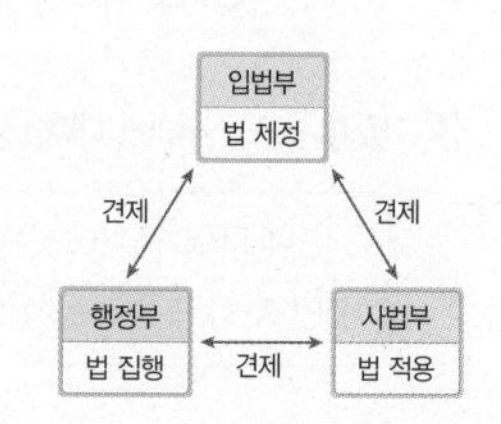

3 (가), (나)에 해당하는 민주 정치의 기본 원리를 쓰시오.

> (가) 주권을 가진 국민이 스스로 나라를 다스릴 수 있다는 원리
> (나) 헌법에 따라 국가 기관을 구성하고, 정치권력을 행사해야 한다는 원리

답 1 국민 주권의 원리 2 권력 분립의 원리 3 (가) 국민 자치의 원리 (나) 입헌주의의 원리

민주주의의 의미와 이념

1 민주주의의 의미

❶ ( ) 로서의 민주주의	권력을 가진 소수가 아닌 다수의 시민에 의해 국가가 통치되는 정치 형태
❷ ( ) 으로서의 민주주의	비판과 토론, 대화와 타협, 관용, 다수결의 원리 등을 통해 공동체의 문제를 해결하려는 생활 방식

2 민주주의의 이념

❸ ( ) 실현	모든 사람이 인간이라는 이유만으로 존중받아야 한다는 것
자유의 보장	• 의미: 국가나 타인의 간섭이나 구속 없이 자신의 뜻에 따라 판단하고 행동하는 것 • 오늘날에는 국가의 부당한 간섭을 받지 않을 자유뿐만 아니라 정치 과정에 참여하고 국가에 인간다운 삶을 요구할 자유도 중시
❹ ( ) 의 보장	• 의미: 성별, 신분, 재산 등에 따라 부당하게 차별받지 않고 동등하게 대우받는 것 • 현대에는 모든 사람들에게 균등한 기회를 부여하는 것뿐만 아니라 선천적·후천적인 차이를 고려한 실질적인 평등도 강조

답 ❶ 정치 형태 ❷ 생활 양식 ❸ 인간의 존엄성 ❹ 평등

1 빈칸에 공통으로 들어갈 알맞은 말을 쓰시오.

> 민주주의는 ( ) 실현을 근본이념으로 한다. ( )(이)란 인간은 인간이라는 이유만으로 존중받을 자격을 지닌다는 의미이다.

2 괄호 안의 내용 중 알맞은 말에 ○표 하시오.

(1) 공동체의 문제를 민주적으로 해결하려는 것을 (정치 형태, 생활 양식)(으)로서의 민주주의라고 한다.

(2) (자유, 평등)(이)란 외부의 간섭을 받지 않고 자신이 원하는 대로 판단하고 행동할 수 있는 것을 말한다.

(3) (형식적 평등, 실질적 평등)을 보장하기 위한 제도로는 장애인 의무 고용 제도, 국민 기초 생활 보장 제도 등이 있다.

3 실질적 평등을 실현하기 위한 제도로 적절하지 않은 것은?

① 공직에서 여성을 일정 비율 채용
② 소득 정도에 따라 다른 세율 적용
③ 빈곤 계층에게 최저 생계비를 지원
④ 모든 국민에게 선거권을 똑같이 부여
⑤ 국가시험에서 장애인에게 시험 시간 연장

답 1 인간의 존엄성 2 (1) 생활 양식 (2) 자유 (3) 실질적 평등 3 ④

정치 과정의 참여 주체

시민(개인)	자신의 이익을 실현하기 위해 다양한 방법으로 정치 과정에 참여하는 주체
❶ ( )	• 의미: 이해관계를 같이하는 사람들이 자신의 특수한 이익을 실현하기 위해 만든 단체 • 역할: 다양한 이익 대변, 전문성을 바탕으로 정책 결정에 도움을 줌, 정당의 기능 보완 등
시민 단체	• 의미: 공익을 실현하기 위해 시민들이 자발적으로 만든 집단 • 역할: 여론 형성, 정부 활동 감시 및 비판, 사회 문제 해결을 위한 대안 제시 등
❷ ( )	• 의미: 정치권력을 획득하기 위해 정치적 의견을 같이하는 사람들이 만든 단체 • 역할: 여론 형성, 선거에 후보자 추천, 국민의 의견을 국회나 정부에 전달 등
❸ ( )	• 의미: 정치적 쟁점이나 사회 문제 등 정치 과정 전반에 관한 정보를 제공하는 정치 주체 • 역할: 여론 형성, 정책에 대한 해설과 비판 제공, 정부 정책의 감시 및 비판 등
국가 기관	• 국회: 법률 제정 및 개정 • 정부: 정책의 수립 및 집행 • 법원: 재판을 통해 분쟁 해결

답 ❶ 이익 집단 ❷ 정당 ❸ 언론

1 (1)~(3)에 들어갈 정치 주체를 쓰시오.

구분	(1)	(2)	(3)
목적	특수 이익 실현	공익 실현	정권 획득
관심 영역	자기 집단 이익 관련 분야	사회 모든 분야	사회 모든 분야
정치적 책임	없음	없음	있음

2 다음과 같은 기능을 하는 정치 주체를 〈보기〉에서 골라 기호를 쓰시오.

> 보기
> ㄱ. 국회　　ㄴ. 법원　　ㄷ. 정부

(1) 재판을 통해 법률이나 정책과 관련된 분쟁을 해결한다. ( )

(2) 국민의 의견을 반영하여 정책을 구체적으로 수립하고 집행한다. ( )

(3) 국민의 대표 기관으로 법률을 제정하거나 개정함으로써 정치 과정에 참여한다. ( )

3 밑줄 친 정치 주체를 쓰시오.

> <u>○○ 단체</u>는 무분별한 개발과 환경 오염으로부터 야생 동식물을 보호하기 위한 목적으로 설립되었다. 이 단체는 환경 문제에는 국경이 없다는 생각으로 국제적 연대에도 적극적으로 참여하고 있다.

답 1 (1) 이익 집단 (2) 시민 단체 (3) 정당 2 (1) ㄴ (2) ㄷ (3) ㄱ 3 시민 단체

핵심 평가 19 주제

선거의 의미와 기능

1 선거의 의미와 유형

의미	국민을 대신해 나라의 일을 담당할 대표자를 선출하는 과정
중요성	• 시민이 정치 과정에 참여하는 가장 기본적이고 대표적인 방법 • ❶ ______ 민주주의를 유지·발전, 민주 정치의 성공과 실패 좌우 → '민주주의의 꽃'
유형	대통령 선거, 국회 의원 선거, 지방 선거

2 선거의 기능

대표자 선출	국민의 뜻에 따라 국가의 정치를 담당할 대표자를 선출함
정치권력에 ❷ ______ 부여	국민의 지지와 동의를 바탕으로 선출된 대표자는 권위를 인정받아 정당성을 가짐
정치권력 ❸ ______	대표자가 맡은 일을 제대로 수행하지 않을 경우 다음 선거에서 책임을 물어 권력을 통제함
시민의 의견 수렴	시민의 여론을 드러내어 정치 과정에 반영하는 기회를 제공함
주권 행사 수단	국민은 선거를 통해 자신의 의사를 표현하고 주권을 행사하면서 국가의 주인이라는 인식을 갖게 됨

답 ❶ 대의 ❷ 정당성 ❸ 통제

1 다음 내용에 해당하는 개념을 쓰시오.

> 현대 민주주의 국가에서 시민이 정치 과정에 참여하는 가장 기본적이고 대표적인 정치 참여 방법이다.

2 괄호 안의 내용 중 알맞은 말에 ○표 하시오.

(1) 국민을 대신해 나라의 일을 담당할 대표자를 선출하는 절차를 (선거, 투표)라고 한다.

(2) 선거는 (직접 민주 정치, 대의 민주주의)를 실현하는 중요한 수단이다.

3 다음 설명에 해당하는 선거의 기능을 〈보기〉에서 고르시오.

> 보기
> ㄱ. 대표자 선출　　ㄴ. 정치권력 통제
> ㄷ. 주권 의식 함양　　ㄹ. 대표자에 정당성 부여

(1) 후보자 중에서 국민을 대신하여 국정을 운영해 나갈 사람을 선택한다. (　　)

(2) 국민이 국가의 일에 참여함으로써 국가의 주인이라는 의식을 갖게 된다. (　　)

(3) 대표자가 역할을 제대로 수행하지 못할 경우 다음 선거에서 대표자를 교체한다. (　　)

(4) 국민의 지지와 동의를 얻어 선출된 대표자는 자신감을 가지고 일을 추진할 수 있다. (　　)

답 1 선거 2 (1) 선거 (2) 대의 민주주의 3 (1) ㄱ (2) ㄷ (3) ㄴ (4) ㄹ

핵심 평가 12 주제

민주 정치의 발전 과정

1 고대 아테네의 민주 정치

❶ ______ 민주 정치	• 모든 시민이 민회에 모여 법률이나 주요 정책을 논의하고 결정함 • 시민들은 추첨제나 윤번제를 통해 누구나 공직에 참여할 수 있음
❷ ______ 민주 정치	• 시민을 자유민인 성인 남성만으로 제한함 • 여성, 노예, 외국인은 정치에 참여할 수 없음

2 근대 민주 정치

대의 민주 정치	• 시민들은 선거를 통해 대표를 선출하여 국가의 의사 결정에 참여함 • 시민의 대표로 구성된 의회를 중심으로 한 대의 민주 정치가 형성됨
제한적 민주 정치	• 상공업으로 부를 축적한 남성들만이 정치에 참여함 • 빈민, 여성, 노동자, 농민 등 다수의 사람들이 정치에서 배제됨

3 현대 민주 정치

특징	• ❸ ______ 선거 제도 확립: 일정 연령 이상의 모든 사람들이 선거권을 얻게 되었음 • 대의(간접) 민주 정치 실시: 대부분의 국가에서 국민의 대표를 통해 나라의 중요한 일을 결정함 • 전자 민주주의 등장: 최근 정보 통신 기술의 발달로 시민이 정치에 참여할 수 있는 통로가 확대됨
한계	• 시민들의 의견이 정책에 제대로 반영되기 어려움　• 정치적 무관심 문제가 발생함

답 ❶ 직접 ❷ 제한적 ❸ 보통

1 표는 시대별 민주 정치를 정리한 것이다. (1)~(3)에 들어갈 알맞은 말을 쓰시오.

구분	고대 아테네 민주 정치	근대 민주 정치	현대 민주 정치
시민의 범위	자유민인 성인 남성	부유한 도시 상공업자	(1)
정치 형태	직접 민주 정치	(2)	대의 민주 정치, 전자 민주주의
한계	(3)	빈민, 여성, 노동자, 농민, 등의 정치 참여 배제	시민의 의견이 정책에 정확하게 반영되기 어려움

2 밑줄 친 부분을 옳게 고쳐 쓰시오.

(1) 고대 그리스 아테네에서는 <u>간접 민주 정치</u>가 발전하였다.

(2) 고대 그리스 아테네 이후 사라졌던 민주 정치는 <u>산업 혁명</u>을 통해 다시 등장하였다.

(3) 근대에는 시민이 선출한 대표로 구성된 의회를 중심으로 <u>직접 민주</u> 정치가 이루어졌다.

답 1 (1) 모든 사회 구성원 (2) 대의 민주 정치 (3) 여성, 노예, 외국인 등의 정치 참여 배제 2 (1) 직접 민주 정치 (2) 시민 혁명 (3) 간접 민주

핵심 평가 11 주제

정치와 정치 생활

1 정치의 의미와 기능

의미	❶ ( ) 의미	정치인들이 정치권력을 획득하고 유지하며 행사하는 활동
	❷ ( ) 의미	대립과 갈등을 조정하여 문제를 해결해 나가는 모든 활동
기능	대립과 갈등 조정, 사회 질서 유지, 사회 발전 방향 제시	

2 정치 생활에서 국가와 시민의 역할

❸ ( )의 역할	• 시민의 동의와 지지를 바탕으로 한 권력 행사 • 다양한 이해관계를 민주적으로 조정해야 함 • 정책의 결정 및 집행 과정에서 시민의 요구 반영 • 시민의 자유와 권리를 최대한 보장
❹ ( )의 역할	• 국가의 정당한 권위를 존중하며 법을 준수 • 국가 권력이 올바르게 행사될 수 있도록 감시 및 통제 • 자신의 의견이 정책에 반영될 수 있도록 노력 • 공동체의 이익과 조화를 이루면서 자유와 권리 추구

답 ❶ 좁은 ❷ 넓은 ❸ 국가 ❹ 시민

1 좁은 의미와 넓은 의미의 정치에 해당하는 것을 〈보기〉에서 골라 기호를 쓰시오.

보기
ㄱ. 국회 본회의 표결　　ㄴ. 아파트 주민 회의
ㄷ. 대통령 후보자의 선거 운동　　ㄹ. 학생회와 대학의 등록금 협상

(1) 좁은 의미의 정치 (　　　)
(2) 넓은 의미의 정치 (　　　)

2 정치의 기능을 〈보기〉에서 골라 기호를 쓰시오.

보기
ㄱ. 사회 질서와 안정을 유지한다.　　ㄴ. 사회가 나아가야 할 방향을 제시한다.
ㄷ. 특정 집단이나 개인의 이익을 실현한다.　　ㄹ. 다양한 이해관계를 합리적으로 조정한다.

3 정치 생활에서의 국가의 역할에 해당하면 '국', 시민의 역할에 해당하면 '시'라고 쓰시오.

(1) 다양한 이해관계를 민주적으로 조정한다. (　　)
(2) 국가 권력이 올바르게 행사될 수 있도록 감시 및 통제한다. (　　)
(3) 공동체의 이익과 조화를 이루면서 자유와 권리를 추구한다. (　　)

답 1 (1) ㄱ, ㄷ (2) ㄴ, ㄹ 2 ㄱ, ㄴ, ㄹ 3 (1) 국 (2) 시 (3) 시

핵심 평가 20 주제

선거 원칙과 공정한 선거를 위한 제도와 기관

1 민주 선거의 기본 원칙

❶ ( ) 선거	일정한 연령에 달한 모든 국민에게 선거권을 부여한다는 원칙
❷ ( ) 선거	모든 유권자는 동등한 가치의 투표권을 행사할 수 있다는 원칙
❸ ( ) 선거	선거권을 가진 사람이 직접 투표소에 나가 대표자를 선출해야 한다는 원칙
비밀 선거	유권자가 누구에게 투표했는지 다른 사람이 알지 못하도록 비밀을 보장하는 원칙

2 공정한 선거를 위한 제도와 기관

선거구 법정주의	의회에서 법률로 선거구를 정하도록 하는 제도 → 선거구가 특정 후보자나 정당에게 유리 또는 불리하게 정해지는 것을 방지함
선거 ❹ ( )	국가 기관에서 선거 과정을 관리하고 선거 운동 비용의 일부를 부담하는 제도 → 선거 운동의 과열과 부정 선거 방지, 후보자에게 선거 운동의 균등한 기회 보장
선거 관리 위원회	공정한 선거 관리, 정당 및 정치 자금에 관한 사무 처리를 위한 독립된 국가 기관 → 후보자 등록 및 선거 운동, 투표·개표 과정 관리, 선거법 위반 행위 예방 및 단속, 선거 참여를 위한 홍보 활동 등

답 ❶ 보통 ❷ 평등 ❸ 직접 ❹ 공영제

1 빈칸에 들어갈 민주 선거의 기본 원칙으로 옳지 않은 것은?

선거에 국민의 의사가 정확하게 반영되기 위해서는 민주적이고 합법적인 절차에 따라 선거가 공정하게 이루어져야 한다. 이를 위하여 우리나라에서는 헌법에 (　　　)의 원칙을 규정하고 있다.

① 보통 선거　② 평등 선거　③ 직접 선거　④ 비밀 선거　⑤ 제한 선거

2 민주 선거의 기본 원칙이 지켜진 사례를 〈보기〉에서 골라 기호를 쓰시오.

보기
ㄱ. 몸이 불편한 가족을 대신하여 선거에 참여한다.
ㄴ. 투표용지에 유권자의 신분이 드러나지 않게 한다.
ㄷ. 일정 연령에 달한 국민이라면 누구라도 선거권을 가진다.
ㄹ. 고학력자에게는 2표, 저학력자에게는 1표를 행사하게 한다.

3 다음과 같은 역할을 하는 국가 기관을 쓰시오.

• 선거법 위반 행위를 예방하고 단속한다.　• 선거 운동 및 투표·개표 과정을 관리한다.
• 정당 및 정치 자금에 관한 사무 처리를 담당한다.

답 1 ⑤ 2 ㄴ, ㄷ 3 선거 관리 위원회

핵심 평가 21 주제

지방 자치 제도

1 지방 자치 제도의 의미와 의의

구분	내용
의미	지역 주민들이 지방 자치 단체를 구성하여 지역의 문제를 자율적으로 처리하는 제도 → '❶ ______ 민주주의', '민주주의의 학교'
필요성	• 한 나라 안에서도 각 지역마다 실정이 다르고 해결해야 할 지역 문제가 다르기 때문 • 중앙 정부가 각 지역 주민의 요구를 수렴하기 어렵기 때문 • 주민 생활과 밀접한 지역 문제는 주민이 스스로 해결하는 것이 바람직하기 때문
목적	지역 특성에 맞는 업무 처리 → 주민의 복리 증진
의의	민주주의의 실천, 권력 ❷ ______ 의 원리 실현, 지역 실정에 맞는 정치 실시, 주민의 정치 참여 기회 확대

2 지방 자치 단체

구분		내용
종류		• ❸ ______ 자치 단체: 특별시, 광역시, 도, 특별자치시, 특별자치도 • ❹ ______ 자치 단체: 시, 군, 구
구성		지방 의회를 구성하는 지방 의회 의원과 지방 자치 단체장은 주민의 직접 선거를 통해 선출되며, 임기는 4년임
	지방 의회	• 의결 기관 • ❺ ______ 제정 • 예산안 심의 및 확정, 지방 자치 단체의 행정 업무 감사
	지방 자치 단체장	• 집행 기관 • ❻ ______ 제정 • 지방의 각종 사무 처리, 지역의 재산 관리 및 예산 집행

답 ❶ 풀뿌리 ❷ 분립 ❸ 광역 ❹ 기초 ❺ 조례 ❻ 규칙

1 광역 자치 단체의 의결 기관에 해당하는 것을 〈보기〉에서 골라 기호를 쓰시오.

보기
ㄱ. 성북구 의회 ㄴ. 전라도 의회 ㄷ. 함평군 군수
ㄹ. 동래구 구청장 ㅁ. 서울특별시 시장 ㅂ. 대전광역시 의회

2 괄호 안의 내용 중 알맞은 말에 ○표 하시오.

(1) 지방 자치 제도는 국가 권력이 중앙 정부에 집중되는 것을 막아 (권력 분립, 입헌주의)의 원리를 실현할 수 있다.
(2) 우리나라의 시, 군, 구는 (광역 자치 단체 , 기초 자치 단체)에 속한다.
(3) 지방 의회 의원과 지방 자치 단체장은 (4년, 5년)에 한 번씩 실시되는 지방 선거로 선출된다.

답 1 ㄴ, ㅂ 2 (1) 권력 분립 (2) 기초 자치 단체 (3) 4년

핵심 평가 10 주제

대중문화

1 대중문화의 의미와 특징

구분	내용
의미	다수의 사람이 공통으로 즐기고 누리는 문화
특징	• ❶ ______ 를 통해 대중문화가 형성되고 발전함 • 다수의 취향에 맞게 대량으로 생산되고 다수에 의해 대량으로 소비됨

2 대중문화의 기능 및 수용 태도

구분		내용
기능	순기능	문화의 대중화에 기여, 정보 전달의 실용성, 다양한 오락 제공
	역기능	상업성 추구, 문화의 ❷ ______ , 왜곡된 정보 전달, 여론 조작의 우려, 정치적 ❸ ______ 초래
수용 태도	비판적 수용	정보를 있는 그대로 받아들이기보다 비판적으로 바라보는 태도
	능동적 · 주체적 참여	• 잘못된 정보에 대한 시정을 요구하거나 의견을 제시하는 적극적인 자세 • 자신에게 필요한 정보를 주체적으로 수용하려는 적극적인 태도

답 ❶ 대중 매체 ❷ 획일화 ❸ 무관심

1 다음에서 설명하는 개념을 쓰시오.

• 대다수 사람들이 향유하는 옷차림, 행동 양식, 사고방식 등을 포함하는 문화이다.
• 일상생활에서 음악, 드라마, 영화 등과 같이 다수가 쉽게 접하고 즐기는 문화를 일컫는다.

2 다음 내용에 해당하는 대중문화의 특징을 〈보기〉에서 골라 기호를 쓰시오.

보기
ㄱ. 상업성 ㄴ. 오락성 ㄷ. 획일성

(1) 사람들에게 즐거움과 휴식을 제공하고 삶을 풍요롭게 해 준다. ( )
(2) 다수의 취향에 맞춘 동일한 정보를 대량으로 전달하면서 개인의 개성과 창의성이 무시된다. ( )
(3) 이윤을 추구하는 거대 자본에 의해 자극적이고 선정적인 내용을 담아 문화의 질을 떨어뜨릴 수 있다. ( )

3 다음에서 공통으로 나타난 대중문화의 문제점을 쓰시오.

• 최근에는 텔레비전에서 비슷한 방식의 오락 프로그램들이 많이 방송되고 있다.
• 인기 드라마에서 유명 연예인이 입고 나온 옷이 입소문을 타고 유행이 되면서 비슷한 옷을 입은 사람들을 거리에서 쉽게 볼 수 있다.

답 1 대중문화 2 (1) ㄴ (2) ㄷ (3) ㄱ 3 획일화된 대중문화

대중 매체

1 대중 매체의 의미와 특징

의미	다수의 사람에게 대량의 정보를 전달하는 수단
특징	• 대중 매체 간 경계가 모호해지고, 형태나 기능면에서 서로 융합되고 있음 • 정보의 전달 방식이 ❶ ______ 에서 쌍방향으로 변화함

2 대중 매체의 유형

일방향 매체	• 신문, 잡지, 책 등의 인쇄 매체 • 라디오 등의 음성 매체 • 텔레비전 등의 영상 매체
❷ ______ 매체 (뉴 미디어)	• 인터넷, 스마트폰 등을 활용하여 정보를 공유하며 소통하는 매체 • 시간과 공간의 제약을 극복하고 정보를 대량으로 확산시킴 • 쌍방향 의사소통이 가능해져 대중이 문화를 형성하는 ❸ ______ 로서 참여하게 됨

답 ❶ 일방향 ❷ 쌍방향 ❸ 생산자

1 다음 내용에 해당하는 대중 매체를 〈보기〉에서 골라 기호를 쓰시오.

보기
ㄱ. 신문 ㄴ. 잡지 ㄷ. 인터넷 ㄹ. 텔레비전 ㅁ. 스마트폰

(1) 전통적인 매체로 소비자에게 정보를 일방적으로 전달한다. ( )
(2) 정보 통신 기술의 발달로 새롭게 등장한 매체로 쌍방향 소통이 가능하다. ( )

2 뉴 미디어의 특징을 〈보기〉에서 골라 기호를 쓰시오.

보기
ㄱ. 정보 생산자와 소비자의 경계가 불분명하다.
ㄴ. 시간과 공간의 제약에서 벗어나 정보를 제공한다.
ㄷ. 문자, 사진, 영상 등을 이용하여 공감각적인 정보를 제공한다.
ㄹ. 신문, 잡지, 라디오, 텔레비전 등을 통해 정보를 일방적으로 전달한다.

3 대중 매체의 발달 과정을 시기 순으로 나열하시오.

(가) 라디오는 소리로 정보를 전달하며, 적은 비용으로 넓은 범위에 정보를 전달한다.
(나) 정보 통신 기술의 발달로 등장한 인터넷과 스마트폰은 우리의 일상에 많은 변화를 가져왔다.
(다) 신문, 잡지와 같은 인쇄 매체는 정보 전달의 속도는 다소 느리지만 깊이 있는 정보를 전달한다.

답 1 (1) ㄱ, ㄴ, ㄹ (2) ㄷ, ㅁ 2 ㄱ, ㄴ, ㄷ 3 (다)-(가)-(나)

지역 사회의 문제 해결

1 지역 주민의 정치 참여 방법

지방 선거	지방 의회 의원과 지방 자치 단체장을 선출하는 과정
주민 투표	지역 사회의 주요 현안에 대하여 주민이 직접 투표로 결정하는 제도
주민 ❶ ______	주민이 직접 조례안을 작성하여 지방 의회에 제출할 수 있는 제도
주민 ❷ ______	직무를 잘 수행하지 못한 지역 대표를 임기 중에 주민 투표로 해임할 수 있는 제도
주민 ❸ ______	지방 자치 단체에 지역 사회의 문제를 해결해 달라고 서면으로 요구할 수 있는 제도
주민 참여 예산제	지방 자치 단체의 예산 편성 과정에 주민이 직접 참여하는 제도
기타	공청회 참석, 행정 기관에 민원 제기, 서명 참여 등

2 주민 참여의 중요성

주민의 복리 증진과 지역 발전을 위한 지방 자치가 성공적으로 실현하기 위해서는 주민의 적극적인 참여가 필요함

답 ❶ 발의 ❷ 소환 ❸ 청원

1 지역 주민이 지방 자치에 참여하는 가장 기본적인 방법으로 옳은 것은?

① 주민 투표 ② 지방 선거 ③ 주민 발의
④ 주민 소환 ⑤ 주민 청원

2 빈칸에 공통으로 들어갈 지역 주민의 정치 참여 방법을 쓰시오.

○○공항 건설을 추진하는 ○○군과 이를 반대하는 지역 주민 간의 갈등이 절정에 달했다. 주민들은 결국 군수를 해임하기 위해 ( )을/를 청구하기에 이르렀다. 주민 대표는 ( )을/를 청구하는 이유로 공항 유치로 인한 군민 행복 추구권과 재산권 침해, 소통 없는 행정으로 주민 갈등 유발, 홍보비 과다 지출에 따른 군민 혈세 낭비 등을 들었다.

3 다음 내용에 해당하는 제도를 〈보기〉에서 골라 쓰시오.

보기
ㄱ. 주민 투표 ㄴ. 주민 청원
ㄷ. 주민 발의 ㄹ. 주민 참여 예산제

(1) 지방 자치 단체의 예산 편성 과정에 주민이 직접 참여하는 제도이다. ( )
(2) 주민이 직접 조례안을 작성하여 지방 의회에 제출할 수 있는 제도이다. ( )
(3) 지역 사회의 주요 현안에 대하여 주민이 직접 투표로 결정하는 제도이다. ( )
(4) 주민이 지역 행정에 관한 요구 사항이나 개선 사항을 문서로 요구하는 것이다. ( )

답 1 ② 2 주민 소환 3 (1) ㄹ (2) ㄷ (3) ㄱ (4) ㄴ

핵심 평가 23 주제 **법의 의미와 목적**

1 사회 규범 사회 구성원들이 지켜야 할 행동의 기준

❶	한 사회에서 오랫동안 지켜져 내려온 행동 양식 예 관혼상제, 예절 등
종교 규범	특정 종교에서 지키도록 정해 놓은 교리 예 십계명 등
도덕	인간이 마땅히 지켜야 할 도리 예 효도 등
법	사회 구성원들의 합의에 따라 국가가 제정한 규범 예 헌법, 민법, 도로 교통법 등

2 법과 도덕의 비교

❷	정의의 실현이 목적, 행위의 결과를 규율, 국가의 강제성에 의한 준수, 위반 시 국가에 의한 처벌
❸	선(善)의 실현이 목적, 행위의 동기를 규율, 개인의 자율성에 의한 준수, 위반 시 양심의 가책, 사회적 비난

3 법의 특징, 목적, 기능

법의 특징	❹	사회 구성원이 법을 지키지 않을 경우 국가에 의해 제재를 받음
	명확성	법은 해야 할 일과 하지 말아야 할 일을 구체적으로 명확하게 규정하고 있음
목적		• 정의 실현: 모든 사람이 각자 능력과 노력에 따라 정당하게 대우받는 것 • 공공복리 증진: 사회 구성원 다수의 행복과 이익을 추구하는 것
기능		분쟁 해결, 개인의 권리 보호, 사회 질서 유지

답 ❶ 관습 ❷ 법 ❸ 도덕 ❹ 강제성

1 다음 규범들의 공통점에 대한 설명으로 옳은 것은?

• 법 • 도덕 • 관습 • 종교 규범

① 국가가 제정하여 강제성을 가진다.
② 위반할 경우 국가의 제재를 받는다.
③ 내면적 양심과 행위의 동기를 규율한다.
④ 양심에 따라 자율적으로 지키도록 하는 규범이다.
⑤ 사람들이 사회생활에서 지켜야 할 행동의 기준이다.

2 사례에 나타난 법의 기능을 쓰시오.

2020년 시행된 임대차 3법 중 계약 갱신 청구권제는 경제적으로 불리한 위치에 있는 세입자의 안정적인 주거 생활을 위해 전세 계약 갱신(2년)을 임대인에게 요구할 수 있는 권리이다.

답 1 ⑤ 2 개인의 권리 보호

핵심 평가 8 주제 **문화를 바라보는 태도**

1 자문화 중심주의

장점	자기 문화에 대한 자부심을 높이고, 집단 내 결속력을 강화시킴
문제점	• 다른 나라와의 갈등이나 국제적 고립을 야기함 • 지나칠 경우 ❶ ______ 가 나타날 우려가 있음

2 문화 사대주의

장점	다른 문화의 장점을 수용하여 자기 문화를 발전시킬 수 있음
문제점	무비판적인 문화 수용으로 자기 문화의 ❷ ______ 이 상실될 수 있음

3 문화 상대주의와 극단적 문화 상대주의

문화 상대주의	장점	• 다양한 문화가 공존할 수 있음 • 다른 문화의 장점을 수용하여 문화를 발전시킬 수 있음
	문제점	극단적 문화 상대주의로 치우칠 경우 인류의 보편적 가치가 침해될 수 있음
❸ 문화 상대주의		인간의 존엄성, 자유, 평등 등 인류가 지향하는 보편적 가치에 위배되는 문화마저도 상대주의적 관점에서 이해하고 존중하려는 문화 이해 태도

답 ❶ 문화 제국주의 ❷ 주체성 ❸ 극단적

1 다음에 나타난 문화 이해 태도를 쓰시오.

이슬람 급진 무장 단체가 자신의 종교만이 유일한 것임을 내세우며 고대 유적지를 파괴하였다.

2 다음과 같은 문제점이 나타날 수 있는 문화 이해 태도를 〈보기〉에서 골라 기호를 쓰시오.

보기
ㄱ. 문화 사대주의 ㄴ. 자문화 중심주의 ㄷ. 극단적 문화 상대주의

(1) 인간의 존엄성, 자유, 평등과 같은 인류의 보편적 가치가 침해된다. ( )
(2) 외래문화의 무비판적인 수용으로 자기 문화의 주체성을 상실할 수 있다. ( )
(3) 다른 나라와 갈등을 일으키고, 지나칠 경우 문화 제국주의로 흐를 수도 있다. ( )

3 다음에서 설명하는 문화 이해 태도를 쓰시오.

• 한 사회의 문화를 그 사회의 특수한 자연환경, 사회적 상황 등을 고려하여 이해하는 태도이다.
• 문화를 있는 그대로 존중함으로써 다양한 문화가 공존할 수 있는 기초가 된다.

답 1 자문화 중심주의 2 (1) ㄷ (2) ㄱ (3) ㄴ 3 문화 상대주의

문화의 특징과 문화의 속성

1 문화의 특징

문화의 ❶ ☐	• 의미: 어느 사회에서나 공통적으로 나타나는 생활 양식이 있음 • 이유: 인간의 신체 구조, 기본적인 욕구, 사고방식이 비슷하기 때문에 나타남
문화의 특수성	• 의미: 각 사회의 문화가 고유한 특징과 독특한 모습을 가짐 • 이유: 각 사회마다 자연환경과 사회적 상황이 다르기 때문에 나타남

2 문화의 속성

❷ ☐	• 한 사회의 구성원들이 공통적인 생활 양식을 가지고 있음 • 다른 사람들이 어떤 행동을 할지 예측이 가능함
학습성	자신이 속한 사회의 문화를 학습을 통해 후천적으로 습득함
❸ ☐	문화는 고정된 것이 아니라 시대에 따라 끊임없이 변화함
축적성	이전 세대의 문화가 언어와 문자 등을 통해 전달 · 축적되어 다음 세대로 전승됨
전체성 (총체성)	• 문화의 구성 요소들이 상호 긴밀한 관계를 유지하면서 전체를 이룸 • 문화의 한 부분에 변동이 생기면 다른 부분에도 영향을 미침

답 ❶ 보편성 ❷ 공유성 ❸ 변동성

1 다음에서 설명하는 문화의 특징을 쓰시오.

> • 각 사회마다 자연환경과 사회적 상황이 다르기 때문에 다양한 문화가 나타난다.
> • 한국은 젓가락과 숟가락을 사용하고, 미국은 포크와 나이프를 이용하여 식사를 한다.

2 다음 사례에 해당하는 문화의 속성을 〈보기〉에서 골라 기호를 쓰시오.

> 보기
> ㄱ. 공유성 ㄴ. 학습성 ㄷ. 축적성

(1) 어린아이가 부모로부터 젓가락을 사용하여 식사하는 방법을 배운다. ( )

(2) 우리나라는 중요한 시험을 앞둔 사람에게 엿을 선물하며 합격을 기원한다. ( )

(3) 통화 기능만 있던 휴대 전화가 기술 개발을 통해 문자 전송, 사진 촬영, 음악 청취, 인터넷 검색 등이 가능하게 되었다. ( )

3 다음 내용과 관련된 문화의 속성을 쓰시오.

> 과학 분야의 정보 통신 기술의 발달은 전자 우편, 인터넷 뱅킹, 전자 투표 등 다른 분야에도 연쇄적으로 영향을 미쳤다.

답 1 문화의 특수성 2 (1) ㄴ (2) ㄱ (3) ㄷ 3 문화의 전체성

법의 유형과 특징

1 공법

의미		개인과 국가 또는 국가 기관 간의 공적인 생활 관계를 규율하는 법
종류	헌법	국민의 권리와 의무 및 국가의 통치 구조를 정해 놓은 법
	형법	범죄의 유형과 그에 따른 형벌의 내용을 정해 놓은 법
	❶ ☐	행정 기관의 조직과 작용 및 구제에 관한 법
	❷ ☐	재판이 이루어지는 절차를 규정한 법

2 사법

의미		개인과 개인 사이의 사적 생활 관계를 규율하는 법
종류	❸ ☐	개인 간의 가족 관계 및 재산 관계를 규율하는 법
	상법	상거래와 관련된 경제생활 관계를 규율하는 법

3 사회법 사법과 공법의 중간적 성격

의미	개인 간의 생활 영역에 국가가 개입하여 사회 · 경제적 약자를 보호하기 위한 법
등장 배경	근대 이후 자본주의의 발달로 인해 발생한 빈부 격차, 환경 오염, 노동 문제 등의 사회 문제가 심각해짐 → ❹ ☐ 국가 지향
목적	사회 · 경제적 약자의 권리 보호 → 모든 국민의 최소한의 인간다운 삶 보장

답 ❶ 행정법 ❷ 소송법 ❸ 민법 ❹ 복지

1 다음 설명이 공법에 해당하면 '공', 사법에 해당하면 '사'라고 쓰시오.

(1) 대표적으로 헌법과 형법을 들 수 있다. ( )

(2) 개인 간에 일어나는 일을 규정하는 법이다. ( )

(3) 국가 공동체와 관련 있는 개인의 생활 영역을 규율한다. ( )

2 사회법의 적용을 받는 경우를 〈보기〉에서 고른 것은?

> 보기
> ㄱ. 퇴근길에 집으로 가는 도중에 소매치기를 당한 경우
> ㄴ. 구입한 물건에 문제가 생겼는데도 환불받지 못한 경우
> ㄷ. 부모님의 재산 상속과 관련하여 형제들 간에 분쟁이 생겼을 경우
> ㄹ. 환풍기도 없는 작업장에서 하루에 15시간 이상 쉬지 않고 일한 경우

① ㄱ, ㄴ ② ㄱ, ㄷ ③ ㄴ, ㄷ ④ ㄴ, ㄹ ⑤ ㄷ, ㄹ

답 1 (1) 공 (2) 사 (3) 공 2 ④

재판의 의미와 종류

1 재판의 의미와 기능

의미	법원이 공정하게 법을 적용하여 옳고 그름을 밝히는 과정
기능	분쟁 해결, 사회 질서 유지, 국민의 권리 보호, 정의 실현 등

2 재판의 종류

❶ (　　) 재판	개인 간에 일어난 분쟁을 해결하기 위한 재판
❷ (　　) 재판	범죄의 유무를 판단하고 형벌의 정도를 결정하는 재판
가사 재판	가족이나 친족 간의 다툼을 해결하기 위한 재판
❸ (　　) 재판	행정 기관이 국민의 권리를 침해하였는지 판단하는 재판
선거 재판	선거와 당선의 유·무효를 결정하는 재판
소년 보호 재판	소년의 범죄나 비행을 다루는 재판

답 ❶ 민사 ❷ 형사 ❸ 행정

1 재판에 대한 설명으로 옳은 것을 〈보기〉에서 골라 기호를 쓰시오.

보기
ㄱ. 법을 적용하여 옳고 그름을 판단하는 과정
ㄴ. 사회 질서를 유지하고 국민의 권리를 보호
ㄷ. 모든 재판에 국민들이 배심원으로 참여 가능
ㄹ. 개인 간의 분쟁을 시간과 비용 부담 없이 해결

2 재판의 종류와 그에 대한 설명으로 옳은 것은?

① 선거 재판: 당선의 유·무효를 결정한다.
② 행정 재판: 개인 간에 일어난 분쟁을 해결한다.
③ 형사 재판: 가족이나 친족 간의 다툼을 해결한다.
④ 가사 재판: 범죄 유무를 판단하고 형벌 정도를 결정한다.
⑤ 민사 재판: 행정 기관이 국민의 권리를 침해하였는지를 판단한다.

3 밑줄 친 '소송'을 다루는 재판의 종류로 옳은 것은?

K 씨는 지난해 여름 ○○ 지역의 한 도로에서 이혼 소송을 하려고 집을 나선 아내를 자신의 택시에 태우고 문을 잠근 채 30분간 감금한 혐의로 기소되었다. 그러나 피해자인 아내가 처벌을 원하지 않아 K 씨는 감금죄에 대해서는 기소 유예되었지만 운전면허가 취소되었다. 이에 생계를 위해 택시 운전을 해야만 하는 K 씨는 운전면허 취소가 지나친 처분이라고 생각하여 소송을 준비하고 있다.

① 민사 재판　② 형사 재판　③ 가사 재판　④ 행정 재판　⑤ 선거 재판

답 1 ㄱ, ㄴ 2 ① 3 ④

문화의 의미와 구성 요소

1 문화의 의미

❶ (　　) 의미	• 문학이나 예술 활동과 관련된 것 예 문화계 소식, 문화생활 등 • 교양 있고 세련된 모습 예 문화인, 문화 시민 등
❷ (　　) 의미	한 사회의 구성원이 주어진 환경에 적응하여 만들어 낸 공통된 생활 양식 예 한국 문화, 청소년 문화 등

2 문화의 구성 요소

물질문화	인간의 기본적 욕구를 충족하고 생존하는 데 필요한 도구나 기술 예 의복, 가옥, 음식 등	
❸ (　　) 문화	제도문화	사회 질서 유지를 위한 규범과 제도 예 법, 도덕, 관습 등
	관념 문화	인간의 삶을 풍요롭게 해 주는 정신적 창조물 예 학문, 종교, 예술 등

답 ❶ 좁은 ❷ 넓은 ❸ 비물질

1 빈칸에 공통으로 들어갈 알맞은 용어를 쓰시오.

(　　)은/는 라틴어의 'cultus(경작하다)'에서 유래하였다. 과거에는 자연과 대비되는 '문명'이라는 의미로 사용되기도 하였다. 우리가 배고플 때 음식을 먹고 싶다는 마음이 드는 것은 본능이지만, 한국인이 된장찌개를 떠올리거나 미국인이 햄버거를 떠올린다면 이는 (　　)적 행동에 해당되는 것이다.

2 좁은 의미의 문화로 사용된 사례를 〈보기〉에서 골라 기호를 쓰시오.

보기
ㄱ. 문화인　ㄴ. 문화 시민　ㄷ. 지역 문화
ㄹ. 음식 문화　ㅁ. 청소년 문화

3 ㉠~㉢에 들어갈 문화의 구성 요소를 쓰시오.

학교는 다양한 문화의 구성 요소들로 이루어져 있으며 서로 밀접한 관련이 있다. 교실, 책상 등은 (㉠)에 해당한다. 교칙이나 학교생활 예절 등은 (㉡)이며, 교훈, 급훈, 교가 등은 (㉢)에 해당한다.

답 1 문화 2 ㄱ, ㄴ 3 ㉠ 물질문화 ㉡ 제도문화 ㉢ 관념 문화

사회 집단

1 사회 집단의 의미와 특징

구분	내용
의미	둘 이상의 사람들이 모여 소속감과 공동체 의식을 가지고 지속적인 상호 작용을 하는 집합체
특징	개인에게 지위와 역할 부여, 개인과 사회를 연결하는 매개체

2 사회 집단의 유형

구분	유형	설명
접촉 방식에 따른 구분	1차 집단	친밀하고 인격적인 관계를 중심으로 형성된 집단
	❶ ( )	일정한 목적을 달성하기 위해 형식적·수단적 인간관계가 이루어지는 집단
❷ ( ) 여부에 따른 구분	내집단	자신이 소속되어 있어 '우리'라는 공동체 의식을 가지는 집단
	외집단	자신이 소속되지 않아 이질감이나 적대감을 가지는 집단
결합 의지에 따른 구분	❸ ( )	자신의 의지와 상관없이 자연적으로 형성된 집단
	이익 사회	특정한 목적을 위해 의도적으로 형성된 집단
준거 집단		• 개인의 행동이나 판단의 기준이 되는 사회 집단 • 소속 집단과 준거 집단이 일치하지 않을 때 갈등과 불만이 생길 수 있음

답 ❶ 2차 집단 ❷ 소속감 ❸ 공동 사회

1 빈칸에 들어갈 알맞은 말을 쓰시오.

> (　　　)(이)란 둘 이상의 사람들이 모여 소속감과 공동체 의식을 가지고 지속적인 상호 작용을 하는 집합체이다.

2 사회 집단에 해당하는 사례를 〈보기〉에서 골라 기호를 쓰시오.

> 보기
> ㄱ. 야구장에 모인 관중들　　ㄴ. 영화관에 모인 관람객들
> ㄷ. 연예인 A를 향해 환호하는 팬클럽 회원들　　ㄹ. 수학여행 때 버스에 탑승한 같은 학교 중학생들

3 다음에서 설명하는 사회 집단의 유형을 〈보기〉에서 고르시오.

> 보기
> ㄱ. 2차 집단　　ㄴ. 공동 사회　　ㄷ. 이익 사회　　ㄹ. 준거 집단

(1) 특정한 목적을 위해 의도적으로 형성된 집단 (　　)
(2) 개인의 행동이나 판단의 기준이 되는 사회 집단 (　　)
(3) 자신의 의지와 상관없이 자연적으로 형성된 집단 (　　)
(4) 일정한 목적을 달성하기 위해 형식적·수단적 인간관계가 이루어지는 집단 (　　)

답 1 사회 집단 2 ㄷ, ㄹ 3 (1) ㄷ (2) ㄹ (3) ㄴ (4) ㄱ

민사 재판과 형사 재판

1 민사 재판의 절차와 참여자

구분		내용
절차		원고의 소장 제출 → 피고의 답변서 제출 → 원고와 피고의 증거 제출 → 증인 신문 및 변론 → 법관의 판결
참여자	❶ ( )	민사 재판을 청구하는 사람
	❷ ( )	민사 재판에서 소송을 제기당한 사람
	변호사	민사 재판에서 원고나 피고의 편에 서서 법률적인 도움을 주는 사람
	법관	재판에서 판결을 내리는 사람

2 형사 재판의 절차와 참여자

구분		내용
절차		고소, 고발 → 피의자 수사 → 검사의 공소 제기 → 검사의 진술 → 피고인 변론 → 법관의 판결
참여자	❸ ( )	형사 재판을 청구하여 피고인의 처벌을 요구하는 사람
	피고인	범죄 혐의가 있어 형사 재판을 받는 사람
	변호인	형사 재판에서 피고인의 편에 서서 법률적인 도움을 주는 사람
	법관	재판에서 판결을 내리는 사람

답 ❶ 원고 ❷ 피고 ❸ 검사

1 다음 설명이 민사 재판에 해당하면 '민', 형사 재판에 해당하면 '형'이라고 쓰시오.

(1) 검사가 기소하면서 시작된다. (　　)
(2) 원고가 법원에 소장을 제출하면서 시작된다. (　　)
(3) 판사는 피고인의 유무죄를 가린 후 형량을 결정한다. (　　)

2 밑줄 친 '재판'의 종류를 쓰시오.

> A는 사소한 말다툼 끝에 회사 동료인 B를 때려 크게 다치게 하였다. B는 자신이 폭행당한 사실을 경찰에 신고하였고, A는 경찰에서 조사를 받은 후 검찰로 넘겨져 지방 법원에서 재판을 받게 되었다.

3 다음 설명에 해당하는 재판의 참여자를 〈보기〉에서 골라 기호를 쓰시오.

> 보기
> ㄱ. 원고　　ㄴ. 검사　　ㄷ. 판사　　ㄹ. 피고　　ㅁ. 피고인

(1) 재판에서 판결을 내리는 사람 (　　)
(3) 범죄를 수사하고 공소를 제기하는 사람 (　　)
(3) 형사 사건으로 기소되어 재판을 받는 사람 (　　)

답 1 (1) 형 (2) 민 (3) 형 2 형사 재판 3 (1) ㄷ (2) ㄴ (3) ㅁ

공정한 재판을 위한 제도

1 사법권의 독립

구분		내용
의미		법원의 조직이나 운영을 다른 국가 기관으로부터 독립하여 외부의 간섭이나 압력을 받지 않도록 하는 것
목적		공정한 재판을 통한 국민의 기본권 보장
실현 방법	법원의 독립	법원의 조직이나 운영에 대해 외부의 간섭이나 영향을 받지 않음
	법관의 신분 보장	법관의 임기를 법률로 정하고, 법관이 ❶ ____ 과 ❷ ____ 에 의하여 양심에 따라 독립하여 심판함

2 공개 재판주의와 증거 재판주의

구분	내용
❸ ____ 재판주의	재판의 과정과 결과를 일반인에게 공개해야 한다는 원칙
❹ ____ 재판주의	구체적인 증거를 바탕으로 판결을 해야 한다는 원칙

3 심급 제도

구분		내용
의미		법원에 급을 두어 한 사건에 대해 여러 번 재판을 받을 수 있게 하는 제도 → 3심제가 원칙
목적		법관의 잘못된 판결로 발생할 수 있는 피해를 최소화하고, 공정한 재판을 통해 국민의 자유와 권리를 보호하기 위함
상소		재판 당사자가 하급 법원의 판결에 불만이 있을 경우 상급 법원에 다시 재판을 청구하는 것
	❺ ____	1심 법원의 판결에 불복하여 2심을 청구하는 것
	상고	2심 법원의 판결에 불복하여 3심을 청구하는 것

답 ❶ 헌법 ❷ 법률 ❸ 공개 ❹ 증거 ❺ 항소

1 다음 헌법 내용이 보장하고 있는 제도를 쓰시오.

> 제101조 ① 사법권은 법관으로 구성된 법원에 속한다.
> ③ 법관의 자격은 법률로 정한다.
> 제103조 법관은 헌법과 법률에 의하여 그 양심에 따라 독립하여 심판한다.

2 괄호 안의 내용 중 알맞은 말에 ○표 하시오.

(1) (공개 재판주의, 증거 재판주의)에 따라 재판의 과정과 결과를 일반인들도 방청할 수 있게 한다.

(2) (항소, 상고)란 1심 법원의 판결에 불복하여 2심을 청구하는 것이다.

(3) 우리나라는 (2심제, 3심제)를 원칙으로 하여 일반적으로 하나의 사건에 대해 (두 번, 세 번)까지 재판을 받을 수 있다.

답 1 사법권의 독립 2 (1) 공개 재판주의 (2) 항소 (3) 3심제, 세 번

역할 갈등

1 역할 갈등의 의미 및 원인

구분	내용
의미	개인이 가지는 여러 개의 ❶ ____ 이 서로 충돌하여 갈등을 일으킨 상태
원인	개인이 여러 개의 사회적 ❷ ____ 를 가지고 있기 때문에 나타남

2 역할 갈등의 해결 방법

구분	내용
해결 방법	• 갈등의 원인과 상황을 명확하게 분석함 • 여러 역할 가운데 무엇이 중요한지 기준을 정하여 판단함 • 역할의 ❸ ____ 를 정하여 중요한 것부터 차례대로 수행함 • 사회적으로 역할 갈등을 합리적으로 해결할 수 있는 법과 제도를 정비함

답 ❶ 역할 ❷ 지위 ❸ 우선순위

1 빈칸에 들어갈 알맞은 개념을 쓰시오.

> 한 개인이 가지는 서로 다른 지위에 따른 역할이 다양할 경우 여러 개의 역할이 서로 충돌하여 갈등을 일으킨 상태를 (   )(이)라고 한다. 예를 들어 직장인 부모가 회사의 중요한 회의에 참석할지, 딸의 학교 학예회에 참석할지 고민하는 상황이 이에 해당한다.

2 밑줄 친 ㉠~㉤ 중 옳지 않은 것은?

> 역할 갈등이란 ㉠ 개인이 가지는 여러 개의 사회적 지위가 서로 충돌하여 갈등을 일으킨 상태이다. 또한 ㉡ 개인이 가진 여러 역할들이 조화를 이루지 못하여 서로 충돌하는 현상이다. 역할 갈등이 발생하는 근본적인 이유는 ㉢ 한 사람이 여러 개의 사회적 지위를 가지고 있기 때문이다. 역할 갈등을 원만하게 해결하지 못할 경우 ㉣ 개인은 심리적 불안을 느낄 수 있고, ㉤ 사회는 혼란스러워질 수도 있다.

① ㉠ ② ㉡ ③ ㉢ ④ ㉣ ⑤ ㉤

3 역할 갈등의 올바른 해결 방법을 〈보기〉에서 골라 기호를 쓰시오.

> 보기
> ㄱ. 여러 역할 가운데 기준을 정하여 중요도를 판단한다.
> ㄴ. 자신에게 주어진 모든 역할을 수행하지 않고 포기한다.
> ㄷ. 역할의 우선순위를 정하여 중요한 것부터 차례대로 수행한다.
> ㄹ. 사회적으로 역할 갈등을 합리적으로 해결할 수 있는 법과 제도를 정비한다.

답 1 역할 갈등 2 ① 3 ㄱ, ㄷ, ㄹ

사회적 지위와 역할

1 사회적 지위

의미		개인이 사회나 집단 내에서 차지하는 위치
유형	❶	• 자신의 의지와 관계없이 자연적으로 갖게 되는 지위 예 여자, 남자 등 • 전통 사회에서 중요시함
	❷	• 개인의 능력과 노력에 의해 얻게 되는 지위 예 학생, 교사 등 • 현대 사회에서 중요시함

2 역할과 역할 행동

역할	의미	사회적 지위에 따라 기대되는 일정한 ❸
역할 행동	의미	역할을 수행하는 개인의 구체적인 방식
	특징	• 역할을 충실히 수행하면 칭찬과 보상을 받음 • 역할을 제대로 수행하지 못하면 제재를 받기도 함

답 ❶ 귀속 지위 ❷ 성취 지위 ❸ 행동 양식

1 ㉠, ㉡에 들어갈 용어를 쓰시오.

> (㉠)(이)란 개인이 사회나 집단 내에서 차지하는 위치를 의미하며, 이에 따라 기대되는 일정한 행동 양식을 (㉡)(이)라고 한다.

2 귀속 지위와 성취 지위에 해당하는 사례를 〈보기〉에서 골라 기호를 쓰시오.

> 보기
> ㄱ. 교사　　ㄴ. 여자
> ㄷ. 아들　　ㄹ. 연예인

(1) 귀속 지위 (　　　　)　　(2) 성취 지위 (　　　　)

3 ㉠~㉢에 들어갈 알맞은 개념을 쓰시오.

> 개인이 자신에게 주어진 사회적 역할을 수행하는 구체적인 방식을 (㉠)(이)라고 한다. 역할을 충실히 수행할 경우 (㉡)와/과 보상을 받지만, 역할을 제대로 수행하지 못하면 비난과 (㉢)을/를 받기도 한다.

답 1 ㉠ 사회적 지위 ㉡ 역할 2 (1) ㄴ, ㄷ (2) ㄱ, ㄹ 3 ㉠ 역할 행동 ㉡ 칭찬 ㉢ 제재

사회 변동

1 사회 변동의 의미와 요인

의미	사회를 구성하는 제도, 규범, 가치관 등이 부분적 또는 전체적으로 변화하는 현상
요인	교통·통신 및 과학 기술의 발달, 가치관의 변화(계몽사상, 양성평등 사상), 문화 전파, 정부 정책 및 인구 변화, 전쟁과 교역 등

2 인류 사회의 변동 과정

원시 사회	수렵·채집 활동을 하면서 이동 생활을 하였음
농업 사회	농경과 정착 생활 시작 → ❶ 와 노동력 중심
산업 사회	산업 혁명을 통해 공장에서 대량 생산과 대량 소비가 이루어짐 → ❷ 과 노동력 중심
정보 사회	정보 통신 기술의 발달로 다품종 소량 생산 방식으로 변화함 → ❸ 와 지식 중심

3 현대 사회 변동의 특징

빠른 변동 속도	현대 사회에 들어서면서 사회 변동 속도가 매우 빠르게 이루어짐
광범위한 변동	생활 전반에 걸쳐 다차원적이고 광범위한 변동이 일어남

답 ❶ 토지 ❷ 자본 ❸ 정보

1 사회 변동에 대한 설명으로 옳은 것을 〈보기〉에서 골라 기호를 쓰시오.

> 보기
> ㄱ. 사회 변동의 속도나 양상은 사회마다 모두 동일하다.
> ㄴ. 오늘날 사회 변동의 주요 요인은 과학 기술의 발전이다.
> ㄷ. 현대 사회로 올수록 변동의 속도는 점점 빨라지고 있다.
> ㄹ. 현대 사회의 변동은 과거에 비해 그 범위가 축소되었다.

2 다음은 인류 사회의 변동 과정을 나타낸 것이다. (가) 사회의 특징으로 옳은 것은?

> 원시 사회 → 농업 사회 → ((가)) → 정보 사회

① 기계의 발명을 통해 사회가 변화하였다.
② 정보 통신 관련 기술이 크게 성장하였다.
③ 전체 산업에서 농업이 차지하는 비율이 높다.
④ 지식과 정보가 중심이 되어 변화를 이끌어 간다.
⑤ 국경의 의미가 강화되어 사람과 물자의 교류가 줄어든다.

답 1 ㄴ, ㄷ 2 ①

현대 사회의 변동 양상

1 산업화

영향	• 정치: ❶ [ ]의 정치 참여 확대 • 경제: 대량 생산 · 대량 소비, 도시화 진행 • 사회 · 문화: 교육의 기회 확대, 대중의 사회적 지위 향상
문제점	환경 오염, 노동 문제, 빈부 격차, 인간 소외 현상 등

2 정보화

영향	• 정치: ❷ [ ] 민주주의 실현 • 경제: 다품종 소량 생산 방식, 전자 상거래, 인터넷 뱅킹 발달 • 사회 · 문화: 시간적 · 공간적 제약 극복, 인간의 개성과 창의력 중시
문제점	정보 격차, ❸ [ ] 범죄, 개인 정보 유출, 사생활 침해 등

3 세계화

영향	• 정치: 민주주의 이념과 가치 확산 • 경제: 자유 무역의 확대, 소비자의 상품 선택 기회 확대, 생산자는 넓은 소비 시장 확보 등 • 사회 · 문화: 문화 교류가 활발해져 다양한 문화 체험의 기회 확대
문제점	지나친 경쟁으로 무역 분쟁 발생, 선진국과 개발 도상국 간의 빈부 격차 심화, 문화의 획일화로 약소국과 소수 민족의 문화 소멸 등

답 ❶ 대중 ❷ 전자 ❸ 사이버

1 괄호 안의 내용 중 알맞은 말에 ○표 하시오.

(1) (정보화, 세계화)에 따라 전자 민주주의가 확산되면서 시민의 정치 참여가 활발해졌다.

(2) 세계화로 인해 선진국과 개발 도상국 간의 경제적 격차는 (완화, 심화)되었다.

2 정보화로 인한 사회 변화 모습으로 옳은 것을 〈보기〉에서 골라 기호를 쓰시오.

보기

ㄱ. 전자 상거래가 활성화되었다.
ㄴ. 전자 투표로 전자 민주주의가 실현되었다.
ㄷ. 도시와 농촌 간의 지역 격차가 심화되었다.
ㄹ. 전체 산업 중 제조업의 비율이 증가하였다.

3 사례가 시사하는 바로 가장 적절한 것은?

미국에서 휴대 전화를 판매하는 한 업체는 인도의 콜센터에서 서비스 상담을 받고 있으며, 고장 난 휴대 전화는 제품이 생산된 말레이시아로 보내 수리한다.

① 민주주의 이념이 강화되고 있다.
② 세계화가 빠르게 진행되고 있다.
③ 국가 간의 경계가 강력해지고 있다.
④ 지역 사회의 자율성이 확대되고 있다.
⑤ 가치관이나 생활 양식이 단순해지고 있다.

답 1 (1) 정보화 (2) 심화 2 ㄱ, ㄴ 3 ②

청소년기의 사회화

1 청소년기의 의미와 특징

의미	아동기와 성인기의 과도기에 해당하는 시기
특징	2차 성징과 같은 급격한 신체 성장, 감정의 기복이 심해 정서적으로 불안정하거나 충동적임, 추상적 · 논리적 사고력 신장, ❶ [ ]과의 강한 유대감 형성
청소년기를 나타내는 표현	주변인, 질풍노도의 시기, ❷ [ ] 이유기, 이유 없는 반항기 등

2 자아 정체성의 의미와 중요성

의미	자신만의 고유한 특성이나 모습을 명확하게 이해하는 것
중요성	• 성인기의 삶과 사회에도 영향을 미침 • 청소년기는 자아 정체성이 형성되는 중요한 시기임 • 긍정적인 자아 정체성을 형성하려는 노력이 필요함

답 ❶ 또래 집단 ❷ 심리적

1 빈칸에 들어갈 알맞은 용어를 쓰시오.

(   )(이)란 아동기와 성인기의 과도기에 해당하는 시기이다. 이 때, 급격한 신체적 성장을 겪으며 2차 성징이 나타난다. 또한 또래 집단과의 강한 유대감을 형성하는 특징을 보인다.

2 청소년기를 나타내는 표현을 〈보기〉에서 골라 기호를 쓰시오.

보기

ㄱ. 주변인
ㄴ. 심리적 이유기
ㄷ. 질풍노도의 시기
ㄹ. 사회화의 완성기

3 다음에서 설명하는 용어를 쓰시오.

• 성인기의 삶과 사회에 영향을 미친다.
• 자신만의 고유한 특성이나 모습을 명확하게 이해하는 것이다.

답 1 청소년기 2 ㄱ, ㄴ, ㄷ 3 자아 정체성

핵심 평가 1 주제

사회화와 사회화 기관

1 사회화의 의미와 기능

의미	개인이 자신이 속한 사회의 언어, 행동 양식, 규범, 가치관 등을 배워 가는 과정	
기능	개인적 측면	개성과 자아 형성
	사회적 측면	문화 공유 및 다음 세대로 전달, 사회 유지 및 발전

2 사회화 기관

가정	가장 기초적인 사회화 기관, 기본적인 생활 습관 습득
또래 집단	놀이를 통해 집단의 규칙과 질서 의식 습득
❶ ______	사회화를 목적으로 하는 공식적인 사회화 기관
직장	업무에 필요한 지식, 기술, 태도 습득
❷ ______	신문, 텔레비전, 인터넷 등을 통해 다양한 지식과 정보 전달

3 ❸ ______ 사회 변화에 적응하기 위해 지식, 기술, 가치, 태도 등을 새롭게 배우는 과정

답 ❶ 학교 ❷ 대중 매체 ❸ 재사회화

1 빈칸에 공통으로 들어갈 용어를 쓰시오.

> ( )(이)란 개인이 자신이 속한 사회의 언어, 행동 양식, 규범, 가치관 등을 배워 가는 과정이다. 사람은 자라면서 언어를 배우고 주변 사람들의 행동을 바라보면서, 사회에서 요구하는 일정한 규범이나 사회적 역할 등을 습득하고 자신의 정체성을 형성한다. 사람들이 사회적 관계를 맺고 사회성을 익히는 이런 과정이 바로 ( )이다.

2 다음에서 설명하는 사회화 기관을 쓰시오.

> • 가장 기초적인 사회화 기관 • 기본적인 생활 습관을 습득하는 기관

3 재사회화에 해당하는 사례를 〈보기〉에서 골라 기호를 쓰시오.

> 보기
> ㄱ. 초등교육 ㄴ. 군대의 신병 훈련
> ㄷ. 성인의 평생 교육 ㄹ. 노인의 정보화 교육

답 1 사회화 2 가정 3 ㄴ, ㄷ, ㄹ

핵심 평가 30 주제

한국 사회 변동의 최근 경향

1 저출산·고령화

원인	저출산	여성의 사회 진출 증가, 자녀 양육에 대한 경제적 부담 증가, 결혼과 출산에 대한 가치관 변화 등
	고령화	생활 수준의 향상 및 의료 기술의 발달, 평균 수명의 연장 등
문제점	생산 가능 인구 감소로 노동력 부족, 경제 성장 둔화로 국가 경쟁력 약화, 노인 빈곤과 질병 및 소외 문제 발생, ❶ ______ 및 사회 복지 비용 증가	
대응 방안	저출산	출산 장려 정책 시행, 육아 휴직 제도 확대, 양성평등 문화 확립 등
	고령화	사회 안전망 확립, 노인 일자리 창출, ❷ ______ 산업 육성 등

2 다문화 사회

영향	긍정적 영향	국내 노동력 부족 문제 완화, 문화 다양성 실현을 통한 문화 발전
	부정적 영향	가치관과 문화 차이로 인한 갈등, 이주민들에 대한 고정 관념과 차별
대응 방안	• 의식적 측면: 이주민을 사회 구성원으로 인정, 문화의 ❸ ______ 을 인정하고 존중 • 제도적 측면: 다문화 가정에 대한 복지 확대, 다문화 교육 프로그램 마련	

답 ❶ 노년 부양비 ❷ 실버 ❸ 다양성

1 저출산 현상의 대책으로 옳은 것을 〈보기〉에서 골라 기호를 쓰시오.

> 보기
> ㄱ. 실버산업 육성 ㄴ. 양성평등 문화 확립 ㄷ. 국민연금 제도 개선
> ㄹ. 육아 휴직 제도 확대 시행 ㅁ. 영유아 보육비 지원 확대

2 고령화 현상의 문제점으로 적절한 것은?

① 경제 성장 가속화 ② 노년 부양비 감소 ③ 생산 가능 인구 감소
④ 경제 활동 인구 증가 ⑤ 사회 보장 비용 감소

3 다문화 사회로 변화한 요인으로 옳은 것을 〈보기〉에서 골라 기호를 쓰시오.

> 보기
> ㄱ. 세계화 ㄴ. 국제결혼 감소 ㄷ. 외국인 근로자 유입 ㄹ. 다문화 가정의 감소

답 1 ㄴ, ㄹ, ㅁ 2 ③ 3 ㄱ, ㄷ

주제 현대 사회의 사회 문제

1 사회 문제의 의미와 특징

구분	내용
의미	사회 구성원 대다수가 개선되어야 한다고 생각하는 사회 현상
특징	• 발생 원인이 사회에 있고, 인간의 노력으로 해결 가능함 • 시대와 장소, 사회의 상황에 따라 달라지는 ❶ (　　　) 을 지님 • 사회 문제를 원만하게 해결한다면 사회가 더욱 발전하는 계기가 됨

2 현대 사회의 주요 사회 문제와 해결 방안

구분		내용
인구 문제	선진국	• 문제점: 저출산 · 고령화 사회, 노동력 부족, 경제 성장 둔화, 노인 부양 부담 증가 • 해결 방안: ❷ (　　　) 휴직 제도 확충, 출산 · 양육 보조금 지급, 사회 보장 대책 마련 등
	개발 도상국	• 문제점: 폭발적인 인구 증가, 빈곤 및 기아, 일자리와 각종 시설 부족 • 해결 방안: 가족계획 사업을 통해 ❸ (　　　) 조정 등
노동 문제	유형	실업 문제, 노사 갈등, 임금 갈등, 고용 불안 등
	해결 방안	• 제도적 측면: 일자리 창출 및 고용 안정 정책의 실시, 최저 ❹ (　　　) 등 • 의식적 측면: 적극적인 구직 활동 및 업무 능력 향상 노력, 동반자적 노사 관계 확립 등
환경 문제	유형	자원 고갈, 환경 오염, 지구 온난화, 열대림 파괴, 사막화, 오존층 파괴
	해결 방안	• 개인: 에너지 절약 생활화, 재활용 및 쓰레기 분리 배출 생활화, 대중교통 이용하기 등 • 기업: 오염 정화 시설 설치, 친환경 생산 기술 개발 등 • 정부: 쓰레기 종량제 실시 등 법적 · 제도적 장치 마련 • 국제 사회: 환경 문제 해결을 위한 국제적 연대 강화

답 ❶ 상대성 ❷ 육아 ❸ 출산율 ❹ 임금제

1 다음에서 설명하는 용어를 쓰시오.

> 사회 구성원 대다수가 개선되어야 한다고 생각하는 사회 현상으로 발생 원인이 사회 내부에 있어 인간의 노력으로 해결이 가능한 것이다.

2 사회 문제에 해당하는 사례로 옳은 것을 <보기>에서 골라 기호를 쓰시오.

보기
- ㄱ. 지진 발생으로 건물의 일부 유실
- ㄴ. 지각을 해서 선생님께 꾸중을 들음
- ㄷ. 출생률 하락으로 인해 노동력 부족
- ㄹ. 출산으로 회사 승진에 있어 불이익을 받음

답 1 사회 문제 2 ㄷ, ㄹ

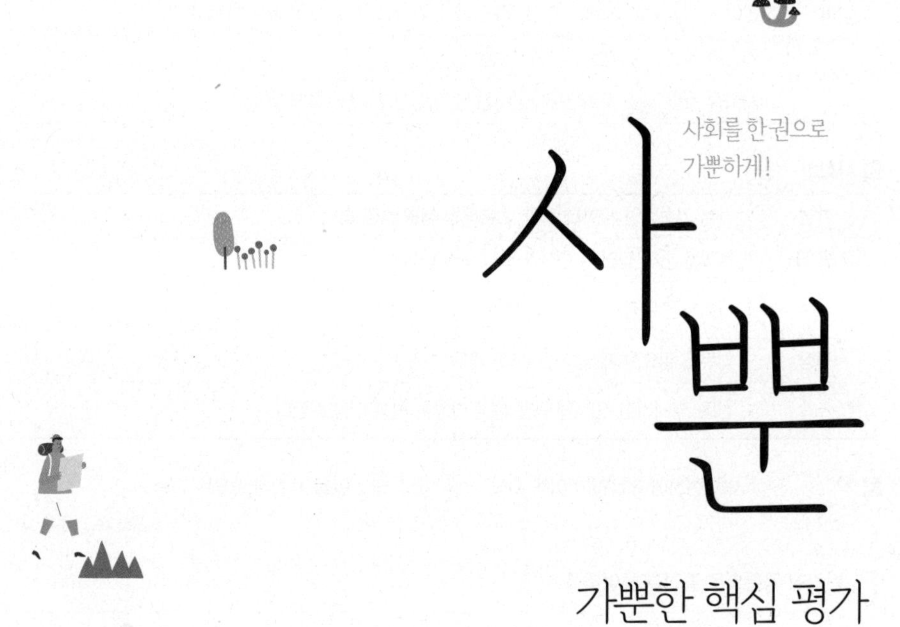

사회를 한권으로
가뿐하게!
사뿐
가뿐한 핵심 평가

중학 사회 ①-2

가뿐한 핵심 평가

자르는 선

미니북

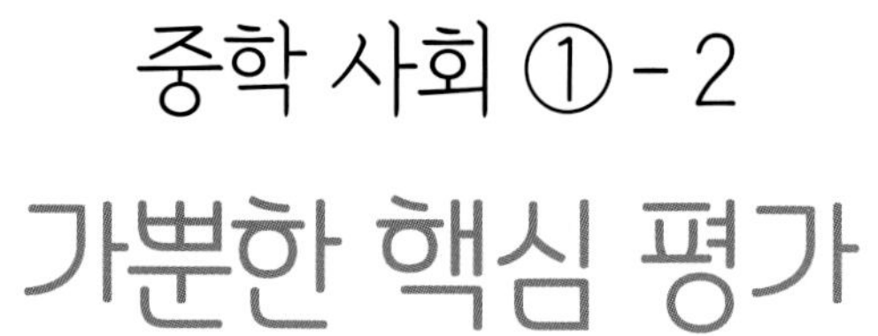

중학 사회 ①-2

가뿐한 핵심 평가

실전모의고사

Ⅶ. 개인과 사회생활

실전모의고사(1회)

01. 다음 내용에서 설명하는 용어로 옳은 것은?

> 한 인간이 사회생활을 할 수 있도록 그 사회가 기대하는 행동 양식, 규범, 가치관 등을 학습하는 과정이다.

① 자연화 ② 인간화 ③ 사회화
④ 정치화 ⑤ 세속화

02. 다음 내용과 관련 있는 인간의 특징을 표현한 말로 가장 적절한 것은?

> 우크라이나의 옥사나라는 소녀는 세 살 때부터 5년 동안 개들과 함께 생활하였다. 이웃들의 신고로 발견되었을 당시 그녀는 네 발로 뛰고 큰소리로 짖거나 낑낑거리는 등 개와 다름없이 행동하였다. 이후 옥사나는 꾸준한 교육을 받았지만, 이러한 습성은 쉽게 고쳐지지 않았다. 23세가 된 지금은 글을 읽고 쓰지만, 여전히 지적 능력은 여섯 살 정도이다.

① 인간은 만물의 영장이다.
② 인간은 사회적 동물이다.
③ 인간은 정치적 동물이다.
④ 인간은 이성적 존재이다.
⑤ 인간은 생각하는 갈대이다.

03. 사회화된 행동의 사례로 옳은 것을 〈보기〉에서 고른 것은?

〈 보기 〉
ㄱ. 영지는 점심식사 후 졸려서 하품을 자주 한다.
ㄴ. 배탈이 난 우성이는 수업 중에 배가 매우 아팠다.
ㄷ. 미술에 관심이 많은 윤지는 미술학원에서 소묘를 배운다.
ㄹ. 언제나 인사성이 바른 민성이는 웃어른을 보면 항상 인사를 한다.

① ㄱ, ㄴ ② ㄱ, ㄷ ③ ㄴ, ㄷ
④ ㄴ, ㄹ ⑤ ㄷ, ㄹ

서술형

04. 다음 글을 통해 알 수 있는 인간의 특징을 서술하시오.

> 사람은 출생 당시에는 아무것도 모르며, 또 상당 기간 동안 다른 사람의 도움을 받아야 살아남을 수 있는 생물학적 존재로 태어난다. 그러나 시간이 지남에 따라 식사하는 방법이나 식사 예절 등을 지켜야 한다는 것을 알게 되고, 자신이 속한 사회의 한 사람으로서 인간다운 모습을 갖추어 가며 성장해 간다.

05. 사회화의 기능 중 사회적 측면에 해당하는 것은?

① 자아 정체성을 확립하게 한다.
② 문화를 다음 세대로 전달한다.
③ 자신이 속한 사회의 규범을 습득한다.
④ 사회적 지위와 그에 따른 역할을 익힌다.
⑤ 다른 사람과 구별되는 자신만의 개성을 형성한다.

06. 다음 내용을 통해 설명할 수 있는 개념으로 적절한 것은?

> A대학 경영학과를 졸업하고 증권 회사에 취업하여 주위의 부러움을 샀던 김 씨는 금융 위기에 따른 구조 조정으로 명예퇴직을 하였다. 그 후 음식점을 차리기 위해 한식 자격증 시험에 도전하려고 열심히 공부하고 있다.

① 사회화 ② 대중화 ③ 역할 갈등
④ 재사회화 ⑤ 자아 정체성

07. 인간의 성장 단계에 가장 큰 영향을 미치는 주요 사회화 기관을 옳게 연결한 것은?

① 유아기 – 대중 매체 ② 아동기 – 사회 단체
③ 청소년기 – 학교 ④ 성인기 – 또래 집단
⑤ 노년기 – 가정

실전모의고사(1회)

정답과 해설 41~42쪽

서술형

08. 그림은 수업 시간의 판서 내용이다. (가)에 해당하는 사회화 기관을 쓰고, (나)의 특징을 서술하시오.

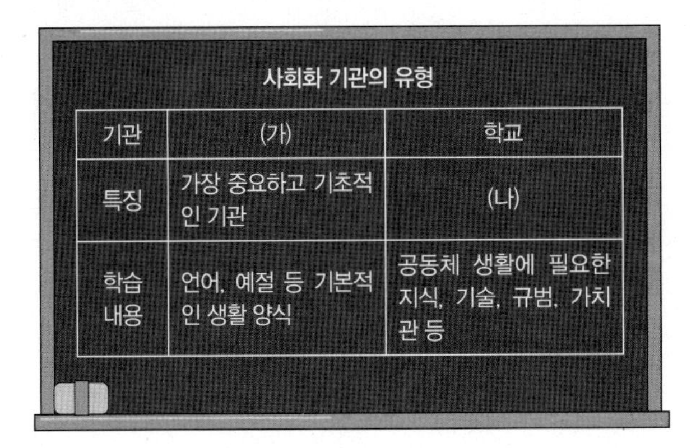

사회화 기관의 유형

기관	(가)	학교
특징	가장 중요하고 기초적인 기관	(나)
학습 내용	언어, 예절 등 기본적인 생활 양식	공동체 생활에 필요한 지식, 기술, 규범, 가치관 등

09. 청소년기에 대한 설명으로 옳지 않은 것은?

① 자아가 형성되고 독립심이 강해진다.
② 사회 변화에 적응하는 속도가 느려진다.
③ 유년기에서 성인기로 넘어가는 중간 단계이다.
④ 2차 성징이 나타나 신체적 변화에 민감해진다.
⑤ 지적 능력이 높아져 추상적이고 논리적인 사고력이 향상된다.

10. 밑줄 친 부분에 해당하는 지위의 사례로 옳은 것을 〈보기〉에서 고른 것은?

> 인간은 사회적 관계를 바탕으로 다양한 지위를 갖게 되는데, 태어나면서부터 갖게 되는 지위와 자신의 노력을 통해 얻게 되는 지위가 있다.

〈 보기 〉

ㄱ. 학생　　ㄴ. 아들
ㄷ. 군인　　ㄹ. 여자

① ㄱ, ㄴ　② ㄱ, ㄷ　③ ㄴ, ㄷ
④ ㄴ, ㄹ　⑤ ㄷ, ㄹ

11. 밑줄 친 ㉠~㉢에 해당하는 개념을 옳게 연결한 것은?

> ㉠ 막내인 동희는 어머니께서 부르는 소리에 잠을 깨 일어나자마자 서둘러 식사를 끝낸 후, 버스를 타고 학교에 도착하였다. 어젯밤 늦게까지 텔레비전을 시청했기 때문에 ㉡ 수업시간에 졸다가 선생님께 혼났다. 방과 후에는 동아리 모임에서 ㉢ 차기 회장으로 선출되었다.

	㉠	㉡	㉢
①	귀속 지위	역할	성취 지위
②	귀속 지위	역할 행동	귀속 지위
③	귀속 지위	역할 행동	성취 지위
④	성취 지위	역할	귀속 지위
⑤	성취 지위	역할 행동	귀속 지위

서술형

12. (가)~(마) 중 성격이 다른 사회적 지위를 골라 쓰고, 이러한 사회적 지위의 특징을 서술하시오.

> (가) 연예인 협회 총무
> (나) 김 씨 문중의 차녀
> (다) A 방송국의 14기 탤런트
> (라) 연예인 댄스 동아리 회장
> (마) B대학교 총학생회 부회장

13. 다음 사례들에 공통으로 나타나 있는 사회학적 개념으로 옳은 것은?

> • 무역 회사 영업부 부장인 이 씨는 다음 주말에 중요한 해외 출장이 잡혀 있다. 그런데 그 주말에 시어머니의 팔순 잔칫날이 있다. 맏며느리인 그녀는 팔순 잔치에 참여해야 할지, 출장을 가야 할지 고민 중이다.
> • 민호는 집안에서 첫째 아들이자 오빠로서 여동생을 돌봐야 한다. 학교에서는 연극반 동아리 회장으로 활동하고 있다. 학교 축제 때 동아리 발표를 위해 연극 연습을 해야 할지, 집에 가서 여동생을 돌봐야 할지 고민하고 있다.

① 지위　② 역할　③ 사회화
④ 역할 갈등　⑤ 사회 집단

14. 다음 조건을 모두 충족하는 집단의 예로 적절한 것은?

- 조건 1: 두 사람 이상
- 조건 2: 소속감과 공동체 의식
- 조건 3: 구성원 간에 지속적인 상호 작용

① 벚꽃 구경을 나온 시민들
② △△ 아이돌 팬클럽 회원들
③ 백화점 쇼핑을 하는 관광객들
④ 지하철 승강장에 모여 있는 직장인들
⑤ 자기 팀을 응원하는 야구장의 관중들

15. 그림은 어느 중학생의 일정표이다. 밑줄 친 ㉠~㉤ 중에서 〈보기〉에 해당하는 사회 집단의 유형을 고른 것은?

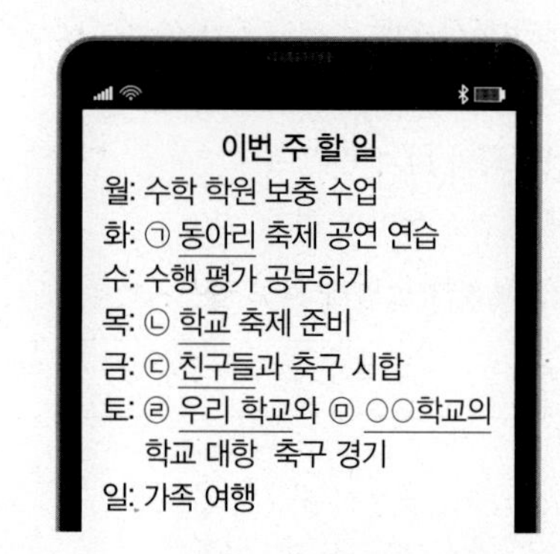

이번 주 할 일
월: 수학 학원 보충 수업
화: ㉠ 동아리 축제 공연 연습
수: 수행 평가 공부하기
목: ㉡ 학교 축제 준비
금: ㉢ 친구들과 축구 시합
토: ㉣ 우리 학교와 ㉤ ○○학교의 학교 대항 축구 경기
일: 가족 여행

〈보기〉

자신이 속해 있지 않으면서 이질감을 느끼는 집단

① ㉠ ② ㉡ ③ ㉢ ④ ㉣ ⑤ ㉤

16. ㉠, ㉡에 들어갈 알맞은 말을 쓰시오.

> 사회 집단은 다양한 기준에 의해 분류할 수 있는데, 구성원 간의 (㉠)에 따라 1차 집단과 2차 집단으로 나눌 수 있으며, (㉡)에 따라 공동 사회와 이익 사회로 나눌 수 있다.

17. 공동 사회에 대한 설명으로 옳은 것은?

① 구성원 간의 접촉 방식에 따라 분류한 집단이다.
② 구성원들의 의지에 상관 없이 자연 발생적으로 형성된 집단이다.
③ 자신이 소속되어 있다는 느낌을 가지며 공동체 의식을 갖고 있는 집단이다.
④ 특정한 목적 달성을 위한 수단적 만남과 간접적 접촉이 이루어지는 집단이다.
⑤ 특정한 목적을 가지고 구성원의 의지와 선택에 의해 인위적으로 결성된 집단이다.

18. ㉠, ㉡에 들어갈 사회 집단을 구분하는 기준에 해당하는 것은?

> 가족은 (㉠)의 대표적인 사례이다. 가족 관계는 어떤 목적을 추구하기 위한 것이 아니라 관계 그 자체가 의미를 가진다. 회사는 (㉡)의 대표적인 사례이다. 회사 내의 인간관계는 특정한 목적 달성을 위한 수단적 만남이 주를 이룬다.

① 소속감 ② 공동체 의식 유무
③ 접촉 방식 ④ 지속적 상호 작용의 유무
⑤ 지위와 역할의 존재 여부

19. 현대 사회에 나타나고 있는 사회적 차별의 사례로 적절하지 <u>않은</u> 것은?

① 성차별 ② 학력 차별 ③ 지역 차별
④ 인종 차별 ⑤ 신분에 따른 차별

20. ㉠, ㉡에 들어갈 말을 옳게 연결한 것은?

> 성별, 나이, 외모, 신체적 능력, 피부색 등은 모두가 가지고 있는 (㉠)일 뿐, 이를 이유로 (㉡)을/를 해서는 안 된다.

	㉠	㉡		㉠	㉡
①	차이	차별	②	차이	분별
③	차별	구분	④	차별	차이
⑤	차별	분별			

실전모의고사(2회)

01. 다음에 제시된 개념에 대한 설명으로 옳지 않은 것은?

> 한 인간이 사회생활을 할 수 있도록 그 사회가 기대하는 행동 양식, 규범, 가치관 등을 학습하는 과정이다.

① 사회의 유지와 발전에 기여한다.
② 한 개인이 사회에 소속감을 갖게 한다.
③ 한 사회의 구성원이 되어 가는 과정이다.
④ 인간이 기본적인 생리적 욕구를 해결할 수 있도록 도와준다.
⑤ 한 사회의 문화를 다음 세대에 전달하여 사회를 유지·발전시킨다.

02. 다음 글을 통해 내린 결론으로 옳은 것은?

> 빅토르는 어릴 때부터 프랑스 아베롱의 숲에서 동물과 함께 생활한 '야생의 아이'이다. 열 살 무렵에 사람에게 발견된 빅토르는 이타르 박사와 함께 생활하며 교육을 받았다. 그러나 빅토르는 사람이 가르쳐 주는 언어를 제대로 배우지 못하였고, 야생에서의 생활 습관도 고치지 못하여 사회에 적응하지 못하였다.

① 인간의 사회화는 나이와 관련이 없다.
② 감각 기관의 발달이 사회화의 중요한 요건이 된다.
③ 인간은 동물보다 지능 수준이 높아 학습이 필요 없다.
④ 인간은 태어날 때부터 인간답게 살아갈 능력을 갖추었다.
⑤ 인간은 다른 사람과 상호 작용을 통해 사회적 존재로 성장한다.

03. 다음 편지에 나타난 사회학적 개념으로 적절한 것은?

> 보고 싶은 정아에게
> 한국을 떠나온 지 벌써 10개월이 되어 가네. 잘 지내고 있지? 한국의 모든 것이 참 그립다. 처음에는 말이 통하지 않아서 불편했는데 열심히 어학 공부를 해서 이제 기본적인 의사소통은 할 수 있어. 요즘은 우리 회사의 모든 체제가 새로운 프로그램으로 바뀌어서 퇴근 후에는 그것을 배우느라 바빠. 다음에 또 소식 전할게. 건강하게 지내.
> 20○○년 ○월 ○일
> 언니가

① 외집단 ② 역할 갈등 ③ 재사회화
④ 인간 소외 ⑤ 사회적 차별

서술형

04. 다음 사례와 관련된 사회학적 용어를 쓰고, 이러한 현상이 나타나는 이유를 서술하시오.

> • 노인들이 정보화 시대에 뒤떨어지지 않기 위해서 인터넷 사용법을 배운다.
> • 통일 이후 구동독 주민들은 자본주의 경영 기법을 배우기 위해 노력한다.

05. 다음에서 설명하는 사회화 기관을 쓰시오.

> • 성인들의 재사회화에 중요한 영향을 미친다.
> • 상업적 목적에 뒤따르는 부정적 기능이 나타나기도 한다.
> • 사회생활에 필요한 정보와 시대적 상황에 따른 변화를 알려 준다.

06. 또래 집단에 대한 설명으로 옳은 것을 〈보기〉에서 고른 것은?

> 〈 보기 〉
> ㄱ. 집단의 소속감을 경험하게 된다.
> ㄴ. 공식적인 사회화 기관의 예이다.
> ㄷ. 놀이를 통해 집단의 규칙을 습득한다.
> ㄹ. 업무에 필요한 지식과 행동 양식 등을 익힌다.

① ㄱ, ㄴ ② ㄱ, ㄷ ③ ㄴ, ㄷ ④ ㄴ, ㄹ ⑤ ㄷ, ㄹ

07. 다음과 관련된 시기의 특징으로 옳지 않은 것은?

> • 주변인 • 질풍노도의 시기
> • 심리적 이유기 • 이유 없는 반항기

① 자아의식이 형성된다.
② 기존의 질서와 안정을 중시한다.
③ 신체적인 변화가 급속하게 일어난다.
④ 부모의 간섭에서 벗어나고 싶어 한다.
⑤ 감각적이고 충동적으로 판단하기 쉽다.

실전모의고사(2회)

8. 밑줄 친 ㉠~㉢에 대한 설명으로 옳지 않은 것은?

> ㉠ 이 시기에는 ㉡ 신체적 변화가 급속히 이루어지며, ㉢ '나는 누구인가?', '어떻게 살아갈 것인가?'에 대해 나름대로 해답을 찾으려고 노력한다.

① ㉠은 청소년기를 나타낸다.
② ㉠은 정서적으로 불안하고 충동적인 시기이다.
③ ㉡을 '2차 성징'이라고도 한다.
④ ㉢은 자아 정체성을 확립하기 위한 고민이다.
⑤ 청소년기가 되면 ㉢이 형성되어 삶의 목표와 가치관이 확립된다.

9. 그림에 공통으로 나타난 사회적 지위에 대한 설명으로 옳은 것을 〈보기〉에서 고른 것은?

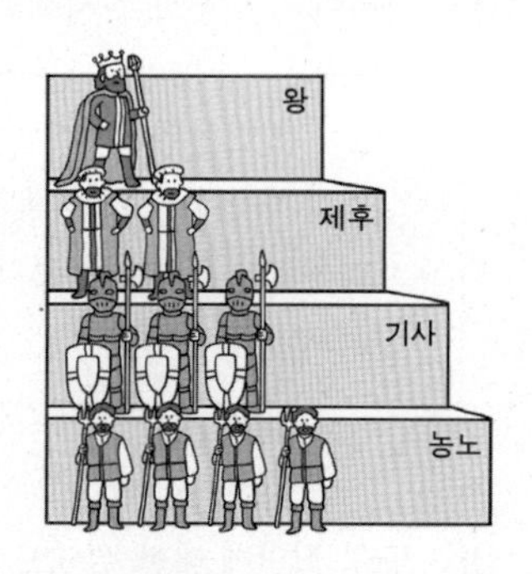

〈 보기 〉
ㄱ. 현대 사회에 일반적인 지위 유형이다.
ㄴ. 출생에 의해 사회적 지위가 결정된다.
ㄷ. 개인의 능력과 노력이 중요 변수이다.
ㄹ. 인도의 카스트 제도에서도 이와 유사한 지위 유형이 나타난다.

① ㄱ, ㄴ ② ㄱ, ㄹ ③ ㄴ, ㄷ
④ ㄴ, ㄹ ⑤ ㄷ, ㄹ

10. 귀속 지위의 사례로 옳은 것은?

① 의사 ② 여성 ③ 아내
④ 교사 ⑤ 학생

11. 사례에서 소희의 역할 행동을 찾아 쓰시오.

> 피겨 선수인 소희는 전국 체전에서 최초로 공중 5회전을 성공하였으며, 역대 최고점으로 금메달을 획득하였다.

서술형

12. 다음 내용을 통해 알 수 있는 개념을 쓰고, 그 의미를 제시된 용어를 사용하여 서술하시오.

> 항상 회사 일에 쫓겨 가족에 소홀했던 오○○ 씨는 모처럼 가족과 주말여행을 가기로 하였다. 그런데 회사에서 갑자기 해외 출장 지시가 떨어졌다. 현재 회사가 처해 있는 자금 문제 등의 위기를 해결하기 위해서는 이사직을 맡고 있는 오 씨의 역할이 중요하다면서 사장은 주말에 출장 갈 것을 부탁했다. 이에 오 씨는 가족 여행을 가야 할지, 출장을 가야 할지 고민하고 있다.

• 역할 • 지위 • 충돌

13. 밑줄 친 ㉠과 달리 ㉡을 사회 집단이라고 할 때 이를 구분할 수 있는 기준으로 옳은 것은?

> K 리그 경기가 드디어 성대하게 열렸다. 오랜만의 휴일을 맞아 많은 사람들이 경기장을 찾았다. 작년보다 많은 ㉠ 관중은 아니지만, 경기장을 찾아 스타 선수에 열광하고, 골대 뒤편에는 같은 유니폼을 입은 ㉡ 서포터즈들의 응원전도 뜨거웠다.
> *서포터즈: 운동선수나 연예인 등의 발전이나 우승과 같은 목적을 달성할 수 있도록 지원하는 사람들의 모임

① 구성원의 수가 많은가?
② 가입과 탈퇴가 자유로운가?
③ 이질감이나 적대감을 가지는가?
④ 인격적인 관계를 주로 맺고 있는가?
⑤ 지속적인 상호 작용이 이루어지는가?

14. 사회 집단을 결합 의지로 분류할 때, 이익 사회에 해당하는 집단만으로 짝지어진 것은?

① 가족, 민족 ② 민족, 학교
③ 촌락, 회사 ④ 촌락, 학교
⑤ 회사, 학교

실전모의고사(2회)

정답과 해설 42~43쪽

15. 다음 사회 집단의 공통점으로 옳지 않은 것은?

• 가족	• 촌락

① 결합 자체가 목적인 집단이다.
② 자연 발생적으로 형성된 집단이다.
③ 목적 달성을 위해 형식적인 접촉을 하는 집단이다.
④ 구성원의 의지나 선택과 무관하게 발생한 집단이다.
⑤ 구성원 간의 친밀하고 정서적인 상호 관계를 중시한다.

16. (가), (나)에 대한 설명으로 옳은 것을 〈보기〉에서 고른 것은?

구분 기준 \ 집단	(가)	(나)
결합 의지	자연적으로 형성	의도적으로 형성
접촉 방식	친밀하고 인격적인 관계 중심	형식적·수단적인 관계 중심

〈 보기 〉

ㄱ. 회사는 (가)의 사례이다.
ㄴ. 학교는 (나)의 사례이다.
ㄷ. 현대 사회에서는 (나)에 비해 (가)의 비중이 커지고 있다.
ㄹ. (가)는 (나)에 비해 개인의 인성이나 가치관 형성에 영향을 미친다.

① ㄱ, ㄴ ② ㄱ, ㄷ ③ ㄴ, ㄷ ④ ㄴ, ㄹ ⑤ ㄷ, ㄹ

17. (가)~(다)에 대한 설명으로 옳지 않은 것은?

(가) 한 개인이 그 집단에 속해 있다는 느낌을 가지는 집단
(나) 한 개인이 행동할 때 판단이나 행동의 기준으로 삼는 집단
(다) 특정한 이해관계나 목적을 달성하기 위한 수단적 만남을 바탕으로 하는 집단

① (가)를 통해 강한 공동체 의식과 소속감을 가진다.
② 한 개인의 (나)를 아는 것은 그 개인을 이해하는 데 중요하다.
③ (다)의 사례로는 회사, 학교, 정당 등이 있다.
④ 사회가 복잡해지고 전문화됨에 따라 (다)가 감소하고 있다.
⑤ (가)와 (나)가 일치하지 않을 경우 불만이나 갈등이 생길 수 있다.

18. 차별의 사례로 적절하지 않은 것은?

① 취업할 때 여성의 외모와 나이를 보는 경우
② 회사에서 임신했다는 이유로 부당 해고를 당하는 경우
③ 남자는 국군 간호 사관학교에 입학을 허용하지 않는 경우
④ 다문화 가정의 학생이 피부색이 달라 다른 친구에게 놀림을 당하는 경우
⑤ 몸이 불편한 장애인의 주차 편의를 위해 장애인 주차 구역을 따로 정한 경우

19. 다음은 어떤 학생의 수행 평가 답안지이다. 이 학생이 받을 점수는?

〈수행 평가〉

차이와 차별에 대한 설명으로 옳은 내용이면 ○표, 옳지 않은 내용이면 ×표 하시오(각 1점씩이고, 감점은 없음).

문항	내용	학생 답
(가)	차이는 객관적인 다름, 그 자체이다.	○
(나)	차별은 인간의 가치를 다르게 평가하는 것이다.	○
(다)	차별은 존중되어야 한다.	×
(라)	차이는 차별의 근거가 될 수 있다.	○
(마)	차별은 인간의 존엄성을 침해하는 것이다.	×

① 1점 ② 2점 ③ 3점
④ 4점 ⑤ 5점

20. 다음과 같은 제도를 실시하는 목적으로 적절한 것은?

• 여성 고용 할당제
• 장애인 의무 고용제
• 남녀 고용 평등과 일·가정 양립 지원에 관한 법률

① 차별을 해결하려는 노력
② 성차별을 인정하려는 노력
③ 정치적 발전을 실현하려는 노력
④ 경제적 평등을 실현하려는 노력
⑤ 사회 경쟁 의식을 강화하려는 노력

실전모의고사(1회)

01. 문화에 대한 설명으로 옳은 것을 〈보기〉에서 고른 것은?

〈 보기 〉
ㄱ. 본능에 따른 행동이다.
ㄴ. 후천적으로 학습된 행동이다.
ㄷ. 타고난 인간의 유전적 성향이다.
ㄹ. 사회 구성원이 공유하는 생활 양식이다.

① ㄱ, ㄴ ② ㄱ, ㄷ ③ ㄴ, ㄷ
④ ㄴ, ㄹ ⑤ ㄷ, ㄹ

02. 다음에서 설명하는 문화의 구성 요소로 옳은 것은?

의식주 및 각종 도구, 이를 사용하거나 만드는 기술

① 물질문화 ② 제도문화 ③ 관념 문화
④ 정신문화 ⑤ 규범 문화

03. 다음 내용에 해당하는 문화의 특징으로 옳은 것은?

결혼, 장례, 언어, 가족 등과 같이 어느 사회에서나 존재하는 공통적인 현상이 나타난다. 이처럼 인간의 문화는 어느 사회에서나 공통적인 특성을 지닌다.

① 문화의 다양성 ② 문화의 보편성
③ 문화의 학습성 ④ 문화의 전체성
⑤ 문화의 공유성

서술형
04. 사례를 통해 알 수 있는 문화의 특징을 쓰고, 이러한 문화의 특징이 나타나는 이유를 서술하시오.

인도에서는 두 손을 모으고 고개를 숙이며 '나마스떼'라고 말하는 인사법이 있고, 미국에서는 손을 잡고 위아래로 흔드는 인사법이 있으며, 혀를 내미는 티베트의 전통적인 인사법도 있다. 이처럼 인사를 하는 방식이나 예절은 나라마다 다르게 나타난다.

05. 다음과 관련된 문화의 속성에 대한 설명으로 옳은 것은?

농악은 풍요로운 생산을 기원하는 민간 신앙, 우리나라의 농경문화와 연관성이 높다.

① 후천적으로 학습을 통해서 습득된다.
② 시대와 환경에 따라 끊임없이 변화한다.
③ 언어와 문자를 통해 다음 세대에 전달된다.
④ 사회의 공통적인 행동 및 사고방식이 나타난다.
⑤ 문화의 구성 요소 간에 유기적으로 연결되어 있다.

06. 사례에 공통으로 나타난 문화의 속성에 대한 설명으로 옳은 것은?

- 어떤 사람이 엿이나 찹쌀떡을 선물 받았다면, 그 사람이 중요한 시험을 앞두고 있음을 알 수 있다.
- 저녁 무렵 어느 집 문 앞에서 "함 사세요!"라는 소리가 들리면, 그 집 딸이 곧 결혼한다는 사실을 알 수 있다.

① 문화는 시대에 따라 끊임없이 변화한다.
② 문화는 후천적인 학습에 의해 습득된다.
③ 기존 문화에 새로운 지식이 더해져 문화가 발전한다.
④ 문화는 각 사회가 처해 있는 환경에 따라 다르게 나타난다.
⑤ 문화는 한 사회의 구성원들이 공통으로 가지고 있는 생활 양식이다.

07. 판서 내용 중 (가)에 해당하는 문화의 속성으로 옳은 것은?

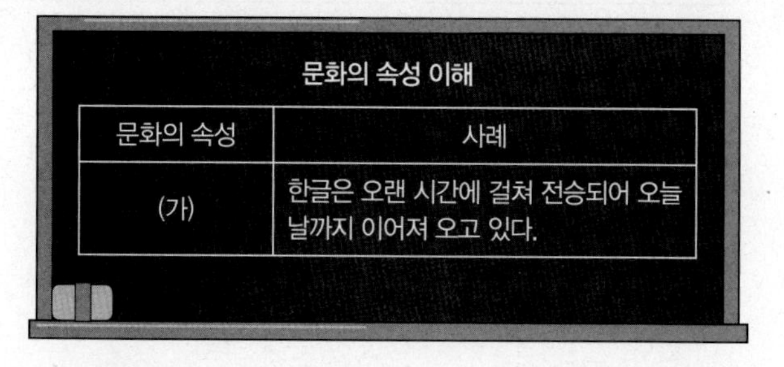
문화의 속성 이해

문화의 속성	사례
(가)	한글은 오랜 시간에 걸쳐 전승되어 오늘날까지 이어져 오고 있다.

① 전체성 ② 변동성 ③ 축적성
④ 학습성 ⑤ 공유성

실전모의고사(1회)

정답과 해설 43~44쪽

08. ㉠, ㉡에 들어갈 문화 이해 태도를 옳게 연결한 것은?

> 이슬람 급진 무장 단체가 자신의 종교만이 유일한 것임을 내세우며 메소포타미아 문명의 고대 유적인 하트라를 파괴하였다. 이는 자신의 문화만이 우수하고 다른 사회의 문화는 열등하다고 보는 (㉠) 태도에 해당한다. 이러한 문화 이해 태도는 다른 나라와 갈등을 일으키거나, 지나치면 (㉡)로 흐를 위험성이 있다.

	㉠	㉡
①	문화 상대주의	문화 사대주의
②	문화 상대주의	자문화 중심주의
③	자문화 중심주의	문화 사대주의
④	자문화 중심주의	문화 제국주의
⑤	극단적 문화 상대주의	문화 제국주의

서술형

09. (가)에 해당하는 문화 이해 태도를 쓰고, (나)에 들어갈 문화 이해 태도에 대해 서술하시오.

> 다른 사회의 문화를 이해할 때 (가) 자기 문화에 대한 인식 없이 다른 사회의 문화가 더 우수하다고 생각하여 맹목적으로 추종하거나, 반대로 자신의 문화가 가장 우수하다고 믿어 자신의 문화만을 고집하는 태도는 바람직하지 않다. 한 사회의 문화를 이해하는 바람직한 자세는 ____(나)____이다.

____

____

____

10. 다음 인터뷰 내용에 나타나 있는 문화 이해의 태도로 적절한 것은?

> 기자: 서구의 문화를 어떻게 보시나요?
> 시민: 선진국 사람들이 주로 즐겨 입는 옷이나 가방 등은 유행을 선도하고 우리나라 문화보다 세련되어 무조건 서구 문화를 받아들여야 한다.

① 문화 사대주의
② 문화 보편주의
③ 문화 상대주의
④ 문화 제국주의
⑤ 자문화 중심주의

11. 다음 글에 나타난 문화 이해 태도의 문제점으로 옳은 것을 〈보기〉에서 고른 것은?

> 서구적인 미(美)의 기준은 작은 얼굴, 큰 눈, 오뚝한 코, 날씬하고 긴 다리와 같은 신체적 조건을 말한다. 오늘날 우리나라에서는 많은 여성이 이러한 서양인의 기준에 따라 성형 수술을 하는 경향을 보인다.

〈 보기 〉
ㄱ. 국제적으로 고립될 가능성이 높다.
ㄴ. 문화의 주체성을 상실할 우려가 있다.
ㄷ. 다른 나라의 문화를 열등하다고 여긴다.
ㄹ. 자신의 문화를 낮게 평가하거나 비하한다.

① ㄱ, ㄴ ② ㄱ, ㄷ ③ ㄴ, ㄷ ④ ㄴ, ㄹ ⑤ ㄷ, ㄹ

12. 다음과 같은 문화 이해 태도의 문제점으로 적절한 것은?

> 아프리카 일부 부족들은 식인 풍습을 가지고 있다. 그 부족들의 문화는 나름의 이유와 의미가 있는 것이기 때문에 우리는 그 가치를 인정하고 존중해 주어야 한다.

① 인간의 존엄성을 침해할 수 있다.
② 집단 내부의 단결과 자부심을 약화시킨다.
③ 자기 문화의 고유성을 잃게 될 우려가 있다.
④ 극단적일 경우 문화 제국주의가 나타날 수 있다.
⑤ 자신의 문화가 가진 창조 능력을 과소평가할 수 있다.

13. 다음은 어떤 학생의 수행 평가 답안지이다. 이 학생이 받을 점수는?

〈수행 평가〉

다음 내용이 바람직한 문화 이해 태도이면 ○표, 바람직하지 않은 문화 이해 태도 및 관점이면 ×표 하시오(각 1점씩이고, 감점은 없음).

번호	내용	정답
1	한 사회의 문화를 총체적 관점에서 이해한다.	○
2	문화의 상대성을 인정하는 문화 사대주의적 태도를 가져야 한다.	×
3	식인 풍습이나 순장 등 다른 모든 문화를 편견없이 받아들여야 한다.	×
4	다른 문화와의 비교를 통해 우리 문화의 입장에서 주체적으로 바라본다.	○

① 0점 ② 1점 ③ 2점 ④ 3점 ⑤ 4점

실전모의고사(1회)

14. 뉴 미디어의 특징으로 옳은 것을 〈보기〉에서 고른 것은?

〈 보기 〉
ㄱ. 쌍방향적 정보 전달이 이루어진다.
ㄴ. 대량의 획일화된 정보를 일방적으로 전달한다.
ㄷ. 정보의 생산자와 소비자의 경계가 불분명하다.
ㄹ. 정보 전달의 속도는 다소 느리지만 깊이 있는 정보를 전달한다.

① ㄱ, ㄴ ② ㄱ, ㄷ ③ ㄴ, ㄷ ④ ㄴ, ㄹ ⑤ ㄷ, ㄹ

15. 밑줄 친 ㉠~㉤ 중 옳은 것은?

㉠ 가장 먼저 발달한 영상 매체를 시작으로 대중 매체는 ㉡ 20세기 이후 등장한 인쇄 매체와 영상 매체를 통해 각종 지식과 정보를 많은 사람에게 빠르게 전달하게 되었다. 이러한 매체는 ㉢ 전문 제작자에 의해 생산된 내용을 소비자에게 쌍방향으로 전달한다는 특징이 있다. 반면, 최근에는 ㉣ 정보 통신 기술의 발달로 인터넷, 이동 통신 등과 같은 뉴 미디어가 등장하여 ㉤ 다양한 정보를 일방적으로 제공한다.

① ㉠ ② ㉡ ③ ㉢ ④ ㉣ ⑤ ㉤

16. 빈칸에 들어갈 말로 알맞은 것은?

(　　　)(이)란 대다수의 사람들이 쉽게 접하고 즐길 수 있는 문화로, 주말에 영화 관람, 유행하는 대중가요 듣기 등을 예로 들 수 있다.

① 대중 ② 대중문화 ③ 고급문화
④ 대중 매체 ⑤ 청소년 문화

17. 대중문화의 특징에 대한 설명으로 옳지 않은 것은?

① 대중 매체에 의해 대량으로 생산되고 소비된다.
② 대중 매체와 결합하는 과정에서 강한 공익성을 띤다.
③ 대중문화에 지나치게 몰입할 경우 현실 사회에 무관심해질 수 있다.
④ 특정 사회나 지역, 계층 등에 구분 없이 형성되기 때문에 보편적인 성격을 가진다.
⑤ 대중 매체를 통해 일방적으로 내용이 전달되기 때문에 대중문화가 획일화되기 쉽다.

서술형

18. 신문 기사를 통해 알 수 있는 대중문화의 부정적 영향을 서술하시오.

○○신문 20△△년 △월 △일

최근 게임 산업이 발전하면서 다양한 온라인 게임이 등장하고 있다. 청소년들이 방과 후 PC방에 모여 온라인 게임을 즐기는 모습을 흔하게 볼 수 있다. 그러나 청소년들이 가장 즐기는 게임을 보면, 총으로 상대방을 쏴죽이거나 칼로 찌르고 베는 전투 게임이 많다. 온라인 게임 제작 회사들은 치열한 게임 시장에서 살아남고 회사의 이익을 극대화하기 위해 폭력적인 내용의 게임을 많이 만들어 내고 있다.

19. 밑줄 친 부분에 해당하는 사례로 옳은 것을 〈보기〉에서 고른 것은?

최근에는 정보 통신 기술이 발달하면서 뉴 미디어가 등장하였다. 뉴 미디어의 등장으로 정치, 경제, 문화, 교육 등 우리의 생활 전반에 다양한 변화가 일어나고 있다.

〈 보기 〉
ㄱ. 민희 어머니는 주로 재택근무를 하신다.
ㄴ. 민호 아버지는 아침마다 신문을 보신다.
ㄷ. 연희 할머니는 TV 연속극을 정해진 시간에 시청하신다.
ㄹ. 태호는 아침마다 스마트폰으로 버스 도착 시간을 확인한다.

① ㄱ, ㄴ ② ㄱ, ㄹ ③ ㄴ, ㄷ ④ ㄴ, ㄹ ⑤ ㄷ, ㄹ

20. 대중문화의 올바른 수용 태도로 적절하지 않은 것은?

① 대중문화가 제공하는 정보를 비판적으로 받아들인다.
② 필요한 정보를 주체적으로 수용하는 자세를 가진다.
③ 대중문화를 적극적으로 활용하여 유행에 뒤처지지 않도록 한다.
④ 대중문화의 잘못된 정보에 대해서는 적극적으로 시정을 요구한다.
⑤ 대중 매체가 전달하는 정보의 정확성을 비교·분석하여 선택적으로 받아들인다.

Ⅷ. 문화의 이해

실전모의고사(2회)

01. 밑줄 친 '문화'와 같은 의미로 사용한 사례는?

> 영화, 연극, 콘서트 관람과 같은 문화생활을 즐기는 것은 정신 건강에 유익하다.

① 우리 음식 문화를 세계에 널리 알리자.
② 신문의 문화면에 나온 기사를 즐겨 읽는다.
③ 최근에는 지역 문화 행사가 활성화되고 있다.
④ 세계화 시대에도 민족 문화의 독창성은 지켜야 한다.
⑤ 청소년 문화는 청소년들의 행동 방식과 사고방식을 의미한다.

02. 문화의 구성 요소 중 관념 문화에 대한 설명으로 옳은 것을 〈보기〉에서 고른 것은?

〈 보기 〉
ㄱ. 인간의 행동에 의미를 부여하거나 방향을 제시한다.
ㄴ. 인간의 삶을 풍요롭게 해 주는 종교, 예술, 가치 등이 있다.
ㄷ. 관념 문화는 다른 구성 요소와는 별개로 존재한다는 특징을 가진다.
ㄹ. 인간의 기본적 욕구를 충족하고 생존하는 데 필요한 도구나 기술을 말한다.

① ㄱ, ㄴ ② ㄱ, ㄷ ③ ㄴ, ㄷ ④ ㄴ, ㄹ ⑤ ㄷ, ㄹ

03. (가), (나)에 들어갈 용어를 옳게 연결한 것은?

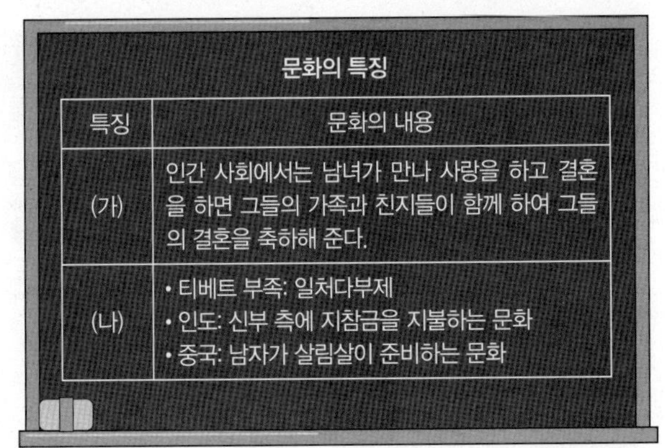
문화의 특징

특징	문화의 내용
(가)	인간 사회에서는 남녀가 만나 사랑을 하고 결혼을 하면 그들의 가족과 친지들이 함께 하여 그들의 결혼을 축하해 준다.
(나)	• 티베트 부족: 일처다부제 • 인도: 신부 측에 지참금을 지불하는 문화 • 중국: 남자가 살림살이 준비하는 문화

	(가)	(나)		(가)	(나)
①	보편성	다양성	②	특수성	다양성
③	상대성	보편성	④	보편성	상대성
⑤	다양성	보편성			

04. 밑줄 친 부분에 나타난 문화의 속성에 대한 설명으로 옳은 것은?

> 우리나라 사람들은 세계 어디를 가더라도 김치와 된장의 맛을 잊지 못하고, 온돌방에 대한 향수를 느낀다. 그러나 외국에서 태어나고 자란 한인 2세들은 김치와 된장을 잘 먹지 못할 뿐만 아니라, 온돌방에 대한 향수는 더더욱 없다.

① 문화는 선천적으로 타고나는 것이다.
② 문화는 후천적으로 배워 습득하는 것이다.
③ 문화는 한 사회의 구성원이 공유하는 것이다.
④ 문화는 고정되어 있지 않고 시간의 흐름에 따라 변화한다.
⑤ 문화는 이전 세대의 문화에 새로운 문화가 쌓여 이루어진다.

05. 문화의 전체성의 사례로 옳은 것을 〈보기〉에서 고른 것은?

〈 보기 〉
ㄱ. 옛날 사람들은 아기가 태어나면 대문에 금줄을 달았다.
ㄴ. 휴대 전화는 무선 인터넷, 온라인 게임 산업의 발달에 영향을 주고 있다.
ㄷ. 조선 시대에는 한복을 평상복으로 입었지만, 오늘날에는 특별한 날에만 입는다.
ㄹ. 입학 사정관제의 도입이 우리나라 입시 및 교육 문화 전반에 걸쳐 영향을 미쳤다.

① ㄱ, ㄴ ② ㄱ, ㄷ ③ ㄴ, ㄷ
④ ㄴ, ㄹ ⑤ ㄷ, ㄹ

실전모의고사(2회)

06. 문화의 속성에 대한 설명으로 옳지 않은 것은?

① **학습성** – 문화는 후천적으로 배워서 습득된다.
② **전체성** – 문화의 여러 영역은 서로 분리되어 독립적이다.
③ **축적성** – 이전 세대의 문화가 언어와 문자 등을 통해 다음 세대로 전승된다.
④ **변동성** – 문화는 고정된 것이 아니라 시간의 흐름에 따라 그 모습이 달라진다.
⑤ **공유성** – 한 사회의 구성원들은 특정한 상황에서 다른 사람들이 어떤 행동을 할지 예측할 수 있다.

07. (가), (나)에 나타난 문화 이해 태도의 공통점으로 적절한 것은?

> (가) 중국의 중화사상, 독일의 나치즘
> (나) 천하도, 혼일강리역대국도지도

① 문화의 상대성을 중시한다.
② 자기 문화의 우월성을 높이 평가한다.
③ 다른 사회의 문화를 절대적인 것으로 여긴다.
④ 문화를 우월하고 열등한 것으로 구분하지 않는다.
⑤ 문화를 판단하는 절대적인 기준이 있다고 여긴다.

서술형

08. 다음 내용에서 유럽인들이 가진 문화 이해 태도를 쓰고, 이러한 문화 이해 태도의 장단점을 서술하시오.

> 1990년대에 남아메리카 아마존강 유역에 유럽인들이 도착했을 때 그곳에 자파테크족이 살고 있었다. 당시 유럽인들은 나체로 생활하는 자파테크족을 미개하다고 여겨 강제로 옷을 입도록 하였다. 그러나 그 지역은 기온이 높고 습기가 많은 지역이어서 옷을 입은 원주민들의 대부분이 피부병에 걸리고 말았다.

____

____

____

09. 다음 글에 나타난 문화 이해 태도에 대한 평가로 가장 적절한 것은?

> 전족은 어린 소녀나 여성의 발을 인위적으로 묶어 성장하지 못하게 하는 중국의 풍습이다. 전족은 여성의 발을 변형시키고 신체적 고통을 가하는 문화이지만, 중국의 전통문화이므로 고유의 가치를 인정해 주어야 한다.

① 문화를 절대적인 기준으로 평가한다.
② 자기 문화의 관점에서 중국의 문화를 평가한다.
③ 문화의 다양성과 상대성을 인정하고 있지 않다.
④ 문화가 형성된 특수한 상황을 고려하지 않고 있다.
⑤ 인류가 지향하는 보편적 가치에 위배되므로 바람직하지 않다.

10. (가), (나)에 나타난 문화 이해의 태도를 옳게 연결한 것은?

(가)

▲ 일제 강점기의 신사 참배

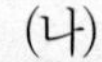

▲ 바미안 석불 파괴

	(가)	(나)
①	문화 사대주의	문화 상대주의
②	문화 제국주의	자문화 중심주의
③	문화 상대주의	문화 제국주의
④	자문화 중심주의	문화 사대주의
⑤	자문화 중심주의	극단적 문화 상대주의

11. 다음과 같은 문화를 인정하는 문화 이해 태도는?

> 순장은 특정한 인물이 죽었을 때 살아 있는 사람을 죽여 함께 묻는 장례 방식을 말한다. 주로 왕이나 권력자들이 죽었을 때 하인들이나 주변 사람들을 같이 무덤에 묻었다.

① 문화 사대주의　② 문화 상대주의
③ 문화 제국주의　④ 자문화 중심주의
⑤ 극단적 문화 상대주의

12. 문화 상대주의 태도에 대해 옳게 말한 사람을 〈보기〉에서 고른 것은?

〈보기〉
ㄱ. **미영**: 모든 사회의 문화는 비슷하다는 의미야.
ㄴ. **창민**: 각 사회마다 다양한 문화가 존재한다는 것을 인정하는 태도야.
ㄷ. **상호**: 각 사회의 문화는 고유한 특성과 가치를 지닌다는 의미이지.
ㄹ. **차희**: 한 사회의 문화가 다른 사회의 문화를 평가하는 기준이 된다는 의미야.

① ㄱ, ㄴ　② ㄱ, ㄷ　③ ㄴ, ㄷ
④ ㄴ, ㄹ　⑤ ㄷ, ㄹ

13. 다음 내용에 해당하는 대중 매체로 옳은 것은?

> • 정보를 제공하는 사람과 이용하는 사람 간에 정보의 제공이 자유롭다.
> • 문자, 음성, 동영상 등의 다양하고 복합적인 정보를 실시간으로 제공한다.

① 신문　② 잡지　③ 라디오
④ 텔레비전　⑤ 스마트폰

14. 밑줄 친 대중 매체 (가)~(라)에 대한 설명으로 옳은 것을 〈보기〉에서 고른 것은?

> 대학생 유나는 아침에 눈을 뜨자마자 (가) 인터넷에 접속하여 어제 온 메일을 확인하고 (나) 텔레비전을 틀어 뉴스를 시청하면서 밥을 먹고 학교에 간다. 학교로 가는 지하철에서는 (다) 휴대 전화로 어제 못 본 음악 프로그램을 본다. 학교 수업을 마치고 오랜만에 친구를 만나 요즘 가장 인기가 있는 (라) 영화를 보았다.

〈보기〉
ㄱ. (가), (나)는 쌍방향 매체이다.
ㄴ. (가), (다)는 (나), (라)보다 먼저 발달하였다.
ㄷ. (나)보다 (가)를 이용하는 사람들이 정보의 생산과 유통에 적극적으로 참여하는 경향이 있다.
ㄹ. (가)~(라) 모두 지식과 정보를 대중에게 전달하는 매체이다.

① ㄱ, ㄴ　② ㄱ, ㄷ　③ ㄴ, ㄷ
④ ㄴ, ㄹ　⑤ ㄷ, ㄹ

서술형

15. 대중 매체 (가), (나)가 정보를 전달하는 방식이 어떻게 다른지 비교하여 서술하시오.

(가)　(나)

실전모의고사(2회)

16. 대중문화의 긍정적 측면으로 옳은 것을 〈보기〉에서 고른 것은?

〈 보기 〉
ㄱ. 대중이 여가와 오락을 즐길 수 있게 되었다.
ㄴ. 개성을 존중하는 다양한 문화가 발전하게 되었다.
ㄷ. 각 개인의 취향과 정서가 반영된 문화 상품이 등장하였다.
ㄹ. 소수의 특권층이 향유하던 문화를 대중이 누릴 수 있게 되었다.

① ㄱ, ㄴ ② ㄱ, ㄹ ③ ㄴ, ㄷ
④ ㄴ, ㄹ ⑤ ㄷ, ㄹ

17. 대중문화의 등장 배경으로 보기 어려운 것은?

① 보통 선거의 확대
② 교통 시설의 확충
③ 의무 교육의 확대
④ 대중 매체의 발달
⑤ 대량 생산과 대량 소비

18. 사례에 나타난 대중문화의 문제점은?

- 가수의 노래와 춤, 개그맨의 행동 등을 그대로 따라하는 사람들이 많다.
- 대중 매체에서 어떤 과일이 건강에 좋다고 소개되면, 그 과일의 판매량이 갑자기 급증한다.

① 상업성 추구
② 정치적 무관심
③ 문화의 획일화
④ 여론 조작의 우려
⑤ 왜곡된 정보 전달

19. 다음 글에서 강조하고 있는 대중문화의 문제점은?

대중문화의 여러 가지 특징 중 가장 중요한 것은 이윤 극대화를 추구하는 자본의 논리에 의해 지배된다는 것이다. 대중문화는 한마디로 소비자의 호주머니를 겨냥해서 만들어지는 문화이다. 그것도 보다 많은 소비자들을 끌어들이기 위해 용의주도한 마케팅 기법이 수반되는 문화이다.

① 고급문화의 대중화를 가져온다.
② 대중의 정치적 무관심을 초래한다.
③ 소비를 부추기는 상업적인 문화가 생산된다.
④ 개성을 상실하게 하고 문화의 획일화를 초래한다.
⑤ 잘못된 정보를 전달하여 정보에 오류가 생길 수 있다.

20. 신문 기사를 통해 추론할 수 있는 대중문화의 올바른 수용 태도로 적절한 것은?

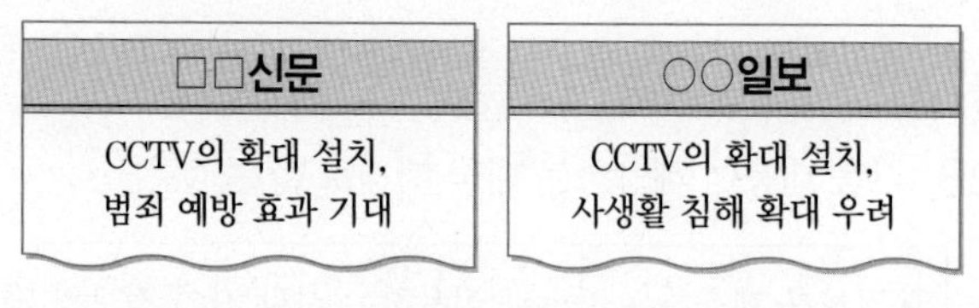

□□신문
CCTV의 확대 설치, 범죄 예방 효과 기대
○○일보
CCTV의 확대 설치, 사생활 침해 확대 우려

① 다수가 지지하는 문화를 따라야 한다.
② 대중 매체가 전달하는 정보를 믿지 않는다.
③ 대중문화를 비판적으로 이해하고 수용해야 한다.
④ 대중문화는 저급한 문화이므로 무조건 수용하지 않는다.
⑤ 상대주의적 문화 이해의 태도로 대중문화를 바라보아야 한다.

Ⅸ. 정치 생활과 민주주의

실전모의고사(1회)

[01~02] 다음 그림을 보고 물음에 답하시오.

주로 대통령이나 국회 의원이 국가와 관련된 일을 하는 활동을 말해.

갑

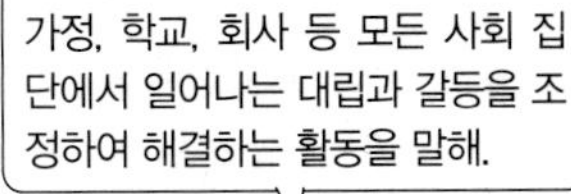

가정, 학교, 회사 등 모든 사회 집단에서 일어나는 대립과 갈등을 조정하여 해결하는 활동을 말해.

을

01. 갑과 을이 바라보는 정치에 대한 설명으로 옳지 않은 것은?

① 갑은 정치를 정치가들의 정치 활동으로 본다.
② 갑은 정치를 정책의 결정 및 집행 과정으로 본다.
③ 을은 정치를 정치권력과 관련된 활동으로만 본다.
④ 을은 정치를 일상생활에서 대립과 갈등을 조정하는 모든 활동으로 본다.
⑤ 갑에 비해 을이 정치를 포괄적으로 이해하고 있다.

02. 갑이 주장하는 정치의 사례로 옳은 것만을 〈보기〉에서 있는 대로 고른 것은?

〈 보기 〉
ㄱ. 국회 의원 선거에 출마하여 선거 운동을 하였다.
ㄴ. 노사 갈등 조정을 위해 노사 위원회를 개최하였다.
ㄷ. 정부는 빈부 격차 해소를 위한 소득세 개정 법안을 제출하였다.
ㄹ. 국회는 학생들의 입시 부담을 줄이기 위해 대학 입시 정책을 개선하였다.

① ㄱ, ㄴ ② ㄴ, ㄷ ③ ㄷ, ㄹ
④ ㄱ, ㄷ, ㄹ ⑤ ㄴ, ㄷ, ㄹ

03. 다음 법률 조항에 나타난 정치의 기능은?

제3조 65세 이상인 자로서 소득 인정액이 대통령령으로 정하는 금액 이하인 자에게 연금을 지급한다.

① 사회 질서를 유지한다.
② 국가의 안전을 확보한다.
③ 국민의 삶의 질을 높인다.
④ 사회의 갈등과 대립을 조정한다.
⑤ 사회적 희소가치를 권위적으로 배분한다.

04. 정치에 대해 옳지 않은 의견을 제시한 사람은?

① 서현: 정치에 따라 국민의 생활이 달라지기도 해.
② 은영: 정치를 통해 사회 질서를 유지해.
③ 인규: 정치를 통해 이해관계를 조정하여 대립과 갈등을 해결해.
④ 승재: 어느 사회든지 갈등이 존재하기 때문에 정치로 갈등을 해결해야 해.
⑤ 아현: 정치는 개인이 자신의 생각대로 정치 권력을 이용하는 경우에만 그 의미가 있어.

05. 고대 아테네 민주 정치의 특징으로 적절하지 않은 것은?

① 노예제가 존재하였다.
② 여자와 외국인은 정치에 참여할 수 없었다.
③ 시민의 지위를 가진 사람만이 민회에 참여하였다.
④ 대표자가 정치를 담당하는 간접 민주 정치 체제였다.
⑤ 일정한 연령의 성인 남자만이 정치에 참여할 수 있었다.

06. 밑줄 친 ㉠~㉤ 중 옳지 않은 것은?

㉠ 민주 정치의 기원은 고대 그리스 아테네에서 찾을 수 있다. 아테네에서는 ㉡ 모든 시민이 직접 정치에 참여하여 정치적 의사 결정을 하였다. 그 후 ㉢ 시민 혁명을 거치면서 시민의 자유와 권리는 더욱 확대되었으며, ㉣ 근대 사회에서는 성인 남성과 여성이 정치에 참여할 수 있었다. 20세기에 들어와서는 대부분의 국가에서 일정한 나이 이상의 모든 사회 구성원에게 선거권을 부여하는 ㉤ 보통 선거 제도가 시행되었다.

① ㉠ ② ㉡ ③ ㉢ ④ ㉣ ⑤ ㉤

서술형

07. ㉠에 들어갈 알맞은 말을 쓰고, 그 어원에 대해 서술하시오.

우리의 정치 체제를 (㉠)(이)라고 부르는데, 이는 권력이 소수가 아닌 국민의 손에 있기 때문입니다. 사적인 분쟁을 해결하는 데 있어서 모든 사람은 법 앞에 평등합니다.

실전모의고사(1회)

08. 근대 민주 정치에 대한 설명으로 옳지 않은 것은?

① 국민 주권과 천부 인권 사상이 널리 퍼지게 되었다.
② 시민 혁명을 거치면서 시민의 노력과 희생으로 수립되었다.
③ 모든 시민에게 투표권이 부여되는 보통 선거제가 확립되었다.
④ 국민의 대표가 정치적 결정을 하는 대의 민주 정치가 이루어졌다.
⑤ 인간의 존엄성, 자유, 평등과 같은 민주주의의 이념이 확립되었다.

09. 다음 사건들이 민주 정치 발전 과정에서 미친 영향은?

• 여성 참정권 운동	• 영국의 차티스트 운동

① 보통 선거권이 확립되었다.
② 시민의 정치 참여가 제한되었다.
③ 대표자를 통한 대의 민주 정치가 실현되었다.
④ 재산에 따라 참정권을 차등적으로 부여하였다.
⑤ 정보 통신 기술의 발달로 전자 민주주의가 나타났다.

10. 현대 민주 정치에 대한 설명으로 옳지 않은 것은?

① 대부분의 국가에서는 보통 선거 제도가 정착되었다.
② 사회가 다원화되어 다양한 집단들이 정치에 참여하게 되었다.
③ 인구가 많은 현대 사회에서는 일부 시민만이 정치에 참여할 수 있다.
④ 국민의 대표를 통해 국정을 담당하게 하는 대의 민주 정치를 기본으로 하고 있다.
⑤ 차티스트 운동, 여성 참정권 운동 등 참정권 확대 운동의 성과가 정치에 반영되었다.

11. 민주주의의 이념인 인간의 존엄성을 실현하기 위해 반드시 보장되어야 할 것은?

① 자치, 참여　　② 자유, 평등
③ 관용, 타협　　④ 용서, 화해
⑤ 강제성, 자율성

12. (가), (나)에 대한 설명으로 옳은 것을 〈보기〉에서 고른 것은?

> (가) 사람들 사이의 선천적·후천적 차이를 고려하여 사회적 약자를 배려하는 것
> (나) 성별, 신분, 재산 등에 따라 부당하게 차별받지 않고 동등하게 대우받는 것

〈보기〉

ㄱ. (가)는 기회의 균등을 의미한다.
ㄴ. 장애인 의무 고용 제도는 (나)를 보장하기 위한 제도이다.
ㄷ. (나)보다 (가)가 후천적 차이로 나타나는 불평등을 해소하는 데 유용하다.
ㄹ. 평등한 사회를 이루기 위해 (나)뿐만 아니라 (가)를 보장하기 위해 노력해야 한다.

① ㄱ, ㄴ　　② ㄱ, ㄷ　　③ ㄴ, ㄷ
④ ㄴ, ㄹ　　⑤ ㄷ, ㄹ

13. 사례와 관련된 민주 정치의 기본 원리에 대한 설명은?

> △△시는 무상 급식에 대한 논란이 계속되자 무상 급식에 대한 시민들의 찬반 의견을 직접 묻기 위해 주민 투표를 실시하였다.

① 주권이 국민에게 있다.
② 국민이 스스로 나라를 다스려야 한다.
③ 국민의 복지를 위해서 정책을 결정해야 한다.
④ 국가 권력을 나누어 견제와 균형을 이루어야 한다.
⑤ 헌법에 따라 국가 기관을 구성하고 권력을 행사한다.

14. 다음 헌법 조항들이 만들어진 궁극적인 목적은?

> 제40조　입법권은 국회에 속한다.
> 제66조　④ 행정권은 대통령을 수반으로 하는 정부에 속한다.
> 제101조　① 사법권은 법관으로 구성된 법원에 속한다.

① 국민이 직접 국가 기관을 운영하기 위하여
② 공무원의 정치적 중립성을 보장하기 위하여
③ 간접 민주 정치의 문제점을 해결하기 위하여
④ 정책 결정 과정에 시민의 참여를 유도하기 위하여
⑤ 권력 분립을 통해 국민의 기본권을 보장하기 위하여

15. 다음 헌법 조항에 나타난 민주 정치의 기본 원리에 대한 설명으로 옳지 않은 것은?

> 제1조 ② 대한민국의 주권은 국민에게 있고, 모든 권력은 국민으로부터 나온다.
> 제40조 입법권은 국회에 속한다.
> 제41조 ① 국회는 국민의 보통, 평등, 직접, 비밀 선거에 의하여 선출된 국회 의원으로 구성한다.
> 제66조 ④ 행정권은 대통령을 수반으로 하는 정부에 속한다.

① 제1조 ②: 국민 주권의 원리를 나타낸다.
② 제40조, 제66조 ④: 권력 분립의 원리를 나타낸다.
③ 제41조 ①: 국민 자치의 원리가 대의제 형태로 나타남을 알 수 있다.
④ 제66조 ④: 다수결의 원리가 보장됨을 알 수 있다.
⑤ 제1조 ②, 제40조 ①, 제41조, 제66조 ④: 모두 인간의 존엄성을 실현하기 위한 조항들이다.

16. (가)에 들어갈 말로 가장 적절한 것은?

> 정부 형태는 국가 권력을 나누는 방법에 따라 달라지는데, ___(가)___에 따라 대통령제와 의원 내각제로 구분된다.

① 의회의 존재 여부 ② 국왕의 존재 여부
③ 사법부의 독립 여부 ④ 입법부와 행정부의 관계
⑤ 입법부와 사법부의 관계

17. (가)~(라) 헌법 조항에서 대통령제와 의원 내각제의 요소가 나타난 조항을 옳게 연결한 것은?

> (가) 제52조 국회 의원과 정부는 법률안을 제출할 수 있다.
> (나) 제66조 ④ 행정권은 대통령을 수반으로 하는 정부에 속한다.
> (다) 제67조 ① 대통령은 국민의 보통, 평등, 직접, 비밀 선거에 의하여 선출한다.
> (라) 제86조 ① 국무총리는 국회의 동의를 얻어 대통령이 임명한다.

	대통령제 요소	의원 내각제 요소
①	(가), (나)	(다), (라)
②	(가), (라)	(나), (다)
③	(나), (다)	(가), (라)
④	(나), (라)	(가), (다)
⑤	(다), (라)	(가), (나)

18. 다음 정부 형태의 특징으로 옳은 것을 〈보기〉에서 고른 것은?

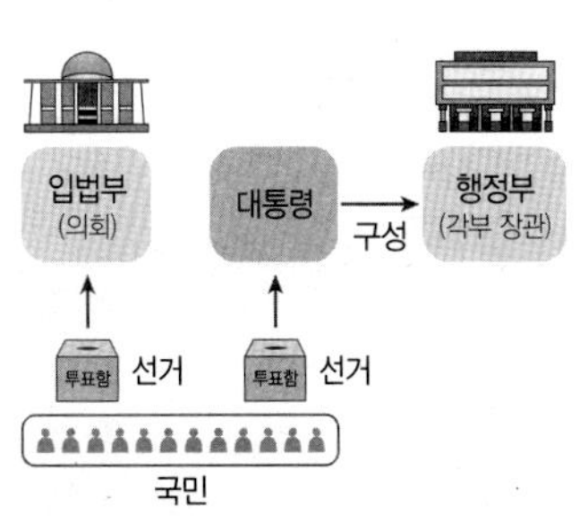

> 〈 보기 〉
> ㄱ. 국회 다수당의 횡포를 막을 수 있다.
> ㄴ. 정치적 책임과 국민의 요구에 민감하다.
> ㄷ. 의회의 의원은 내각의 장관을 겸직할 수 있다.
> ㄹ. 국민이 대통령과 의회의 의원을 각각 뽑는다.

① ㄱ, ㄴ ② ㄱ, ㄹ ③ ㄴ, ㄷ ④ ㄴ, ㄹ ⑤ ㄷ, ㄹ

서술형

19. 그림과 같은 정부 형태의 장단점을 각각 서술하시오.

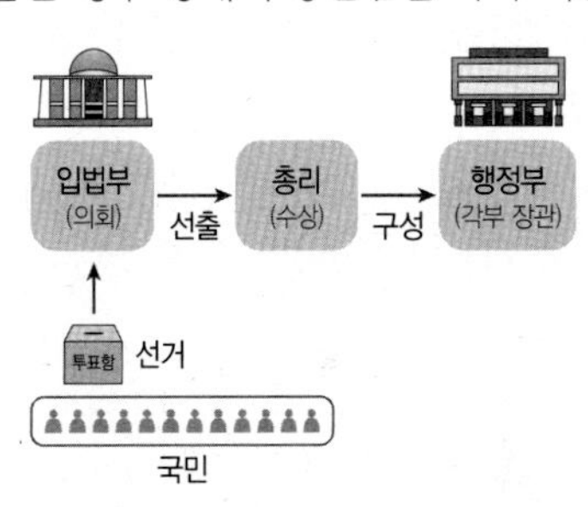

20. (가)와 (나)는 민주 국가의 정부 형태를 나타낸 것이다. 이에 대한 설명으로 옳지 않은 것은?

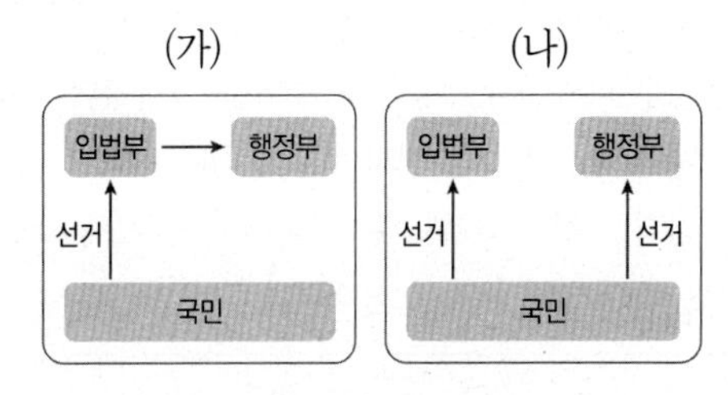

① (가)에서는 다수당의 대표가 수상이 된다.
② (나)에서 의회는 행정부를 불신임할 수 있다.
③ (가)는 (나)보다 의회와 행정부가 밀접한 관계를 가진다.
④ (나)는 (가)보다 권력 분립의 원리를 충실히 수행한다.
⑤ (가)는 의원 내각제, (나)는 대통령제 정부 형태이다.

Ⅸ. 정치 생활과 민주주의

실전모의고사(2회)

01. (가)에 들어갈 학습 목표로 옳은 것은?

▲ 국회 본회의   ▲ 학급 회의

① 정치 활동 이해하기
② 정치권력의 특징 이해하기
③ 국가와 시민 단체 비교하기
④ 정치권력의 정당성 근거 제시하기
⑤ 정치권력과 폭력의 차이점 이해하기

02. 넓은 의미의 정치에 대해 옳게 말한 학생은?

① **갑**: 국회에서 법률을 만드는 활동을 말해요.
② **을**: 정부가 정책을 집행하는 활동을 말해요.
③ **병**: 대통령이나 국회 의원의 활동만을 의미해요.
④ **정**: 국가를 다스리기 위해 권력을 획득, 유지하는 활동이에요.
⑤ **무**: 사람들 사이의 의견을 조정하여 문제를 해결하는 모든 활동이에요.

03. 〈보기〉의 사례들을 관련 있는 정치의 의미와 옳게 연결한 것은?

〈 보기 〉
ㄱ. 국회 의원이 국회에 안건을 제출하였다.
ㄴ. 국무 회의에서 예산안을 심의 · 의결하였다.
ㄷ. 체험 학습 장소를 정하기 위해 학급 회의를 하였다.
ㄹ. 인접 도시와의 통합 문제를 두고 군 지역 주민들 사이에서 찬반 논란이 심해졌다.

	좁은 의미	넓은 의미
①	ㄱ, ㄴ	ㄷ, ㄹ
②	ㄱ, ㄷ	ㄴ, ㄹ
③	ㄴ, ㄷ	ㄱ, ㄹ
④	ㄴ, ㄹ	ㄱ, ㄷ
⑤	ㄷ, ㄹ	ㄱ, ㄴ

04. 다음 글에서 강조하는 시민의 역할로 가장 적절한 것은?

> 1987년 6월, 시민들은 직접 선거로 대통령을 뽑기 위한 개헌을 요구하였다. 그러나 정부는 평화적 정권 교체가 가능하다고 하면서 개헌을 하지 않으려고 하였다. 하지만 1987년 6월 29일 시민들의 요구대로 정부는 개헌을 약속하였을 뿐만 아니라 각종 민주적 조치를 취하였다.

① 준법 정신을 발휘해야 한다.
② 국가의 정당한 권위를 존중해야 한다.
③ 다양한 이해관계를 민주적으로 조정해야 한다.
④ 시민의 의견이 정책에 반영될 수 있도록 적극적으로 참여해야 한다.
⑤ 공동체 이익과 조화를 이루면서 자신의 자유와 권리를 추구해야 한다.

05. 다음 글에 나타난 고대 아테네의 정치에 대한 설명으로 옳지 않은 것은?

> 고대 아테네의 민주 정치는 민회와 평의회, 그리고 재판소를 통해 운영되었다. 시민이라면 누구나 민회에 모여 직접 결정했고, 추첨제와 윤번제를 통해 행정 업무와 재판을 맡는 공직자가 될 수 있었다.

① 모든 시민에게 정치 참여의 기회가 주어졌다.
② 다스리는 자와 다스림을 받는 자가 일치하였다.
③ 아테네에 거주하는 모든 사람은 시민에 포함되었다.
④ 대규모 공동체에서는 실현하기 어려운 정치 형태였다.
⑤ 공직자가 될 수 있는 기회가 시민 모두에게 공평하게 주어졌다.

06. 다음 문서들과 관련된 민주 정치 형태는?

> • 영국 권리 장전(1689) • 미국 독립 선언(1776)
> • 프랑스 인권 선언(1789)

① 대중 민주주의 ② 전자 민주주의
③ 직접 민주 정치 ④ 대의 민주 정치
⑤ 원격 민주 정치

실전모의고사(2회)

정답과 해설 47~48쪽

07. 현대 민주 정치에 대한 설명으로 옳은 것은?

① 시민의 자격에 제한을 둔 제한된 민주 정치이다.
② 모든 시민이 직접 정치에 참여하는 것을 기본으로 한다.
③ 부유한 시민의 의견만이 정치에 반영된다는 한계가 있다.
④ 시민들이 왕과 귀족의 특권에 대항한 시민 혁명을 통해 성립되었다.
⑤ 일정한 나이가 되면 누구나 선거에 참여할 수 있는 보통 선거제가 확립되었다.

08. 대의제의 특징으로 옳은 것을 〈보기〉에서 고른 것은?

〈 보기 〉
ㄱ. 정치적 무관심을 초래할 수 있다.
ㄴ. 효율적으로 민주 정치를 운영할 수 있다.
ㄷ. 국민 의사의 왜곡 가능성이 낮은 편이다.
ㄹ. 국민 자치의 원리에 충실한 정치 형태이다.

① ㄱ, ㄴ ② ㄱ, ㄷ ③ ㄴ, ㄷ
④ ㄴ, ㄹ ⑤ ㄷ, ㄹ

09. 생활 양식으로서의 민주주의의 사례로 적절하지 않은 것은?

① 다수결의 원리 존중하기
② 관용 정신을 바탕으로 갈등 해결하기
③ 선거를 통해 간접 민주 정치 실현하기
④ 비판과 토론을 통해 합리적으로 해결하기
⑤ 상대방과 나의 의견이 다를 경우 대화, 타협을 통해 해결하기

10. 실질적 평등의 실현 사례로 적절하지 않은 것은?

① 소득 정도에 따라 다른 세율을 적용한다.
② 회사에서 일정 비율의 장애인을 고용해야 한다.
③ 유권자 누구에게나 투표권을 한 표씩 부여한다.
④ 공직에서 여성이 일정 비율을 차지할 수 있게 한다.
⑤ 빈곤 계층에 대해 국가가 기본적인 생활을 보장한다.

11. 다음 내용에서 공통으로 알 수 있는 민주 정치의 원리는?

• 인민의 계약에 의해 국가를 성립했으므로 국가의 주권은 인민에게 있다. 주권은 전체로서의 인민에게 있으며, 인민이 통치자이다. – 루소 –
• 국민의, 국민에 의한, 국민을 위한 정부는 지상에서 결코 사라지지 않을 것입니다. – 링컨 –

① 다수결의 원리 ② 입헌주의의 원리
③ 국민 주권의 원리 ④ 국민 자치의 원리
⑤ 권력 분립의 원리

12. 민주 정치의 기본 원리에 대한 설명으로 옳지 않은 것은?

① **국민 자치의 원리**: 직접 민주 정치와 간접 민주 정치의 형태로 나타난다.
② **입헌주의의 원리**: 헌법에 따라 국가 기관을 구성하고, 정치권력을 행사한다.
③ **국민 주권의 원리**: 국가 권력은 국민의 동의와 지지를 바탕으로 행사되어야 한다.
④ **국민 주권의 원리**: 대한민국의 주권은 국민에게 있고 모든 권력은 국민으로부터 나온다.
⑤ **권력 분립의 원리**: 국가 권력을 강화하기 위해 입법권, 행정권, 사법권을 한 기관이 모두 맡는다.

서술형

13. (가), (나) 헌법 조항과 관련된 민주 정치의 기본 원리를 쓰고, 이러한 헌법 조항이 공통으로 추구하는 목적을 서술하시오.

(가) 제72조 대통령은 필요하다고 인정할 때에는 … (중략) … 국민 투표에 붙일 수 있다.
(나) 제40조 입법권은 국회에 속한다.
제66조 ④ 행정권은 대통령을 수반으로 하는 정부에 속한다.
제101조 ① 사법권은 법관으로 구성된 법원에 속한다.

14. 다음과 같은 정치 제도의 한계를 보완하기 위한 국민의 정치 참여 방법으로 옳은 것만을 〈보기〉에서 있는 대로 고른 것은?

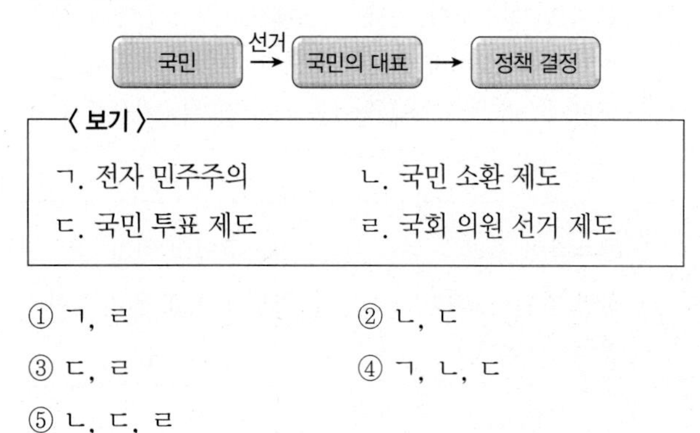

국민
선거
국민의 대표
정책 결정
〈 보기 〉
ㄱ. 전자 민주주의
ㄴ. 국민 소환 제도
ㄷ. 국민 투표 제도
ㄹ. 국회 의원 선거 제도

① ㄱ, ㄹ ② ㄴ, ㄷ
③ ㄷ, ㄹ ④ ㄱ, ㄴ, ㄷ
⑤ ㄴ, ㄷ, ㄹ

15. 밑줄 친 '이것'에 해당하는 정부 형태로 옳은 것은?

17세기 영국은 명예혁명 후 왕의 권한을 제한하고, 의회의 권한을 강화하는 내용을 담은 권리 장전을 통해 입헌 군주제가 확립되었다. 이후 영국에서 왕은 상징적으로 존재하고 의회가 권력의 중심이 되는 이것이 성립되었다.

① 일당제 ② 다당제
③ 대통령제 ④ 의원 내각제
⑤ 절대 군주제

서술형

16. (가), (나)의 정부 형태를 쓰고, A국이 정부 형태를 (가)에서 (나)로 바꾸었다면 그 이유가 무엇일지 서술하시오.

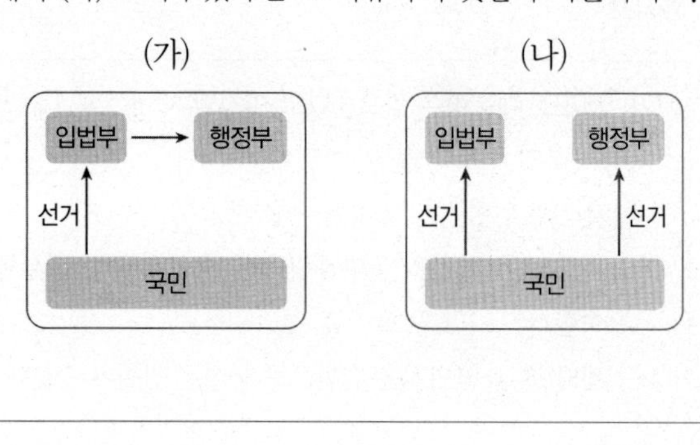

17. 대통령제에 대한 설명으로 옳은 것은?

① 행정부는 의회의 다수당에 의해 구성된다.
② 행정부는 의회에 법률안을 제출할 수 있다.
③ 대통령은 의회 불신임권과 의회 해산권을 갖는다.
④ 대통령의 임기 동안 정치가 비교적 안정적으로 유지된다.
⑤ 국민의 정치적 요구에 민감하여 책임 정치를 실현할 수 있다.

18. ㉠, ㉡에 들어갈 권한을 옳게 연결한 것은?

의원 내각제의 의회와 내각의 관계는 긴밀하지만 상호 견제하며 균형을 유지하고 있다. 의회는 내각이 정치를 잘못하면 책임을 묻는 (㉠)을 가지고 있고, 내각은 (㉡)을 통해 의회를 견제할 수 있다.

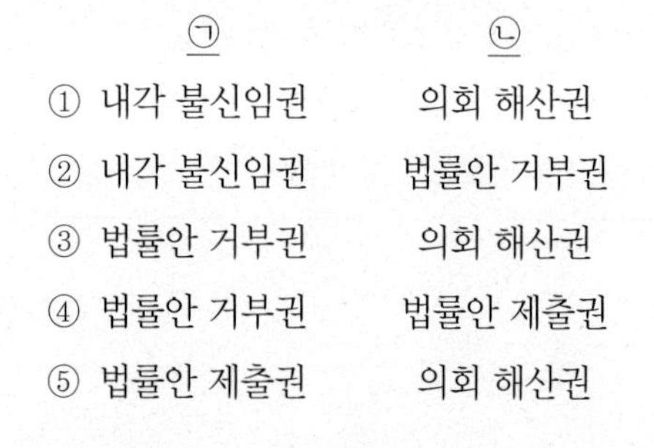

	㉠	㉡
①	내각 불신임권	의회 해산권
②	내각 불신임권	법률안 거부권
③	법률안 거부권	의회 해산권
④	법률안 거부권	법률안 제출권
⑤	법률안 제출권	의회 해산권

19. 질문에 대해 옳지 않은 답변을 한 학생은?

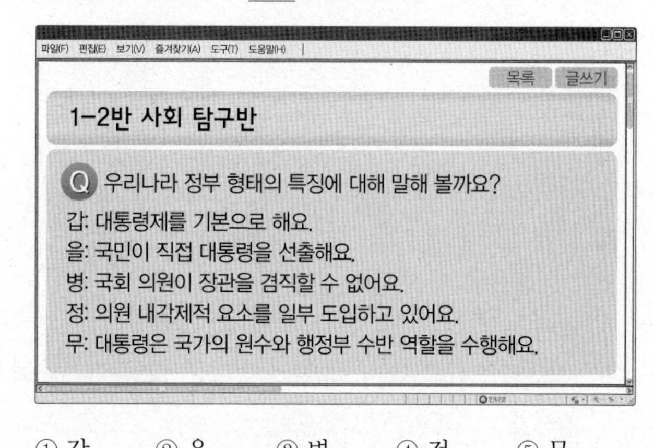

① 갑 ② 을 ③ 병 ④ 정 ⑤ 무

20. 빈칸에 공통으로 들어갈 국가 기관으로 옳은 것은?

• 우리나라에서는 (　　)이/가 행정부의 최고 책임자이자 국가의 원수이다.
• (　　)은/는 국민에 의해 선출되며, 임기는 5년이고 중임할 수 없다.

① 대통령 ② 부총리 ③ 국무총리
④ 감사원장 ⑤ 대법원장

X. 정치 과정과 시민 참여

실전모의고사(1회)

[01~02] 정치 과정의 단계를 보고 물음에 답하시오.

01. 정치 과정 (가)~(마) 단계에 대한 설명으로 옳지 않은 것은?

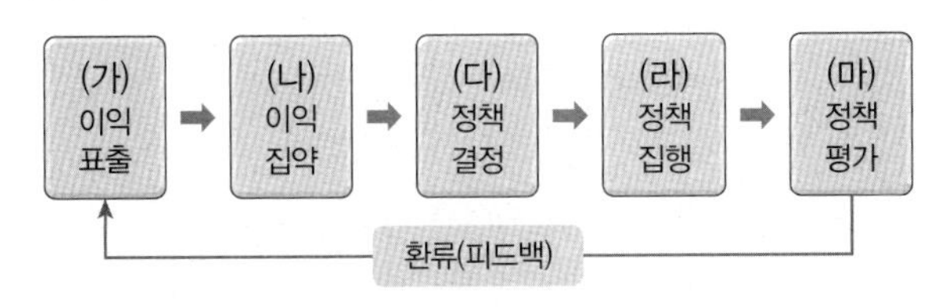

① (가)에서는 다양한 이해관계를 가진 정치 주체가 참여한다.
② (나)에서는 정당이나 언론이 여론을 수렴한다.
③ (다)를 통해 결정된 정책은 수정할 수 없다.
④ (라)는 정부 등 공식적 정치 주체가 담당한다.
⑤ (마)에서 국민의 평가를 반영한다.

02. 위의 (가)~(마) 중 다음 사례와 관련된 단계는?

> '군 가산점 부활'을 놓고 여성 및 장애인 단체에서 국민의 평등권에 위배된다며 반대 시위를 전개하고 있다. 반면, 국방부는 군 복무에 대한 정당한 보상이라며 대국민 서명 운동을 전개하고 있다.

① (가) ② (나) ③ (다)
④ (라) ⑤ (마)

03. 수업 시간 중 탐구 과제를 옳게 수행한 학생은?

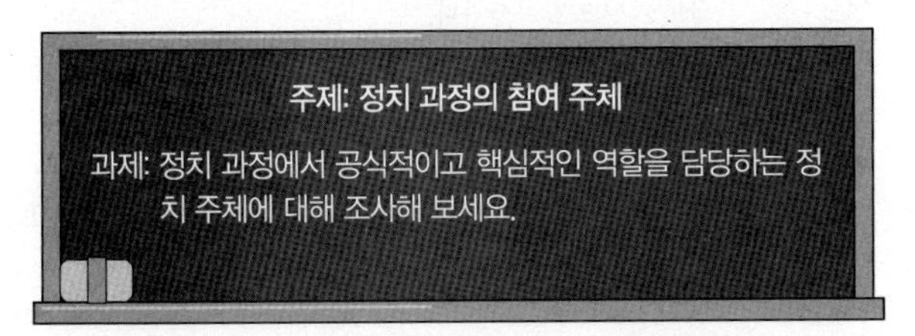

① 갑: 새로운 입시 제도를 발표하는 교육부 장관
② 을: 사형제 폐지를 주장하는 ○○시민 단체의 시위
③ 병: 안락사 허용 여부에 대한 의사협회의 입장 발표
④ 정: 홍수 피해 주민의 의견을 들어 보는 정당의 대표
⑤ 무: 학교 체벌 금지 문제에 대한 언론사의 사설 비교

서술형

04. 자료에 해당하는 정치 주체를 쓰고, 이러한 정치 주체의 역할을 두 가지 서술하시오.

> • □□ 환경 단체 • △△소비자 실천 연합

05. 다음 정치 주체들의 공통적인 역할로 가장 적절한 것은?

> • ○○당 • △△ 방송 • □□ 변호사 협회

① 정책을 결정하고 집행한다.
② 선거에 후보자를 추천한다.
③ 정권 획득을 목적으로 한다.
④ 집단의 특수한 이익을 실현한다.
⑤ 정책 결정 과정에 영향력을 행사한다.

06. ㉠, ㉡에 들어갈 정치 주체를 옳게 연결한 것은?

> 정치적 쟁점이나 국가의 정책에 대한 시민 대다수의 공통된 의견을 (㉠)(이)라 하고, 이것의 형성에 핵심적 역할을 수행하는 (㉡)은/는 정부의 정책에 대한 공정한 정보를 신속하게 전달하고, 정책에 대한 다양한 해설과 비판을 제공한다.

	㉠	㉡		㉠	㉡
①	언론	정부	②	언론	여론
③	정당	언론	④	여론	언론
⑤	정부	시민 단체			

07. 밑줄 친 '이것'에 해당하는 정치 주체로 적절한 것은?

> 현대 사회 집단 중에서 이것은 선거에 국민의 대표가 될 후보자를 공천하지는 않고, 정부의 정책에 압력을 행사하지만 정치적 책임을 지지 않으며, 특수한 영역의 문제에만 관심을 가진다.

① 정당 ② 언론 ③ 이익 집단
④ 시민 단체 ⑤ 국가 기관

실전모의고사(1회)

08. 정치 주체의 역할에 대한 설명으로 옳지 않은 것은?

① 정당: 정권 획득을 목표로 한다.
② 이익 집단: 항상 정치적 책임을 진다.
③ 국회: 법률 제정을 통해 정책을 마련한다.
④ 시민 단체: 정부 활동을 감시 및 비판한다.
⑤ 언론: 신속 · 정확하고 공정한 정보를 제공한다.

09. 밑줄 친 '이것'에 대한 설명으로 옳지 않은 것은?

> 이것은 대의 민주제에서 정치 과정에 참여하는 가장 기본적인 방법으로, 민주 정치의 성공과 실패를 좌우한다.

① 국민의 대표자를 선출하는 절차이다.
② 대표자의 정치권력에 정당성을 부여한다.
③ 자질이 부족한 대표자에게 책임을 묻는다.
④ 국민의 주권 의식을 실현하는 민주 정치 제도이다.
⑤ 국가의 중요한 안건을 국민들이 직접 결정하는 수단이다.

10. 그림과 관련된 선거의 기능으로 적절한 것은?

① 주권 행사 수단
② 시민의 의견 수렴
③ 국민의 대표자 선출
④ 정치권력에 대한 통제
⑤ 대표자의 정치권력에 정당성 부여

서술형

11. 자료에 나타난 국가 기관의 역할을 세 가지 서술하시오.

12. (가)에 들어갈 내용으로 적절한 것은?

> 선거구를 어떻게 정하는가에 따라 특정 정당이나 후보에게 유리하거나 불리해질 수 있다. 이를 방지하기 위해서 우리나라에서는 ______(가)______

① 국민 투표를 실시하고 있다.
② 선거구를 법률로 정하고 있다.
③ 선거 비용을 국가가 지원하고 있다.
④ 인터넷을 통한 정치 참여를 장려하고 있다.
⑤ 투표 및 개표 과정을 공정하게 관리하고 있다.

13. 밑줄 친 ㉠~㉤ 중 옳지 않은 것은?

> 현대 사회에서 ㉠ 시민이 자신의 정치적 의사를 표현하는 가장 기본적인 방법은 선거이다. 선거가 자유롭고 공정하게 이루어지기 위해서는 ㉡ 보통 선거, 평등 선거, 직접 선거, 비밀 선거의 기본 원칙이 필요하다. 또한, 우리나라에서는 ㉢ 공정한 선거를 위해 선거구를 국회에서 조례로 정하는 선거구 법정주의, ㉣ 선거 과정을 관리하고 선거 비용의 일부를 부담하는 선거 공영제와 ㉤ 선거의 공정한 관리와 선거 사무를 위해 선거 관리 위원회를 두고 있다.

① ㉠ ② ㉡ ③ ㉢ ④ ㉣ ⑤ ㉤

14. 다음 헌법 조항에 나타난 제도와 기관의 시행 목적은?

> 제41조
> ① 국회는 국민의 보통·평등·직접·비밀 선거에 의하여 선출된 국회 의원으로 구성한다.
> ③ 국회 의원의 선거구와 비례 대표제 기타 선거에 관한 사항은 법률로 정한다.
> 제114조
> ① 선거와 국민 투표의 공정한 관리 및 정당에 관한 사무를 처리하기 위하여 선거 관리 위원회를 둔다.

① 선거 비용을 줄이기 위하여
② 공정한 선거의 실현을 위하여
③ 인간다운 삶의 실현을 위하여
④ 의회 민주주의의 확립을 위하여
⑤ 정치적 중립을 유지하기 위하여

15. 그림의 밑줄 친 '이 제도'에 대한 설명으로 적절하지 않은 것은?

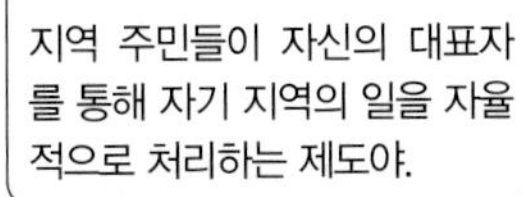

① 권력을 중앙에 집중시키는 결과를 가져온다.
② 지방 의회와 지방 자치 단체장으로 구성된다.
③ 지역 주민들의 복지를 증진하는 데 목적이 있다.
④ 민주주의를 배우고 실천할 수 있는 바탕이 된다.
⑤ 지역의 실정에 맞는 정책을 결정하고 집행할 수 있다.

16. (가)에 들어갈 내용으로 옳은 것을 〈보기〉에서 고른 것은?

> 지방 자치 제도의 궁극적인 목표는 지역 주민의 복리 증진에 있다. 성공적인 지방 자치 제도의 운영을 위해서는 ____(가)____ 이/가 전제되어야 한다.

〈 보기 〉
ㄱ. 공정한 국회 의원 선거
ㄴ. 중앙 정부의 정치적 지원
ㄷ. 지역 주민의 자발적 참여
ㄹ. 지방 자치 단체의 자율성 확보

① ㄱ, ㄴ ② ㄱ, ㄷ ③ ㄴ, ㄷ
④ ㄴ, ㄹ ⑤ ㄷ, ㄹ

17. 자료에 나타난 선거를 통해 선출된 사람으로 보기 어려운 것은?

① 시장
② 구청장
③ 도지사
④ 국회 의원
⑤ 시의회 의원

18. 밑줄 친 '○○구 의회'의 역할로 옳은 것을 〈보기〉에서 고른 것은?

탐구 과제: 우리 지역 ○○구 의회를 방문하여 의회 활동 조사하기

〈 보기 〉
ㄱ. 지방 자치 단체의 집행 기관이다.
ㄴ. 지방 자치에 필요한 규칙을 제정하여 시행한다.
ㄷ. 지방 주민이 내는 세금인 예산을 심의하고 확정한다.
ㄹ. 지방 자치 단체장이 역할을 잘하고 있는지 견제하고 감시한다.

① ㄱ, ㄴ ② ㄱ, ㄷ ③ ㄴ, ㄷ
④ ㄴ, ㄹ ⑤ ㄷ, ㄹ

19. 다음 사례와 관련된 지역 주민의 정치 참여 방법은?

> ○○시장은 지방 선거 당선 후 주민들의 의견 수렴 없이 일방적으로 정책을 결정하고, 사생활이 문란하여 주민들에 의해 해임 위기에 놓였다. 투표에서 주민 3분의 1 이상이 투표하고, 50% 이상이 찬성하면 시장은 즉시 해임된다.

① 지방 선거 ② 주민 발의 ③ 주민 소환
④ 주민 청원 ⑤ 주민 감사 청구

20. 밑줄 친 ㉠~㉤ 중 옳지 않은 것은?

> ㉠ 지방 자치 제도는 지역 주민들이 지역의 일을 스스로 해결하는 제도로 풀뿌리 민주주의라고도 한다. ㉡ 지방 자치 단체는 조례를 제정하는 의결 기관인 지방 의회와 ㉢ 이를 집행하고 규칙을 제정하는 기관인 지방 자치 단체장으로 구성된다.
> 지방 자치는 주민이 참여할 수 있는 다양한 방법과 제도를 두는데, ㉣ 가장 기본적인 방법은 주민 투표이다. 또한 주민의 의견을 듣는 공청회, 지역 예산 편성에 참여하는 주민 참여 예산제 등이 있고, ㉤ 지역 주민들로부터 선출된 대표가 주민의 의사를 제대로 반영하지 못할 때 이를 해결하기 위해 주민 소환제 등을 두고 있다.

① ㉠ ② ㉡ ③ ㉢ ④ ㉣ ⑤ ㉤

실전모의고사(2회)

01. 자료에 대한 설명으로 옳지 않은 것은?

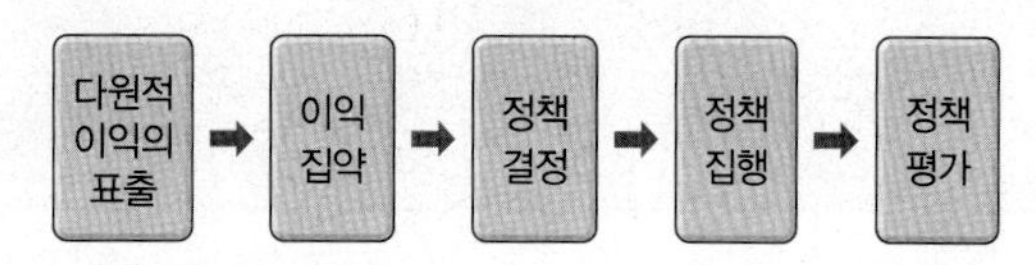

① 정치 과정이라고 한다.
② 오늘날에는 국가 기관인 정부의 역할이 가장 중요해졌다.
③ 사회 구성원 간의 갈등을 조정하고 문제를 해결해 가는 과정이다.
④ 사람들의 가치나 이익 등이 다양해짐에 따라 이를 해결하기 위해 필요하다.
⑤ 현대 정치에서 이익 집단, 언론, 정당 등 다양한 정치 주체가 참여하고 있다.

02. ○○당 대표의 주요 활동 일지를 통해 알 수 있는 정당의 기능으로 옳은 것을 〈보기〉에서 고른 것은?

5월 7일 전세 값 폭등 대책을 정부에 요구
5월 15일 고교 선택제 관련 공청회 참석
5월 24일 국회 임시회 참석, 대정부 질문
6월 1일 중소기업 대표와의 간담회

〈보기〉
ㄱ. 국회와 정부를 매개한다.
ㄴ. 여론을 수렴하고 집약한다.
ㄷ. 정책을 주도적으로 집행한다.
ㄹ. 법률이나 정책과 관련된 분쟁을 해결한다.

① ㄱ, ㄴ ② ㄱ, ㄷ ③ ㄴ, ㄷ ④ ㄴ, ㄹ ⑤ ㄷ, ㄹ

03. 밑줄 친 ㉠, ㉡의 공통적인 특징으로 적절한 것은?

• ㉠ □□참교육 시민 연대는 아동 학대를 방지하기 위해 어린이집에 CCTV를 설치해야 한다고 요구하였다.
• ㉡ △△ 교원 단체는 새로운 대입 제도가 사교육비 부담을 키울 것이라며 수정을 요구했다.

① 정치 과정에 영향력을 행사한다.
② 사회 질서 유지를 목적으로 한다.
③ 국민에 대한 정치적 책임을 진다.
④ 특수한 이익보다 공공의 이익을 추구한다.
⑤ 정치 과정에서 공식적인 역할을 담당한다.

04. 다음과 관련 있는 정치 주체로 적절하지 않은 것은?

• 정부의 정책에 압력을 행사하지만, 정치적 책임을 지지 않는다.
• 이해관계를 같이하는 사람들이 자신의 특수한 이익을 실현할 목적으로 만든 단체이다.

① 노동조합 ② 교원 단체
③ 변호사 협회 ④ 전국 경제인 연합회
⑤ 녹색 소비자 연대

서술형

05. 밑줄 친 ㉠, ㉡에 해당하는 정치 주체를 쓰고, 각각의 의미를 비교하여 서술하시오.

△△시에 대규모 놀이 시설을 건설하기로 하면서 한적하고 조용했던 △△시가 시끄러워졌다. ㉠ A 단체는 놀이 시설 건설을 통해 땅값이 상승할 것을 기대하고 있는 땅 주인들로 구성되어 있다. 그러나 ㉡ B 환경 단체는 아름다운 자연환경을 자랑하는 △△ 시를 자연 그대로 보존해야 한다고 주장한다. 이들은 자연환경은 우리가 우리의 후손에게 잠시 빌려 쓰고 있는 중이기 때문에 우리가 자연을 훼손할 자격이 없다고 한다.

06. 밑줄 친 (가), (나)에 해당하는 정치 주체를 옳게 연결한 것은?

현대 민주 정치에 참여하는 정치 주체는 다양하다. (가) 공식적 주체와 (나) 비공식적 주체로 구분할 수 있다.

	(가)	(나)
①	정부, 언론	정당, 시민 단체
②	정부, 법원	언론, 이익 집단
③	국회, 법원	정부, 언론
④	언론, 시민 단체	국회, 법원
⑤	이익 집단, 정당	법원, 시민 단체

실전모의고사(2회)

07. 정당의 역할에 해당하는 것은?

① 정책을 결정한다.
② 선거에 후보자를 추천한다.
③ 법률을 제정하고 개정한다.
④ 대표자의 정치권력에 정당성을 부여한다.
⑤ 집단의 특수한 이익을 대표하여 정책을 제시한다.

08. 두 사람이 나누는 대화의 주제어로 옳은 것은?

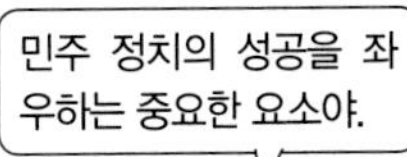

① 선거　② 정치권력　③ 입헌주의
④ 국민 투표　⑤ 지방 자치 제도

09. 다음에서 설명하는 우리나라 선거 제도로 옳은 것은?

> • 국민이 선거를 통해 4년마다 선출한다.
> • 법률을 제정하거나 개정하는 국민의 대표자를 선출한다.

① 투표　② 보궐 선거　③ 지방 선거
④ 대통령 선거　⑤ 국회 의원 선거

10. 그림과 관련된 민주 선거의 기본 원칙에 대한 설명으로 옳은 것은?

① 유권자에게 똑같은 표를 부여한다.
② 자신이 직접 후보자를 선택하여 투표한다.
③ 일정한 연령 이상의 국민이라면 누구나 선거권을 가진다.
④ 어느 후보자에게 투표했는지 알 수 없도록 비밀을 보장한다.
⑤ 외국에 거주하는 우리나라 국민이라면 선거에 참여할 수 있다.

11. 다음은 우리나라의 헌법 조항이다. 빈칸에 공통으로 들어갈 기관의 역할로 옳지 않은 것은?

> 제114조 ① 선거와 국민 투표의 공정한 관리 및 정당에 관한 사무를 처리하기 위하여 (　　)을/를 둔다.
> ④ 위원은 정당에 가입하거나 정치에 관여할 수 없다.
> 제116조 ① 선거 운동은 각급 (　　)의 관리 하에 법률이 정하는 범위 안에서 하되, 균등한 기회가 보장되어야 한다.

① 투표 참여 홍보　② 선거 후보자 추천
③ 투표 및 개표 관리　④ 선거법 위반 행위 단속
⑤ 정당과 정치 자금에 관한 업무 처리

12. 민주 시민이 갖추어야 할 정치 참여 태도로 적절하지 않은 것은?

① 자발적이며 적극적으로 정치에 참여한다.
② 정책에 대해 다양한 의견과 대안을 제시한다.
③ 사익과 공익이 조화롭게 자신의 권리를 추구한다.
④ 합법적인 절차와 민주적인 방법으로 정치에 참여한다.
⑤ 청소년은 미성년으로 정치 과정에 관심을 가질 필요가 없다.

13. 학습 주제에 옳지 않은 답변을 한 학생은?

① 갑　② 을　③ 병　④ 정　⑤ 무

실전모의고사(2회)

정답과 해설 50~51쪽

14. 지방 자치 제도에 대한 설명으로 옳지 않은 것은?

① 지역 주민의 자율성을 최대한 보장한다.
② 중앙 정부의 지시를 신속하게 반영한다.
③ 민주주의의 이념을 체험하고 실현하는 방법이다.
④ 지역 주민 스스로 지역 내의 사무를 처리하고 결정한다.
⑤ 지역 사회의 문제를 지역성을 반영하여 자율적으로 해결한다.

15. 다음 주소에 거주하는 주민이 지방 선거를 통해 선출할 지방 자치 단체장을 〈보기〉에서 고른 것은?

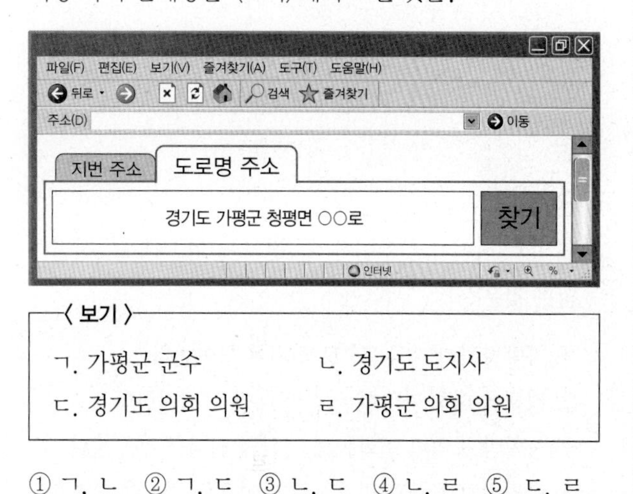

〈 보기 〉

ㄱ. 가평군 군수　　ㄴ. 경기도 도지사
ㄷ. 경기도 의회 의원　　ㄹ. 가평군 의회 의원

① ㄱ, ㄴ　② ㄱ, ㄷ　③ ㄴ, ㄷ　④ ㄴ, ㄹ　⑤ ㄷ, ㄹ

16. 광역 자치 단체의 의결 기관으로 옳은 것을 〈보기〉에서 고른 것은?

〈 보기 〉

ㄱ. 성북구 의회　　ㄴ. 강원도 의회
ㄷ. 담양군 군수　　ㄹ. 대전광역시 의회

① ㄱ, ㄴ　② ㄱ, ㄷ　③ ㄴ, ㄷ　④ ㄴ, ㄹ　⑤ ㄷ, ㄹ

서술형

17. (가), (나)에 들어갈 역할을 각각 서술하시오.

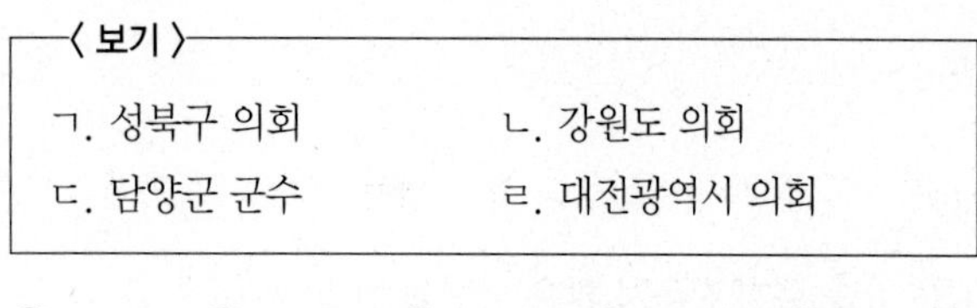

• 지방 의회는 의결 기관으로 그 지역에 필요한 자치 법규인 ＿＿(가)＿＿
• 지방 자치 단체장은 집행 기관으로 주민의 복지 증진을 위해 상위 법규 내에서 ＿＿(나)＿＿

18. 다음 내용에 해당하는 지역 주민의 정치 참여 방법에 대한 설명으로 옳은 것은?

공개적 토론을 통해 지역 사회의 문제에 대하여 당사자와 전문가, 지역 주민들이 참여하여 의견을 수렴한다.

① 지방 선거를 통해 대표자를 선출한다.
② 주민 소환제를 통해 공직자를 해임한다.
③ 주민 투표를 통해 지역 사회 문제를 직접 해결한다.
④ 공청회에 참석하여 주민의 의견을 정책 결정에 반영한다.
⑤ 주민 참여 예산제를 통해 지역의 예산 편성 과정에 참여한다.

19. 신문 기사에 나타난 지역 사회 문제를 해결하기 위한 지역 주민의 정치 참여 방법으로 옳은 것은?

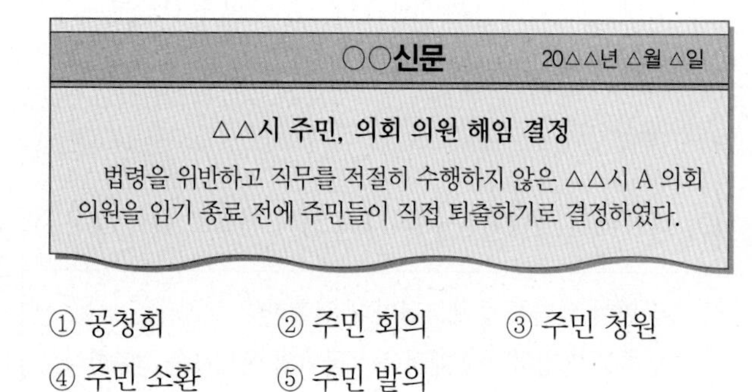

○○신문　20△△년 △월 △일

△△시 주민, 의회 의원 해임 결정

법령을 위반하고 직무를 적절히 수행하지 않은 △△시 A 의회 의원을 임기 종료 전에 주민들이 직접 퇴출하기로 결정하였다.

① 공청회　② 주민 회의　③ 주민 청원
④ 주민 소환　⑤ 주민 발의

20. 그림은 어떤 학생의 수행 평가 답안지이다. 이 학생이 받을 점수는?

〈수행 평가〉

[물음] 주민의 정치 참여 방법에 대한 내용이 맞으면 ○표, 틀리면 ×표 하시오(각 1점씩이고, 감점은 없음).

번호	내용	답
1	지방 선거: 지방 의회 의원과 지방 자치 단체장을 선출하는 과정	○
2	주민 소환: 지역 사회의 주요 현안에 대하여 주민이 직접 투표로 결정하는 제도	○
3	주민 투표: 직무를 잘 수행하지 못한 지역 대표를 임기 중에 주민 투표로 해임할 수 있는 제도	×
4	주민 발의: 주민이 직접 해당 지방 자치 단체의 장에게 조례를 제정 및 개정하거나 폐지할 것을 청구할 수 있는 제도	×
5	주민 참여 예산제: 자치 단체의 예산 편성 과정에 주민이 직접 참여하는 제도	○

① 1점　② 2점　③ 3점　④ 4점　⑤ 5점

실전모의고사(1회)

01. 질문에 대해 옳은 답변을 한 사람은?

사회 구성원 간의 갈등을 해결하고 질서를 유지하기 위해서 지켜야 할 행동의 기준은 무엇일까요?

① 갑: 문화생활입니다.　② 을: 준법 정신입니다.
③ 병: 생활 태도입니다.　④ 정: 사회 규범입니다.
⑤ 무: 행동 양식입니다.

02. 법과 도덕을 비교한 내용 중 옳지 <u>않은</u> 것은?

	구분	법	도덕
①	목적	정의(正義)의 실현	선(善)의 실현
②	준수 근거	국가에 의한 강제성	개인의 자율성
③	규율 주체	자기 자신	국가
④	판단 기준	행위의 결과	행위의 동기
⑤	위반 시	국가의 처벌	양심의 가책

03. 그림을 통해 알 수 있는 법의 기능은?

우리는 도로 교통법 덕분에 등하굣길 횡단보도에서 안전하게 다닐 수 있어.

① 정의의 실현　② 공평한 법 적용
③ 개인의 권리 보호　④ 분쟁의 해결 및 예방
⑤ 국민의 자유로운 경제 활동 보호

04. 사례에 나타난 법의 기능으로 옳은 것은?

> A 씨: 우리 집의 담장 안으로 당신 집 나무의 나뭇가지가 넘어와 이젠 마당의 하수구가 막힐 지경이에요.
> B 씨: 이웃 간에 그 정도는 이해하셔야지요. 나뭇잎이 떨어지기는 하지만, 당신 집에서도 나무를 보며 자연을 누릴 수 있으니 그 정도는 감수하셔야지요.
> A 씨: 그럼 법대로 해결합시다.

① 공공의 이익을 실현한다.
② 복지 국가의 실현에 기여한다.
③ 사회적 약자의 권리를 보호한다.
④ 범죄를 저지른 사람을 처벌한다.
⑤ 분쟁을 해결하는 기준을 제시한다.

05. 다음 내용과 가장 관계 깊은 법의 목적으로 옳은 것은?

> • 각자가 받아야 할 정당할 몫을 주는 것
> • 같은 것은 같게, 다른 것은 다르게 대우하는 것

① 정의의 실현　② 사회 질서 유지
③ 공공복리의 추구　④ 개인의 권리 보호
⑤ 분쟁의 해결 및 예방

06. 다음 정의의 여신상을 보고 나눈 대화 내용이다. (가)에 들어갈 내용으로 옳은 것은?

> 갑: 정의의 여신상이 들고 있는 저울의 의미는 무엇일까?
> 을: 저울은 [(가)]을/를 의미해.

① 균등한 사회 복지
② 공평한 법의 판결
③ 진실만을 밝혀내겠다는 의지
④ 효율적 판단을 내리겠다는 의지
⑤ 법을 엄격하게 집행하겠다는 강제성

07. 다음과 같은 생활 관계를 규율하는 법에 대한 설명으로 옳은 것은?

> 일상생활 속에서 사람들은 물건을 사거나 교환하고, 혼인을 하여 아이를 낳아 기르며 집을 얻기 위해 다른 사람에게 돈을 빌리기도 하며, 구매한 집을 팔기도 한다.

① 행정 기관의 조직과 작용 및 구제에 관한 법이다.
② 범죄의 유형 및 형벌의 내용을 정해 놓은 법이다.
③ 상거래와 관련된 경제생활 관계를 규율하는 법이다.
④ 개인 간의 가족 관계 및 재산 관계를 규율하는 법이다.
⑤ 국민의 권리와 의무 및 국가의 통치 구조를 정해 놓은 법이다.

08. 사적 생활 관계를 규율하는 사례로 옳은 것을 〈보기〉에서 고른 것은?

〈 보기 〉
ㄱ. 만 18세가 되어 선거권을 행사할 수 있게 되었다.
ㄴ. 세금을 체납한 사람에게 강제로 세금을 징수하였다.
ㄷ. 옆집의 건물 증축으로 우리 집 벽에 금이 가 옆집 주인에게 피해 보상을 요구하였다.
ㄹ. 연예인 갑은 자신의 사진이 인터넷 사이트에 올라와 있는 것을 발견하고 소송을 준비하였다.

① ㄱ, ㄴ ② ㄱ, ㄷ ③ ㄴ, ㄷ ④ ㄴ, ㄹ ⑤ ㄷ, ㄹ

09. 공법에 대한 설명으로 옳지 않은 것은?

① 헌법, 형법, 소송법 등이 있다.
② 개인과 개인 간의 사적인 관계를 규율한다.
③ 국가와 국민 사이의 관계를 규율하는 법이다.
④ 사회 질서 유지 및 공익의 증진을 목적으로 한다.
⑤ 행정 조직, 작용 및 구제를 규정해 놓은 법과 관련 있다.

10. 그림과 같이 법의 영역을 분류할 때, (가)에 해당하는 법으로 옳지 않은 것은?

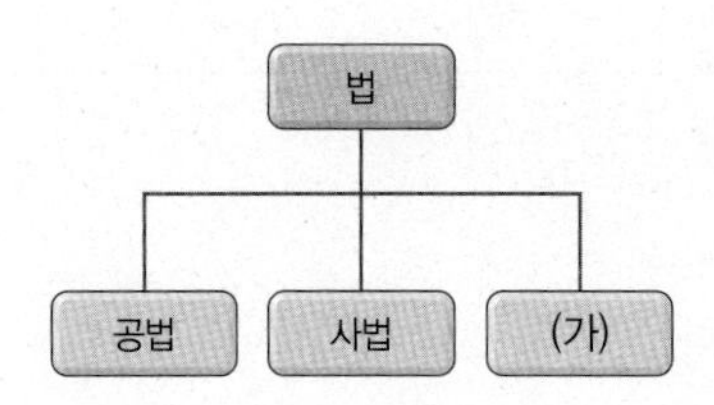

① 국민 연금법
② 최저 임금법
③ 민사 소송법
④ 남녀 고용 평등법
⑤ 독점 규제 및 공정 거래에 관한 법률

11. 다음과 같은 법의 적용을 받는 생활 모습은?

> • 사적인 생활 영역에 국가가 개입한다.
> • 공정한 경제 질서를 유지하고 소비자의 권익을 보호한다.

① 혼인신고를 하려는 신혼부부
② 백화점에서 금품을 훔치다 걸린 여성
③ 소득이 없어 생계를 유지하기 어려운 장애인
④ 회사로부터 정당한 이유 없이 해고를 당한 근로자
⑤ 새로 구입한 노트북의 고장이 잦아 환불받고자 하는 고객

서술형

12. 노동법, 경제법, 사회 보장법이 속하는 법 영역을 쓰고, 그중 밑줄 친 '경제법'의 의미와 종류에 대해 서술하시오.

13. 밑줄 친 '이 법'에 대한 설명으로 옳은 것만을 〈보기〉에서 있는 대로 고른 것은?

> 이 법은 개인의 자유로운 활동을 최대한 보장하는 자본주의가 발달하면서 빈부 격차, 환경 오염 등의 문제점이 나타났고, 이러한 문제를 해결하기 위하여 등장하였다.

〈 보기 〉
ㄱ. 사법과 공법의 중간적 성격의 법이다.
ㄴ. 사회 · 경제적 약자를 보호하는 것이 목표이다.
ㄷ. 자본주의의 문제점을 해결하기 위해 등장하였다.
ㄹ. 기본권의 보장과 통치 구조를 주요 내용으로 한다.

① ㄱ, ㄴ ② ㄷ, ㄹ ③ ㄱ, ㄴ, ㄷ
④ ㄱ, ㄴ, ㄹ ⑤ ㄴ, ㄷ, ㄹ

14. 다음 사건과 관련하여 진행될 재판의 종류로 옳은 것은?

> 만취 상태에서 운전을 하다 접촉 사고를 낸 뒤 동승자였던 B 씨가 운전을 했다며 거짓말을 한 A 씨가 경찰에 구속되었다. A 씨는 당시 함께 차를 탔던 B 씨와 C 씨에게 택시기사인 본인은 운전을 해야 생계를 이어나갈 수 있다며 자기가 운전을 하지 않은 것으로 경찰에 진술해 달라고 부탁하였다.

① 민사 재판 ② 형사 재판 ③ 가사 재판
④ 행정 재판 ⑤ 헌법 재판

실전모의고사(1회)

정답과 해설 51~52쪽

15. 민사 재판의 절차를 순서대로 옳게 나열한 것은?

> (가) 피고는 재판 전에 법원에 답변서를 제출한다.
> (나) 원고가 법원에 소장을 제출하면 법원은 피고에게 전달한다.
> (다) 원고와 피고는 법정에서 자기주장을 말한 후 판사가 판결을 내린다.
> (라) 원고와 피고는 자신의 주장이 정당하다는 증거를 법원에 제출한다.

① (가) - (나) - (다) - (라)
② (나) - (가) - (다) - (라)
③ (나) - (가) - (라) - (다)
④ (다) - (가) - (라) - (나)
⑤ (라) - (가) - (나) - (다)

16. 밑줄 친 '재판'에 대한 설명으로 옳지 않은 것은?

> 어느 날 보석 판매상 김○○ 씨는 1,000만 원 상당의 보석을 도둑맞았다. 검사는 A 씨를 피의자로 지목하였으나, A 씨는 자신이 무죄라고 주장하였다. 재판에서 판사는 A 씨를 무죄로 선고하였다.

① 민사 재판에 해당한다.
② A 씨는 이 재판의 피고인이다.
③ 재판을 청구한 사람은 검사이다.
④ 검사는 재판 결과에 불복할 경우 항소할 수 있다.
⑤ 재판에서 A 씨는 변호인의 도움을 받을 권리가 있다.

17. 밑줄 친 '이것'에 대한 설명으로 옳지 않은 것은?

> 2008년 2월 2일, 대구에서 처음으로 이것이 이루어졌다. '강도 살해' 혐의로 구속되어 재판에서 A 씨에 대해 검찰 측은 징역 5년을 구형했지만, 배심원단은 징역 2년 6월에 집행 유예 4년을 만장일치로 결정하였다. 재판부는 배심원들의 결정을 존중하여 이를 받아들였다.

① 국민 참여 재판 제도이다.
② 형사 재판에서 이루어진다.
③ 사법 과정의 민주화에 기여한다.
④ 여론의 영향을 최소화할 수 있다.
⑤ 배심원은 만 20세 이상의 국민으로 구성된다.

18. 탐구 주제와 관련된 활동으로 옳은 것을 〈보기〉에서 고른 것은?

탐구 주제: 공정한 재판을 위한 제도를 설명할 수 있다.

〈 보기 〉
ㄱ. 심급 제도에 대해 알아본다.
ㄴ. 국민 참여 재판의 도입 배경을 조사한다.
ㄷ. 민사 소송과 형사 소송의 차이점을 비교한다.
ㄹ. 공개 재판주의와 증거 재판주의의 의미를 알아본다.

① ㄱ, ㄴ　② ㄱ, ㄹ　③ ㄴ, ㄷ
④ ㄴ, ㄹ　⑤ ㄷ, ㄹ

19. ㉠, ㉡에 들어갈 말을 옳게 연결한 것은?

> 우리나라는 공정한 재판을 위해 일반적으로 하나의 사건에 대해 세 번까지 재판받을 수 있다. 이때 1심에서 2심을 청구하는 것을 (㉠)라고 하고, 2심에서 3심을 청구하는 것을 (㉡)라고 한다.

	㉠	㉡
①	상고	항소
②	상고	상소
③	항고	상소
④	항소	상고
⑤	상소	상고

20. 다음과 같은 제도를 실시하는 근본적인 목적으로 옳은 것은?

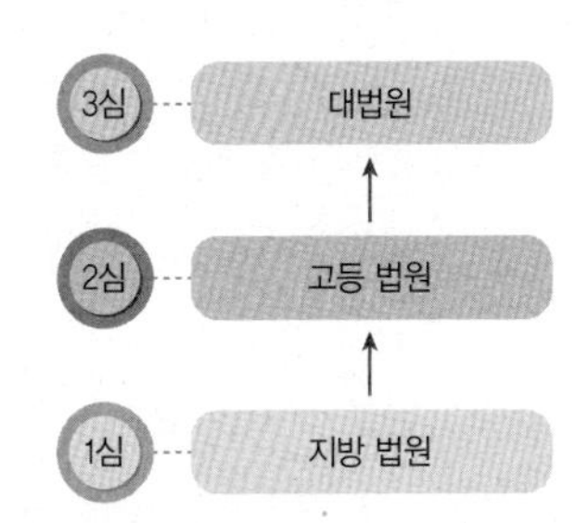

① 공정한 재판을 위해서
② 재판의 비용을 줄이기 위해서
③ 법관의 신분을 보장하기 위해서
④ 재판을 신속하고 정확하게 하기 위해서
⑤ 여러 사람들에게 재판을 공개하여 객관적인 재판을 하기 위해서

실전모의고사(2회)

01. 사회 규범에 대한 설명으로 옳지 않은 것은?

① 법은 강제성을 지닌다.
② '살생하지 마라.'는 종교 규범의 사례이다.
③ 법은 도덕보다 행위의 동기를 중요시한다.
④ 장례 의식 절차는 사회 규범 중 관습에 해당한다.
⑤ 도덕은 인간으로서 마땅히 지켜야 할 사회 규범이다.

02. 법률 조항을 통해 알 수 있는 법의 특징으로 옳은 것은?

> **형법 257조** ① 사람의 신체를 상해한 자는 7년 이하의 징역이나 10년 이하의 자격 정지 또는 1천만 원 이하의 벌금에 처한다.

① 선의 실현 추구
② 인간의 내면생활 규율
③ 인간의 양심 중시
④ 국가의 강제력 행사
⑤ 한 사회에서 오랫동안 지켜져 내려온 행동 양식

03. 주제에 대한 모둠별 발표 제목으로 적절하지 않은 것은?

모둠별로 발표해 보세요.
〈수행 평가〉
주제: 일상생활 속의 법

① 1모둠: 양질의 급식을 먹을 수 있는 학교 급식법
② 2모둠: 소비자의 권리를 지켜 주는 소비자 기본법
③ 3모둠: 유해 시설로부터 학생을 보호하는 학교 보건법
④ 4모둠: 최신 음악 파일을 무료로 내려받을 수 있는 저작권법
⑤ 5모둠: 학교에서 의무 교육을 받을 수 있게 한 학교 기본법

04. 사법(私法)의 적용을 받는 사례로 적절하지 않은 것은?

① 재산 상속 순위　　② 부동산 거래 계약서
③ 유언의 효력 발생　　④ 인터넷에서의 상품 거래
⑤ 사기죄의 유무와 형벌의 정도

05. 사회 규범과 그 사례를 옳게 연결한 것은?

① 종교: 설날에는 웃어른께 세배를 한다.
② 도덕: 추석에는 조상의 산소에 성묘를 간다.
③ 도덕: 기독교 신자는 십계명을 지켜야 한다.
④ 관습: 버스에서는 노약자에게 자리를 양보해야 한다.
⑤ 법: 이사를 갈 경우 14일 이내에 새 주소지 관할 주민센터에 전입신고를 해야 한다.

06. 사례를 통해 공통적으로 알 수 있는 법의 기능은?

> • 갑자기 교통사고로 아버지가 유언도 없이 돌아가시자 유산을 두고 자녀들 간의 다툼이 생겼다. 결국 법에 따라 재산이 상속되었다.
> • 겨울철이 되면 상가 앞 보도에 쌓인 눈 때문에 보행자와 상가 주인 간의 다툼이 많이 발생한다. 이에 따라 ○○시에서는 건축물 관리자의 책임을 정확하게 명시하여 제설과 제방에 관한 조례를 개정하기로 하였다.

① 평등한 사회 구현
② 국가 권력 행사의 제한
③ 타협을 통한 분쟁의 해결
④ 국민의 자유로운 경제 활동 보장
⑤ 개인 간 분쟁의 예방과 갈등 해결

서술형

07. 자료는 어떤 법 영역을 조사하기 위한 것이다. ㉠에 해당하는 법 영역을 쓰고, 그 종류를 두 가지 서술하시오.

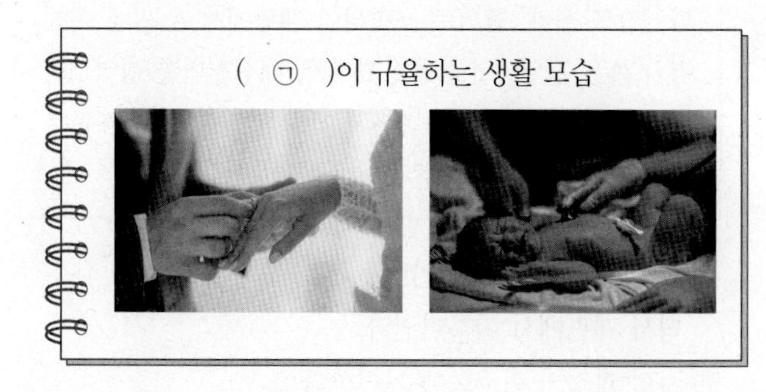

08. 자료와 관련된 법 영역에 대한 설명으로 옳은 것은?

• 어려운 노인 돌봄 사업 • 최저 임금을 결정하는 회의

① 개인 간의 재산 관계를 다루는 법 영역이다.
② 국가 공권력의 행사와 관련된 법 영역이다.
③ 개인 간의 생활에 국가가 개입하는 법 영역이다.
④ 상거래와 관련된 경제생활 관계를 규율하는 법 영역이다.
⑤ 개인과 국가 기관 간의 생활 관계를 다루는 법 영역이다.

09. (가)~(다)에 들어갈 법을 옳게 연결한 것은?

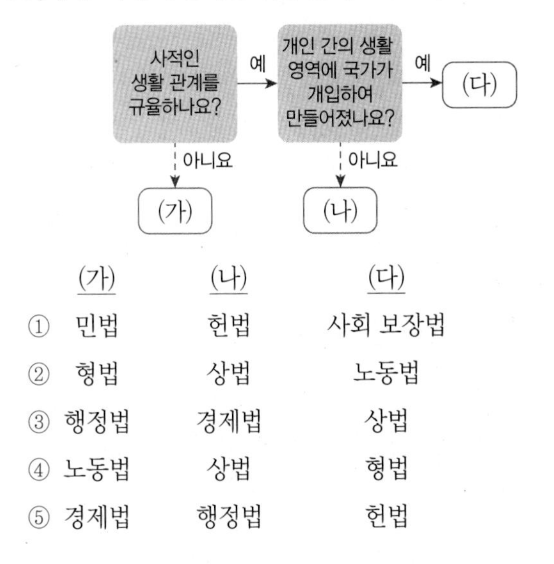

	(가)	(나)	(다)
①	민법	헌법	사회 보장법
②	형법	상법	노동법
③	행정법	경제법	상법
④	노동법	상법	형법
⑤	경제법	행정법	헌법

10. 밑줄 친 분쟁의 해결 방법에 대한 설명으로 옳은 것만을 〈보기〉에서 있는 대로 고른 것은?

갑은 최근 아파트를 분양받아 입주하였으나 분양 계약서에 있는 약관의 내용이 지켜지지 않았음을 알게 되었다. 이에 갑은 입주민 대표로 한국 소비자원에 구제 신청을 했고 한국 소비자원은 소비자 분쟁 조정 위원회에 '집단 분쟁 조정'을 의뢰했다. 얼마 후 위원회는 건설 회사 측에서 약관의 내용을 이행하라는 결정을 내렸다.

〈보기〉
ㄱ. 시간과 비용을 절약할 수 있다.
ㄴ. 행정 기관의 잘잘못을 가릴 수 있다.
ㄷ. 다양한 합의로 융통성 있게 분쟁을 해결할 수 있다.
ㄹ. 개인적인 영역에 강제력을 통한 국가의 개입과 지원을 요구할 수 있다.

① ㄱ, ㄷ ② ㄱ, ㄹ ③ ㄴ, ㄷ
④ ㄱ, ㄴ, ㄹ ⑤ ㄴ, ㄷ, ㄹ

11. 밑줄 친 '재판'의 참여자가 아닌 사람은?

갑은 친구인 을로부터 500만 원을 빌려 달라는 부탁을 받고 돈을 빌려주었다. 그러나 을이 약속한 날짜가 지나도 돈을 갚지 않고 연락을 계속 피하자 화가 난 갑은 법원에 재판을 청구하였다.

① 피고 ② 검사 ③ 판사 ④ 증인 ⑤ 변호사

서술형

12. 그림을 통해 알 수 있는 재판의 종류를 쓰고, 그 진행 절차를 제시된 단어를 이용하여 서술하시오.

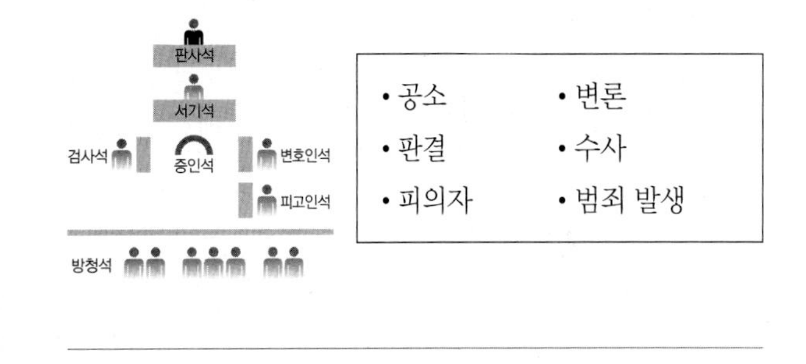

13. 사례에 적용할 수 있는 재판의 종류가 다른 하나는?

① 음주운전을 하다가 교통사고를 냈다.
② 대학생인 A와 B는 몸싸움을 하여 서로 상해를 입혔다.
③ 같은 반 친구를 상습 폭행한 고등학생이 검찰에 넘겨졌다.
④ 도로변에 세워져 있던 오토바이를 몰래 타고 가다가 경찰에 체포되었다.
⑤ C 씨가 죽은 후 유언장이 공개되자 자식들이 이를 인정할 수 없다며, 재판을 청구하였다.

14. 밑줄 친 '소송'을 다루는 재판의 종류로 옳은 것은?

동네 맛집으로 유명한 ○○음식점을 경영하는 이 씨는 구청에서 여름철 식품 점검으로 수거한 음식 중 일부에서 식중독균이 기준을 초과해 나왔다는 이유로 영업 정지 처분을 받았다. 그러나 이 씨는 음식물 수거 및 보관 과정에서 식중독균이 발생했을 가능성이 있다며 구청을 대상으로 법원에 영업 정지를 취소하는 소송을 냈다.

① 민사 재판 ② 형사 재판 ③ 가사 재판
④ 행정 재판 ⑤ 선거 재판

실전모의고사(2회)

정답과 해설 52~54쪽

15. 그림에 해당하는 재판에 대한 설명으로 옳은 것은?

① 민사 재판에서만 시행되고 있다.
② 피고인이 원할 경우 이루어진다.
③ 법관은 배심원의 평결에 따라 판결해야 한다.
④ 재판에 국민의 여론을 최소로 반영하고자 도입하였다.
⑤ 법에 대한 전문적 지식이 있는 사람만이 배심원이 된다.

16. 밑줄 친 '재판'에 대한 설명으로 옳은 것을 〈보기〉에서 고른 것은?

> A 씨는 외아들이 위암 말기로 투병하던 중 새로운 치료법을 개발했다는 의사인 B 씨를 소개받아 치료비 명목으로 4천만 원을 건넸다. 그러나 아들의 병세는 심해졌고 얼마 후 사망하였다. 속은 것을 알게 된 A 씨는 B 씨를 사기죄로 경찰서에 고소했고, 검사의 기소로 B 씨는 재판에서 징역 3년을 선고 받았다.

〈 보기 〉
ㄱ. 형사 재판에 해당한다.
ㄴ. 원고는 A 씨, 피고는 B 씨가 된다.
ㄷ. 개인 간의 권리와 의무에 대한 다툼을 해결한다.
ㄹ. 증거에 따라 범죄의 유무와 형벌의 정도를 정한다.

① ㄱ, ㄴ ② ㄱ, ㄹ ③ ㄴ, ㄷ
④ ㄴ, ㄹ ⑤ ㄷ, ㄹ

17. 재판 과정의 참여자에 대한 설명으로 옳은 것은?

① 검사: 민사 재판에서 소송을 제기하는 사람
② 원고: 소송을 제기하여 재판을 청구하는 사람
③ 변호인: 재판에서 법에 따라 판결을 내리는 사람
④ 판사: 범죄를 수사하고 공소를 제기하는 국가 기관
⑤ 피고: 범죄 혐의를 받고 있으나 아직 공소 제기가 되지 않은 사람

18. ㉠~㉢에 들어갈 말을 옳게 연결한 것은?

> 형사 재판에서는 범죄 혐의가 있는 (㉠)을/를 상대로 검사가 법원에 재판을 청구한다. 따라서 형사 재판에서는 (㉡)이/가 공소를 제기하며, 공소 이후에 (㉠)을/를 (㉢)(이)라고 한다.

	㉠	㉡	㉢
①	피의자	판사	피고인
②	피의자	검사	피고인
③	피고인	검사	피의자
④	피해자	판사	피의자
⑤	피해자	변호인	피의자

19. 그림은 심급 제도를 나타낸 것이다. ㉠에 들어갈 기관으로 옳은 것은?

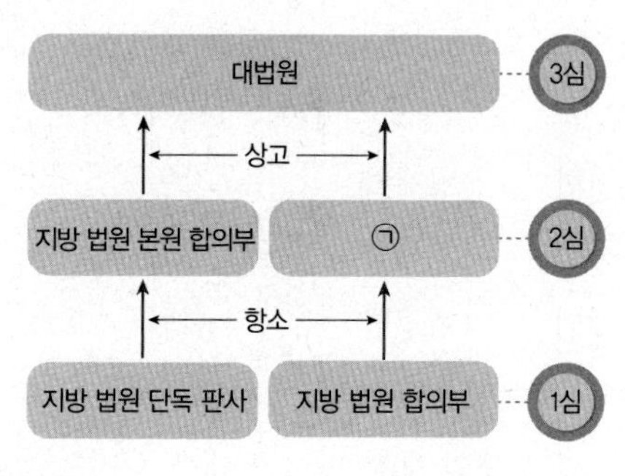

① 고등 법원 ② 행정 법원
③ 군사 법원 ④ 특허 법원
⑤ 헌법 재판소

20. 공정한 재판을 위해 다음 주장이 강조하고 있는 것은?

> 민수: 사법부의 재판에 대하여 대통령이나 국회가 간섭을 하거나 압력을 행사할 수 있는 장치가 존재해서는 안 된다.

① 재판 과정을 공개해야 한다.
② 사법권의 독립을 보장해야 한다.
③ 의심만으로 유죄를 확정해서는 안 된다.
④ 누구든지 법관에 의한 재판을 받을 수 있게 해야 한다.
⑤ 재판 결과에 불복할 경우 다시 재판받을 기회를 주어야 한다.

XII. 사회 변동과 사회 문제

실전모의고사(1회)

01. 학습 주제에 옳지 않은 답변을 한 학생은?

① 갑 ② 을 ③ 병 ④ 정 ⑤ 무

02. (가)~(다)는 사회 변동 과정을 나타낸 것이다. 이에 대한 설명으로 옳은 것은?

(가) (나) (다)

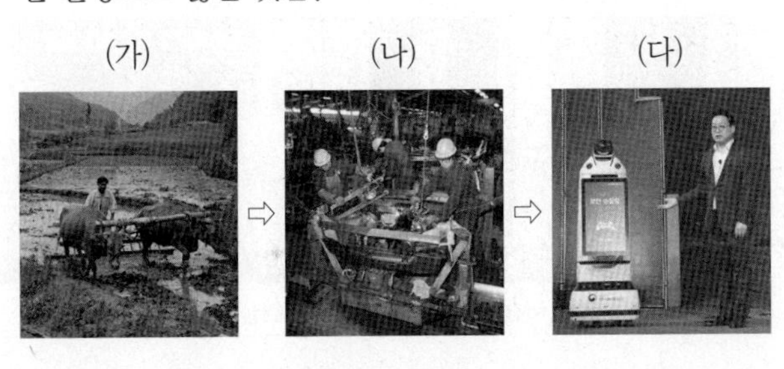

① (가) – 지식과 정보가 중심이 된다.
② (나) – 홈뱅킹, 전자 상거래가 발달한다.
③ (나) – 대량 생산, 대량 소비 방식이 일반적이다.
④ (다) – 도시로 인구가 집중되어 도시에 공업이 발달한다.
⑤ (다) – 자본과 노동 중심의 다품종 소량 생산 방식이 일반적이다.

03. 현대 사회의 변동 양상에 대해 가장 올바르게 파악하고 있는 학생은?

① 지은: 세계화로 민족·종교 분쟁은 사라지고 있어.
② 정연: 활발한 문화 교류로 다양한 문화를 접할 수 있어.
③ 형우: 전통문화를 지키려고 새로운 문화를 거부해야 해.
④ 종훈: 환경 문제 때문에 중공업 중심에서 경공업 중심으로 다시 돌아가고 있어.
⑤ 지혜: 나라 안의 문제만 잘 해결하면 되므로 국가 간 협력의 필요성은 줄어들고 있어.

04. ㉠, ㉡에 들어갈 현대 사회의 변동 양상을 옳게 연결한 것은?

(㉠)로 인한 문제점
- 사생활 침해: 개인 정보의 유출
- 정보 격차: 지역·계층 간 정보 격차 발생
- 사이버 범죄: 해킹, 바이러스 유포, 홈뱅킹 사기

(㉡)로 인한 문제
- 도시 문제: 주택 부족, 교통 혼잡, 환경 오염
- 농촌 문제: 노인 문제, 노동력 부족 문제
- 환경 오염: 수질·대기·토양 오염

	㉠	㉡		㉠	㉡
①	정보화	산업화	②	정보화	개방화
③	세계화	정보화	④	세계화	산업화
⑤	개방화	산업화			

05. 밑줄 친 '이것'과 관련된 사례로 적절한 것은?

> 이것은 국경을 넘어 사람과 물자, 기술, 자본 등이 자유롭게 교류되면서 세계 전체의 상호 의존성이 높아지는 현상을 의미한다. 흔히 전 세계가 하나의 마을처럼 된다고 하여 '지구촌 시대'라는 말로 표현하기도 한다.

① 다국적 기업의 출현
② 전자 상거래의 활성화
③ 제조업 관련 산업 증가
④ 우리 농산물 지키기 운동의 확산
⑤ 홈뱅킹을 이용한 은행 업무의 간편화

실전모의고사(1회)

서술형

06. 사례를 통해 알 수 있는 현대 사회의 변동 양상을 쓰고, 이러한 변동 양상의 긍정적 영향을 두 가지 서술하시오.

> • 유럽에서 해외 파견 근무를 하고 있는 박 씨는 한국 음식이 그리울 때 회사 근처 한국 음식 전문점을 찾는다.
> • 요즘 우리나라 곳곳에서 터키 음식인 케밥, 멕시코 음식인 타코 등을 전문으로 하는 음식점들이 인기가 많다.

07. 밑줄 친 '이러한 격차'를 의미하는 개념은?

> 미국, 유럽, 일본 등 선진국들은 경제적인 풍요를 누리며 복지 사회로 발전하고 있다. 이에 반하여 개발 도상국들은 선진국들에게 공업 원료와 농산물을 공급하며 빈곤과 저소득에 허덕이고 있다. 이러한 격차는 날이 갈수록 심화되고 있다.

① 동서 문제 ② 남북문제
③ 환경 문제 ④ 냉전 문제
⑤ 정보 격차

08. 그래프를 통해 알 수 있는 한국 사회 변동의 특징으로 적절한 것은?

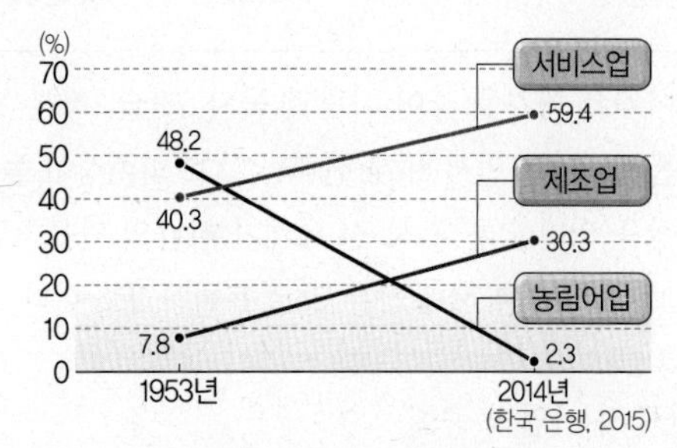

▲ 우리나라 산업 구조의 변화

① 급속한 산업화 ② 경제 성장 둔화
③ 국가 경쟁력 약화 ④ 균형적인 경제 발전
⑤ 도시와 농촌 간의 격차 완화

09. 판서 내용 중 (가)에 들어갈 한국 사회 변동으로 적절한 것은?

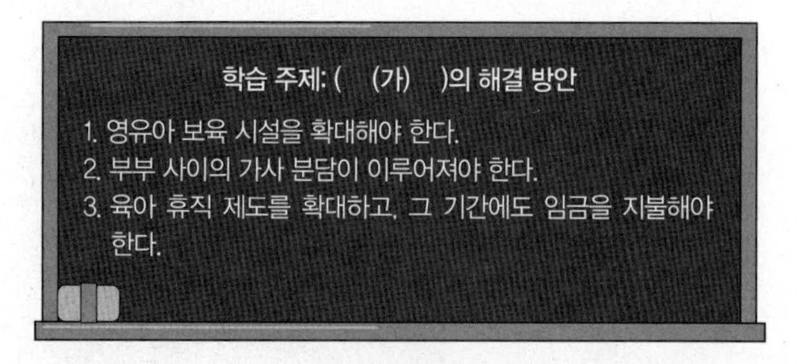

학습 주제: ((가))의 해결 방안
1. 영유아 보육 시설을 확대해야 한다.
2. 부부 사이의 가사 분담이 이루어져야 한다.
3. 육아 휴직 제도를 확대하고, 그 기간에도 임금을 지불해야 한다.

① 저출산 ② 고령화
③ 성비 불균형 ④ 정보 사회로의 진입
⑤ 외국인 이주민의 증가

서술형

10. (가), (나)에 들어갈 내용을 각각 두 가지 서술하시오.

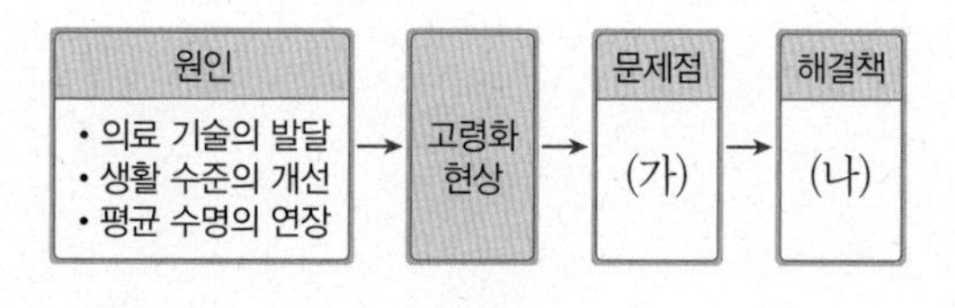

11. 다음 공익광고를 보고 옳게 설명한 학생은?

경로석
경로석
이런 모습, 상상은 해보셨나요?

① 은아: 성비 불균형이 매우 심각해 보여.
② 초아: 개발 도상국에서 주로 나타나는 문제야.
③ 은수: 산아 제한 정책을 잘못한 우리나라의 모습이야.
④ 은성: 인구가 급격히 증가하기 때문에 나타난 현상이야.
⑤ 민성: 아이보다 노인이 더 많을 정도로 고령화 문제가 심각하구나.

12. 자료에 나타난 한국 사회 변동의 최근 경향은?

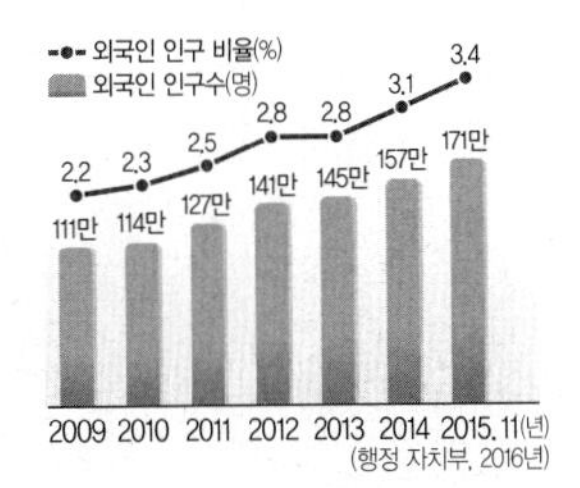

▲ 우리나라에 거주하는 외국인의 수

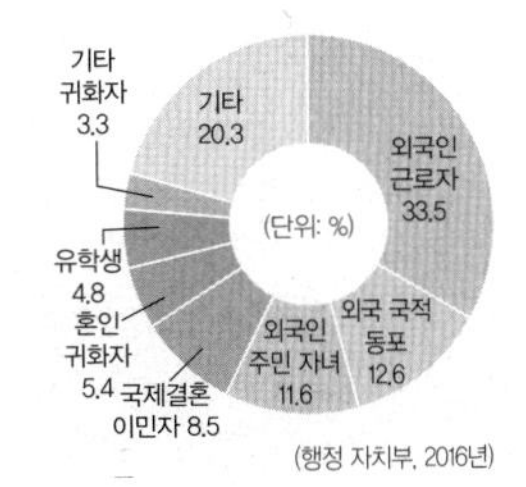

▲ 우리나라에 거주하는 외국인의 유형

① 고령화 ② 저출산
③ 산업화 ④ 정보화
⑤ 다문화 사회로의 변화

13. 신문 기사에 나타난 문제점을 해결하기 위한 사회적 노력으로 적절한 것은?

> ○○신문 20△△년 △월 △일
>
> 국제결혼이 늘어나면서 다문화 가정에서 태어난 2세들의 수가 증가하고 있다. 다문화 가정의 자녀들은 생김새가 다르거나, 한국어 능력이 부족하여 친구들과 잘 어울리지 못하는 경우가 많다. 이로 인해 학교생활에 어려움을 겪을 수 있으며, 학령기 다문화 가정의 자녀들 중 약 30%(2020년 기준) 정도가 학교에 다니지 않는 것으로 조사되었다.

① 국제결혼을 금지하는 법을 제정한다.
② 민족에 대한 내집단 의식 교육을 강화한다.
③ 다문화 가정 자녀 돌봄 시스템을 마련한다.
④ 다문화 가정 자녀와 내국인의 교육을 분리시킨다.
⑤ 개인보다 집단을 중시하는 가족 문화를 교육시킨다.

14. 사회 문제에 대한 설명으로 옳지 않은 것은?

① 사회 문제를 판단하는 기준은 어느 사회에서나 동일하다.
② 가치관이나 인식의 변화로 사회 문제가 발생하기도 한다.
③ 대다수의 사회 구성원들이 개선해야 한다고 인식하는 사회 현상이다.
④ 부정적으로 인식되는 현상이라고 해서 모두 사회 문제인 것은 아니다.
⑤ 화산 폭발과 가뭄 등은 인간의 의지에 의해 발생한 것이 아니므로 사회 문제가 아니다.

15. 우리나라의 인구 문제와 그 해결 방안에 대한 설명으로 옳지 않은 것은?

① 노인 인구 증가 – 노인 복지 제도 확대
② 생산 가능 인구 감소 – 출산 장려 캠페인
③ 노동력 부족 – 외국인 근로자 인구 유입 제한
④ 출산율 감소 – 출산과 양육에 관한 사회적 환경 조성
⑤ 결혼과 자녀에 대한 가치관의 변화 – 가족의 중요성 홍보

16. 다음과 관련 있는 사회 문제의 유형으로 옳은 것은?

• 실업	• 노사 갈등
• 임금 격차	• 비정규직 문제

① 인구 문제 ② 노동 문제
③ 자원 고갈 ④ 환경 오염
⑤ 빈부 격차

실전모의고사(2회)

정답과 해설 54~55쪽

17. 다음 현상의 원인이 되는 환경 문제로 옳은 것은?

> • 남극의 빙하가 녹아 2,100년이 되면 해수면이 약 0.6~1.3m 상승할 것으로 예측된다.
> • 남태평양의 섬나라인 투발루가 지구 온난화에 따른 해수면의 상승으로 일부 섬이 바닷물에 잠겨 사라졌고, 나머지 섬들도 가라앉고 있어 2001년 마침내 국토 포기를 선언하였다.

① 사막화　② 산성비　③ 자원 고갈　④ 수질 오염　⑤ 지구 온난화

18. 다음 글에 나타난 사회 문제의 특징으로 옳은 것은?

> 몽골은 국토의 90%에서 사막화가 진행되어 최근 30년 동안 목초지 6만 9,000km^{2}가 사라졌고 식물 종의 75%가 멸종됐다. 그 원인은 경제난에 따른 무분별한 벌목과 방목, 수차례의 대형 산불, 여기에 척박한 토양 관리와 물 관리가 겹친 자연재해와 인재의 합작품이다. 사막화는 필연적으로 황사를 부른다. 우리나라는 매년 봄 황사로 인한 피해가 약 7조 원에 이른다. 특히 반도체 산업은 황사 분진으로 인한 제품 불량률 증가로 이어져 이를 막기 위한 공기 정화 시설은 원가 상승을 불러온다. 또 마그네틱 드럼 테이프 등 전자기기와 광학기기의 불량률 상승의 원인이기도 하다. 조선과 자동차 산업에 직접 피해를 주고 항공기 운항을 방해해 물류비 상승을 가져온다.

① 국제적 협력으로 해결해야 할 문제이다.
② 정보화에 따라 새롭게 발생한 문제이다.
③ 지역 간 갈등이 문제 발생의 근본 원인이다.
④ 사고방식과 가치관의 변화로 해결할 수 있다.
⑤ 사회적 약자에 대한 배려가 부족하여 발생한 문제이다.

19. 다음과 같은 문제의 해결 방법으로 적절하지 않은 것은?

▲ 노사 갈등

▲ 지구 온난화

① 정부의 정책을 통해서만 해결할 수 있다.
② 종합적 · 통합적인 관점에서 이해해야 한다.
③ 공동체 의식을 바탕으로 해결책을 모색한다.
④ 사회 구성원이 적극적으로 해결 과정에 참여한다.
⑤ 개인의 의식과 사회 제도적 측면을 모두 고려해야 한다.

20. 밑줄 친 '이것'의 실천 노력으로 옳은 것을 〈보기〉에서 고른 것은?

> 이것은 자연과 인간이 조화를 이루는 개발을 통해 미래 세대의 삶의 질을 보장하려는 것이다.

〈 보기 〉
ㄱ. 화석 연료의 사용을 권장한다.
ㄴ. 친환경 기업에 보조금 혜택을 준다.
ㄷ. 국제 환경 협약은 되도록 지키지 않는다.
ㄹ. 국가 간 지구촌 차원의 실천 방안을 마련한다.
ㅁ. 일회용품 사용을 자제하고, 쓰레기 분리 배출을 생활화한다.

① ㄱ, ㄴ, ㄷ　② ㄱ, ㄴ, ㄹ　③ ㄴ, ㄷ, ㅁ　④ ㄴ, ㄹ, ㅁ　⑤ ㄷ, ㄹ, ㅁ

XII. 사회 변동과 사회 문제

실전모의고사(2회)

01. 현대 사회 변동에 가장 큰 영향을 미친 요인은?

① 문화 전파 ② 가치관의 변화
③ 정부 정책의 변화 ④ 과학 기술의 발달
⑤ 자연환경의 급격한 변화

02. ㉠~㉤에 해당하는 내용이 잘못 연결된 것은?

구분	농업 사회	산업 사회	정보 사회
주요 산업	농업	㉡	정보 산업
생산 수단	㉠	자본, 노동력	㉣
생산 방식	소품종 소량 생산	㉢	㉤

① ㉠ – 지식, 토지 ② ㉡ – 공업
③ ㉢ – 소품종 대량 생산 ④ ㉣ – 정보, 지식
⑤ ㉤ – 다품종 소량 생산

03. 사회 변동 과정 중 (나) 단계에서 나타나는 문제점은?

(가) (나) (다)

⇨

⇨

① 사이버 범죄가 증가한다.
② 인터넷 중독이 증가한다.
③ 정보 격차로 사회적 불평등이 심화된다.
④ 정보 통신 기술을 통한 사생활 침해가 나타난다.
⑤ 공업의 발달로 도시의 주택·교통·환경 문제 등이 나타난다.

04. 다음과 관련 있는 현대 사회의 변동 양상은?

> • 인터넷 뱅킹의 발달 • 화상 회의, 화상 전화의 등장
> • 선거의 전자 투표와 전자 개표

① 정보화 ② 도시화 ③ 세계화
④ 다원화 ⑤ 민주화

05. 사례에 공통으로 나타난 현대 사회의 변동 양상은?

> • 한국에서 설계한 자동차가 중국 공장의 현지 노동자들에 의해 생산되고 있다.
> • 브라질에서 생산된 커피가 미국 커피 회사에서 가공되어 세계 여러 나라에서 판매되고 있다.

① 도시화 ② 산업화 ③ 세계화 ④ 민주화 ⑤ 정보화

06. 다음 그래프를 통해 추론할 수 있는 경제 현상에 대한 설명으로 옳지 않은 것은?

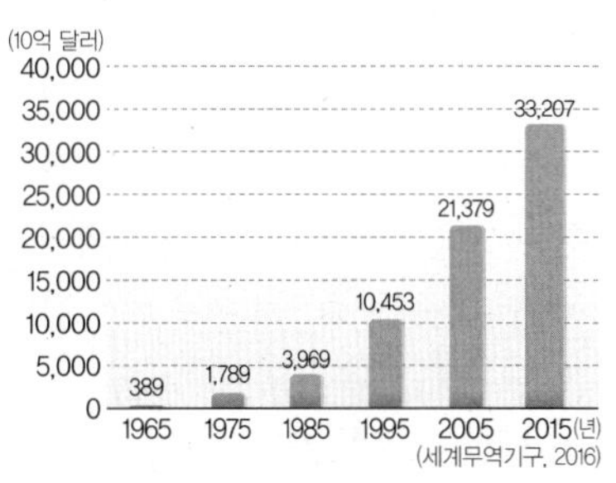

▲ 세계 무역 규모 추이

① 다국적 기업이 늘어날 것이다.
② 국가 간에 상품이 자유롭게 거래될 것이다.
③ 소비자의 상품 선택의 기회가 확대될 것이다.
④ 보호 무역의 확대로 인해 더욱 가속화될 것이다.
⑤ 국가 간 경제적 경쟁이 심화되거나 협력이 증대될 것이다.

07. 밑줄 친 '다국적 기업'이 미치는 영향으로 옳은 것을 <보기>에서 고른 것은?

> 다국적 기업은 세계 각지에 회사와 공장을 확보, 국제적 규모로 생산·판매 활동을 하면서 영역을 확대하고 있다.

〈 보기 〉

ㄱ. 개발 도상국의 기술 발전에 기여하기도 한다.
ㄴ. 개발 도상국에 대한 해외 의존도를 약화시킨다.
ㄷ. 개발 도상국의 일자리 창출을 통해 국내 산업이 활성화된다.
ㄹ. 선진국의 거대 기업에 의해 지역 문화가 소멸하고 문화가 획일화될 수 있다.

① ㄱ, ㄴ ② ㄱ, ㄹ ③ ㄴ, ㄷ ④ ㄴ, ㄹ ⑤ ㄷ, ㄹ

실전모의고사(2회)

08. 한국 사회 변동 과정의 특징으로 옳은 것을 〈보기〉에서 고른 것은?

〈 보기 〉

ㄱ. 급격한 사회 변동이 일어났다.
ㄴ. 다른 나라의 문화가 서서히 도입되었다.
ㄷ. 경제 성장보다 정치 민주화가 먼저 이루어졌다.
ㄹ. 도시와 농촌 간의 격차로 사회 갈등이 나타났다.

① ㄱ, ㄴ ② ㄱ, ㄹ ③ ㄴ, ㄷ ④ ㄴ, ㄹ ⑤ ㄷ, ㄹ

09. 다음과 같은 한국 사회 변동의 최근 경향을 반영한 가족계획 표어로 가장 적절한 것은?

합계 출산율이란 여성 한 명이 가임 기간 동안 출산할 것으로 예상되는 평균 자녀의 수로, 국가별 출산율 수준을 비교하는 주요 지표이다. 우리나라의 합계 출산율은 1.2명(2000년 기준) 수준으로 매우 낮은 편이다.

① 하나씩만 낳아도 삼천리는 초만원
② 딸 · 아들 구별 말고 둘만 낳아 잘 기르자.
③ 덮어놓고 낳다 보면 거지꼴을 못 면한다.
④ 아들 바람 부모 세대, 짝꿍 없는 자녀 세대
⑤ 한 자녀보다는 둘, 둘보다는 셋이 더 행복합니다.

10. 그래프를 통해 추론할 수 있는 문제점으로 옳은 것은?

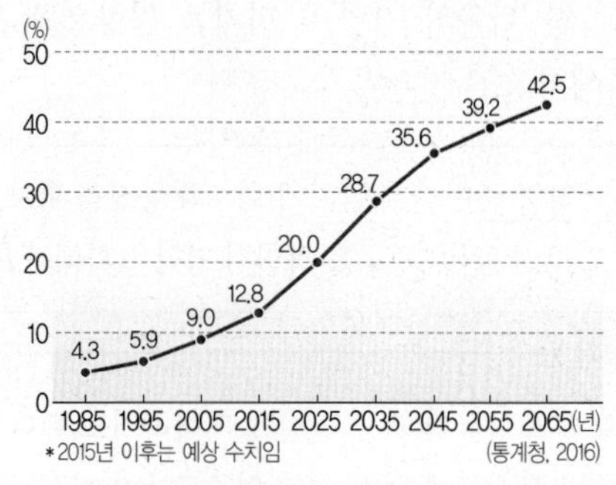

▲ 우리나라 65세 이상 인구 구성 비율

① 출산율이 높아질 것이다.
② 일자리가 부족해질 것이다.
③ 유아 사망률이 높아질 것이다.
④ 도시의 인구 집중이 심각해질 것이다.
⑤ 노인을 위한 사회 복지 비용 부담이 증가할 것이다.

11. 다음 토론의 주제로 가장 적절한 것은?

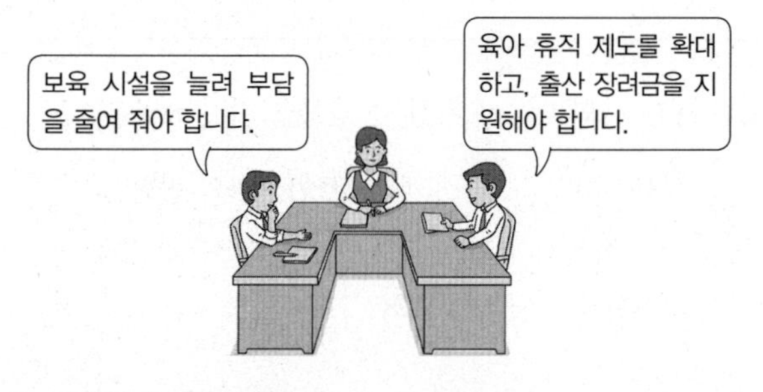

① 고령화의 대응 방안
② 국제결혼 이민자에 대한 대응 방안
③ 양성평등 의식의 보편화 방안 마련
④ 산아 제한 정책의 필요성에 대한 논의
⑤ 급격히 낮아진 출산율에 대한 대응 방안

12. 다음 글에 나타난 문제점을 해결하기 위한 방안으로 적절하지 않은 것은?

도시화 및 핵가족화로 노인 문제가 사회 문제로 대두되고 있다. 평균 수명은 계속 연장되어 가고 있어 노인 문제는 더욱 심각해질 것이다.

① 연금 제도를 확충한다.
② 외국인 근로자의 노동력을 적극 활용한다.
③ 노인 복지를 증진하기 위한 법률안을 마련한다.
④ 노인 부양을 자녀들이 전적으로 책임지도록 한다.
⑤ 노인을 위한 평생 교육 및 재취업 기회를 제공한다.

서술형

13. 자료를 통해 알 수 있는 한국 사회 변동의 최근 경향을 쓰고, 이러한 사회 변동의 요인을 두 가지 서술하시오.

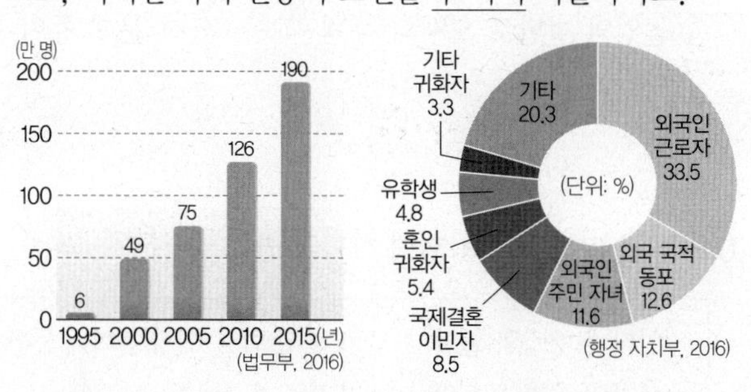

▲ 국내 거주 외국인 수 변화 ▲ 국내 거주 외국인의 유형

실전모의고사(2회)

정답과 해설 55~56쪽

14. (가)에 들어갈 검색어로 옳은 것은?

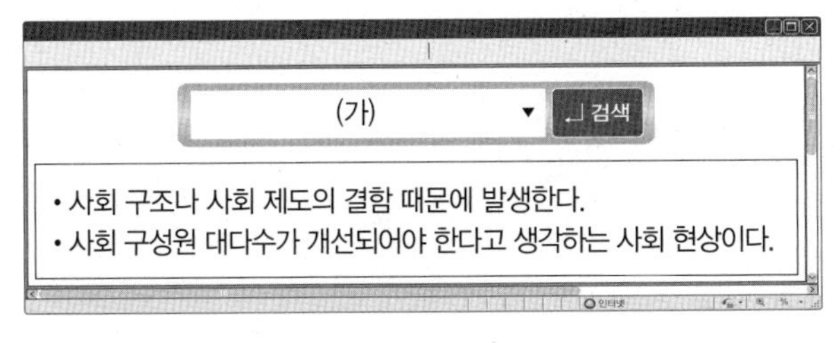

(가)
검색
• 사회 구조나 사회 제도의 결함 때문에 발생한다.
• 사회 구성원 대다수가 개선되어야 한다고 생각하는 사회 현상이다.

① 사회화 ② 자연재해 ③ 사회 변동
④ 사회 문제 ⑤ 사회적 가치

15. 다음을 통해 알 수 있는 현대 사회 문제의 특징은?

> 1970년대에는 산아 제한 정책을 추진하였지만, 최근에는 출산율 저하가 심각한 사회 문제가 되어 출산 장려 정책을 추진하고 있다.

① 사회 문제는 자연환경과 관련이 깊다.
② 사회 문제를 결정하는 주체는 정부이다.
③ 사회 문제는 시대에 따라 다르게 나타난다.
④ 사회 문제는 사회 변동과 관계없이 일정하게 발생한다.
⑤ 과거에는 사회 문제가 많았지만, 오늘날에는 줄어들었다.

16. 자료를 통해 알 수 있는 현대 사회의 문제점은?

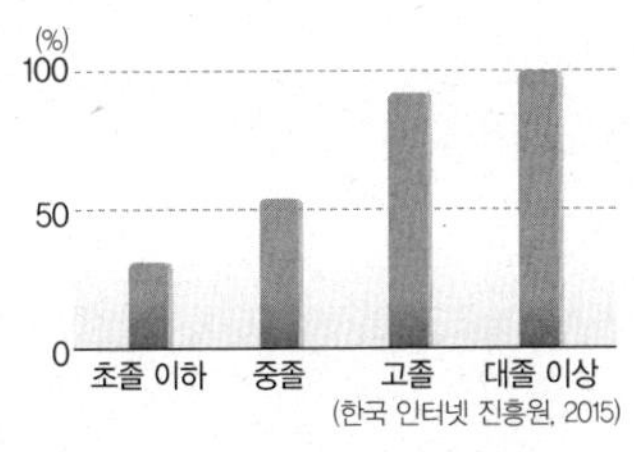

▲ 학력별 인터넷 이용률

① 정보 격차
② 빈부 격차
③ 인터넷 중독
④ 사생활 침해
⑤ 개인 정보 유출

서술형

17. 신문 기사에 나타난 사회 문제의 원인과 유형을 서술하시오.

> ○○신문 20△△년 △월 △일
>
> **가라앉고 있는 아름다운 섬, 투발루**
>
> 남태평양에 위치한 이 나라의 일부 섬이 바닷속으로 가라앉았고, 나머지 섬들도 조금씩 가라앉고 있다. 결국, 이 나라의 정부는 2001년 '국토 포기 선언'을 하고 자국민을 오스트레일리아 등 이웃 국가에 이주시키기 시작하였다.

18. 다음의 인구 정책을 펼친 나라들의 공통적 인구 문제는?

> • A국: 출산 휴가 9개월
> • B국: 출산 휴가 동안 급여 100% 지급, 육아기 근로 시간 18시간으로 단축
> • C국: 유급 출산 휴가 16개월(2개월은 남편이 의무적으로 사용), 육아 휴직 8년 가능

① 급격한 인구 증가 ② 성비 불균형의 심화
③ 노동력 증가로 인한 실업 ④ 도시 인구 집중 문제
⑤ 저출산 현상으로 인한 복지 부담 증가

19. 사례에 나타난 '화이트 밴드 캠페인'의 목적은?

> 2005년부터 시작된 화이트 밴드 캠페인은 지구촌의 빈곤 문제를 해결하기 위해 전 세계적인 차원에서 벌이는 운동이다. 10월 17일에 맞춰 전 세계 100여 개국에서는 빈곤을 종식하자는 구호가 적힌 흰색 실리콘 팔찌를 착용하는 운동을 벌인다.

① 에너지의 효율적인 사용을 위한 노력이다.
② 인간과 자연이 공존할 수 있는 방안을 모색한다.
③ 환경을 보호하고 생태계를 복원하기 위한 노력이다.
④ 생산 과정에서 환경에 미치는 영향을 최소화하기 위한 노력이다.
⑤ 전 지구적 차원의 문제로 세계 시민 의식을 가지고 진정한 공동체 의식을 형성한다.

20. 사회 문제의 합리적 해결 과정을 순서대로 나열한 것은?

> (가) 최선의 해결 방안을 선택한다.
> (나) 의식적 · 제도적 측면의 해결 방안을 모색한다.
> (다) 다양한 측면에서 사회 문제의 원인을 파악한다.
> (라) 긍정적 · 부정적 측면을 적용할 때 나타날 수 있는 새로운 문제나 집단 간 갈등을 예측한다.
> (마) 결정된 해결 방안을 적용하면서 새로운 문제가 나타나지 않는지를 평가하고 확대 적용한다.

① (가) — (나) — (다) — (라) — (마)
② (가) — (다) — (나) — (라) — (마)
③ (다) — (가) — (마) — (라) — (나)
④ (다) — (나) — (라) — (가) — (마)
⑤ (라) — (가) — (마) — (다) — (나)

MEMO

EBS

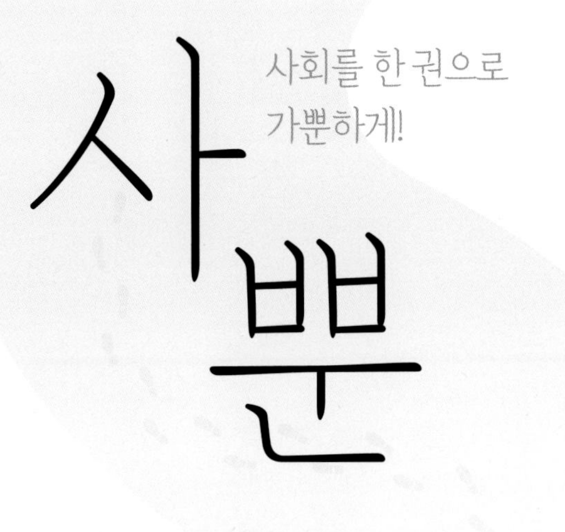

실전모의고사

중학 사회 ①-2

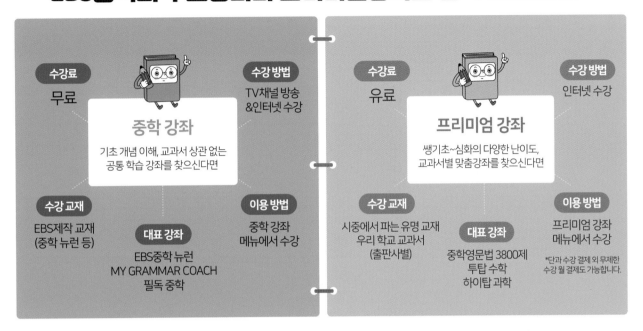

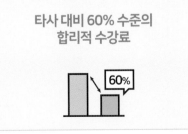

중학도 역시 EBS

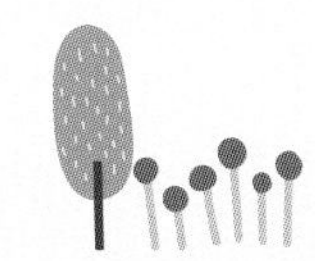

사뿐

정답과 해설

사회를 한 권으로
가뿐하게!

중학 사회
①-2

사회를 한권으로
가뿐하게!

사뿐

정답과 해설

Ⅶ. 개인과 사회생활

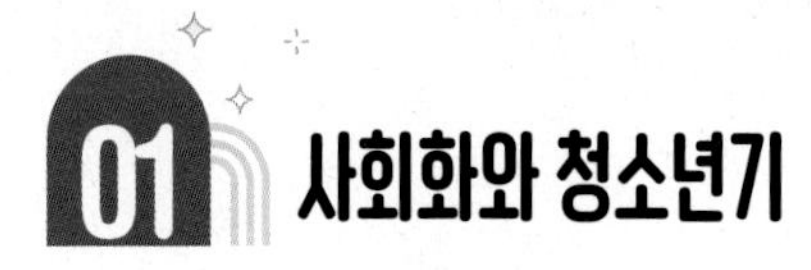

01 사회화와 청소년기

기본 문제

본문 10~11쪽

간단 체크

1 (1) 사회화 (2) 가정 (3) 재사회화 **2** (1) × (2) ○ (3) ○ (4) ○
3 (1) ㉢ (2) ㉣ (3) ㉡ (4) ㉠ **4** (1) 평생에 걸쳐 (2) 또래 집단 (3) 다양한

기본 문제

01 ② **02** ⑤ **03** ⑤ **04** ① **05** ② **06** ②
07 ① **08** 청소년기 **09** ① **10** ⑤
11 자아 정체성

01 제시된 내용은 사회화에 대한 개념이다. 사회화란 인간이 태어나 자신이 속한 사회에서 여러 사람과 관계를 맺으며 사회생활에 필요한 규범, 생활 양식, 가치관 등을 배우는 과정이다.

02 ①, ②, ③, ④는 생물학적 존재로서의 인간의 생리적인 현상으로 사회화의 예라고 할 수 없다.

03 사회화는 개인적 측면에서 자신이 속한 사회의 행동 양식을 습득하며, 개인의 독특한 개성과 자아의 형성에 기여한다. 사회적 측면에서는 구성원들 간에 문화를 공유하고, 다음 세대에 문화를 전달함으로써 사회 질서 유지 및 발전에 기여한다.

04 사회화는 개인이 속한 집단과의 상호 작용을 통해 이루어지기 때문에 어떤 환경 속에서 사회화가 이루어지느냐에 따라 그 결과가 달라진다. ① 사회화는 청소년기에 완성되는 것이 아니라 평생 동안 계속되는 과정이다.

05 '이것'은 사회화 기관 중 가정이다. 가정은 가장 기초적인 사회화 기관으로, 기본적인 인성과 생활 습관을 습득하는 곳이다.

06 학교는 전문적이고 공식적인 사회화 기관이다. 학교는 사회 생활에 필요한 지식, 기능, 가치, 행동 양식 등을 체계적으로 학습하는 대표적인 사회화 기관이다.

07 현대 사회에서는 지식이나 기술, 생활 양식 등이 빠르게 변화함에 따라 새롭게 배워야 하는데, 이러한 성인기의 새로운 사회화 과정을 재사회화라고 한다. ① 가정은 가장 기초적인 사회화 기관이다.

08 제시된 내용은 모두 청소년기의 특징을 표현하는 말들이다. 청소년기는 신체적·정신적 변화와 함께 자아 정체성이 형성되는 시기이다. 그러나 불완전한 자아 정체성으로 인해 감정의 기복이 심하고 반항적인 행동을 하기도 한다.

09 청소년기에는 남들과 다른 자신만의 고유한 특성이나 모습을 깨닫게 되면서 자아 정체성이 형성된다.

10 자아는 자신만의 고유하고 독특한 모습을 의미한다. 자아 정체성은 스스로에 대한 인식을 갖는 것으로, 자아 존중감 형성의 기반이 된다.

11 자아 정체성은 자신의 목표, 역할, 가치관 등에 대한 명확한 인식을 의미한다. 청소년기에 형성된 자아 정체성은 성인이 된 후의 삶에도 큰 영향을 미치므로 긍정적인 자아 정체성을 확립하는 것이 중요하다.

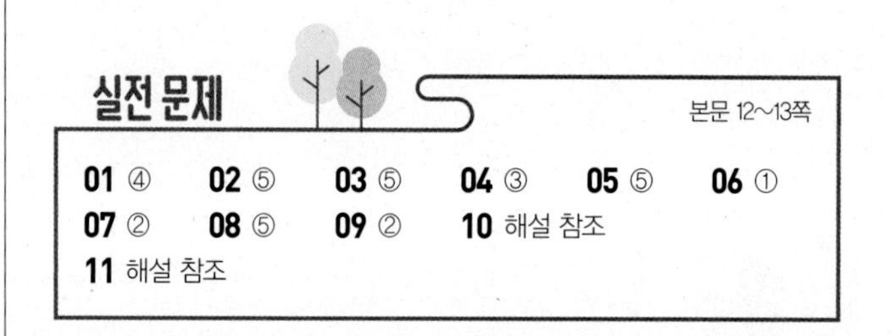

실전 문제

본문 12~13쪽

01 ④ **02** ⑤ **03** ⑤ **04** ③ **05** ⑤ **06** ①
07 ② **08** ⑤ **09** ② **10** 해설 참조
11 해설 참조

01 빈칸에 들어갈 말은 사회화이다. 인간은 사회화를 통해 그 사회에서 필요한 언어, 행동 양식, 가치관, 규범 등을 학습한다. ④는 본능적인 행위로, 사회화된 행동으로 보기 어렵다.

02 사회와 떨어져 야생에서 생활한 소년은 다른 사람들과의 상호 작용이 없었기 때문에 걷기, 말하기 등 인간다운 모습으로 생활하는 법을 배우지 못하였다. 인간은 사회 구성원과 지속적인 상호 작용을 하는 과정에서 인간다운 인간, 즉 사회적 존재로 성장할 수 있다.

03 개인적 측면에서 사회화는 개인의 자아를 형성하게 하고, 사회적 측면에서는 그 사회의 규범과 가치 등을 다음 세대에 전달하여 사회를 유지하고 발전시키는 기능을 한다.

04 성인기에는 직장 생활에 필요한 지식, 기술, 행동 양식 등을 배우며 텔레비전, 인터넷, 신문 등 다양한 대중 매체를 통해 정보를 수집하기도 한다. 유아동기에는 가정에서 기본 생활 습관을 형성하며 놀이를 통해 규칙을 습득한다.

05 자료는 노인들이 인터넷 사용법을 배우고 있는 모습이다. 이와 같이 성인기에 새로운 사회 환경에 적응하기 위해 새롭게 사회화하는 과정을 재사회화라고 한다. ⑤는 유아동기의 초기 사회화에 대한 설명이다.

06 가정은 가장 중요하고 기초적인 사회화 기관으로, 어린 시절의 사회화는 평생 영향을 미친다.

07 ①은 가정, ③은 대중 매체, ④는 학교, ⑤는 또래 집단에 대한 설명이다.

08 청소년기는 2차 성징 등 신체의 급격한 성장과 감정의 변화가 심하게 나타나며, 전통적인 가치를 부정하는 성향이 강해진다.

09 자아 정체성은 자신만의 고유한 특성이나 모습에 대해 정확하게 이해하는 것을 의미한다. 청소년기는 자아 정체성을 형성하는 중요한 시기로 자아를 존중하고 긍정적인 자아를 형성하는 것이 중요하다. ② 자아 정체성은 다른 사람들과의 사회적 관계 속에서 형성된다.

서술형 문제

10 [예시 답안] (가) 자신이 속한 사회의 행동 양식, 규범, 가치관 등을 학습하고, 자신만의 독특한 개성과 자아를 형성한다. (나) 자신이 속한 사회의 행동 양식과 규범 등을 다음 세대에 전달함으로써 사회를 유지하고 발전시킨다.

[평가 기준]

상	(가), (나)를 모두 정확하게 서술한 경우
중	(가), (나) 중 한 가지만 정확하게 서술한 경우
하	(가), (나) 중 옳지 않은 내용이 일부 포함된 경우

11 [예시 답안] 대중 매체 / 할머니는 성인이 된 후 재사회화의 과정을 거치고 있다. 이에 반해 어린이는 사회화 과정 중이다.

[평가 기준]

상	대중 매체라고 쓰고, 노인과 어린이의 사회화를 모두 정확하게 서술한 경우
중	대중 매체라고 쓰고, 노인과 어린이의 사회화 중 한 가지만 서술한 경우
하	대중 매체라고만 쓴 경우

02 사회적 지위와 역할

기본 문제

본문 16~17쪽

간단 체크

1 (1) 사회적 지위, 역할 (2) 귀속 지위 (3) 성취 지위 (4) 역할 갈등
2 (1) × (2) ○ (3) ○ **3** ㄱ, ㄹ **4** ㉠ 보상, ㉡ 제재

기본 문제

01 ⑤ **02** ① **03** ③ **04** ① **05** ③ **06** 역할 행동 **07** ① **08** ④ **09** ⑤ **10** ⑤

01 성취 지위는 개인의 능력이나 노력으로 얻게 되는 사회적 지위이다. 장남은 귀속 지위로, 자연적으로 주어지는 사회적 지위이다. 이에 반해 학생, 축구 동호회 회원, 의사는 성취 지위로, 후천적 노력에 의해 얻게 되는 사회적 지위이다.

02 ㉠, ㉢은 성취 지위, ㉡은 귀속 지위이다. 귀속 지위는 태어날 때부터 자연적으로 주어지는 지위, 성취 지위는 개인의 능력이나 노력으로 얻게 되는 지위이다.

03 제시문은 역할 행동의 사례이다. 역할이 같다고 하더라도 실제로 그 역할을 수행하는 방식, 즉 역할 행동은 개인마다 다르게 나타날 수 있다.

오답 피하기

① 역할은 사회적 지위에 따라 기대되는 행동 양식이다.
② 지위는 개인이 속한 사회나 집단 내에서 차지하고 있는 위치이다.
④ 역할 갈등은 개인이 가지는 여러 개의 역할이 서로 충돌하며 갈등을 일으킨 상태이다.
⑤ 지위 불일치는 개인의 경제적, 사회적, 정치적 위치가 서로 일치하지 않는 상태를 말한다.

04 밑줄 친 부분은 귀속 지위에 해당한다. 귀속 지위는 태어날 때부터 자연적으로 주어지는 지위, 성취 지위는 개인의 능력이나 노력으로 얻게 되는 지위이다.

05 사회에서 각 개인이 차지하고 있는 지위는 매우 다양하며, 한 개인은 하나의 지위만이 아니라 둘 또는 그 이상의 지위를 가질 수 있다. 역할은 사회적 지위에 따라서 기대되는 행동 양식으로, 실제로 그 역할을 수행하는 역할 행동과는 다르다.

06 역할 행동은 실제로 역할을 수행하는 방식으로 개인의 특성과 가치관에 따라 다르게 나타난다. 역할을 제대로 수행한 경우에는 보상을 받을 수 있지만, 역할을 제대로 수행하지 못한 경우에는 비난이나 처벌 등 제재가 뒤따르기도 한다.

07 한 개인은 사회 속에서 다양한 지위를 가지며, 사회의 변화에 따라 같은 사회적 지위라도 역할의 내용이 달라질 수 있다.

08 사례의 오페라 가수 A 씨는 딸과 오페라 가수로서의 역할을 동시에 수행할 수 없어 발생한 역할 갈등 상황에 있다.

09 역할 갈등이 발생할 경우 충돌하는 역할이 무엇인지 확인하고, 각 역할의 중요성을 따져 본 다음 우선순위를 결정해야 한다. ⑤ 역할을 둘 다 포기하는 것보다 우선순위를 정해 역할 갈등을 해결하는 것이 바람직하다.

10 역할 갈등은 개인이 사회에서 여러 가지 사회적 지위를 갖게 됨에 따라 다양한 역할이 존재하여 동시에 그 역할을 수행해야 할 경우에 발생한다. 이를 합리적으로 해결하기 위해서는 갈등 상황을 명확하게 분석하여 중요한 역할을 선택하거나 우선순위를 정하여 순서대로 수행해야 한다.

실전 문제

본문 18~19쪽

01 ①	**02** ②	**03** ④	**04** ⑤	**05** ①	**06** ④
07 ②	**08** ①	**09** 해설 참조		**10** 해설 참조	

01 한 개인이 사회 내에서 차지하는 위치를 지위라고 한다. 차녀와 동생은 귀속 지위, 축구부 동아리 회장은 성취 지위에 해당한다.

02 인간은 여러 가지 사회적 지위를 가지고 있으며, 그 지위에 따라 기대되는 행동 양식, 즉 역할도 부여받는다. 귀속 지위는 인간이 태어나면서부터 자연적으로 갖는 지위, 성취 지위는 개인의 능력이나 노력에 따라 얻게 되는 지위이다.

오답 피하기

ㄴ. 현대 사회로 올수록 능력에 따라 얻게 되는 성취 지위의 중요성이 커지고 있다.

ㄹ. 과거 전통 사회에서의 지위 결정의 중요 요인은 개인의 능력과 노력보다 신분이나 성별이다.

03 귀속 지위는 자신의 의지와 관계없이 얻게 되는 지위로, 전통 사회에서 중시되었다. ④ 누나는 자연적으로 주어지는 귀속 지위이다.

오답 피하기

①, ②, ③, ⑤ 부모님, 선생님, 친구들, 아이돌 그룹은 모두 후천적 노력에 의해 얻게 된 성취 지위이다.

04 사례에 공통으로 나타난 지위는 성취 지위이다. 성취 지위는 개인의 능력과 노력에 따라 얻을 수 있는 지위로, 현대 사회로 올수록 중요성이 커지고 있다.

05 제시문은 이상적인 아버지 상(像)이 '권위적인 아버지'에서 '자상하고 친구 같은 아버지'로 변화하고 있음을 나타낸 것이다. 이는 아버지라는 지위에 기대되는 행동 양식, 즉 역할의 변화가 나타나고 있음을 의미한다.

06 한 개인은 다양한 사회적 지위와 역할을 가지고 있다.

07 일정표를 통해 태호는 역할 갈등 상황에 있음을 알 수 있다. (가)에는 지위에 따른 역할들이 서로 충돌하기 때문에 태호가 어느 모임에 갈지 갈등하고 있다는 내용이 들어가야 한다.

08 제시된 상황에서 상호는 역할 갈등을 겪고 있다. 따라서 상호는 여러 역할 중에서 우선순위를 합리적으로 정하고, 자신에게 더 중요한 것을 선택하여 수행해야 한다.

오답 피하기

ㄷ. 현대 사회에서 개인은 과거에 비해 여러 가지 지위에 따른 역할을 가지고 있어 그만큼 많은 역할 갈등을 경험하게 되었다.

ㄹ. 제시된 상황은 댄스 동아리 회원과 가족 구성원이라는 두 개의 사회적 지위에 따른 역할 간 갈등 상황이다.

서술형 문제

09 [예시 답안] (가) 귀속 지위, (나) 성취 지위 / 귀속 지위는 개인의 의지와 상관없이 태어나면서부터 자연적으로 주어지는 지위이고, 성취 지위는 개인의 능력과 노력으로 얻게 되는 지위이다.

[평가 기준]

상	(가)는 귀속 지위, (나)는 성취 지위라고 쓰고, 그 의미를 모두 정확하게 서술한 경우
중	(가)는 귀속 지위, (나)는 성취 지위라고 쓰고, (가), (나) 중 한 가지 의미만 정확하게 서술한 경우
하	(가)는 귀속 지위, (나)는 성취 지위라고만 쓴 경우

10 [예시 답안] 장손이라는 지위에 따르는 역할과 담임 교사로서의 지위에 따르는 역할이 서로 충돌하기 때문이다.

[평가 기준]

상	역할 갈등의 발생 원인을 제시된 용어를 모두 사용하여 정확하게 서술한 경우
중	역할 갈등의 발생 원인을 제시된 용어 중 일부만 사용하여 서술한 경우
하	제시된 용어를 사용하지 않고 역할 갈등의 일반적인 발생 원인을 서술한 경우

03 사회 집단과 차별

기본 문제

본문 22~23쪽

간단 체크

1 (1) 사회 집단 (2) 내집단 (3) 준거 (4) 고정 관념 **2** (1) × (2) ○ (3) × (4) ○ **3** (1) 접촉 방식 (2) 외집단 (3) 2차 집단 **4** (1) 차별 (2) 차별 (3) 차이

기본 문제

01 ④	**02** ②	**03** ①	**04** ①	**05** ④	**06** ③
07 ④	**08** 차별	**09** ①			

01 제시문은 사회 집단에 대한 설명이다. 사회 집단은 둘 이상의 사람이 모여 어느 정도의 소속감과 공동체 의식을 가지고 지속적인 상호 작용을 하는 집합체를 말한다.

02 두 사람 이상이 모여 있어도 지속적인 상호 작용이 이루어지지 않으면 사회 집단으로 보기 어렵다. ② 동대문에 쇼핑 나온 시민들은 사회 집단의 사례로 볼 수 없다.

03 회사는 특정한 목적 달성을 위해 인위적으로 형성된 집단

으로, 2차 집단, 이익 사회로 분류할 수 있다.

04 사회 집단은 소속감에 따라 내집단과 외집단으로 구분한다. 내집단은 자신이 소속감을 느끼는 집단이고, 외집단은 자신이 속해 있지 않아 이질감이나 적대감을 느끼는 집단이다.

05 제시된 내용은 사회 집단 중 1차 집단에 해당한다. 가족과 또래 집단은 구성원들이 친밀하게 접촉하면서 인격적인 관계가 형성되는 1차 집단의 사례이다.

오답 피하기

ㄱ, ㄷ. 정당과 회사는 목적 달성을 위해 형식적이고 수단적인 만남을 바탕으로 결합된 2차 집단의 사례이다.

06 밑줄 친 부분은 준거 집단을 의미한다. 준거 집단은 소속 집단일 수도 있고 아닐 수도 있으며, 소속 집단이 많을 경우에는 그중 어느 하나가 준거 집단이 될 수도 있다.

07 사회 집단을 구성원의 결합 의지 유무에 따라 구분할 경우 목적을 위해 의도적으로 형성된 사회 집단은 이익 사회이다. 따라서 (가)는 공동 사회, (나)는 이익 사회이다.

08 단순한 차이를 이유로 부당한 행위를 하는 모든 종류의 행위를 차별이라고 한다.

09 (가)는 성차별, (나)는 인종 차별에 해당한다. 단순한 차이를 이유로 부당한 행위를 하는 모든 종류의 행위를 차별이라고 한다.

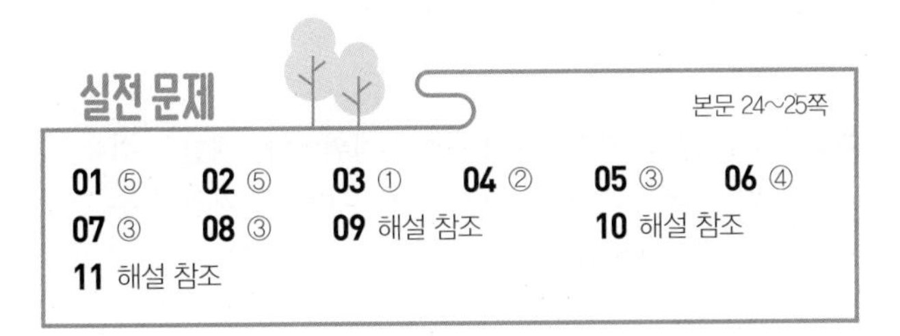

실전 문제
본문 24~25쪽
01 ⑤ 02 ⑤ 03 ① 04 ② 05 ③ 06 ④
07 ③ 08 ③ 09 해설 참조 10 해설 참조
11 해설 참조

01 사회 집단은 둘 이상의 사람이 모여 어느 정도의 소속감과 공동체 의식을 가지고 지속적인 상호 작용을 하는 집합체를 말한다. ⑤ 일시적으로 모인 야구장의 관중은 사회 집단으로 보기 어렵다.

02 사회 집단이 성립되기 위해서는 둘 이상의 사람들이 소속감과 공동체 의식을 가지고 그들 상호 간에 지속적인 상호 작용이 이루어져야 한다.

03 (가)는 두 사람 이상으로 구성되어 있지만, 구성원들 간에 지속적인 상호 작용이 이루어지지 않기 때문에 사회 집단으로 보기 어렵다. 사회 집단은 개인에게 지위와 역할을 부여하고, 개인과 사회를 연결하는 매개체로서의 역할을 수행한다.

04 (가)는 가정, (나)는 회사이다. 구성원의 접촉 방식에 따라 분류할 때 (가)는 1차 집단, (나)는 2차 집단이다. 1차 집단은 구성원 간의 친밀감을 바탕으로 인격적인 관계를 이루는 반면, 2차 집단은 이해관계나 목적 달성을 위해 수단적인 인간관계가 이루어진다. ③ (나)는 사회가 복잡해지고 전문화됨에 따라 그 비중이 강화되고 있다.

05 가족은 1차 집단으로 개인의 인성이나 가치관 형성에 영향을 미친다. 1차 집단은 구성원이 친밀하게 접촉하면서 인격적인 관계가 형성된 집단이다.

오답 피하기

① 갑은 육상부에 소속되어 있으므로 갑의 내집단이다. 내집단은 자신이 소속되어 있어 '우리'라는 공동체 의식을 가진 집단을 말한다.
② 학급은 목적을 위해 의도적으로 형성된 이익 사회이다.
④ 친구, 즉 또래 집단은 1차 집단이다.
⑤ 2반은 갑의 준거 집단이 아니라 외집단이다.

06 선우 씨에게 A 사는 내집단이자 이익 사회이며, B 사는 외집단이자 이익 사회이다.

오답 피하기

ㄹ. 자신의 의지와는 상관없이 자연적으로 형성된 공동 사회에 대한 내용은 나타나 있지 않다.

07 차이는 성별, 취미, 피부색 등이 서로 다른 것을 의미하며, 차별은 다르게 대우해야 할 정당한 이유가 없는데도 다르게 대우하는 것을 의미한다. 차별은 구성원 간의 대립과 갈등으로 사회 발전과 통합을 저해할 수 있다.

08 첫 번째 사례는 외국인 근로자에 대한 차별, 두 번째 사례는 성차별에 해당한다. 차별은 인권을 침해하고 사회 구성원 간에 갈등을 일으켜 사회 통합을 저해한다.

오답 피하기

① 객관적인 기준에 근거하여 서로 같지 않고 다른 것은 차이이다.
② 차별은 사회 집단 내에서뿐만 아니라 사회 집단 간에도 발생할 수 있다.
④ 어느 시대, 사회에서나 나타나는 현상이다.
⑤ 각 사회나 시대에 따라 사회적 차별의 유형은 다양하다.

서술형 문제

09 [예시 답안] (가) / 사회 집단은 (가)와 같이 두 사람 이상이 모여 소속감이나 공동체 의식을 가지고 지속적인 상호 작용이 이루어지는 집합체를 말한다.

[평가 기준]

상	(가)를 고르고, 사회 집단의 의미를 정확하게 서술한 경우
중	(가)를 고르고, 사회 집단의 성립 요건 중 일부 내용을 서술하지 못한 경우
하	(가)만 고른 경우

10 [예시 답안] (가) 1차 집단, (나) 2차 집단 / (가)는 구성원들이 친밀하게 접촉하면서 인격적인 관계가 형성되는 집단인 반면, (나)는 목적을 달성하기 위한 수단적인 만남을 바탕으로 형식적인 인간관계가 이루어지는 집단이다.

[평가 기준]

상	(가), (나)에 해당하는 사회 집단의 유형을 쓰고, (가), (나)의 차이점을 핵심 용어를 사용하여 모두 정확하게 서술한 경우
중	(가), (나)에 해당하는 사회 집단의 유형을 쓰고, (가), (나)의 차이점을 핵심 용어를 사용하지 않고 서술한 경우
하	(가), (나)에 해당하는 사회 집단의 유형만을 쓴 경우

11 [예시 답안] (가) 차이, (나) 차별 / 사회 집단 간 또는 사회 집단 내에서 발생하는 차별을 해결하기 위해 개인적 측면에서는 서로의 차이를 인정하고 다양성을 존중하는 태도를 함양한다. 사회적 측면에서는 사회적 약자를 위한 법과 정책을 마련한다.

[평가 기준]

상	(가)는 차이, (나)는 차별이라고 쓰고, 차별의 해결 방안을 개인적·사회적 측면에서 모두 서술한 경우
중	(가)는 차이, (나)는 차별이라고 쓰고, 차별의 해결 방안 중 개인적 또는 사회적 측면에서 한 가지만 서술한 경우
하	(가)는 차이, (나)는 차별이라고만 쓴 경우

대단원 마무리

본문 28~31쪽

01 ⑤	**02** ②	**03** ⑤	**04** 해설 참조		**05** ②
06 ⑤	**07** ④	**08** ②	**09** ②	**10** ①	**11** ⑤
12 ①	**13** 해설 참조		**14** ④	**15** ⑤	**16** ⑤
17 ④	**18** ③	**19** 해설 참조		**20** ⑤	**21** ④
22 ②	**23** ①	**24** ②			

01 사례들은 유아기와 유년기의 사회화 과정이 얼마나 중요한지를 보여 주며, 성장 단계에 부합하는 적절한 사회화 과정의 중요성을 나타낸다.

02 사회화란 인간이 태어나 자신이 속한 사회에서 여러 사람들과 관계를 맺으며 사회생활에 필요한 규범, 생활 양식, 가치관 등을 배우는 과정이다. 1번, 4번은 사회화된 행동이고, 2번, 3번은 사회화된 행동이 아니다. 따라서 학생이 받은 점수는 2점이 된다.

03 또래 집단은 같은 지역이나 공동체 속에서 생활하는 비슷한 나이의 구성원이 주로 놀이를 중심으로 형성한 집단이다. 또래 집단은 유아기와 청소년기에 공통적으로 영향을 미치는 사회화 기관이다.

서술형 문제

04 [예시 답안] 사회화를 통해 개인은 독특한 개성과 자아를 형성하고, 자신이 속한 사회의 행동 양식, 규범, 가치관 등을 학습하여 사회 구성원으로 성장한다. 사회적 측면에서는 자신이 속한 사회의 행동 양식과 규범 등을 다음 세대에 전달함으로써 사회 질서를 유지하고 발전시킨다.

[평가 기준]

상	제시된 용어를 모두 사용하여 사회화의 개인적·사회적 기능을 모두 정확하게 서술한 경우
중	제시된 용어 중 일부만 사용하여 사회화의 개인적·사회적 기능을 서술한 경우
하	제시된 용어를 사용하여 사회화의 기능을 서술하였으나 일부 옳지 않은 내용이 포함된 경우

05 (가)는 가정, (나)는 또래 집단이다. 가정과 또래 집단은 친밀한 인간관계를 바탕으로 형성된 1차적 사회화 기관이다.

06 대중 매체는 사회생활에 필요한 다양한 정보를 전달하는 사회화 기관으로, 현대 사회에서 그 영향력이 커지고 있다.

07 청소년기는 감정의 변화가 심하고, 충동적으로 행동하는 등 정서적으로 불안정한 성향이 나타난다.

08 자아 정체성이란 자신의 목표나 역할, 가치관 등에 대한 명확한 인식을 말하며, 유년기와 청소기의 경험은 자아 정체성의 형성에 큰 영향을 미친다. ② 자아 정체성은 개인의 경험이나 타인과의 관계 등 여러 가지 요인에 의해 형성된다.

09 (가)는 귀속 지위, (나)는 성취 지위이다. 개인은 귀속 지위와 성취 지위를 동시에 가질 수 있으며, 두 지위 모두 그에 따른 역할이 존재한다.

10 가문의 종손은 태어날 때 주어지는 지위인 귀속 지위에 해당하는 예이다. 중학생, 대통령, 사장, 교수는 개인의 능력과 노력에 의해서 후천적으로 얻게 되는 성취 지위에 해당하는 예이다.

11 ㉤은 사회화에 해당한다. 재사회화란 변화하는 환경에 적응하기 위해 새롭게 사회화를 수행하는 과정을 말한다.

12 나고민 군은 우승중학교 전교 회장과 친구라는 사회적 지위를 가진다. 나 군은 우승중학교 전교 회장으로서 학부모 총회를 준비해야 하는 역할과 친구로서 생일 초대에 가야 할 역할이 충돌하여 역할 갈등 상황에 놓여 있다.

서술형 문제

13 **[예시 답안]** 노비는 귀속 지위, 장군과 재상은 성취 지위이다. 귀속 지위는 개인의 의지와 상관없이 태어나면서부터 자연적으로 주어지는 지위이고, 성취 지위는 개인의 능력과 노력으로 얻게 되는 지위이다.

[평가 기준]

상	사회적 지위의 유형을 분류하고, 그 의미를 모두 옳게 서술한 경우
중	사회적 지위의 유형 분류가 미흡하였으나, 그 의미는 옳게 서술한 경우
하	귀속 지위와 성취 지위의 의미만을 서술한 경우

14 태호는 여러 개의 지위에 기대되는 역할들이 충돌하여 어떤 것을 우선시해야 할지 고민하는 역할 갈등 상황이 나타날 수 있다.

오답 피하기
① 아들은 귀속 지위이다.
② 학생회 총무는 성취 지위이다.
③ 제시된 표를 보면 태호의 사회적 지위가 다양함을 알 수 있다.
⑤ 태호는 아들, 오빠, 학생회 총무, 성가대 부회장, ○○팬클럽 회원이라는 다양한 지위에 따른 역할을 가진다.

15 그림은 역할 갈등을 보여 주는 사례이다. 역할 갈등은 사회 속에서 개인이 여러 가지 사회적 지위를 갖고 그에 따른 여러 가지 역할을 동시에 수행할 수 없기 때문에 나타나는 현상이다.

16 한 개인은 동시에 여러 가지 지위를 가지고 다양한 역할을 수행하게 되는 과정에서 역할 갈등을 경험한다.

17 호영이는 친구로서 영화를 보러 가기로 한 역할과 오빠로서 동생을 돌봐야 하는 역할이 충돌하고 있다. 이러한 상황을 역할 갈등이라고 한다.

18 내집단과 외집단의 구분은 고정된 것이 아니라 상황에 따라 달라질 수 있다. 예를 들어 반 대항 축구 경기를 할 경우 옆 반은 외집단이지만, 학교 대항 축구 경기에서는 옆 반도 내집단이 된다.

오답 피하기
① 복잡한 현대 사회에서 한 개인은 다양한 집단에 속해 살아간다.
② 자신의 소속 집단과 준거 집단이 항상 일치하는 것은 아니다.
④ 가족, 촌락 등 자신의 의지와 상관없이 자연적으로 형성된 집단이 존재한다.
⑤ 구성원이 가지는 소속감 여부에 따라 내집단과 외집단으로 나눌 수 있다.

서술형 문제

19 **[예시 답안]** 1차 집단 – (다), (마), (바), 2차 집단 – (가), (나), (라) / 1차 집단은 구성원들 사이에 친밀하며 인격적인 관계가 형성되는 반면, 2차 집단은 목적 달성을 위한 형식적이며 수단적인 인간관계를 바탕으로 한다.

[평가 기준]

상	(가)~(바)를 1차 집단과 2차 집단으로 분류하고, 1차 집단과 2차 집단의 의미를 모두 서술한 경우
중	(가)~(바)를 1차 집단과 2차 집단으로 분류하고, 1차 집단과 2차 집단 중 한 가지 의미만 모두 서술한 경우
하	(가)~(바)를 1차 집단과 2차 집단으로 분류만 한 경우

20 학교와 정당은 2차 집단에 해당한다. 2차 집단은 목적 달성을 위해 형식적이고 수단적인 만남을 바탕으로 결합된 집단이다.

21 현아의 소속 집단은 인문계 고등학교이고, 준거 집단은 예술 고등학교이다. 따라서 현아는 현재 속해 있는 소속 집단과 행동의 기준으로 삼는 준거 집단이 달라 소속 집단에 대한 불만이 커져 가고 있는 상황이다.

오답 피하기
① 예술 고등학교는 현아의 준거 집단이다.
② 고등학교는 특정한 목적을 달성하기 위해 형성된 집단으로, 구성원들은 형식적이고 수단적인 상호 작용을 한다.
③ 인문계 고등학교는 현아의 소속 집단이다.
⑤ 현아는 소속 집단과 준거 집단이 불일치하여 ⓒ의 상황이 발생하였다.

22 (가)는 공동 사회, (나)는 이익 사회이다. 사회 집단은 결합 의지에 따라 공동 사회와 이익 사회로 나눌 수 있다. 공동 사회에는 가족, 촌락 등, 이익 사회에는 학교, 군대, 회사 등을 예로 들 수 있다.

23 제시된 내용들은 모두 차이를 인정하고 차별을 없애려는 노력이다.

24 사회적 불평등을 극복하기 위한 개인적 차원의 노력으로는 사회적 약자를 우선적으로 배려하는 태도, 공동체 의식의 확립, 봉사와 공존의 가치관 함양 등이 있으며, 사회적 차원의 노력으로는 누진세와 같은 세금 제도의 개선, 사회적 약자를 보호하는 법과 제도의 시행, 교육 기회와 투자 확대 등이 있다.

Ⅷ. 문화의 이해

01 문화의 의미와 특징

기본 문제

본문 36~37쪽

간단 체크

1 (1) 문화 (2) 좁은 (3) 물질 (4) 보편성 **2** (1) ㉡ (2) ㉠ (3) ㉢
3 ㉠ 보편성, ㉡ 특수성 **4** (1) ㄹ (2) ㄱ (3) ㄴ (4) ㄷ

기본 문제

01 ③ **02** ④ **03** ④ **04** ② **05** ① **06** ④
07 ② **08** ④ **09** ②

01 문화는 한 사회의 구성원이 공통으로 가지고 있는 의식주, 가치, 규범 등 전반적인 생활 양식을 의미한다.

오답 피하기

① 자연 현상, ②, ④ 생리적인 현상, ⑤ 개인의 독특한 습관이나 버릇은 문화의 예로 보기 어렵다.

02 문화는 생리적·본능적 현상이 아니라 학습된 결과로 나타난 행위이다. ④ '갈증이 나서 물을 마신다.'가 문화적 행동이 되기 위해서는 '물을 컵에 따라 마신다.'와 같이 학습을 통해 도구를 이용하여 행해진 행위여야 한다.

03 (가)는 문화를 좁은 의미, (나)는 넓은 의미로 사용하고 있다. 좁은 의미의 문화는 교양 있고 세련된 것을 의미하는 반면, 넓은 의미의 문화는 사회 성원들이 공동생활을 통해 만들어 낸 공통의 생활 양식을 의미한다.

오답 피하기

ㄱ. (가)에서는 문화를 좁은 의미로 사용하고 있다.
ㄷ. 예술 활동을 의미하는 것은 좁은 의미의 문화이다.

04 사회 질서 유지를 위한 사회 제도 및 규범을 제도문화라고 한다.

05 ㉠은 물질문화, ㉡은 제도문화, ㉢은 관념 문화에 해당한다. 문화는 물질문화와 비물질문화로 구성되고, 비물질문화는 제도문화와 관념 문화로 구성된다.

06 제시문은 각 사회가 처한 지리적 여건이나 역사적·사회적 배경에 따라 문화가 다양하게 나타남을 알 수 있다.

오답 피하기

① 문화의 축적성에 대한 설명이다.
② 문화의 학습성에 대한 설명이다.
③ 문화의 전체성에 대한 설명이다.
⑤ 문화의 변동성에 대한 설명이다.

07 문화는 고정된 것이 아니라 시대에 따라 끊임없이 변화하는데, 이를 문화의 변동성이라고 한다.

오답 피하기

ㄴ. 문화의 보편성에 해당하는 사례이다.
ㄹ. 문화의 공유성에 해당하는 사례이다.

08 제시된 사례는 모두 문화의 변동성과 관련 있다. 문화는 고정된 것이 아니라 시대와 사회의 환경에 따라 끊임없이 변화하게 되는데, 이를 문화의 변동성이라고 한다.

09 ①과 ⑤는 변동성, ③과 ④는 전체성에 해당하는 예이다.

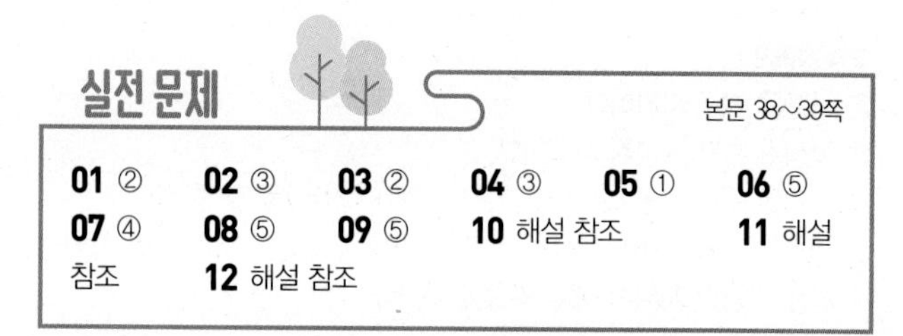

실전 문제

본문 38~39쪽

01 ② **02** ③ **03** ② **04** ③ **05** ① **06** ⑤
07 ④ **08** ⑤ **09** ⑤ **10** 해설 참조 **11** 해설 참조 **12** 해설 참조

01 (가)는 문화이다. 좁은 의미의 문화는 문학이나 예술 활동과 관련되거나 교양 있고 세련된 생활 모습을 의미하고, 넓은 의미는 사회의 구성원이 주어진 환경에 적응하면서 만들어 낸 생활 양식을 의미한다.

02 문화란 한 사회의 구성원들이 사회화 과정을 통해 공통적으로 갖게 된 생활 양식을 말한다. 각 사회의 문화는 그 사회의 자연환경이나 사회적 상황에 따라 다양하게 나타난다.

오답 피하기

① 본능적인 행동이나 개인의 독특한 습관은 문화로 볼 수 없다.
② 인간 사회 어느 곳에서나 문화를 찾아볼 수 있다.
④ 의식주, 결혼식, 장례식 문화 등과 같이 시대와 장소를 초월하여 모든 사회에 공통적으로 나타나는 문화 요소가 존재한다.
⑤ 물질문화, 제도문화, 관념 문화는 서로 밀접하게 연결되어 있으면서 우리의 일생생활에 많은 영향을 미치고 있다.

03 (가)는 물질문화, (나)는 제도문화, (다)는 관념 문화이다. 이 중에서 물질문화는 비물질문화(제도문화, 관념 문화)에 비해 변동 속도가 빠른 편이다.

04 물질문화는 인간의 기본적인 욕구를 충족시키고 생존하는데 필요한 도구나 기술을 말한다. 제도문화는 사회 질서를 유지하기 위한 규범 및 제도를 말하고, 관념 문화는 인간의 삶을 풍요롭게 해 주는 정신적 창조물을 가리킨다.

05 인간에게는 생물학적·심리학적으로 공통된 성향이 있기 때문에 인간의 문화는 공통적인 속성, 즉 보편성을 가지고 있다.

06 사회마다 문화가 다양한 이유는 토지, 지형, 기후와 같은 자연환경과 각 민족이 살아온 경험, 즉 사회적 배경이 다르기 때문이다.

07 사례는 문화의 축적성과 관련이 있다. 문화의 축적성이란 이전 세대의 지식과 경험이 언어와 문자 등을 통해 전달·축적되어 다음 세대로 전승되는 것을 의미한다.

08 문화의 속성 중 (가)는 공유성, (나)는 학습성, (다)는 축적성에 대한 내용이다.

09 문화는 한 세대에서 다음 세대로 전해지는 과정에서 기존의 문화에 새로운 지식이나 기술 등이 더해져 쌓이면서 그 내용이 풍부해지고 발전하는데, 이를 문화의 축적성이라고 한다.

오답 피하기

① 문화의 전체성, ② 문화의 변동성, ③ 문화의 공유성, ④ 문화의 학습성에 해당하는 사례이다.

서술형 문제

10 [예시 답안] ㉠ 좁은 의미의 문화, ㉡ 넓은 의미의 문화 / 좁은 의미의 문화는 문학, 예술 등과 관련 있거나 교양 있고 세련된 모습을 의미한다. 넓은 의미의 문화는 한 사회의 구성원들이 주어진 환경에 적응하여 만들어 낸 공통의 생활 양식을 의미한다.

[평가 기준]

상	㉠, ㉡에 나타난 문화 개념을 구분하고, ㉠, ㉡의 의미를 정확하게 서술한 경우
중	㉠, ㉡에 나타난 문화 개념을 구분하고, ㉠, ㉡의 의미 중 한 가지만 정확하게 서술한 경우
하	㉠, ㉡에 나타난 문화 개념만을 구분하여 쓴 경우

11 [예시 답안] 개인의 독특한 습관이나 버릇은 후천적으로 학습된 행위가 아니기 때문에 문화로 볼 수 없다. 따라서 문화는 사회 구성원들이 공통적으로 공유하는 생활 양식이어야 한다.

[평가 기준]

상	문화가 아닌 이유와 문화가 되기 위한 조건을 제시된 용어를 모두 사용하여 서술한 경우
중	제시된 용어를 두 개만 사용하여 서술한 경우
하	제시된 용어를 한 개만 사용하여 서술한 경우

12 [예시 답안] 공유성 / 특정 상황에서 상대방의 생각과 행동을 예측할 수 있게 하여 원만한 사회생활을 가능하게 해 준다.

[평가 기준]

상	공유성이라고 쓰고, 공유성의 기능을 정확하게 서술한 경우
중	공유성이라고 쓰고, 공유성의 의미를 서술한 경우
하	공유성이라고만 쓴 경우

02 문화를 바라보는 태도

기본 문제

본문 42~43쪽

간단 체크

1 (1) 자문화 중심주의 (2) 문화 사대주의 (3) 문화 상대주의 (4) 극단적 문화 상대주의 **2** (1) ㉡ (2) ㉠ (3) ㉢ **3** (1) × (2) × (3) ○
4 (1) 자문화 중심주의 (2) 문화 상대주의
5 (1) ㄴ (2) ㄱ

기본 문제

01 ③ **02** 문화 제국주의 **03** ④ **04** ① **05** ③
06 ③ **07** ② **08** ⑤ **09** ③ **10** ⑤

01 제시문의 중국 사람들은 자문화 중심주의 태도를 가지고 있다. 자문화 중심주의란 자신의 문화만을 우수하다고 여기며 다른 사회의 문화를 열등하다고 무시하는 태도이다.

02 자문화 중심주의가 지나칠 경우 문화 제국주의가 나타날 우려가 있다.

03 자신의 문화를 가장 우수한 것으로 믿고 다른 문화를 부정적으로 평가하고 멸시하는 태도는 자문화 중심주의적 태도이다.

04 문화 사대주의는 다른 사회의 문화를 가치 있는 것으로 여겨 자신의 문화를 낮게 평가하는 태도로 문화에 우열이 있다고 생각한다. 이러한 문화 사대주의는 외래문화의 무비판적인 수용으로 자기 문화의 주체성과 정체성을 상실할 수 있고, 자기 문화의 창조 능력을 과소평가하여 문화 발전에 장애가 될 수 있다.

05 천하도는 당시 중국의 문화를 우월하게 생각했던 조선 시대 사람들의 문화 사대주의적 세계관이 반영되어 있다.

06 문화 사대주의는 외래문화를 무비판적으로 수용하여 자기 문화의 고유성, 주체성, 독창성 등을 상실할 우려가 있다는 문제점을 가지고 있다.

오답 피하기

ㄱ, ㄹ. 자문화 중심주의의 문제점이다.

07 제시문은 문화 상대주의에 대한 설명이다. 한 사회의 문화를 그 사회의 특수한 자연환경과 사회적 상황 등을 고려하여 이해하고 존중하려는 태도를 문화 상대주의라고 한다.

08 조장이란 사람이 죽으면 그 시신을 독수리의 먹이로 주는 장례 풍습이다. 조장을 티베트의 특수한 상황을 고려하여 이해하는 것은 문화 상대주의적 태도에 해당한다.

09 제시된 자료는 명예 살인에 대한 내용이다. 이는 문화의 상대성을 지나치게 강조하여 오히려 인류의 보편적 가치인 인간의 존엄성, 생명 존중을 무시한 태도이다.

10 세계화 시대에 가져야 할 바람직한 문화 이해의 태도는 문화 상대주의적 태도이다. 또한 인류의 보편적 가치가 침해되지 않는 범위에서 다른 사회의 문화를 존중해야 하며, 각 사회의 문화를 객관적으로 이해해야 한다.

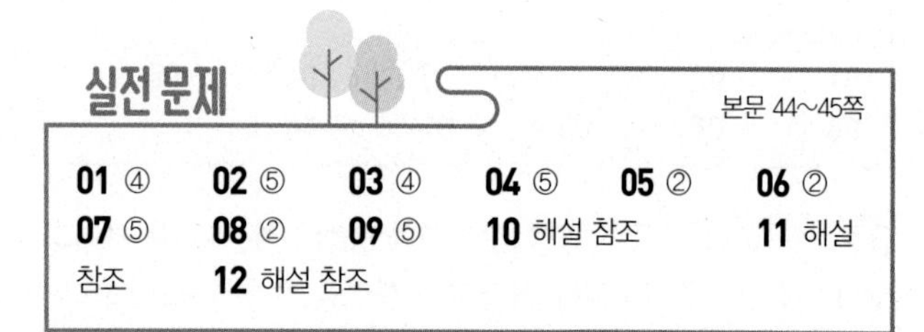

실전 문제
본문 44~45쪽
01 ④ 02 ⑤ 03 ④ 04 ⑤ 05 ② 06 ②
07 ⑤ 08 ② 09 ⑤ 10 해설 참조 11 해설 참조 12 해설 참조

01 자문화 중심주의는 다른 사회의 문화를 열등하다고 무시하기 때문에 경제력이나 군사력을 이용해 다른 국가의 고유한 문화를 파괴할 위험이 있다.

02 제시된 내용은 자문화 중심주의와 관련이 있다. 자문화 중심주의는 자기 문화를 가장 우수하다고 믿으며 타 문화를 부정적으로 평가하는 태도이다.

오답 피하기

① 자문화 중심주의와 문화 사대주의는 문화를 평가하는 절대적인 기준이 있다고 인정한다.

03 자문화 중심주의와 문화 사대주의는 모두 절대적인 기준에서 문화의 우열을 가릴 수 있다고 본다. 자문화 중심주의와 문화 사대주의 모두 문화의 상대성과 다양성을 인정하지 않는 태도로 세계화 시대에 피해야 할 문화 이해 태도이다.

04 제시문은 문화 사대주의에 대한 설명이다. 문화 사대주의는 외래문화를 무비판적으로 수용하여 자기 문화의 주체성과 정체성을 상실할 수 있고, 자기 문화의 창조 능력을 과소평가하여 문화 발전에 장애가 되며, 다른 사회에 문화적으로 종속될 수 있다.

05 자문화 중심주의는 자기 문화를 우월한 것으로, 문화 사대주의는 다른 사회의 문화를 우월한 것으로 보는 태도이다. 따라서 (가)는 자문화 중심주의, (나)는 문화 사대주의이다.

06 문화는 서로 다른 환경에서 각자의 방식으로 적응해 온 결과이며, 나름의 가치를 지니므로 우열을 평가할 수 없다고 보는 태도는 문화 상대주의이다.

07 문화를 올바르게 이해하기 위해 가져야 할 가장 바람직한 태도는 문화 상대주의이지만, 인류의 보편적 가치까지 무시하는 극단적 문화 상대주의는 경계해야 한다.

오답 피하기

① 상대론적 관점은 한 사회의 문화를 그 사회의 독특한 환경과 역사적 맥락에서 이해하고 해석하려는 관점이다.

08 제시문은 한국, 중국, 일본의 전통 경기를 비교하고 있다. 이는 비교론적 관점에서 문화를 이해하고자 하고 있음을 보여 준다.

09 문화 상대주의는 자신의 문화와 다른 문화를 있는 그대로 존중하고 차이를 인정하므로 바람직한 문화 이해 태도이다. 그러나 문화 상대주의가 지나치면 인류의 보편적 가치를 무시하는 극단적 문화 상대주의의 태도를 가질 수 있으므로 주의해야 한다.

서술형 문제

10 [예시 답안] 문화 사대주의 / 문화 사대주의는 자기 문화의 창조 능력을 과소평가하여 문화 발전에 장애가 되며, 자기 문화의 주체성과 고유성을 상실하게 될 우려가 있다.

[평가 기준]

구분	기준
상	문화 사대주의라고 쓰고, 문화 사대주의의 문제점 두 가지를 정확하게 서술한 경우
중	문화 사대주의라고 쓰고, 문화 사대주의의 문제점을 한 가지만 서술한 경우
하	문화 사대주의라고만 쓴 경우

11 [예시 답안] 극단적 문화 상대주의 / 인간의 존엄성, 자유, 평등, 정의 등 인류의 보편적 가치를 훼손할 수 있기 때문이다.

[평가 기준]

구분	기준
상	극단적 문화 상대주의라고 쓰고, 극단적 문화 상대주의를 경계해야 하는 이유를 핵심 용어를 사용하여 서술한 경우
중	극단적 문화 상대주의라고 쓰고, 극단적 문화 상대주의의 태도를 가져서는 안 된다고만 서술한 경우
하	극단적 문화 상대주의만 쓴 경우

12 [예시 답안] 문화는 각 사회의 환경과 역사적 상황에 따라 다르게 나타나므로, 나름대로 고유한 가치가 있고 우열을 평가할 수 없다는 문화 상대주의적 태도를 가져야 한다.

[평가 기준]

구분	기준
상	각 사회의 자연적, 역사적 상황이 달라 문화 상대주의의 관점에서 문화를 이해해야 한다고 서술한 경우
중	각 사회의 자연적, 역사적 상황에 대한 언급 없이 문화 상대주의의 관점에서 문화를 이해해야 한다고만 서술한 경우
하	각 문화는 가치가 있다고만 서술한 경우

03 대중 매체와 대중문화

기본 문제

본문 48~49쪽

간단 체크

1 (1) 대중 매체 (2) 쌍방향 (3) 뉴 미디어 **2** (1) × (2) × (3) ○ (4) ○ **3** (1) 다수 (2) 획일화 **4** (1) ㄴ (2) ㄱ (3) ㄷ (4) ㄹ

기본 문제

01 ② **02** ④ **03** ① **04** ㉠ 대중 매체, ㉡ 대중문화
05 ③ **06** ② **07** ② **08** ④ **09** ④ **10** ④

01 대중 매체란 동시에 많은 사람에게 정보를 전달할 수 있는 수단으로, 전통적인 대중 매체에는 신문, 잡지, 라디오, 텔레비전 등이 있으며, 이러한 매체가 전달하는 정보는 생산자에서 소비자로 일방적으로 전달된다. 최근에는 정보 통신 기술의 발달로 인해 새로운 매체가 등장하고 있으며 끊임없이 변화하고 진화하고 있다. ② 디지털 기술을 바탕으로 하는 새로운 매체는 기존의 매체와 결합하여 매체 간 경계가 모호해지고 있다.

02 제시된 내용은 뉴 미디어에 대한 설명이다. 뉴 미디어는 기존의 대중 매체에 컴퓨터 기술이 결합된 쌍방향 매체로, 인터넷, 스마트폰, 이동 통신, 케이블 텔레비전 등이 있다.

오답 피하기

①, ②, ③, ⑤ 전통적 대중 매체에 해당한다.

03 대중문화는 특정 계층이나 집단이 아닌 다수의 사람이 공통으로 즐기고 누리는 문화이다. 대중문화는 대중 매체를 통해 다수에게 동시에 전해져 대중의 문화적 욕구를 충족시켜 준다.

04 대중 매체를 통해 형성되고 제공되어 함께 누리는 문화는 대중문화이다.

05 대중문화란 현대 사회를 살아가는 대다수의 사람이 일상 속에서 공통적으로 누리는 문화를 말한다.

오답 피하기

ㄱ. 대중문화는 대다수의 기호에 맞추어 대량으로 생산되므로 획일적인 경향을 보인다.
ㄹ. 인터넷의 등장으로 다양한 문화가 나타날 가능성이 높아졌다.

06 쌍방향 매체인 뉴 미디어의 발달로 인해 대중문화의 수동적 소비자였던 대중이 새로운 문화를 생산하는 주체로 성장하였다.

07 제시문은 '스타'를 상업적으로 생산해 내고 그에 따른 대중의 소비 심리를 자극하여 기획사의 이윤을 추구하는 대중문화의 상업성과 관련된다.

오답 피하기

①, ③, ⑤ 대중문화의 특징 및 단점에 해당하지만, 제시문과는 관련이 없다.
④ 대중문화로 인해 정치적 무관심이 확대될 수 있다.

08 ㉠은 '획일화'이다. 비슷한 형식과 내용을 갖춘 문화를 일방적으로 제공할 경우 획일화된 문화가 나타난다. ④ 획일화된 문화의 사례이다.

09 인터넷 등 뉴 미디어의 등장으로 인해 쌍방향 의사소통이 가능해져 대중이 대중문화의 소비자인 동시에 생산자로서 중요한 역할을 하게 되었다. ④ 전통적 대중 매체의 특징이다.

10 대중 매체를 통해 대중문화를 수용할 때는 수집된 정보를 비판적인 시각으로 바라보고 자신의 관점에서 해석하고 검토해 보아야 한다. 특히, 청소년은 주체적인 문화의 생산자로서 대중문화를 이해하고 비판적으로 수용하는 태도가 필요하다.

실전 문제

본문 50~51쪽

01 ⑤ **02** ③ **03** ④ **04** ③ **05** ⑤ **06** ③
07 ② **08** ① **09** 해설 참조 **10** 해설 참조

01 인터넷, 스마트폰 등과 같은 뉴 미디어의 등장으로 소비자가 대중 매체를 능동적으로 활용하여 대중문화를 창조하는 주체가 되었다.

02 그림은 뉴 미디어를 도식화한 것이다. 뉴 미디어는 현대에 새롭게 등장한 대중 매체로 과거의 기존 대중 매체와는 달리 정보의 쌍방향 의사소통이 가능할 뿐만 아니라 대중이 정보의 생산자로서 그 역할이 적극적으로 변화하였다. ③ 전통적 대중 매체의 특징이다.

03 전통적 대중 매체는 기존의 인쇄 및 방송 매체로 일방적으로 정보를 전달하였다. 반면, 오늘날 새롭게 등장한 뉴 미디어는 쌍방향으로 정보의 교류가 가능해졌으며, 정보 생산자뿐만 아니라 새로운 대중문화를 생산하는 능동적인 문화 생산자로 참여할 수 있게 되었다.

04 (가)는 전통적인 대중 매체, (나)는 뉴 미디어에 해당한다. 최근 정보 통신 기술의 발전으로 뉴 미디어가 등장하여 다양한 정보를 빠르게 제공하고 있다. 특히 뉴 미디어는 정보를 쌍방향으로 전달하고, 인터넷 공간에서는 누구나 정보의 생산자이자 소비자가 될 수 있다.

오답 피하기

ㄱ. (나)는 쌍방향적 의사소통이 가능하다.
ㄹ. 정보 통신 기술의 발달로 등장한 뉴 미디어는 전통적 대중 매체보다 정보 전달 속도가 빠르다.

05 기사는 대중 매체가 이윤을 추구하는 기업과 결합하여 대중문화가 상업성을 띠기 쉽다는 문제점을 지적하고 있다.

06 ㉠은 대중문화이다. 대중문화는 특정 사회나 지역, 계층에 구분 없이 다수의 사람이 공통으로 즐기고 누리는 문화로, 일반적으로 오락성, 획일성, 상업성 등을 특징으로 한다.

오답 피하기

ㄱ. 대중문화는 다수의 사람이 누릴 수 있는 문화이다.
ㄹ. 뉴 미디어의 등장으로 다양한 문화가 나타날 가능성이 높아졌다.

07 대중문화는 누구나 쉽게 문화적 혜택을 누리도록 함으로써 문화의 대중화에 기여하였으며, 유용한 정보를 신속하게 제공하고, 대중에게 즐거움과 휴식을 제공하여 삶을 풍요롭게 만든다는 긍정적인 측면이 있다.

오답 피하기

ㄷ. 다수의 취향에 맞게 대량 생산되므로 획일화된 문화를 생산한다.
ㅁ. 대중 매체를 통해 대중에게 획일화된 정보를 전달하기 때문에 사람들의 개성과 독창성을 무시할 가능성이 높다는 역기능을 가지고 있다.

08 ㄱ, ㄷ. 다양한 대중 매체를 통해 접하는 대중문화를 있는 그대로 받아들이기보다 비판적인 시각으로 바라보고 자신의 관점에서 해석하고 검토해 보아야 한다. 또한 잘못된 정보는 바로잡도록 적극적으로 요구해야 하며, 주체적인 문화 생산자로서 바람직한 문화를 창조하고 미디어를 올바르게 활용하려는 자세도 지녀야 한다.

오답 피하기

ㄴ. 대중 매체를 통해 얻은 정보와 지식을 올바르게 활용하려는 노력이 필요하다.
ㄹ. 대중매체의 내용을 선택적·비판적으로 받아들이려는 자세가 필요하다.

서술형 문제

09 [예시 답안] 뉴 미디어는 정보 전달자와 수용자 사이에 쌍방향적 의사소통이 빠르게 이루어진다.

[평가 기준]

상	쌍방향적 의사소통이 빠르게 이루어진다고 정확하게 서술한 경우
하	일방향적인 대중 매체의 특징을 서술한 경우

10 [예시 답안] (가) 상업성 / (나) 대중은 수동적인 정보 수용자의 위치에서 능동적인 정보 생산자의 역할을 하게 되었어. 누리 소통망 등을 통해 자기 생각을 자유롭게 표현할 수 있으며, 직접 정보를 만들고 유통할 수 있게 되었어.

[평가 기준]

상	(가)에 상업성을 쓰고, 대중이 능동적인 정보 생산자의 역할을 하게 되었다는 내용과 누리 소통망 등을 통해 자기 생각을 자유롭게 표현, 유통할 수 있게 되었다는 내용을 서술한 경우
중	(가)에 상업성을 쓰고, 대중이 능동적인 정보 생산자의 역할을 하게 되었다는 내용과 누리 소통망 등을 통해 자기 생각을 자유롭게 표현, 유통할 수 있게 되었다는 내용 중 한 가지만 서술한 경우
하	(가)에 상업성이라고만 쓴 경우

대단원 마무리

본문 54~57쪽

01 ③ **02** ③ **03** ④ **04** ② **05** ④ **06** 해설 참조 **07** ③ **08** ② **09** ⑤ **10** ③ **11** ③ **12** ④ **13** ③ **14** ④ **15** 해설 참조 **16** ④ **17** ⑤ **18** ⑤ **19** ① **20** 해설 참조 **21** ② **22** ④ **23** ③

01 '이것'은 문화를 의미한다. 문화는 사회의 구성원이 주어진 환경에 적응하면서 만들어 낸 생활 양식을 의미한다.

02 좁은 의미의 문화는 예술과 관련되거나 교양 있고 세련된 모습을 의미하고, 넓은 의미의 문화는 한 사회의 구성원들이 가지고 있는 공통의 생활 양식을 의미한다. ③은 좁은 의미의 문화 사례이다.

오답 피하기

①, ②, ④, ⑤는 넓은 의미의 문화 사례이다.

03 제시문은 문화의 구성 요소 중 물질문화에 대한 설명이다. 물질문화란 인간의 기본적인 욕구를 충족시키고 생존하는 데 필요한 물건이나 기술을 말하는 것으로, 인간이 환경에 적응하는 데 중요한 수단이 되어 왔다.

오답 피하기

법률, 도덕, 관습은 제도문화, 학문, 종교, 예술은 관념 문화에 해당한다.

04 문화는 서로 다른 자연환경과 사회적·역사적 상황에 따라 다양하게 나타난다.

05 (가)에서는 문화의 보편성, (나)에서는 문화의 특수성을 엿볼 수 있다. 각 사회마다 자연환경, 사회적·역사적 환경이 다르기 때문에 지역과 사회, 민족마다 문화가 다르게 나타난다.

서술형 문제

06 [예시 답안] (가) 보편성 / (나) 각 사회마다 처한 자연환경이나 사회적 환경이 다르기

[평가 기준]

상	(가)에 보편성이라고 쓰고, (나)에 자연환경과 사회적 환경이 다르다고 서술한 경우
하	(가)에 보편성이라고만 쓴 경우

07 사례는 문화의 변동성과 관련이 있다. 문화의 변동성이란 문화는 고정 불변하는 것이 아니라 시간의 흐름에 따라 변화하는 속성을 말한다.

08 문화의 속성 중 후천적인 학습의 결과로 습득된 것은 문화의 학습성, 한 세대에서 다음 세대로 전승된다는 것은 문화의 축적성에 해당한다.

오답 피하기

①, ③, ⑤ 문화의 공유성으로 인해 한 사회의 구성원들이 공통적인 생활 양식을 가지고 있어 특정한 상황에서 다른 사람들이 어떤 행동을 할지 예측이 가능하다.

09 자료는 문화의 속성 중 전체성에 대한 사례이다. 문화는 여러 가지 요소가 밀접한 관계를 맺으며 전체를 이루고 있는데, 이를 문화의 전체성이라고 한다.

10 나미와 다정은 한 사회의 문화를 그 사회의 특수한 자연환경, 사회적 상황, 역사적 배경 등을 고려하여 이해하려는 문화 상대주의적 태도를 가지고 있다.

11 기사에서 미국의 한 경제지는 자문화 중심주의적 태도로 다른 사회의 음식 문화를 열등하다고 비하하고 있다. 자문화 중심주의는 다른 문화권과의 갈등을 일으키는 요인으로 작용할 수 있고, 심지어 다른 문화를 열등한 것으로 보고 자기 문화를 다른 사회에 강요하는 문화 제국주의로 흐를 수 있다. ③ 다른 문화를 그 사회의 맥락과 환경을 고려하여 이해하는 문화 상대주의적 태도가 필요하다.

12 (가)는 자문화 중심주의, (나)는 문화 사대주의에 해당하는 사례이다.

13 (가)는 자문화 중심주의, (나)는 문화 사대주의에 해당하는 사례이다. ③ 자기 문화의 창조 능력을 과소평가하는 것은 문화 사대주의의 문제점에 해당한다.

14 자문화 중심주의와 문화 사대주의 모두 문화의 상대성을 부정하는 태도이다. 자문화 중심주의는 다른 문화와의 갈등을 유발할 수 있으며, 국제적으로 고립될 가능성이 있다. 반면, 문화 사대주의적 태도는 자신의 문화에 대한 자부심과 정체성을 상실할 수 있다.

오답 피하기

① 자문화 중심주의가 지나칠 경우 문화 제국주의로 이어질 수 있다.
② 문화 사대주의적 태도는 자기 문화의 주체성을 상실할 우려가 있다.
③ 문화 사대주의는 다른 문화를 기준으로 자기 문화를 평가하는 태도이다.
⑤ 자문화 중심주의는 자신의 문화가 가장 우수하다고 생각하여 다른 문화를 무시하는 태도이다.

서술형 문제

15 [예시 답안] 문화 사대주의 / 장점: 다른 문화의 장점을 수용하여 자기 문화를 발전시키는 계기가 된다. / 단점: 자기 문화의 주체성과 정체성을 상실할 수 있고, 자기 문화의 창조 능력을 과소평가하여 문화 발전에 장애가 될 수 있으며, 다른 사회에 문화적으로 종속될 수 있다.

[평가 기준]

상	문화 사대주의라고 쓰고, 문화 사대주의의 장단점을 모두 서술한 경우
중	문화 사대주의라고 쓰고, 문화 사대주의의 장단점 중 한 가지만 옳게 서술한 경우
하	문화 사대주의라고만 쓴 경우

16 한 사회의 문화는 그 사회의 환경과 필요에 따라 형성되어 고유한 가치를 지니고 있으므로 문화 간에 열등하거나 우월하다고 평가할 수 없다.

17 제시된 내용은 스코틀랜드의 '킬트'를 자기 문화의 관점에서 보고 있다. 따라서 문화 상대주의의 관점에서 킬트를 입을 수밖에 없는 특수한 상황이나 환경을 고려해야 할 필요성이 있다.

18 전통적 대중 매체는 전문 제작자에 의해 생산된 내용을 소비자에게 일방적으로 전달하기 때문에 뉴 미디어보다 획일적 문화가 나타나기 쉽다.

19 대중문화란 대다수의 사람이 일상 속에서 공통으로 누리는 문화로, 대중가요, 영화, 드라마, 유행 등을 예로 들 수 있다. ① 대중문화는 대중 매체를 통하여 전 지역에 대량으로 보급되기 때문에 지역에 따라 내용이 크게 다르지 않다.

서술형 문제

20 [예시 답안] 대중문화 / 과거 소수 계층만 누리던 문화를 누구나 쉽게 접할 수 있게 되었다. 유용한 정보를 다수의 사람에게 효과적으로 전달할 수 있다. 즐거움과 휴식을 제공하여 삶을 풍요롭게 만든다.

[평가 기준]

상	대중문화라고 쓰고, 대중문화의 긍정적 영향 두 가지를 모두 정확하게 서술한 경우
중	대중문화라고 쓰고, 대중문화의 긍정적 영향을 한 가지만 서술한 경우
하	대중문화라고만 쓴 경우

21 이윤을 추구하는 기업에서 운영되는 대중 매체로 인해 대중문화는 상업주의적 경향이 나타난다. 대중 매체의 상업성으로 대중문화의 질적 수준이 낮아질 우려가 있다.

22 최근에는 대중이 인터넷에 글이나 동영상을 올리며 미디어의 제작자가 되는 등 대중문화의 생산과 유통에 적극적으로 참여하는 경향이 있다.

23 정보를 제공하는 대중 매체는 우리의 삶에 매우 중요한 요소이나, 대중 매체가 전달하는 정보가 객관적 진실이 아닐 수 있다. 따라서 대중 매체를 비판적으로 수용하는 자세가 필요하다.

Ⅸ. 정치 생활과 민주주의

01 정치와 정치 생활

기본 문제

본문 61쪽

간단 체크

1 (1) 정치 (2) 정치권력 (3) 넓은 (4) 사회 질서 **2** (1) × (2) ○ (3) ○ (4) × **3** (1) ㄷ, ㄹ (2) ㄱ, ㄴ **4** (1) 동의 (2) 지방 자치 단체 (3) 자유 (4) 조화

기본 문제

01 ① **02** ① **03** ③

01 제시문은 좁은 의미의 정치에 해당한다. 국회 의원의 입법 활동, 정부가 정책을 수립하여 집행하는 활동 등은 좁은 의미의 정치에 해당한다.

오답 피하기

ㄷ, ㄹ. 일상생활에서 발생하는 구성원 간의 대립과 갈등을 조정하여 해결해 나가는 모든 활동을 정치로 보는 것은 넓은 의미의 정치이다.

02 제시된 자료는 국가가 개인 및 사회의 삶의 질 향상에 기여해야 한다는 것을 보여 주는 사례이다. 국민 건강 보험 제도는 시민의 안정된 경제생활의 보장을 목적으로 한다. 이외에도 국가는 시민의 동의와 지지를 바탕으로 권력을 행사해야 하며, 다양한 이해관계를 민주적으로 조정하기 위해 노력해야 한다. 또한 정책을 결정하고 집행하는 과정에서 시민의 요구를 충분히 반영해야 한다.

03 시민은 국가가 결정한 제도와 정책을 지킬 의무를 지님과 동시에 국가의 부당한 정책을 감시하고 비판할 권리를 가진다.

실전 문제

본문 62~63쪽

01 ② **02** ① **03** ② **04** ⑤ **05** ③ **06** ②
07 ③ **08** ⑤ **09** ① **10** 해설 참조
11 해설 참조

01 정치란 사회 구성원 간의 대립과 갈등을 조정하여 공공 문제를 해결해 나가는 모든 활동을 의미한다. ② 학교 축제에 참가하는 것은 개인적인 활동으로 이는 정치 활동으로 보기 어렵다.

02 정치를 넓은 의미로 볼 때 학급 회의도 정치에 포함된다. 국가를 다스리기 위해 정치인들이 정치권력을 획득하고 유지하는 활동은 좁은 의미로 정치를 파악한 것이다.

03 좁은 의미의 정치는 국가를 다스리기 위해 정치권력을 획득, 유지, 행사하는 정치인들의 활동을 의미한다.

오답 피하기

①, ③, ⑤ 넓은 의미의 정치 사례에 해당한다.
④ 체육 선생님의 결정 사항을 정치 활동으로 보기 어렵다.

04 정치는 사회 통합, 사회 질서의 유지, 사회 구성원 간의 이해관계와 갈등 조정, 사회 발전, 시민의 복지 증진 등을 이루기 위한 활동이다.

05 아리스토텔레스가 말한 '정치적 동물'은 인간이 공동체를 이루고 그 안에서 갈등과 분쟁을 해결하고 살아가야만 하는 존재라는 의미로, 정치의 기능과 필요성을 강조하는 말이다.

06 정치권 대표들이 노사 갈등의 현장을 방문하여 서로의 입장을 듣고 해결책을 모색하는 것은 대립과 갈등을 완화하고 이해관계를 조정하는 정치 활동이다.

07 정치 생활에서 시민은 정부의 정책 집행 과정을 감시하고, 공동체 의식을 가지고 사회 문제 해결에 적극적으로 참여해야 한다. 또한 자신의 자유와 권리를 정당하게 행사하고, 다른 사람의 자유와 권리를 존중하는 자세가 필요하다.

오답 피하기

ㄱ, ㄹ. 정치 생활에서 국가의 역할이다.

08 첫 번째는 주민 참여 예산제, 두 번째는 공청회에 해당한다. 두 가지 제도 모두 시민이 직접 정치에 참여할 수 있는 방법이다.

09 국가는 정책을 결정하고 집행하는 과정에서 시민의 요구를 충분히 반영하여 시민의 자유와 권리를 최대한 보장해야 한다. 시민은 공동체의 이익과 조화를 이루면서 자신의 자유와 권리를 추구해야 한다.

서술형 문제

10 [예시 답안] (가)는 정치인들이 정치권력을 획득하고 유지하며 행사하는 활동인 좁은 의미의 정치인 반면, (나)는 일상생활에서 발생하는 문제를 해결하기 위한 모든 활동인 넓은 의미의 정치이다.

[평가 기준]

상	(가)는 좁은 의미, (나)는 넓은 의미의 정치 개념을 비교하여 정확하게 서술한 경우
중	(가)는 좁은 의미, (나)는 넓은 의미의 정치 개념을 핵심 용어를 사용하지 않고 서술한 경우
하	(가), (나) 중 한 가지 정치 개념만을 서술한 경우

11 [예시 답안] 정치는 서로 다른 생각과 의견을 조정함으로써 대립과 갈등을 해결하여 사회를 통합하고 질서를 유지하는 기

능을 수행한다.

[평가 기준]

상	이해관계의 조정을 통한 사회 통합 실현이라는 측면에서 정확하게 서술한 경우
중	문제를 해결한다는 점은 서술되어 있으나 이해관계 조정이라는 측면은 서술하지 않은 경우
하	핵심 용어를 사용하지 않고, 갈등 해결이라고만 서술한 경우

02 민주 정치의 발전

기본 문제

본문 66~67쪽

간단 체크

1 (1) 민회 (2) 직접 (3) 시민 혁명 (4) 보통 (5) 전자 민주주의
2 (1) ○ (2) ○ (3) × **3** (1) 국민 기초 생활 보장 제도 (2) 조화 (3) 생활 양식으로서의 **4** (1) ㄷ (2) ㄴ (3) ㄱ (4) ㄹ

기본 문제

01 ④ **02** 도편 추방제 **03** ③ **04** ③ **05** ②
06 ① **07** ② **08** ① **09** ④ **10** ⑤

01 고대 아테네에서 이루어졌던 민주 정치는 직접 민주 정치이자 제한적 민주 정치였다. 성인 남성은 민회에 모여 직접 공동체의 주요한 결정을 하였고, 공직자를 추첨제나 윤번제로 선출하였다. ④ 여성, 노예, 외국인은 정치에서 제외되는 제한적 민주 정치였다.

02 고대 아테네에는 시민들의 투표로 국가에 해가 될 인물을 추방하는 도편 추방제가 있었다.

03 제시된 사건은 시민 혁명으로, 이는 근대 민주 정치를 확립하는 데 기여하였다. 근대 시민 혁명 이후 시민의 대표로 구성된 의회를 중심으로 대의 민주 정치가 이루어졌다.

오답 피하기
①, ②, ⑤ 현대 민주 정치에 대한 설명이다.

04 근대 민주 정치는 시민이 직접 정치에 참여하는 직접 민주 정치가 아니라 의회가 중심이 되어 선출된 대표자가 정치를 하는 간접 민주 정치(대의제)였다.

05 그림은 간접 민주 정치(대의제)에 해당한다. 오늘날 대부분의 국가에서는 국민이 선출한 대표가 나라를 다스리게 하는 간접 민주 정치가 발달하였다. ② 고대 아테네에서 이루어졌던 민주 정치는 직접 민주 정치이다.

06 일상생활에서 발생하는 여러 문제를 민주적으로 해결하려는 것을 생활 양식으로서의 민주주의라고 한다. 이를 실현하기 위해서는 비판과 토론, 대화와 타협, 다수결의 원리, 관용 등이 필요하다.

07 민주주의의 근본이념인 인간의 존엄성을 실현하기 위해서는 자유와 평등이 보장되어야 한다.

08 제시된 내용은 자유에 대한 설명이다. 자유가 보장되지 않으면 인간의 존엄성을 보장받을 수 없다.

09 (가)는 국민 주권의 원리, (나)는 국민 자치의 원리와 관련이 있다. 국민 주권의 원리는 국가의 의사를 최종적으로 결정하는 최고 권력인 주권이 국민에게 있다는 원리이고, 국민 자치의 원리는 주권을 가진 국민에 의해서 정치가 이루어진다는 원리이다.

10 권력 분립의 원리는 국가의 권력이 한 기관에 집중되는 것을 막아 국가 기관 간의 견제와 균형을 유지하여 국민의 자유와 권리를 보장하고자 한다.

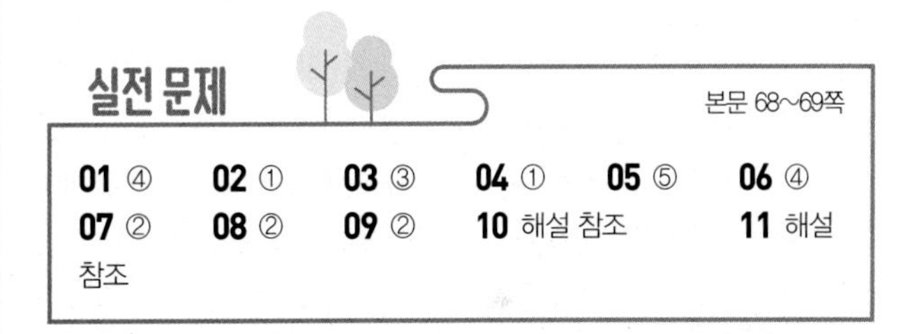
실전 문제

본문 68~69쪽

01 ④ **02** ① **03** ③ **04** ① **05** ⑤ **06** ④
07 ② **08** ② **09** ② **10** 해설 참조 **11** 해설 참조

01 고대 아테네는 모든 시민(자유민인 성인 남성)이 정치에 직접 참여하는 직접 민주 정치를 시행하였다. 국가의 주요 정책을 민회에서 결정하였고, 시민들은 추첨을 통해 누구나 공직에 참여할 기회를 얻었다. ④ 고대 아테네에서 여성, 노예 등은 정치에 참여할 수 없었기 때문에 제한적인 민주 정치라는 한계가 있었다.

02 페리클레스의 연설에서 모든 시민이 다스리기도 하고 다스림을 받기도 하는 고대 아테네의 직접 민주 정치의 모습을 알 수 있다.

03 근대 민주 정치는 시민 혁명 후에도 재산이 많은 남성만 정치에 참여할 수 있었고, 노동자, 여성 등은 제외되었다는 한계가 있었다. ③ 20세기까지 이어진 선거권 확대 운동의 결과 보통 선거제가 확립되었다.

04 제시된 시민 혁명의 결과 인간의 존엄성, 자유, 평등과 같은 민주주의의 이념이 확립되었고, 시민의 자유와 권리가 확대되었다. 하지만 당시 정치에 참여할 수 있는 자격은 성별이나 신분, 재산 등을 기준으로 제한되었다.

오답 피하기

ㄷ. 복지 국가의 이념은 현대 민주 정치의 특징이다.
ㄹ. 근대 민주 정치에서는 농민과 노동자의 정치 참여가 배제되었다.

05 제시된 사건들은 모두 참정권 확대 운동에 해당한다. 이러한 운동의 결과 20세기에 들어와 일정한 나이가 되면 누구나 선거에 참여할 수 있는 보통 선거제가 확립되었다.

06 시민 혁명을 통해 시민의 자유와 권리가 확대되었고, 시민의 대표가 국가 정책을 결정하는 간접 민주 정치를 바탕으로 하는 근대 민주 정치가 확립되었다. ④ 정보 통신 기술의 발달로 전자 민주주의가 등장한 것은 현대 시민 사회이다.

07 ㉠은 인간의 존엄성, ㉡은 자유, ㉢은 평등이다. 민주 정치의 근본이념인 인간의 존엄성을 실현하기 위해서는 국민의 자유와 평등을 보장해야 한다. 자유를 지나치게 강조하면 평등, 평등을 지나치게 강조하면 자유가 훼손될 수 있으므로 자유와 평등은 조화를 이루어야 한다.

오답 피하기

ㄴ. 오늘날 선천적·후천적 차이를 고려한 실질적인 평등을 강조한다.
ㄷ. 자유와 평등은 근대 시민 혁명 이후 강조되는 이념이다.

08 제시된 헌법 조항은 국민 주권의 원리와 관련 있다.

09 민주 정치의 기본 원리에는 국민 주권의 원리, 국민 자치의 원리, 입헌주의의 원리, 권력 분립의 원리가 있다. ② 다수결의 원리는 보다 많은 사람의 의견을 존중해야 한다는 것이지, 다수에 의한 결정을 절대적으로 수용하라는 의미는 아니다.

서술형 문제

10 [예시 답안] 근대 민주 정치는 여자, 노동자, 농민을 제외한 부유한 시민 등 일부 계층에게만 정치 참여의 기회가 주어진 제한적 민주 정치였다.

[평가 기준]

상	여자, 노동자, 농민 등을 제외한 부유한 시민들 일부에게만 정치 참여 기회가 있다고 정확하게 서술한 경우
중	근대 민주 정치의 정치 참여 기준을 제시하지 않고 일부 계층에게만 정치 참여의 기회가 제공되었다고 서술한 경우
하	제시된 자료에만 근거해 선거권을 모두 갖지 못했다고만 서술한 경우

11 [예시 답안] 전자 민주주의 / 시민의 정치에 대한 관심과 참여도가 높아지고, 정치 과정에 직접 참여할 기회가 확대되었다.

[평가 기준]

상	전자 민주주의라고 쓰고, 전자 민주주의의 장점을 핵심 용어를 사용하여 정확하게 서술한 경우
중	전자 민주주의라고 쓰고, 전자 민주주의의 장점을 정치에 참여하기 쉽다고 서술한 경우
하	전자 민주주의라고만 쓴 경우

03 민주 정치 제도와 정부 형태

기본 문제

본문 72~73쪽

간단 체크

1 (1) ㉡, ㉣ (2) ㉠, ㉢ **2** (1) 융합 (2) 대통령제 (3) 독재 **3** (1) 대 (2) 대 (3) 의 (4) 의 **4** (1) 총리 (2) 있다 (3) 의원 내각제 **5** (1) ㄹ, ㅂ (2) ㄴ, ㄷ, ㅁ

기본 문제

01 ⑤ **02** ② **03** ② **04** ④ **05** ② **06** 내각 불신임권 **07** ④ **08** ① **09** ① **10** ③

01 오늘날 대부분의 국가는 영토가 넓고 인구가 많아 모든 국민이 직접 정치에 참여하기 어렵기 때문에 간접 민주 정치를 채택하고 있다.

02 국민 투표, 지방 자치 제도, 주민 소환제, 국민 발안제 등은 국민이 직접 정치에 참여하는 직접 민주주의 요소들이다. ② 보통 선거는 간접 민주 정치 제도에 해당한다.

03 그림은 의원 내각제 정부 형태이다. 의원 내각제는 의회와 정부의 관계가 융합된 정부 형태로, 의회와 내각의 협조가 잘 이루어지면 능률적인 정책 수행을 할 수 있는 반면, 의회와 내각을 한 정당이 독점할 경우 다수당의 횡포가 우려된다는 단점이 있다.

오답 피하기

ㄴ. 대통령제에서는 행정부의 수반이 국가 원수로서의 지위를 갖는다.
ㄷ. 대통령제는 입법부와 행정부가 엄격하게 분리되어 있는 정부 형태이다.

04 입법부와 행정부가 어떤 관계에 있느냐에 따라 크게 의원 내각제와 대통령제로 구분된다.

05 A는 의원 내각제이다. 의원 내각제는 의회와 내각의 협조를 통해 효율적으로 국정을 운영할 수 있고, 의회와 내각이 국민의 정치적 요구에 민감하게 반응하여 책임 있는 정치를 할 수 있다.

06 의원 내각제에서 의회는 내각이 정치를 잘못하면 내각에 책임을 물을 수 있는 내각 불신임권을 가진다.

07 대통령제는 입법부와 행정부의 권력이 엄격하게 분립된 정부 형태로, 견제와 균형의 원리에 충실한 제도이다. 대통령의 임기 동안 정치가 비교적 안정적으로 유지될 수 있고, 다수당의 횡포를 견제할 수 있지만 대통령의 독재 가능성을 배제할 수 없다.

08 (가)는 대통령제, (나)는 의원 내각제의 정부 형태이다. ① 의원 내각제는 국민이 선거를 통해 의회 의원을 선출하면 의회 다수당의 대표가 총리(수상)가 되어 행정부인 내각을 구성한다.

09 우리나라 대통령은 행정부의 최고 책임자로 임기는 5년이고 중임할 수 없다.

오답 피하기
ㄷ. 사법부는 재판을 통해 분쟁을 해결한다.
ㄹ. 우리나라 대통령은 국민에 의한 직접 선거로 선출된다.

10 우리나라가 도입하고 있는 의원 내각제의 요소로는 국회의원의 행정부 장관 겸직 허용, 행정부의 법률안 제출권 인정, 국무총리 제도 등이 있다.

오답 피하기
① 입법부를 국민의 선거로 구성하는 것은 대통령제와 의원 내각제의 공통점이다.
② 대통령제에는 의회 해산권이 없다.
④, ⑤ 행정부 수반인 대통령을 국민의 직접 선거로 선출하는 것과 대통령의 법률안 거부권은 대통령제의 특징이다.

실전 문제

본문 74~75쪽

01 ④ **02** ④ **03** ① **04** ⑤ **05** ① **06** ④
07 ② **08** ③ **09** ② **10** 해설 참조 **11** 해설 참조 **12** 해설 참조

01 고대 아테네 정치의 가장 큰 특징은 모든 시민이 직접 정치에 참여하는 직접 민주 정치가 이루어졌다는 것이다.

02 오늘날 대부분의 나라에서는 선출된 대표자에게 정치적 결정을 하게 하는 대의 민주 정치를 채택하고 있다. 이러한 민주 정치 과정에서 대표자가 국민의 의견을 정책에 제대로 반영하지 못하거나 국민이 정치에 무관심해질 수가 있다. 이러한 대의제의 문제점을 보완하기 위해 우리나라에서는 국민 투표, 국민 소환, 국민 발안 등의 정치 참여 제도를 마련하고 있다.

03 우리나라에서는 간접 민주 정치의 문제점을 보완하기 위해 국민 투표, 국민 발안, 국민 소환 등의 정치 참여 제도를 마련하고 있다.

04 (가)는 대통령제, (나)는 의원 내각제이다. 대통령제와 의원 내각제는 입법부와 행정부의 관계가 독립적인지, 융합적인지에 따라 구분할 수 있다. 대통령제의 경우 행정부는 의회 해산권을 행사할 수 없는 반면, 의원 내각제의 경우 내각이 의회 해산권을 통해 의회를 견제할 수 있다.

05 A국의 정부 형태는 대통령제이다. 대통령제는 입법부와 행정부가 엄격하게 분리된 정부 형태로, 의회 의원과 행정부의 수반인 대통령은 별도의 선거를 통해 각각 구성한다. 따라서 의회는 행정부를 불신임할 수 없고, 행정부는 의회를 해산할 수 없다.

06 사례와 같이 행정부가 의회에 법률안을 제출할 수 있는 정치 형태는 의원 내각제이다. ④ 행정부의 수반이 법률안 거부권을 행사할 수 있는 정치 형태는 대통령제이다.

07 A국은 의원 내각제, B국은 대통령제 정부 형태에 해당한다. 대통령제에 비해 의원 내각제는 정치적 책임에 민감하며, 의회와 행정부의 협조 체제가 원활하다는 장점이 있다.

08 우리나라의 정부 형태는 대통령제를 기본으로 하면서 의원 내각제의 요소를 가미하고 있다. 우리나라가 도입하고 있는 의원 내각제의 요소로는 의회 의원의 장관 겸직 허용, 행정부의 법률안 제출권, 국무총리 제도가 있다.

오답 피하기
ㄱ, ㄹ. 대통령제의 특징에 해당한다.

09 우리나라 헌법 제52조와 제86조 ①항을 통해 우리나라가 의원 내각제의 요소를 일부 도입하고 있음을 알 수 있다.

서술형 문제

10 [예시 답안] 의원 내각제 / 국민의 정치적 요구에 민감하여 책임 정치를 실현할 수 있고, 의회와 내각의 협조를 통해 국정을 효율적으로 운영할 수 있다.

[평가 기준]

상	의원 내각제라고 쓰고, 의원 내각제의 장점 두 가지를 정확하게 서술한 경우
중	의원 내각제라고 쓰고, 의원 내각제의 장점을 한 가지만 서술한 경우
하	의원 내각제라고만 쓴 경우

11 [예시 답안] (가) 대통령제 / (나) 행정부와 의회의 대립 시 조정이 어렵다. 대통령의 권한이 강력해 독재가 우려된다. 등

[평가 기준]

상	대통령제라고 쓰고, 대통령제의 단점 두 가지를 정확하게 서술한 경우
중	대통령제라고 쓰고, 대통령제의 단점을 한 가지 서술한 경우
하	대통령제라고만 쓴 경우

12 우리나라는 대통령제를 기본으로 의원 내각제의 요소를 일부 도입하고 있다. 대통령과 국회 의원을 국민이 직접 선거를 통해 선출하는 것은 대통령제의 특징이고, 국무총리 제도와 행정부의 법률안 제출권은 의원 내각제의 요소에 해당한다.

[평가 기준]

상	제시된 용어를 모두 사용하여 우리나라 정부 형태의 특징을 정확하게 서술한 경우
중	제시된 용어를 모두 사용하였으나, 대통령제의 특징만 부각하여 서술한 경우
하	제시된 용어를 모두 사용하지 않거나 일부 옳지 않은 내용이 포함된 경우

대단원 마무리

본문 78~81쪽

01 ② **02** ⑤ **03** ② **04** 해설 참조 **05** ②
06 ③ **07** ④ **08** ① **09** 해설 참조 **10** ⑤
11 ③ **12** ③ **13** ⑤ **14** ④ **15** ④ **16** ③
17 ④ **18** ⑤ **19** ⑤ **20** 해설 참조 **21** ③
22 ① **23** ③ **24** ④

01 넓은 의미의 정치는 사회 구성원 간의 대립과 갈등을 조정하여 공공 문제를 해결해 나가는 모든 활동을 의미한다.

02 (가)는 좁은 의미, (나)는 넓은 의미의 정치 사례이다. 좁은 의미의 정치는 정치권력의 획득, 유지, 행사 과정을 의미하고, 넓은 의미의 정치는 우리의 일상생활 속에서 발생하는 여러 문제를 합리적으로 해결해 가는 과정을 의미한다. ⑤ 학교에서의 정치는 일상생활에서 이루어지므로 (나)는 (가)보다 포괄적인 의미를 지닌다.

03 기사에서 △△시는 노점 양성화 정책을 추진하면서 노점상 단체의 강력한 반대에 부딪혔지만, 오랜 시간 동안 노점상 단체와의 대립과 갈등을 조정하기 위해 노력하였다. 이를 통해 정치가 서로 다른 생각과 의견을 조정함으로써 대립과 갈등을 해결하여 사회를 통합하고 질서를 유지하는 데 기여하고 있음을 알 수 있다.

서술형 문제

04 [예시 답안] 정치란 일상생활에서 발생하는 여러 가지 문제에 대한 구성원 간의 이해관계를 조정하여 갈등을 해결하는 모든 활동을 말한다.

[평가 기준]

상	일상생활에서 발생하는 모든 대립과 갈등을 해결하는 활동이라고 정확하게 서술한 경우
중	갈등을 해결하는 과정라고만 쓴 경우
하	넓은 의미의 정치라고 쓴 경우

05 국가는 국민의 지지와 동의를 바탕으로 권력을 행사하고 다양한 시민의 요구를 반영하여 시민의 자유와 권리를 최대한 보장해야 한다. 시민은 주인 의식을 가지고 정치에 적극적으로 참여하며, 사익과 공익의 조화를 추구해야 한다.

06 을: 민회에서 국가의 의사를 결정하였으므로 오늘날 입법부에 해당하는 국가 기관임을 알 수 있다. 병: 행정관은 민회와 시민 법정의 감시를 받았고, 임기 중에 시민들이 책임을 물어 직무 정지를 요구하거나 불신임 투표를 제안할 수 있다는 것은 무능한 공직자를 가려내는 제도임을 알 수 있다.

오답 피하기

갑: 민회에서는 모든 시민이 만장일치로 의사를 결정하고 있으므로 제한적이지만 직접 민주주의 형태가 존재했음을 알 수 있다.
정: 평의회의 권력 남용을 방지하기 위한 감시 장치는 있었으나 민회의 권력 남용을 견제할 수 있는 제도는 찾아볼 수 없다.

07 시민 혁명 후 정치 형태는 의회가 중심이 되어 선출된 대표자가 정치를 하는 대의 민주 정치였다.

08 시민 혁명의 결과 근대 민주 정치가 성립되었으나, 시민 혁명을 함께 수행한 여성, 노동자, 농민, 도시 하층민에게는 참정권이 인정되지 않고 부유한 시민에게만 정치 참여의 기회가 인정되었다.

서술형 문제

09 [예시 답안] 시민 혁명 / 인간의 존엄성, 자유, 평등의 민주 정치의 이념과 국민 주권의 원리, 입헌주의의 원리 등의 민주 정치의 원리가 나타나 있다.

[평가 기준]

상	시민 혁명이라고 쓰고, 인간의 존엄성, 자유, 평등의 민주 정치 이념의 측면과 국민 주권, 입헌주의 등 민주 정치 원리 측면의 내용을 정확하게 서술한 경우
중	시민 혁명이라고 쓰고, 민주 정치의 이념이나 민주 정치의 기본 원리 중 한쪽 측면만을 서술한 경우
하	시민 혁명이라고만 쓴 경우

10 (가)는 현대 민주 정치, (나)는 중세 절대 왕정기, (다)는 근대 민주 정치, (라)는 고대 그리스 아테네의 민주 정치에 대한 설명이다.

11 근대 시민 혁명 이후에도 정치에 참여할 수 없었던 노동자, 여성, 흑인 등의 선거권 확대 운동의 결과 오늘날 대부분의 국가에서는 일정한 나이에 도달한 국민이면 누구나 선거에 참여할 수 있는 보통 선거권을 획득하였다.

12 대의제에서는 대표자가 국민의 의견을 정책에 제대로 반영하지 못하거나 국민이 정치에 무관심해질 수가 있다. ③ 우리나라에서는 대의제의 한계점을 보완하기 위해 국민 투표, 국

민 소환, 국민 발안 등의 정치 참여 제도가 있다.

13 인간의 존엄성은 인간이라면 누구나 누릴 수 있는 가치로, 공동체를 위해 개인의 희생을 강요하지 않는다.

14 첫 번째는 여성 할당제, 두 번째는 국민 기초 생활 보장 제도에 해당한다. 여성 할당제와 국민 기초 생활 보장 제도 모두 사회적 약자를 배려하는 실질적 평등을 실현하기 위한 제도이다.

15 기회의 균등만으로는 선천적 조건의 차이나 교육 수준, 직업 등과 같은 후천적 차이로 나타나는 불평등을 해소할 수 없다. 따라서 평등한 사회를 이루기 위해서는 실질적 평등도 고려해야 한다.

16 제시된 사례에서 공통적으로 알 수 있는 민주 정치의 원리는 국민 자치의 원리이다. 국민 자치의 원리는 주권을 가지고 있는 국민이 스스로 나라를 다스릴 수 있는 민주 정치의 원리이다.

17 제시문에서는 권력이 항상 남용될 가능성이 있으므로 권력 간 견제가 필요하다고 주장하므로 권력 분립의 원리가 요구되고 있음을 알 수 있다.

18 제시된 내용은 국민 자치의 원리로, 국민의 참여에 의해 나라가 다스려진다는 원리이다. 헌법 제41조 ①항은 국민 자치의 원리를 보장하기 위한 것이다.

오답 피하기

①, ②는 국민 주권의 원리, ③은 권력 분립의 원리를 보장하기 위한 헌법 조항이다.

19 ㉠은 국민 주권의 원리, ㉡은 국민 자치의 원리에 해당한다. 즉 모든 국민이 주권을 가지고(국민 주권), 정치에 참여하여 국민 스스로 나라를 다스린다(국민 자치)는 것은 정치 형태로서의 민주주의를 의미한다.

서술형 문제

20 [예시 답안] (가) 직접 민주 정치, (나) 간접 민주 정치 / (나)와 같은 간접 민주 정치는 (가)와 같은 직접 민주 정치에 비해 정책 결정에 있어 시간과 비용을 절약할 수 있다는 장점을 갖는다.

[평가 기준]

상	(가)는 직접 민주 정치, (나)는 간접 민주 정치라고 쓰고, 간접 민주 정치의 장점을 정확하게 서술한 경우
중	(가)는 직접 민주 정치, (나)는 간접 민주 정치라고 쓰고, 간접 민주 정치의 장점을 구체적 설명 없이 효율적이라고만 서술한 경우
하	(가)는 직접 민주 정치, (나)는 간접 민주 정치라고만 쓴 경우

21 그림은 의원 내각제의 정부 형태이다. 의원 내각제는 의회와 정부의 권력이 융합된 정부 형태로, 의회와 내각의 협조가 잘 이루어지면 능률적인 정책 수행을 할 수 있는 반면, 의회와 내각을 한 정당이 독점할 경우 다수당의 횡포가 우려된다는 단점이 있다.

오답 피하기

①, ②, ④, ⑤ 대통령제 정부 형태의 장점에 해당한다.

22 (가)는 의원 내각제, (나)는 대통령제 정부 형태이다. 의원 내각제는 의회와 정부의 권력이 융합된 정부 형태로 국민의 요구에 민감하고 책임 있는 정치를 할 수 있다. 대통령제는 입법부와 행정부가 엄격하게 분리된 정부 형태로 안정적인 국정 운영이 가능하다.

오답 피하기

ㄹ. 의원 내각제의 장점에 해당한다.

ㅁ. 의원 내각제의 단점에 해당한다.

23 대통령제는 행정부 수반인 대통령의 임기 보장으로 연속성 있는 정책 수행이 가능하고, 법률안 거부권은 대통령제 정부 형태의 특징에 해당한다. 첫 번째, 두 번째 내용은 의원 내각제의 특징이므로 모두 옳게 답한 학생은 병이다.

24 우리나라가 도입하고 있는 의원 내각제의 요소로는 국무총리 제도, 정부의 법률안 제출권, 의회 의원의 장관 겸직 가능 등이 있다.

오답 피하기

ㄹ. 대통령제의 일반적인 특징이다.

X. 정치 과정과 시민 참여

01 정치 과정과 정치 주체

기본 문제

본문 86~87쪽

간단 체크

1 (1) ○ (2) × (3) × **2** ㄹ - ㅁ - ㄷ - ㄱ - ㄴ
3 (1) 시민 (2) 정당 (3) 국회 (4) 이익 집단 (5) 시민 단체
4 (1) 시민 단체 (2) 특수 이익 실현 (3) 정치적 책임을 짐 **5** (1) 정치 과정 (2) 정당 (3) 공식적

기본 문제

01 ⑤ **02** ③ **03** ② **04** ④ **05** ② **06** ③
07 ① **08** ③ **09** ② **10** ② **11** ③

01 민주주의가 발달하고 시민의 자유와 권리가 확대되면서 사람들은 자신의 요구를 자유롭게 주장하게 되었다. 또한 다양한 직업과 집단의 등장으로 사회가 다원화되면서 서로 다른 생각과 삶의 방식을 갖게 되고, 추구하는 가치나 이익 등이 다양해졌다.

02 현대 사회에서 다양한 가치와 이해관계를 가진 사람들의 다원적 이익이 표출되고 집약되어 사회 통합에 이르는 과정을 정치 과정이라고 한다.

03 각종 토론회나 공청회 등을 통해 시민의 다양한 의견을 집약할 수 있다.

04 (가)는 이익 집약 단계이다. 개인이나 집단이 다양한 이익과 가치를 표출하면 언론이나 정당 등이 이익을 집약한다.

05 제시된 내용들은 정당이나 언론 등이 사회 구성원의 이익이나 주장을 몇 개의 안으로 수렴하여 여론을 형성하는 이익 집약 단계이다.

06 국민의 다양한 의견을 반영하여 정부나 국회가 정책을 결정한다. 정부는 정책을 수립하고 집행, 국회는 국민의 대표 기관으로 법률의 제정 및 개정을 담당한다.

07 공식적 정치 주체인 국가 기관에 대한 설명으로, 국가 기관에는 국회, 정부, 법원이 있다. 국회는 국민의 다양한 요구를 반영하여 법률을 제정하고 개정한다. 정부는 법률이나 정책을 국민의 실생활에 맞게 구체적이고 다양한 방법으로 집행한다. 법원은 판결을 통하여 정부가 정책을 집행하는 과정에서 국민의 권리를 침해하였는지 판단한다.

08 시민은 국가와 같은 공동체에서 정치적 권리를 갖는 주체로서, 가장 기본적이고 중요한 정치 주체이다.

09 이익 집단은 이해관계를 같이하는 사람들이 자신의 특수한 이익을 실현하기 위해 만든 단체이다. 이익 집단은 전문성을 바탕으로 정책 결정에 도움을 주기도 하지만, 사회 전체의 이익과 충돌하거나 정책 결정에 혼란을 가져올 수도 있다. ② 공익의 실현을 목적으로 하는 정치 주체는 시민 단체이다.

10 제시된 정치 주체는 정당이다. 정당은 정치권력을 획득하기 위해 정치적 견해를 같이하는 사람들이 만든 단체이다.

11 국회, 정부, 법원은 국가 기관으로서 공식적으로 정책을 결정하고 집행하는 핵심적인 역할을 담당하는 정치 주체이다. 그중 정부는 다양한 정치 참여자들의 요구와 주장을 수렴하여 정책을 결정하고 집행하는 정치 주체이다.

오답 피하기

① 언론은 정치적 쟁점이나 사회 문제 등 정치 과정 전반에 관한 정보를 제공하는 정치 주체이다.
② 국회는 법률의 제정 및 개정을 담당하는 공식적인 주체이다.
④ 법원은 재판을 통해 법률이나 정책에 관련된 분쟁을 해결하는 정치 주체이다.
⑤ 이익 집단은 이해관계를 같이하는 사람들이 자신의 특수한 이익을 실현하기 위해 만든 단체이다.

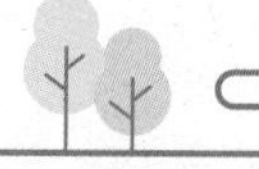

실전 문제

본문 88~89쪽

01 ② **02** ① **03** ④ **04** ④ **05** ⑤ **06** ⑤
07 ② **08** ⑤ **09** 해설 참조 **10** 해설 참조
11 해설 참조

01 제시된 자료는 개인이나 집단의 다원적 이익이 표출되는 모습을 보여 준다. 사회가 다원화, 복잡화되면서 사회 구성원들이 다양한 생각과 가치관을 지니게 되었고, 이러한 이익과 이해관계의 차이로 인해 구성원 사이에 의견 대립과 갈등이 빈번하게 나타난다.

02 정책이 결정되어 집행된 후에는 환류 과정을 통해 국민에게 평가를 받아 문제를 수정하거나 새로운 요구를 정책에 반영하기도 한다.

03 정치 과정은 '이익 표출-이익 집약-정책 결정-정책 집행-정책 평가'의 순으로 이루어진다. ④ 진로 교사 단체가 진로 교육 정책을 강화할 것을 요구하는 것은 이익 표출에 해당하는 사례이다.

오답 피하기

① 정책 결정의 단계, ② 이익 집약의 단계, ③ 정책 집행 단계, ⑤ 정책 평가 단계에 해당한다.

04 현대 민주 사회에서는 개인이나 집단의 다양한 이익이 여러 가지 방식으로 표출된다. 정당이나 언론, 시민 단체나 이익

집단 등이 개인이나 집단의 다양한 이익을 집약하고, 이를 바탕으로 국회와 정부는 새로운 법이나 정책을 결정함으로써 갈등을 조정하고 사회 통합을 이루어간다. ④ 결정된 정책을 정부가 구체적으로 집행한다.

05 자신의 특수한 이익을 추구하지 않고, 여론 형성에 도움을 주며, 공익을 위해 활동하는 정치 주체는 시민 단체이다.

06 그림은 언론에 해당한다. 오늘날 언론은 민주 정치에서 여론 형성에 주도적인 역할을 한다. 언론은 정치 과정 전반에 관한 정보를 전달하고, 정부의 정책을 감시 및 비판한다. ⑤ 이익 집단은 집단의 특수한 이익을 실현하기 위해 국가 기관에 압력을 행사한다.

07 시민 단체와 이익 집단은 모두 비공식적 정치 주체로서 정책 결정 과정에 영향력을 행사한다는 공통점이 있다.

오답 피하기

① 시민 단체는 공익을 실현하기 위해 시민들이 자발적으로 만든 집단이다. 이익 집단은 이해관계를 같이하는 사람들이 자신의 특수한 이익을 실현하기 위해 만든 집단이다.
③ 시민 단체는 사회 문제 해결을 통한 사회 정의 실현을 목적으로 하는 반면, 이익 집단은 직업적인 전문성을 중심으로 결성된 단체로서 다양한 집단의 이해관계를 대변한다.
④ 시민 단체는 사회의 모든 영역에 관심을 기지는 반면, 이익 집단은 자기 집단의 특수한 이익과 관련된 영역에만 관심을 가진다.
⑤ 시민 단체와 이익 집단은 모두 정치적 책임을 지지 않는다.

08 (가)는 국회, (나)는 정당, (다)는 시민 단체, (라)는 이익 집단에 해당한다.

오답 피하기

ㄱ. (가) 국회는 국민의 다양한 의사를 반영하여 법률을 만들거나 고침으로써 정책을 결정한다.
ㄴ. 정당은 정권 획득을 목표로 하므로 국정 전반에 대해 관심을 갖고 활동하는 반면, 이익 집단은 자기 집단의 특수한 이익에만 관심을 갖고 활동한다.

서술형 문제

09 [예시 답안] 국회나 정부는 국민의 다양한 의견을 반영하여 정책을 결정한다.

[평가 기준]

상	국회와 정부가 정책을 결정한다고 정확하게 서술한 경우
중	정치 주체를 서술하지 않고 그 역할만을 서술한 경우
하	일부 옳지 않은 내용을 포함하여 서술한 경우

10 [예시 답안] • 공통점: 이익 집단과 시민 단체 모두 정치 과정에 영향력을 행사하고, 정치적 책임을 지지 않는 비공식적 주체이다.
• 차이점: 이익 집단은 자기 집단의 특수 이익을 추구하고, 시민 단체는 공공의 이익을 추구한다.

[평가 기준]

상	이익 집단과 시민 단체의 공통점과 차이점을 모두 정확하게 서술한 경우
중	이익 집단과 시민 단체의 공통점과 차이점 중 한 가지만 정확하게 서술한 경우
하	일부 옳지 않은 내용이 포함된 경우

11 [예시 답안] 여론을 형성하고, 정부 정책에 대한 해설과 비판을 제공

[평가 기준]

상	여론 형성, 정부 정책의 해설과 비판을 모두 정확하게 서술한 경우
중	여론 형성, 정부 정책의 해설과 비판 중 한 가지만 서술한 경우
하	언론의 의미를 서술한 경우

02 선거와 정치 참여

기본 문제

본문 92~93쪽

간단 체크

1 (1) 간접 민주 정치 (2) 선거 (3) 정당성 (4) 정치 과정
2 (1) 대통령 선거 (2) 국회 의원 선거 (3) 지방 선거 **3** (1) ㉢ (2) ㉣ (3) ㉠ (4) ㉡ **4** (1) ㄱ (2) ㄴ (3) ㄷ

기본 문제

01 ② **02** ② **03** ④ **04** ⑤ **05** ④ **06** ⑤
07 ④ **08** ① **09** ② **10** ② **11** ③

01 (가)는 선거이다. 선거는 대표자를 선출하는 절차로, 오늘날과 같이 대의 민주제를 채택하고 있는 민주주의 국가에서 선거는 민주 정치의 성공 여부를 결정하는 중요한 수단이다.

02 제시문은 선거에 대한 설명이다. 오늘날 정보화의 영향으로 선거에의 참여가 보다 활성화되고 있다.

03 선거는 국가의 정치를 담당할 대표자를 선출하고, 정치권력에 정당성을 부여하며, 대표자를 통제하는 기능을 한다. ④ 정치 과정의 참여 주체인 정당의 기능이다.

04 선거의 기능 중 대표자에게 정당성을 부여하는 기능에 해당한다. 국민의 대표자는 선거를 통해 합법적으로 선출되었으므로 국민의 대표로서 국정을 담당할 수 있다.

05 제시된 내용은 보통 선거와 관련 있다. 보통 선거는 일정 나이 이상의 모든 국민에게 선거권을 부여한다는 원칙이다.

06 ㉠ 직접 선거는 선거권을 가진 본인이 직접 투표권을 행사하는 민주 선거의 원칙이고, ㉡ 비밀 선거는 누구에게 투표를 했는지 공개하지 않는 민주 선거의 원칙이다.

07 사례는 모두 1인에게 1표씩 표를 동등하게 부여해야 하는 평등 선거 원칙을 위반한 경우를 보여 준다.

08 우리나라에서는 공정한 선거를 위해 보통 선거, 평등 선거, 직접 선거, 비밀 선거의 원칙을 보장하고 있다. ①은 보통 선거의 원칙이 지켜진 사례이다.

오답 피하기

② 평등 선거의 원칙이 지켜지지 않은 사례이다. 유권자가 가진 표의 가치가 동등하지 않기 때문이다. 선거권을 가진 사람이라면 누구나 똑같이 한 표씩 투표하게 해야 한다.
③ 보통 선거의 원칙이 지켜지지 않은 사례이다. 일부 사람이 아니라 일정한 연령 이상의 국민 모두에게 선거권이 부여되어야 한다.
④ 비밀 선거가 지켜지지 않은 사례이다.
⑤ 직접 선거의 원칙이 지켜지지 않은 사례이다. 대리 선거가 실시되면 유권자의 의사가 대리인에 의해 왜곡될 수 있다.

09 제시된 내용은 선거 공영제에 대한 설명이다. 선거 공영제는 국가 기관에서 선거 과정을 관리하고, 선거 운동의 일부 또는 전체 비용을 국가가 부담하여 공정한 선거를 관리 및 운영하기 위한 제도이다.

10 중앙 선거 관리 위원회 위원이 특정 정당에 가입하여 정당 활동을 할 수 없거나 신분을 법률로 보장하는 것은 중앙 선거 관리 위원회 위원이 정치적으로 중립성을 가지고 선거를 관리하도록 하기 위해서이다.

11 우리나라는 국가 기관에서 선거를 관리하는 선거 공영제를 실시하고 있다. 이에 따라 국가와 지방 자치 단체가 선거 비용의 일부를 부담하여 경제적 여건과 상관없이 모든 후보자에게 선거 운동의 기회를 공평하게 보장하고 있다.

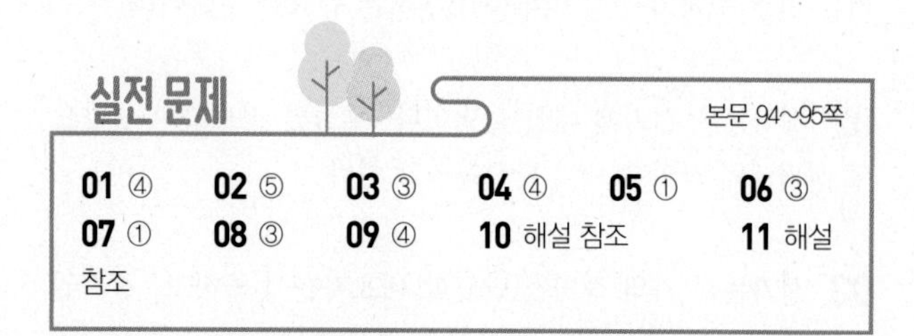

실전 문제
본문 94~95쪽
01 ④ 02 ⑤ 03 ③ 04 ④ 05 ① 06 ③
07 ① 08 ③ 09 ④ 10 해설 참조 11 해설 참조

01 선거는 대의 민주주의에서 대표자를 선출하는 절차이며, 정치 과정에 시민이 참여할 수 있는 가장 기본적인 방법이다. 이러한 참여를 통해 유권자의 의사가 반영되므로 '민주주의의 꽃'이라 불린다.

오답 피하기

ㄴ. 정치 과정 중 정책 집행을 하는 것은 정부이다.

02 대통령 선거는 국가 원수이자 행정부의 수반인 대통령을 5년마다 뽑는 선거이고, 국회 의원 선거는 국회 의원을 4년마다 뽑는 선거이며, 지방 선거는 지방 의회 의원과 지방 자치 단체장 등을 4년마다 뽑는 선거이다.

오답 피하기

② 국무 총리는 국회의 동의를 얻어 대통령이 임명한다.

03 사례는 선거의 기능 중 정치권력을 통제하는 기능에 해당한다. 선거를 통해 대표자를 선출하였지만 그 대표자가 맡은 일을 제대로 수행하지 않을 경우 다음 선거에서 책임을 물어 권력을 통제할 수 있다.

오답 피하기

①, ②, ④, ⑤ 모두 선거의 기능에 해당하지만 제시된 내용과는 관련이 없다.

04 그림은 선거를 통해 합법적으로 뽑힌 대표자가 국민에게서 정당하게 권력을 부여받았기 때문에 국민을 대신하여 국정을 담당할 수 있음을 보여 준다.

05 제시된 내용은 일정한 나이에 달한 모든 시민에게 선거권이 주어지는 보통 선거권이 확립되기까지 많은 시간이 걸렸음을 보여 준다. 일정한 연령 이상의 국민이면 누구나 선거권을 가지는 것은 보통 선거의 원칙이다.

06 A국은 평등 선거, B국은 직접 선거의 원칙을 위반하고 있다. 평등 선거는 모든 유권자는 동등한 가치의 투표권을 행사할 수 있다는 원칙이고, 직접 선거는 선거권을 가진 사람이 직접 투표소에 나가 대표자를 선출해야 한다는 원칙이다.

07 우리나라에서는 선거 공영제에 따라 정부와 지방 자치 단체가 선거 운동 비용의 일부를 지원하여 개인의 경제력에 따라 선거 운동이 제한되거나 과열되는 것을 막아 선거가 공정하게 이루어지도록 한다.

오답 피하기

⑤ 선거구 법정주의는 특정 개인이나 정당이 선거구를 자신에게 유리하게 정하는 것을 막기 위해서 선거구를 법률로 미리 정해 놓은 제도이다.

08 자료는 게리맨더링에 해당한다. 게리맨더링을 방지하기 위해서 우리나라에서는 선거구 법정주의를 실시하고 있다. 선거구 법정주의란 특정 개인이나 정당이 선거구를 자신에게 유리하게 정하는 것을 막기 위해서 선거구를 법률로 미리 정해 놓은 제도이다.

09 우리나라는 공정한 선거를 위해 선거구 법정주의와 선거 공영제를 시행하고, 선거 관리 위원회를 두고 있다. ㄱ, ㄷ은 선거 공영제, ㄴ은 선거 관리 위원회와 관련 있다.

오답 피하기

ㄹ. 선거구 법정주의에 따라 선거구는 법률에 의해서 결정되는 것이지 선거 때마다 선거 관리 위원회에서 결정하는 것은 아니다.

서술형 문제

10 [예시 답안] 선거 / 국정을 담당할 대표자를 선출하고, 정치 권력에 정당성을 부여하며 대표자를 통제하는 기능을 한다.

[평가 기준]

상	선거라고 쓰고, 그 기능을 두 가지 이상 정확하게 서술한 경우
중	선거라고 쓰고, 그 기능을 한 가지 서술한 경우
하	선거라고만 쓴 경우

11 [예시 답안] 보통 선거 / 성별, 신분, 인종 등과 관계없이 모든 국민에게 선거권을 주는 보통 선거의 원칙을 실현하였다.

[평가 기준]

상	보통 선거라고 쓰고, 모든 국민에게 선거권을 주는 보통 선거의 원칙을 실현했다고 정확하게 서술한 경우
중	보통 선거라고 쓰고, 여성이 투표권을 갖게 되었다고 서술한 경우
하	보통 선거라고만 쓴 경우

03 지방 자치와 시민 참여

기본 문제

본문 98~99쪽

간단 체크

1 (1) 지방 자치 제도 (2) 지방 선거 (3) 지방 의회 (4) 조례 (5) 광역 자치 단체 **2** (1) × (2) ○ (3) × **3** (1) 의결, 집행 (2) 규칙 (3) 지방 자치 단체장 **4** (1) 주민 투표 (2) 주민 발의 (3) 주민 소환 (4) 공청회

기본 문제

01 ⑤ **02** ⑤ **03** ④ **04** ㉠ 광역 자치 단체 ㉡ 기초 자치 단체 **05** ② **06** ② **07** ④ **08** ② **09** ① **10** ④ **11** ②

01 빈칸에 공통적으로 들어갈 제도는 지방 자치 제도이다. 지역 주민들은 지방 자치 제도를 통해 지역 문제를 해결하는 과정에 참여하며 이를 통해 주인 의식이 형성되므로 '민주주의의 꽃', '풀뿌리 민주주의'라고 불린다.

02 지방 자치 제도는 지역 주민 스스로 지역 내에서 발생한 문제를 자율적으로 처리함으로써 국민 자치의 원리를 실현할 수 있는 민주 정치 제도이다. 지방 자치 제도는 국가의 힘이 중앙 정부에 집중되는 것을 막아 주어 권력 분립의 원리를 실현하는 데 기여한다.

03 지방 자치를 성공적으로 실현하기 위해서는 주민이 지역 사회에 대한 관심과 공동체 의식을 가지고 지역의 정치 문제에 자발적으로 참여하려는 자세가 필요하다.

04 우리나라의 지방 자치 단체는 특별시, 광역시, 도, 특별자치시, 특별 자치도에 해당하는 광역 자치 단체와 시, 군, 구에 해당하는 기초 자치 단체로 나뉜다.

05 지방 의회는 지역 주민의 의견을 바탕으로 지역에 필요한 자치 법규인 조례를 제정하거나 개정하는 일을 한다. 또한 지역의 예산을 어떻게 사용할지 심의하여 확정하고, 집행 기관이 역할을 잘 하고 있는지 견제하고 감시한다.

06 지방 의회는 법령의 범위 내에서 조례, 지방 자치 단체장은 조례의 범위 내에서 규칙을 제정한다.

07 제시된 내용은 지방 의회의 역할이다. 지방 의회는 의결 기관으로, 지역 정책을 결정하며 법률과 명령의 범위 안에서 조례를 제정한다. 또 지역의 살림살이 계획인 예산안을 심의하고 확정한다.

08 지방 선거를 통해 특별시, 광역시, 도, 특별자치시, 특별자치도에 해당하는 광역 자치 단체와 시, 군, 구에 해당하는 기초 자치 단체의 지방 의회와 자치 단체장을 선출한다.

09 제시문은 주민 투표에 해당한다. 주민 투표는 지역의 중요한 사안을 주민이 투표로 결정하는 제도이다.

오답 피하기

② 주민 청원은 지방 자치 단체에 지역 사회의 문제를 해결해 달라고 서면으로 요구할 수 있는 제도이다.
③ 지방 선거는 지방 의회 의원과 지방 자치 단체장을 선출하는 과정이다.
④ 주민 소환은 직무를 잘 수행하지 못한 지역 대표를 임기 중에 주민 투표로 해임할 수 있는 제도이다.
⑤ 주민 참여 예산제는 지방 자치 단체의 예산 편성 과정에 주민이 직접 참여하는 제도이다.

10 주민 참여 예산제에 대한 설명이다. 주민 참여 예산제를 통해 지역 주민이 직접 예산 결정에 참여할 수 있으므로 지방 재정 사용의 투명성, 공정성, 효율성을 높일 수 있다.

11 지역 사회의 문제를 해결하기 위해서 지역 주민은 공청회에 참석하여 지역 사회의 문제에 자신의 의견을 반영할 수 있으며, 청원을 하거나 민원을 제출할 수도 있다. ② 주민 발의는 주민이 직접 조례안을 작성하여 지방 의회에 제출할 수 있는 제도이다.

실전 문제

본문 100~101쪽

01 ④ **02** ④ **03** ① **04** ④ **05** ④ **06** ⑤ **07** ⑤ **08** ④ **09** 해설 참조 **10** 해설 참조 **11** 해설 참조

01 (가)는 지방 자치 제도이다. 지방 자치 제도는 일정한 지역에 사는 주민이 지방 자치 단체를 구성하여 자기 지역의 일을 자율적으로 처리하는 제도를 말한다. 흔히 '민주주의의 학교', '풀뿌리 민주주의'라고 표현한다.

02 제시문은 지방 자치 제도에 대한 설명이다. 지방 자치 제도를 실시하는 궁극적인 목적은 지역 주민의 복지를 증진하기 위해서이다.

03 제시된 정부 정책은 지방 자치 제도를 활성화하고, 지역 사회의 정치 과정에서 지역 주민의 정치 참여를 확대하려는 방안들이다. 이러한 정부 정책을 통해 권력 분립의 원리가 실현되고 지역 주민의 실질적인 자치 행정권이 보장된다. ① 제시된 정책의 시행이 국토의 균형적인 발전을 가져오는 것은 아니다.

04 제시된 자료는 지방 의회이다. 지방 의회는 지역의 예산안을 심의, 의결하는 기관으로 지역 사회의 행정에 필요한 조례를 제정 및 개정한다.

오답 피하기

ㄱ, ㄷ. 지방 자치 단체장의 역할이다.

05 (가)는 지방 의회, (나)는 지방 자치 단체장이다. 우리나라의 지방 자치 단체는 광역 자치 단체와 기초 자치 단체로 구분되며, 각 지방 자치 단체는 의결 기관인 지방 의회와 집행 기관인 지방 자치 단체장으로 구성된다.

오답 피하기

① 지방 의회는 지역 내에서 입법권을 행사한다.
② (나)는 집행 기관으로 지역의 재산을 관리하고 예산을 집행한다.
③ 지방 자치 단체장과 지방 의회를 구성하는 지방 의회 의원은 주민의 지방 선거를 통해 구성된다.
⑤ 지방 의회는 지방 자치 단체의 행정 사무에 대한 감사를 진행한다.

06 지방 의회는 의결 기관으로 지방 자치 단체가 계획한 예산안을 심의·의결하고, 지방 자치 단체의 행정 사무를 감사한다. 지방 자치 단체장은 집행 기관으로 지역 실정에 맞는 정책을 집행하고, 지방 사무에 필요한 규칙을 지방 의회에서 제정한 조례의 범위 내에서 제정한다.

07 사례는 주민 참여 방법 중 주민 참여 예산제와 관련된다. 주민 참여 예산제는 지역의 예산 편성 과정에 지역 주민이 직접 참여하는 제도이다.

오답 피하기

② 주민 소환은 직무를 잘 수행하지 못한 지역 대표를 임기 중에 주민 투표로 해임할 수 있는 제도이다.
④ 공청회는 국가 또는 지방 자치 단체가 중요한 의사 결정을 하기에 앞서 해당 분야의 전문가나 이해 당사자들의 의견을 듣기 위해 개최하는 공개 회의이다.

08 국민 투표는 국가의 중대한 사항을 주권자인 국민이 의사를 표현하는 제도이고, 국민 소환은 선거에 의해 선출된 대표 중에서 유권자들이 부적격하다고 생각하는 자를 임기가 끝나기 전에 국민 투표에 의해 파면시키는 제도를 말한다. 국민 투표와 국민 소환은 모두 국가의 정치 과정에 국민이 직접 참여하는 제도이다.

서술형 문제

09 [예시 답안] 지방 자치 제도 / 지방 자치 제도는 지역 주민의 자발적 참여로 민주주의의 기초를 만들어 간다는 의미에서 '풀뿌리 민주주의'라고 하고, 지역 주민이 자치 과정을 통하여 민주주의를 배우고 실천할 수 있으므로 '민주주의의 학교'라고 부른다.

[평가 기준]

상	지방 자치 제도라고 쓰고, '풀뿌리 민주주의'와 '민주주의의 학교'라고 부르는 이유를 정확하게 서술한 경우
중	지방 자치 제도라고 쓰고, 두 가지 중 한 가지 이유만 쓴 경우
하	지방 자치 제도라고만 쓴 경우

10 [예시 답안] 지방 의회 / 지방 의회는 지역 실정에 맞는 정책 결정, 지방 사무에 필요한 조례 제정, 예산안 심의·의결, 지방 자치 단체의 행정 사무에 대한 감사 활동 등을 한다.

[평가 기준]

상	지방 의회라고 쓰고, 지방 의회의 역할 두 가지를 정확하게 서술한 경우
중	지방 의회라고 쓰고, 지방 의회의 역할을 한 가지만 서술한 경우
하	지방 의회라고만 쓴 경우

11 [예시 답안] A: 주민 청원, B: 주민 소환 / 지역 주민이 지역의 문제를 직접 처리하고 해결하여 정치 과정에 반영할 수 있도록 하기 위해서이다.

[평가 기준]

상	주민 청원과 주민 소환이라고 쓰고, 이러한 제도의 운영 이유를 지방 자치와 관련하여 정확하게 서술한 경우
중	주민 청원과 주민 소환이라고 쓰고, 이러한 제도의 운영 이유를 서술하였으나 지방 자치와 관련하여서는 서술하지 못한 경우
하	주민 청원과 주민 소환이라고만 쓴 경우

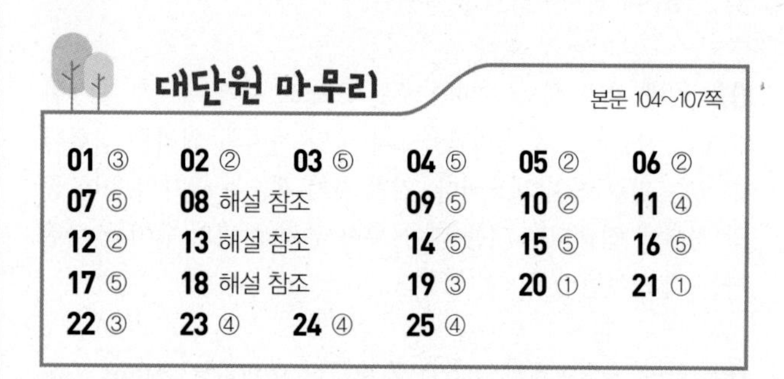
대단원 마무리

본문 104~107쪽

01 ③	02 ②	03 ⑤	04 ⑤	05 ②	06 ②
07 ⑤	08 해설 참조		09 ⑤	10 ②	11 ④
12 ②	13 해설 참조		14 ⑤	15 ⑤	16 ⑤
17 ⑤	18 해설 참조		19 ③	20 ①	21 ①
22 ③	23 ④	24 ④	25 ④		

01 오늘날의 정치 과정은 시민의 의사를 반영하기 위해 다양한 정치 주체들이 참여한다. ③ 정치 과정에 의해 한번 결정된

정책이더라도 여론이 정치 과정에 재투입되어 정책이 수정되거나 보완되기도 한다.

02 제시된 내용은 모두 언론의 역할이다. 언론은 사회 구성원의 이익이나 주장을 몇 개의 안으로 수렴하여 여론을 형성(이익 집약)한다.

03 정치 과정의 단계는 이익 표출, 이익 집약, 정책 결정, 정책 집행, 정책 평가의 순으로 이루어진다. (가)는 이익 집약 단계, (나)는 정책 집행 단계, (다)는 정책 결정 단계, (라)는 정책 평가 단계, (마)는 이익 표출 단계에 해당한다.

04 시민 단체는 시민의 권리 보장과 공익 실현을 위해 시민이 자발적으로 만든 단체이다.

05 제시문은 정당에 대한 설명이다. 정당은 선거에 후보자를 추천한다. 비공식적 정치 주체로, 국민의 다양한 요구를 모아 여론을 형성하고, 우선순위를 정하여 정책안을 마련함으로써 국민의 요구를 정책에 반영하고자 한다. ② 집단의 특수한 이익을 추구하는 것은 이익 집단에 대한 설명이다.

06 제시된 내용은 전세 가격이 급등하고 있지만 언론이 앞장서서 이러한 사실을 과장해서 보도하여 주택 문제가 점점 더 심각해지고 있다는 것이다. 이를 통해 언론은 사실 보도뿐만 아니라 올바른 방향으로 여론을 이끌어갈 책임도 가지고 있음을 알 수 있다.

07 (가)는 정당, (나)는 이익 집단, (다)는 시민 단체이다. 정당은 선거에 후보자를 출마시켜 정권을 획득하기 위해 노력하며 활동 결과에 관해 정치적 책임을 지고, 이익 집단과 시민 단체는 정치적 책임을 지지 않는다. 정당, 이익 집단, 시민 단체는 모두 정책 형성 및 결정에 영향력을 행사하는 정치 주체이다.

오답 피하기

① 이익 집단은 자신들의 특수한 이익을 실현하기 위해 만든 단체이다.
② 정당은 공직 선거에 후보자를 추천한다.
③ 이익 집단은 자신들의 특수한 이익 실현에 관심을 갖는다.
④ 정치 과정 단계에서 국회, 정부는 정책을 결정하고, 정부는 정책을 집행한다.

서술형 문제

08 [예시 답안] (가) 시민 단체, (나) 이익 집단 / 정책 결정에 영향력을 행사한다. 여론을 형성한다. 정치 과정의 비공식적 주체이다. 등

[평가 기준]

상	(가)는 시민 단체, (나)는 이익 집단이라고 쓰고, 시민 단체와 이익 집단이 공통적으로 정치 생활에 미치는 영향 두 가지를 정확하게 서술한 경우
중	(가)는 시민 단체, (나)는 이익 집단이라고 쓰고, 시민 단체와 이익 집단이 공통적으로 정치 생활에 미치는 영향을 한 가지만 서술한 경우
하	(가)는 시민 단체, (나)는 이익 집단이라고만 쓴 경우

09 사례는 선거의 기능 중 대표자의 정치권력을 통제하는 기능에 해당한다. 선거를 통해 현재 대표자가 국정 운영을 잘못할 경우 다음 선거에서 책임을 물어 교체할 수 있다.

10 제시된 내용은 선거에 대한 설명이다. 선거는 시민이 정치 과정에 참여하는 기본적인 방법으로 대표자를 선출하는 절차를 말한다.

11 (가) 평등 선거의 원칙에 따라 모든 유권자는 동등한 가치의 투표권을 행사할 수 있다. (나) 비밀 선거는 유권자가 누구에게 투표했는지 다른 사람이 알지 못하도록 하는 것이다.

12 그림은 경제적 능력을 기준으로 선거권을 제한하고 있으므로 보통 선거의 원칙을 위반하였고, 표의 가치에 차등을 두고 있으므로 평등 선거의 원칙을 위반하였다.

오답 피하기

ㄴ. 비밀 선거에 반대되는 공개 선거에 대한 설명이다.
ㄹ. 직접 선거에 반대되는 대리 선거에 대한 설명이다.

서술형 문제

13 [예시 답안] 평등 선거와 비밀 선거 / 재산에 따라 차등적으로 선거권을 부여하고 있으므로 평등 선거에 위배되고, 자신이 누구에게 투표했는지 기록하도록 하고 있어 비밀 선거에 위배된다.

[평가 기준]

상	평등 선거와 비밀 선거를 쓰고, 그 이유를 정확하게 서술한 경우
중	평등 선거와 비밀 선거를 쓰고, 그 이유를 정확하게 서술하지 못한 경우
하	평등 선거와 비밀 선거 중 하나만 쓰고, 그 이유를 정확하게 서술하지 못한 경우

14 ⑤ 우리나라의 경우 해외 거주자라도 선거에 참여할 수 있는 부재자 선거를 허용하고 있다.

오답 피하기

①은 평등 선거, ②는 직접 선거, ③은 보통 선거, ④는 비밀 선거로 민주 선거의 4원칙에 해당된다.

15 제시된 내용은 모두 선거 관리 위원회의 역할이다. 선거 관리 위원회는 국민의 뜻이 선거를 통해 있는 그대로 반영될 수 있도록 선거를 공정하게 관리하는 독립된 국가 기관이다.

16 제시된 선거 제도는 모두 공정한 선거 문화를 정착하기 위해 설치 및 운영하고 있는 제도와 기관들이다. 선거 공영제는 국가 기관에서 선거 과정을 관리하고 선거 운동 비용의 일부를 부담하는 제도이고, 선거구 법정주의는 의회에서 법률로 선거구를 정하도록 하는 제도이다. 선거 관리 위원회는 공정한 선거 관리, 정당 및 정치 자금에 관한 사무 처리를 위한 독립된 국가 기관이다.

17 ㉤은 선거구 법정주의이다. 선거구 법정주의는 특정 개인이나 정당이 선거구를 자신에게 유리하게 정하는 게리맨더링을 방지하기 위해서 선거구를 법률로 미리 정해 놓는 제도이다.

서술형 문제

18 [예시 답안] 게리맨더링 / 게리맨더링을 방지하기 위해 우리나라에서는 국회에서 법률로써 선거구를 정하는 선거구 법정주의를 채택하고 있다.

[평가 기준]

상	게리맨더링이라고 쓰고, 이를 방지하기 위한 선거구 법정주의에 대해 정확하게 서술한 경우
중	게리맨더링이라고 쓰고, '이를 법률로써 방지한다.'라고만 서술한 경우
하	게리맨더링이라고만 쓴 경우

19 제시문은 지방 자치 제도에 해당한다. 지방 자치 제도가 잘 운영되려면 기본적으로 지역 주민들이 주체적이고 자발적인 자세로 지역 사회의 문제를 해결하는 데 참여해야 한다.

20 지방 자치를 통해 지역 사회의 실정을 고려한 정책을 실현하려는 제도이다. ① 지방 자치 단체의 장은 집행 기관으로 규칙을 제정할 수 있다. 조례는 지방 의회에서 제정할 수 있다.

21 자료에서 서울특별시에서 규칙을 제정하고, 예산을 집행하는 역할을 하는 공무원이므로 지방 자치 단체장의 하루 일과임을 알 수 있다. 따라서 주소를 바탕으로 할 때 서울특별시장과 중구청장이 집행 기관인 지방 자치 단체장이 된다.

오답 피하기

ㄷ, ㄹ. 중구 의회 의원과 서울특별시 의회 의원은 의결 기관인 지방 의회를 구성한다.

22 (가)는 지방 자치 단체장으로, 지역 실정에 맞는 정책을 집행하고 지방 의회에 예산안을 제출한다. 지방 사무에 필요한 규칙을 지방 의회에서 제정한 조례의 범위 안에서 제정한다.

23 ㉠은 주민 소환, ㉡은 지방 선거이다. 주민 소환은 지역의 대표자가 주민 의사를 거스르거나 직무를 잘 수행하지 못했을 때 그에 대한 해임 여부를 주민이 결정하는 제도이다. 지방 선거는 지역 주민이 지방 자치에 참여하는 가장 기본적인 방법이다.

24 사례와 관련된 지역 주민의 정치 참여 방법은 공청회 참여이다. 지방 자치 단체는 공청회를 통해 당사자와 전문가, 지역 주민들의 의견을 수렴하여 정책을 결정하거나 조례 및 규칙을 제정하여 지역 문제를 해결한다.

25 지역 주민이 정치 과정에 참여하는 방법에는 지방 선거, 주민 소환, 주민 발의, 주민 투표, 각종 공청회 및 설명회 참석 등이 있다.

XI. 일상생활과 법

01 법의 의미와 목적

기본 문제

본문 112~113쪽

간단 체크

1 (1) 사회 규범 (2) 관습 (3) 도덕 (4) 국가 (5) 법 **2** (1) 정의의 실현 (2) 국가의 강제성 (3) 양심의 가책 **3** (1) ○ (2) × (3) ○ (4) ○ **4** (1) 선 (2) 행위의 결과 (3) 도덕 (4) 정의

기본 문제

01 ③ **02** ① **03** ③ **04** ② **05** ④ **06** 정의 실현 **07** ③ **08** ③ **09** ④ **10** ④

01 첫 번째는 도덕, 두 번째는 관습, 세 번째는 법의 사례이다. 도덕, 관습, 법 모두 사람들이 사회생활에서 지켜야 할 행동의 기준인 사회 규범이다.

02 법은 강제성을 지니고 한 사회 내 구성원들의 공통된 행동 기준으로, 다른 규범과 달리 사회 구성원들의 합의를 통해 형성되었다.

03 제시된 내용은 모두 일상생활과 관련된 법의 사례이다. 이러한 법은 다른 사회 규범에 비해 사람들이 해야 할 일과 하지 말아야 할 일을 명확하게 규정하고 있다.

04 '이 법'은 도로 교통법이다. 도로 교통법은 도로에서 일어나는 모든 위험과 장해를 방지하거나 제거하여 안전하고 원활한 교통을 확보하도록 만든 법률이다.

오답 피하기

① 학생 및 교직원의 생명과 건강을 보호하고 증진할 목적으로 규정된 법률이다.
③ 교육에 관한 국민의 권리·의무와 국가 및 지방 자치 단체의 책임을 정하고 교육 제도와 그 운영에 관한 기본적 사항을 규정하는 법률이다.
④ 청소년이 건전하게 성장할 수 있도록 청소년들을 유해한 환경으로부터 보호·규제하고자 제정된 법률이다.
⑤ 건물의 임대차에 관하여 민법상에 특례 규정을 두어 국민 주거 생활의 안정을 보장하는 것을 목적으로 하는 법률이다.

05 ㄱ. 법은 사회 구성원들의 합의를 통해 제정되었고, ㄴ. 해야 할 일과 하지 말아야 할 일을 명확하게 규정하고 있으며, ㄷ. 사회의 다원화에 따라 법에 의해 규율되는 생활 영역이 점점 넓어지고 있다.

오답 피하기

ㄹ. 법은 강제성을 특징으로 하는 사회 규범이다.

06 고소득자에게 세금을 더 내게 하고, 시각 장애인 수험생에게 시험 시간을 연장하는 것은 정의가 잘 실현된 사례이다.

07 법은 다른 사회 규범과 달리 각자에게 자신의 몫을 정당하게 부여하는 정의의 실현과 특정 집단이나 개인이 아닌 국민 전체의 공공복리 증진을 목적으로 한다.

08 공공복리란 사회 구성원 다수의 행복과 이익을 뜻한다. 법은 공공복리를 증진시킬 수 있는 방향으로 만들어져야 한다.

09 부정을 가려내는 해태의 상징적 의미는 정의의 실현이다. 해태는 선악을 구분하고 옳고 그름을 판단한다는 고전 속의 상상의 동물이다. 중국의 한 문헌에는 재판석 앞에 세운 해태가 죄를 지은 사람에게로 가서 뿔로 들이받는다고 쓰여 있다.

10 법은 사회 구성원이 지켜야 할 행위나 판단 기준을 제시하여 사례와 같은 분쟁이 발생했을 때 이를 해결하는 역할을 한다.

실전 문제

본문 114~115쪽

01 ① **02** ④ **03** ⑤ **04** ③ **05** ③ **06** ③
07 ⑤ **08** ① **09** ④ **10** 해설 참조 **11** 해설 참조 **12** 해설 참조

01 (가)는 종교 규범, (나)는 도덕 규범의 사례이다. 종교 규범은 특정 종교에서 지켜야 할 행동의 규칙을 정해 놓은 교리이며, 도덕 규범은 인간이라면 마땅히 지켜야 할 바람직한 도리이다.

02 사회 규범은 갈등을 예방하고 질서를 유지하기 위해서 사회 구성원들이 지켜야 할 일정한 행동의 기준이다. 우리의 일상생활을 규율하는 사회 규범에는 관습, 도덕, 종교, 법 등이 있다.

오답 피하기
ㄱ. 법만의 특징이다.
ㄷ. 관습, 종교, 도덕 등은 법과 달리 그 내용이 명확하지 않은 경우가 많다.

03 '법은 최소한의 도덕'이라는 말은 도덕 규범 중에서 반드시 지켜야 할 내용을 법으로 규정한다는 의미이다.

오답 피하기
①, ② 도덕의 사례, ③, ④ 법의 사례에 해당한다.

04 제시된 내용은 모두 법 조항에 해당한다. 사회 규범이란 사회에서 사람들이 해야 할 일과 하지 말아야 할 일을 정해 놓은 행동의 기준으로, 관습, 종교, 도덕, 법 등이 있다. 이 중 법 규범은 강제성을 띠며 행위의 결과를 규율 대상으로 삼는다.

오답 피하기
ㄱ, ㄹ. 도덕에 대한 설명이다.

05 법은 강제성을 지니고 있어서 사회 구성원이 지키지 않으면 국가의 제재를 받게 되고, 다른 규범에 비하여 겉으로 드러나는 행위와 그 결과를 중요시한다.

06 청소년 보호법에 따라 청소년을 유해 환경에서 보호하고, 학교 보건법에 따라 법정 전염병을 지정하여 그에 따른 등교 정지 등의 예방 조치를 규정해 놓은 것은 여러 사람의 이익과 행복을 추구하기 위해서이다.

07 정의란 모든 사람이 인간으로서 동등한 대접을 받고 각자가 노력한 만큼의 몫을 얻는 것으로, 법이 추구하는 가장 중요한 목적이다. 정의는 정당한 이유 없이 성별, 신체, 재산 등에 의해 차별받지 않는 것을 말한다.

08 정의의 여신이 들고 있는 저울은 법의 형평성을 의미하고, 칼은 그 법을 엄정하게 집행하겠다는 강제성을 의미한다.

오답 피하기
② 법의 강제성은 법을 지키지 않은 경우 국가의 제재를 받는 특징이다.

09 법은 사회 구성원 간의 분쟁을 합리적으로 해결할 수 있는 객관적이고 공정한 판단 기준을 제공하여 불필요한 분쟁을 예방하거나 해결하고, 개인의 권리를 보호해 준다.

서술형 문제

10 [예시 답안] (가) 도덕, (나) 법 / 법은 행위의 동기가 아닌 행위의 결과를 규율 대상으로 한다. 또한 개인이 자율적으로 지키는 것이 아니라 국가에 의해 강제적으로 지키도록 하는 규범이다.

[평가 기준]

상	(가)는 도덕, (나)는 법이라고 쓰고, 도덕과 구별되는 법의 특징 두 가지를 정확하게 서술한 경우
중	(가)는 도덕, (나)는 법이라고 쓰고, 도덕과 구별되는 법의 특징을 한 가지만 서술한 경우
하	(가)는 도덕, (나)는 법이라고만 쓴 경우

11 [예시 답안] 법은 사회 구성원이 지켜야 할 행위나 판단 기준을 제시하여 분쟁을 예방하고, 분쟁이 발생했을 때 해결하는 역할을 한다.

[평가 기준]

상	법의 기능을 제시된 단어를 모두 사용하여 정확하게 서술한 경우
중	법의 기능을 제시된 단어를 일부만 사용하여 서술한 경우
하	법의 기능을 서술하였으나 옳지 않은 내용이 일부 포함된 경우

12 [예시 답안] 법은 사회에서 사람들이 지켜야 할 행위나 판단의 기준을 제시하고, 개인의 권리를 보호한다.

[평가 기준]

상	법의 기능을 행위의 판단 기준 제시와 개인의 권리 보호 측면에서 정확하게 서술한 경우
중	법의 기능을 행위의 판단 기준 제시와 개인의 권리 보호 중 한 가지만 서술한 경우
하	법의 기능을 서술하였으나 옳지 않은 내용이 일부 포함된 경우

02 법의 유형과 특징

기본 문제

본문 117~118쪽

간단 체크

1 (1) 공법 (2) 사법 (3) 사회법 **2** (1) ㉣ (2) ㉡ (3) ㉢ (4) ㉠
3 (1) 사법 (2) 민법 (3) 상법 (4) 자본주의 **4** (1) ㄱ, ㄷ (2) ㄹ, ㅅ (3) ㄴ, ㅁ, ㅂ

기본 문제

01 ④	**02** ④	**03** ④	**04** ③	**05** ①	**06** ⑤
07 ①	**08** ②	**09** ①	**10** ⑤	**11** ④	

01 경제법은 공정한 경쟁을 통하여 바람직한 경제 활동을 보장하고 소비자의 권익을 보호하기 위한 사회법의 영역이다.

02 그림에서 (가)는 공법에 해당한다. 공법은 개인과 국가 또는 국가 기관 간의 공적인 생활 관계를 규율한다.

오답 피하기
① 사회법 중 노동법에 해당한다.
② 사회법 중 경제법에 해당한다.
③ 오늘날 복지 국가에서는 사회법의 중요성이 강조되고 있다.
⑤ 사법은 개인의 재산 관계나 가족 관계, 기업 간의 경제생활 등을 규정한다.

03 제시문은 공법에 대한 설명이다. 세금을 내는 일, 군대에 가는 일, 선거를 치르는 일, 범죄를 저질러 재판을 받는 일 등은 모두 공법과 관련된 것이다.

04 사법은 가족 관계, 재산 관계 등 개인의 일상생활을 규율하는 민법과 상거래와 관련된 경제생활 관계를 규율하는 상법으로 구성된다. ③은 공법에 대한 설명이다.

05 사법 중 민법은 혼인이나 출생, 재산의 상속 및 증여와 같은 개인의 가족 관계 및 재산 관계 등을 다룬다.

06 제시된 내용은 사법에 대한 설명이다. 혼인 및 사망 신고, 재산의 상속, 부동산 거래 등은 개인 간의 사적인 생활 영역에 해당하므로 사법 영역의 규율을 받는다. ⑤ 세금의 납부는 개인과 국가 기관 간의 공적인 생활 영역에 해당하므로 공법 영역의 규율을 받는다.

07 (가)는 사법에 해당한다. 사법은 개인과 개인 사이의 사적인 생활 관계를 규율한다. 사법에는 개인 간의 가족 관계 및 재산 관계를 규율하는 민법과 상거래와 관련된 경제생활을 규율하는 상법이 있다.

08 빈칸에 들어갈 법은 사법 중 상법이다. 상법은 기업의 활동과 소비자와 기업, 기업 사이의 상거래를 다루는 법이다.

오답 피하기
⑤ 소비자 기본법은 소비자의 권익을 증진하기 위해 소비자의 권리와 책무, 소비자 단체의 역할, 소비자와 사업자 사이의 관계 등을 규율한다.

09 근대 시민 사회 이후 자본주의가 발달하면서 빈부 격차, 노사 갈등과 같은 여러 가지 사회 문제가 나타나 기본적인 생활조차 유지하기 어려운 사람들이 생겨났다. 이런 상황에서 국가가 사회적 약자를 보호하여 모든 국민의 최소한의 인간다운 삶을 보장하기 위해 사회법이 등장하였다. 사회법은 사적 영역에 국가가 개입하여 사회적 약자를 보호하기 위해 만든 법이다.

10 자본주의가 발달하면서 빈부 격차, 환경 오염, 노사 갈등 등 여러 가지 사회 문제가 나타나 이를 해결하기 위해 사법과 공법의 중간적인 성격을 띠는 사회법이 등장하였다. 사회법은 사회적 약자를 보호하고, 모든 국민의 인간다운 생활을 보장하는 것을 목적으로 한다.

11 산업 혁명 이후 자본주의가 발달하면서 빈부 격차, 실업 등 여러 가지 사회 문제가 나타나 이를 해결하기 위해 사회법이 등장하였다. 사회법은 사회적 약자를 보호하는데, 사회법에는 노동법, 경제법, 사회 보장법 등이 있다.

실전 문제

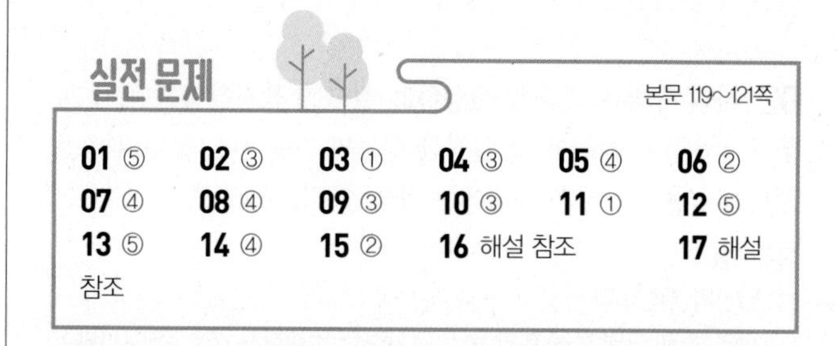
본문 119~121쪽

01 ⑤	**02** ③	**03** ①	**04** ③	**05** ④	**06** ②
07 ④	**08** ④	**09** ③	**10** ③	**11** ①	**12** ⑤
13 ⑤	**14** ④	**15** ②	**16** 해설 참조		**17** 해설 참조

01 사례에서 강철이는 폭행 또는 협박으로 사람의 권리 행사를 방해하므로 형법에 의해 처벌을 받는다. 형법은 공법의 영역에 속한다.

02 사법(私法)은 개인과 개인 간의 사적인 생활 관계를 규율하는 법으로 민법과 상법 등이 있다. 민법은 개인과 개인 사이의 재산 관계나 가족생활 등을 다루며, 상법은 개인이나 기업 사이의 경제생활 관계를 규정한다. ㉢ 병역법은 개인과 국가 간의 공적 생활 관계를 규율하는 공법에 해당한다.

오답 피하기
㉠, ㉡, ㉤은 민법, ㉣은 상법의 적용을 받는다.

03 (가)에서 타인의 물건에 손을 댄 것은 범죄 행위에 해당한다. 이는 형법과 관련된 것으로 공법의 적용을 받는다. (나)에서 미성년자가 법률 행위를 할 때에는 법정 대리인의 동의를 얻어야 한다는 것은 민법과 관련된 것으로 사법의 적용을 받는다.

04 ㉠은 범죄의 종류와 형벌의 정도를 규정하는 형법이고, ㉡은 개인의 가족·재산·거래 관계 등의 일상생활 관계를 규율하는 민법이다.

05 민법은 재산권과 계약, 손해 배상, 혼인, 친족, 유언, 상속 등에 관한 사항 등을 규정하면서 개인의 가족생활을 유지하고, 재산권을 보호하는 역할을 한다. ④ 재판의 절차와 방법을 다루는 법은 공법 영역에 속하는 소송법이다.

06 공법은 공적인 국가 생활 관계를 규율하는 법이며, 사법은 사적인 생활 관계를 규율하는 법이다. 사회법은 사적인 생활 관계를 국가가 규율하는 법이다. ② 교통 법규 위반은 공법 영역에 해당한다. 도로 교통법은 도로에서 일어나는 교통상의 모든 위험과 장해를 방지하고 제거하여 안전하고 원활한 교통을 확보함을 목적으로 한다.

07 스피드 퀴즈의 정답이 헌법이므로 (가)에는 헌법에 관한 내용이 들어야 한다. 헌법은 국민의 권리와 의무 및 국가의 통치 구조를 정해 놓은 법이다.

오답 피하기

① 세법, ② 소송법, ③ 형법, ⑤ 행정법에 대한 설명이다.

08 사법(私法)은 개인 간의 권리와 의무에 관한 법을 의미하고, 사법(司法)은 사법부나 사법권에서 법을 적용하여 재판하는 것을 의미한다. ④는 사적 관계를 규율하는 법 영역을 의미한다.

오답 피하기

①, ②, ③, ⑤는 법을 적용하는 사법(재판)을 의미한다.

09 제시된 법 조항은 민법의 일부 조항으로, 민법은 사법의 영역에 해당한다. 사법은 개인이 국가 기관이 아닌 다른 사람과의 일상생활에서 발생할 수 있는 갈등을 예방하고 해결하는 데 필요한 법으로 개인의 자유와 권리를 중시했던 근대 이후부터 강조되었다.

오답 피하기

① 개인과 국가의 관계를 규율하는 법은 공법이다.
② 형사 소송법, 민사 소송법 등은 공법의 영역에 속한다.
④, ⑤ 사회법에 대한 설명이다.

10 제시문은 사회법의 등장 배경을 나타낸다. 이러한 사회법으로는 경제법, 노동법, 사회 보장법 등이 있다.

11 '이 법'은 사회법에 해당한다. 근로 기준법, 소비자 기본법, 노인 복지법, 국민 기초 생활 보장법은 모두 사회법의 유형이다. ① 행정법은 공법의 영역에 속한다.

12 (가)는 사회법이다. 사회법은 모든 국민의 최소한의 인간다운 생활을 보장하기 위해 새롭게 나타난 법이다. 사회법에는 근로자의 근로 조건과 사회적 지위를 향상하기 위한 노동법, 공정한 경제 질서를 유지하고 소비자의 권익을 보호하는 경제법, 모든 국민의 기본적인 생활을 보장하는 사회 보장법 등이 있다.

13 제시된 법들은 모두 사회법에 해당한다. 사회법은 사법과 공법의 중간적인 성격을 띠는 법으로, 사회적 약자를 보호하고 나아가 모든 국민의 인간다운 생활을 보장하는 것을 목적으로 한다.

14 제시문은 사회법 중 노동법(근로 기준법)에 어긋나는 사례에 해당한다. 사회법은 인간의 사적인 생활 관계에 있어서 사회적, 경제적 약자를 공적인 규제와 간섭을 가하여 보호하며, 개인의 실질적인 평등을 실현하는 법이다. 노동법은 근로 조건의 기준을 정하여 노동자의 기본적 생활을 보장하고 향상시키며 국민 경제의 균형적인 발전을 위해 만들어진 법이다.

15 신문 기사에서는 사회적 약자인 독거노인 문제가 심각해지고 있음을 나타낸다. 따라서 사회법을 통해 국가가 적극적으로 해결하기 위해 노력해야 한다. 근대 시민 사회 이후 경제 활동이 자유로워지고 자본주의가 발달하였으나 이에 따른 문제점이 나타나자, 이를 해결하기 위하여 만들어진 법이 사회법이다. ② 개인의 자유와 권리를 중요시했던 근대 이후에 강조된 법은 사법이다. 사회법은 근대 이후 자본주의의 문제점이 나타나 현대 사회에서 강조된 법이다.

서술형 문제

16 [예시 답안] (가) 사법, (나) 공법, (다) 사회법 / 사법은 개인 간의 생활 관계를 규율하고, 공법은 개인과 국가 기관, 국가 기관 간의 생활 관계를 규율한다. 또한 사회법은 개인 간의 생활 관계에 국가가 개입하여 사회·경제적 약자를 보호하기 위한 법 영역이다.

[평가 기준]

상	(가)는 사법, (나)는 공법, (다)는 사회법이라고 쓰고, 규율하는 생활 관계를 정확하게 서술한 경우
중	(가)는 사법, (나)는 공법, (다)는 사회법이라고 쓰고, 규율하는 생활 관계 중 한 가지만 서술한 경우
하	(가)는 사법, (나)는 공법, (다)는 사회법이라고만 쓴 경우

17 [예시 답안] 사회법 / 사회법은 근로자, 장애인, 저소득층 등과 같은 사회적 약자를 보호하고, 모든 국민의 최소한의 인간다운 생활을 보장하는 것을 목적으로 한다.

[평가 기준]

상	사회법이라고 쓰고, 사회법의 목적으로 '사회적 약자 보호'와 '모든 국민의 최소한의 생활 보장'을 정확하게 서술한 경우
중	사회법이라고 쓰고, 사회법의 목적으로 '사회적 약자 보호'나 '모든 국민의 최소한의 생활 보장' 중 한 가지만 서술한 경우
하	사회법이라고만 쓴 경우

03 재판의 이해

기본 문제

본문 124~125쪽

간단 체크

1 (1) 재판 (2) 민사 재판 (3) 형사 재판 (4) 국민 참여 재판
2 (1) 피고 (2) 검사 (3) 피고인 **3** (1) ㄷ (2) ㄹ (3) ㄱ (4) ㄴ
4 ㉠ 상소 ㉡ 항소 ㉢ 상고

기본 문제

01 ③ **02** ① **03** ② **04** ③ **05** ② **06** ①
07 ③ **08** ② **09** ⑤ **10** ⑤ **11** ⑤

01 재판에 대한 설명이다. 재판은 분쟁이나 범죄에 대해 법원이 공정하게 법을 적용하는 국가 작용으로 법원에서 담당한다.

02 개인과 개인 사이에서 일어난 권리와 법률관계에 관한 분쟁을 해결하기 위한 재판은 민사 재판이다.

오답 피하기

② 형사 재판은 범죄의 유무와 형벌의 정도를 결정하는 재판이다.
③ 가사 재판은 이혼이나 상속과 같이 가족이나 친족 간에 벌어진 다툼을 해결하는 재판이다.
④ 행정 재판은 국가 기관이 국민의 권리를 부당하게 침해했는지 여부를 가리고 그 피해를 구제하기 위한 재판이다.
⑤ 선거 재판은 선거와 당선의 유·무효를 결정하는 재판이다.

03 개인 간의 채무 관계에서 발생한 분쟁은 민사 재판을 통해 해결해야 한다. 민사 재판에 참여할 수 있는 사람은 소송을 제기한 원고, 소송을 제기당한 피고, 판결을 내리는 판사, 원고나 피고 편에 서서 법률적인 도움을 주는 소송 대리인(변호사), 소송 당사자는 아니지만 법원의 신문에 대하여 자기가 경험한 사실을 진술하는 증인 등이 있다.

오답 피하기

ㄴ. 검사는 범죄 사실을 수사하고, 소송을 제기하여 피고인의 처벌을 요구하는 사람으로 형사 재판에 참여한다.
ㄹ. 피고인은 범죄 혐의가 있어 검사에 의해 기소되어 형사 재판을 받는 사람이다.
ㅂ. 우리나라에서는 형사 재판에 한하여 국민이 배심원으로 참여할 수 있다.

04 형사 재판은 사회의 안전을 위협하는 범죄가 발생했을 때 국가가 범죄자를 가려내어 어떤 형벌을 내릴지를 결정한다. ③ 채무 관계와 관련된 사건은 민사 재판에서 다루어질 수 있다. 민사 재판은 개인 간의 권리와 의무에 관한 다툼을 해결하기 위한 재판이다.

05 그림은 민사 재판정의 모습이다. 민사 재판은 개인 간의 생활 관계에서 발생한 법률상 분쟁을 해결하기 위한 재판이다. ② 민사 재판에서 피고는 소송을 제기당한 사람이다. 형사 재판에서는 검사가 원고가 된다.

06 대본은 개인과 개인 간의 다툼을 해결하기 위한 민사 재판에 해당한다. 소송을 제기한 사람이 원고, 소송을 제기당한 사람이 피고가 된다.

07 제시문은 증거 재판주의에 대한 설명이다. 증거 재판주의란 재판에서의 판결은 사실을 입증할 수 있는 명확한 증거에 의해 이루어져야 한다는 원칙이다.

08 우리나라에서는 일반 국민이 형사 재판 중 국민 참여 재판으로 열리는 재판에 배심원으로 참여할 수 있다. 이러한 국민 참여 재판은 국민이 직접 재판에 참여함으로써 사법의 민주화에 기여할 수 있다. ② 판사는 배심원의 평결을 반드시 따라야 하는 것은 아니지만, 평결을 따르지 않을 경우에는 판결문에 그 이유를 반드시 밝혀야 한다.

09 헌법 조항은 모두 사법권의 독립을 보장하는 내용이다. 우리나라에서는 사법권을 다른 국가 기관으로부터 독립시켜 오직 법원에 의해서만 엄격하게 판결이 이루어지도록 하고 있다. 이는 궁극적으로 공정한 재판을 통해 국민의 기본권을 보장하기 위해서이다.

10 사법권의 독립을 위하여 외부의 간섭 없이 헌법과 법률, 양심에 따라 재판을 할 수 있도록 하는 법원 조직의 독립, 법관의 신분 보장 등을 헌법에 명시하고 있다.

오답 피하기

ㄱ, ㄴ. 심급 제도, 죄형 법정주의는 재판을 받는 국민의 자유와 권리를 보장하기 위한 제도이다.

11 공개 재판주의, 사법권의 독립, 심급 제도는 모두 공정한 재판을 통해 국민의 기본권을 보장하기 위하여 실시하고 있는 제도들이다.

오답 피하기

① 제시된 제도들은 공정한 재판을 위한 것이다.

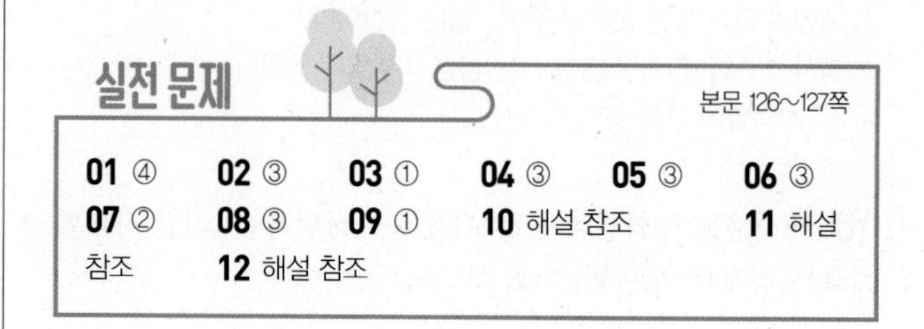

실전 문제

본문 126~127쪽

01 ④ **02** ③ **03** ① **04** ③ **05** ③ **06** ③
07 ② **08** ③ **09** ① **10** 해설 참조 **11** 해설 참조 **12** 해설 참조

01 일상생활에서 분쟁이 일어났을 때에는 당사자끼리 합의하여 평화적으로 해결하는 것이 바람직하다. 그러나 당사자끼리 분쟁을 원만하게 해결하기 어려울 때에는 재판을 통해 분쟁을 해결할 수 있다.

02 민사 재판은 개인과 개인 간의 생활에서 발생하는 법률관계에 대한 다툼을 해결하는 재판이다.

오답 피하기

①은 형사 재판, ②는 선거 재판, ④는 행정 재판, ⑤는 헌법 재판에 대한 설명이다.

03 절도는 남의 물건을 훔친 행위에 해당하므로 범죄 행위로 볼 수 있다. 사회 질서를 해치는 범죄에 대한 유무죄 여부와 형량을 결정하는 재판은 형사 재판에 해당한다.

04 제시된 사건은 민사 재판의 적용을 받는다. 민사 재판은 개인 간의 분쟁을 해결하기 위한 재판으로, 원고와 피고의 편에서 법률적인 도움을 주는 소송 대리인(변호사)이 재판에 참여할 수 있다. A씨는 원고, B씨는 피고가 된다.

05 수사 기관이 수사 후 범죄 혐의가 인정되면 검사의 공소 제기로 형사 재판이 시작된다. 공소 제기를 기소라고도 한다.

오답 피하기

①은 피고, ②는 피해자, ④는 변호인, ⑤는 변론에 대한 설명이다. 구형은 형사 재판에서, 피고인에게 어떤 형벌을 줄 것을 검사가 판사에게 요구하는 것이다.

06 그림에 나타난 재판은 범죄의 유무와 형벌의 정도를 결정하는 형사 재판이다.

오답 피하기

① 헌법 재판, ②, ⑤ 민사 재판, ④ 가사 재판에서 다룰 수 있는 사건이다.

07 형사 재판은 검사의 공소 제기로 시작되고 피고인은 변호인의 도움을 받아 자신을 변론하며 판사는 법을 사건에 적용하여 범죄의 유무와 형벌의 정도를 결정하는 판결을 내린다.

08 우리나라는 3심제를 원칙으로 하고 있으며, 1심 재판에 이의가 있으면 2심 법원에 항소, 2심 재판에 이의가 있으면 3심 법원인 대법원에 상고할 수 있다. ③ ㉠은 대법원, ㉡은 상고, ㉢은 항소에 해당한다.

09 제시된 제도들은 모두 공정한 재판을 통해 국민의 자유와 권리를 보호하는 것을 목적으로 한다.

서술형 문제

10 [예시 답안] 재판 / 재판은 갈등과 분쟁을 공정하게 해결해 주고, 억울한 일을 당한 사람을 구제하여 개인의 권리를 보호해 준다. 또한 범죄를 저지른 사람에게 형벌을 부과하여 사회 질서를 유지하는 기능도 한다.

[평가 기준]

상	재판이라고 쓰고, 그 기능으로 '분쟁 해결', '개인의 권리 보호', '사회 질서 유지' 중 두 가지를 정확하게 서술한 경우
중	재판이라고 쓰고, 그 기능 중 한 가지만 서술한 경우
하	재판이라고만 쓴 경우

11 [예시 답안] (가) 민사 재판, (나) 형사 재판 / 민사 재판은 개인과 개인 간의 분쟁을 해결하기 위한 재판이고, 형사 재판은 범죄가 발생했을 때 죄의 유무와 형벌의 정도를 결정하는 재판이다.

[평가 기준]

상	(가)는 민사 재판, (나)는 형사 재판이라고 쓰고, 그 차이점을 정확하게 서술한 경우
중	재판의 종류와 그 내용을 (가), (나) 중 한 가지만 서술한 경우
하	재판의 종류를 (가), (나) 중 한 가지만 쓴 경우

12 [예시 답안] 심급 제도 / 법관이 잘못된 판결을 내릴 가능성을 줄이고, 공정한 재판을 통해 국민의 자유와 권리를 보호하기 위해서이다.

[평가 기준]

상	심급 제도라고 쓰고, 심급 제도의 목적을 정확하게 서술한 경우
중	심급 제도라고 쓰고, '법관의 잘못된 판결 최소화'와 '국민의 자유와 권리 보호' 중 한 가지만 서술한 경우
하	심급 제도라고만 쓴 경우

대단원 마무리

본문 130~133쪽

01 ②	02 ④	03 ④	04 ④	05 ③	06 ③
07 ④	08 ④	09 ①	10 해설 참조		11 ①
12 ①	13 ⑤	14 ①	15 ③	16 ①	17 ③
18 ⑤	19 ⑤	20 ②	21 ④	22 ⑤	23 ①
24 ①	25 해설 참조				

01 (가)는 도덕, (나)는 법에 해당한다. 도덕에 비해 법의 가장 큰 특징은 국가에 의해 강제된다는 점이다. 도덕은 선의 실현을 목적으로 하며, 내면의 양심과 행위의 동기를 중시한다. 반면 법은 정의의 실현을 목적으로 하며, 겉으로 드러나는 행동과 그 행동의 결과를 중시한다.

02 A는 순수한 법의 영역으로 공동생활의 편의를 위해 만들어진 법이 이에 속한다.

오답 피하기

①, ③은 순수한 도덕 영역이고, ②, ⑤는 법과 도덕의 공통적인 영역을 나타낸다.

03 표는 도덕에 관한 내용이다. 도덕은 사람들이 양심에 따라 지켜야 할 행위의 기준이다.

오답 피하기

① 도덕은 주로 의무를 규율한다. ②, ⑤는 종교 규범, ③은 관습에 대한 설명이다.

04 법 규범이 다른 사회 규범과 구별되는 가장 큰 특징은 지키지 않을 경우 국가에 의하여 처벌을 받는다는 '강제성'이다.

05 법은 개인의 권리를 보호하고, 분쟁을 예방 또는 해결하여 사회의 평화와 질서를 유지하는 기능을 한다. ③ 인간이 양심에 따라 자발적으로 지키도록 하는 규범은 도덕이다. 법은 사람의 외적인 행위를 중시하며, 다른 사람의 권리를 침해하거나 사회 질서를 어지럽히는 행위를 했을 때 국가에 의해 일정한 제재를 받는다.

06 그림은 자동차의 결함으로 차가 망가진 경우 제조물 책임법에 따라 자동차 제조 회사가 이를 책임져야 한다는 내용이다. 이와 같이 법은 사회 구성원에게 분쟁 해결의 기준과 방법을 명확하게 제공하여 각종 분쟁을 효율적이고 합리적으로 해결하는 데 도움을 준다.

오답 피하기

② 분쟁이 발생할 경우 당사자 간의 합의를 통해 해결하는 것이 가장 바람직하지만, 이해관계나 의견의 차이로 해결이 어려운 경우 법을 통해 해결한다.
④ 단순한 자동차 고장이 사회에 악영향을 끼치는 범죄라고 볼 수 없다.
⑤ 그림은 국가에 의해 개인의 자유가 침해되고 있는 사례가 아니다.

07 법은 우리의 일상생활 속에 함께하면서 우리에게 큰 영향을 미친다. 학교생활에서 등하굣길은 도로 교통법에 따라 어린이 보호 구역으로 지정되며, 학교 주변은 청소년 보호법에 따라 해로운 환경으로부터 보호받는다.

08 제시된 내용은 법이 추구하는 목적 중 정의에 해당한다. 법은 사회 구성원들의 합의에 따라 국가가 제정한 규범으로 지키지 않을 경우 국가에 의해 제재를 받는다.

09 개인 간의 사적인 재산 관계나 약혼과 결혼, 친족, 유언, 상속 등에 관한 사항은 민법의 영역이다.

서술형 문제

10 [예시 답안] (가) 사법, (나) 공법 / 공법은 공적인 생활 관계를 규율하고, 사법은 사적인 생활 관계를 규율한다.

[평가 기준]

상	(가)는 공법, (나)는 사법이라고 쓰고, 그 차이점을 규율 대상을 중심으로 정확하게 서술한 경우
중	(가)는 공법, (나)는 사법이라고 썼으나, 그 규율 대상은 (가), (나) 중 한 가지만 서술한 경우
하	(가)는 공법, (나)는 사법이라고만 쓴 경우

11 ㄱ, ㄴ. 부동산 거래와 출생 신고는 개인 생활을 규율하는 사법에 해당한다.

오답 피하기

ㄷ. 국민 주권의 원리는 헌법에 명시된 기본권이다.
ㄹ. 형법으로 공적 생활을 규율하는 공법에 해당한다.

12 세금 납부는 개인과 국가 기관 간의 공적인 생활 영역에 해당하므로 공법 영역의 규율을 받는다.

오답 피하기

② 출생 신고, ③ 물건 구입, ④ 대출, ⑤ 부동산 거래는 개인 간의 사적인 생활 영역에 해당하므로 사법 영역의 규율을 받는다.

13 (가)는 사회법이다. 법은 사적 생활을 규율하는 사법, 공적 생활을 규율하는 공법, 사적 생활 영역에 국가가 공적으로 개입하여 사회·경제적 약자를 보호하는 사회법으로 나누어진다. 사회법은 자본주의의 발달로 인한 빈부 격차, 노사 갈등 등 여러 가지 사회 문제를 해결하기 위해 등장하였으며, 국민의 실질적 평등을 보장하기 위한 법이다.

14 제시된 법들은 모두 사회법에 속한다. 사회법은 사적인 생활 영역에 국가가 개입하여 만들어진 새로운 유형의 법으로, 사회·경제적 약자의 권리를 보호하여 모든 국민에게 최소한의 인간다운 삶을 보장하기 위하여 등장하였다.

오답 피하기

ㄷ. 사회법 중 경제법에만 해당하는 내용이다.
ㄹ. 사회법 중 노동법에만 해당하는 내용이다.

15 국민의 권리와 의무 및 국가의 통치 구조를 정해 놓은 법은 헌법이다.

오답 피하기

① 개인과 국가 또는 국가 기관 상호 간의 공적 생활 관계를 규율하는 법은 공법이다.
② 개인 간의 사적 생활을 규율하는 법은 사법이다.
④ 개인 간의 재산 관계와 가족 관계를 규율하는 법은 민법이다.
⑤ 상인과 기업의 경제생활 관계를 규정한 법은 상법이다.

16 사례는 민사 재판에 해당한다. 민사 재판에서는 피해를 입은 원고가 법원에 소장을 제출하면 법원이 소송을 당한 피고를 소환한다. 필요에 따라 원고와 피고는 변호사를 고용할 수 있다. ① 형사 재판에서는 검사가 공소를 제기하여 재판이 시작된다.

17 민사 재판은 개인 간의 분쟁을 해결하기 위한 재판이므로 주로 민법과 상법에서 다루게 되는 사건을 심판한다. ③ 친구에게 돈을 빌려주고 제 날짜에 받지 못한 사건은 만사 재판을 통해 해결할 수 있다.

오답 피하기

①, ②, ④, ⑤ 모두 형사 사건에 해당하므로 형사 재판이 이루어진다. 형사 재판은 범죄의 유무를 판단하고 형벌의 정도를 결정하는 재판이다.

18 대본에 나타난 모의재판은 갑과 을의 채권·채무에 관한 다툼을 해결하기 위한 민사 재판이다. 따라서 갑은 원고, 을은 피고가 된다.

오답 피하기

ㄱ. 형사 재판이라면 갑이 을을 수사 기관에 고소하여 검사가 소송을 제기하였을 것이다.

ㄴ. 을이 법원의 판결을 이행하지 않을 경우 법원은 강제 집행이 가능하다.

19 행정 재판은 행정 기관이 국민의 권리를 침해하였는지를 판단하는 재판이다.

오답 피하기

①은 선거 재판, ②, ③은 형사 재판, ④는 민사 재판의 사례이다.

20 절도와 관련된 재판은 형사 재판을 통해 해결한다. 형사 재판은 범죄 혐의가 있는 피의자에 대하여 수사를 한 후 검사가 법원에 기소함으로써 시작된다.

21 형사 재판은 '범죄 발생 → 고소 또는 고발 → 피의자 수사 → 검사의 기소 → 검사의 구형 및 피고인의 변론 → 판사의 판결' 순서로 진행된다.

22 그림은 국민 참여 재판의 절차를 나타낸 것이다. 국민 참여 재판은 일반 국민이 배심원으로 형사 재판 과정에 참여하여 사실 관계에 대해 일정한 판단을 내려주는 재판이다. 재판에 참여하는 배심원들은 만장일치로 피고인의 유죄 여부를 결정한다. 그러나 만장일치가 되지 않을 경우에는 판사의 의견을 들은 후 다수결로 평결할 수도 있다. 다만 배심원들의 평결은 재판부에 대해 권고의 효력만 가지므로 판사는 이들의 판단과는 다르게 판결할 수도 있다.

23 헌법 조항에는 증거 재판주의가 원칙이라는 내용이 나타나 있다. 증거 재판주의란 재판에서 사실의 인정은 반드시 증거에 의하여야 한다는 원칙으로 다른 증거 없이 자백만으로는 유죄를 판결하여 처벌할 수 없도록 하는 재판의 운영 원리이다.

24 사례를 통해 심급 제도를 알 수 있다. 심급 제도란 급을 달리하는 법원에서 여러 번 재판을 받을 수 있도록 하는 제도이다. 우리나라에서는 법관의 오판 가능성을 줄이고 좀 더 공정한 재판을 통해 국민의 자유와 권리를 보호하기 위해서 기본적으로 3심제를 운영하고 있다.

서술형 문제

25 **[예시 답안]** 대법원 / 심급 제도의 목적은 법관이 잘못된 판결을 내릴 가능성을 최소화하여 국민의 자유와 권리를 보호하기 위해서이다.

[평가 기준]

상	대법원이라고 쓰고, 심급 제도의 목적을 정확하게 서술한 경우
중	대법원이라고 쓰고, '법관의 잘못된 판결 최소화'와 '국민의 자유와 권리 보호' 중 한 가지만 서술한 경우
하	대법원이라고만 쓴 경우

XII. 사회 변동과 사회 문제

01 현대 사회의 변동

기본 문제

본문 138~139쪽

간단 체크

1 (1) 산업 (2) 시민 혁명 (3) 전파 **2** (1) 산업 혁명 (2) 산업화 (3) 세계화 (4) 획일화 **3** (1) ○ (2) × **4** (1) ㄱ, ㅁ (2) ㄴ, ㅂ (3) ㄷ, ㄹ

기본 문제

01 ② **02** ① **03** ① **04** ③ **05** ② **06** ③
07 ① **08** 정보 격차 **09** ②

01 사회 구조와 사람들의 생활 방식, 사회적 관계와 의식 구조 등이 총체적으로 변화하는 현상을 사회 변동이라고 한다.

02 중국에서 발명된 나침반이 유럽으로 전파되면서 항해술의 발달과 신항로 개척에 영향을 준 것이므로 사회 변동의 요인 중 문화 전파에 해당한다.

03 현대 사회는 사회 변동 속도가 매우 빠르며 특정 영역에서 발생한 변화가 급속히 퍼져 사회 전반으로 범위가 확대되는 특징을 보인다. 특히 정보 통신 기술의 발달로 시간과 공간의 제약이 줄어들면서 정보와 지식의 이동이 자유로워졌으며, 국경의 의미도 약화되었다.

04 발명 시계에서 인류의 역사를 12시간으로 보았을 때 대부분의 주요 발명품은 11시 55분 이후에 만들어졌다. 이를 통해 현대 사회로 올수록 사회 변동의 속도가 빨라지고 있음을 알 수 있다.

05 산업 혁명을 통한 산업화는 대량 생산 체제를 통해 경제적·물질적 풍요를 가져왔다. 또한 교육의 기회가 확대되어 대중의 사회적 지위가 향상되었으며, 정치에 참여할 수 있는 기회가 늘어났다. 그러나 환경 오염, 노사 갈등, 빈부 격차 등의 부작용이 나타나게 되었다.

06 제시된 내용은 산업화에 해당한다. 18세기 이후 시작된 산업 혁명은 기술 혁신에 힘입어 수공업 생산 방식에서 대규모 공장제 생산 방식으로 전환되었고, 이로 인해 생산성 증대와 자본주의 체제가 발달하게 되었다. 공업의 발달로 일자리를 찾아 인구가 도시로 이동함으로써 도시화가 촉진되었고, 교육의 기회가 확대되어 대중의 정치적 참여가 가능해졌으며, 대중의 사회·경제적 지위가 향상되어 대중 사회로 이행하였다.

오답 피하기

ㄱ. 도시화 과정에서 도시와 농촌 간의 경제적 격차가 커지고 빈부 격차도 심화되었다.

ㄹ. 시공간의 제약에서 벗어나 전자 상거래가 활성화된 것은 정보 사회의 특징이다.

07 정보 통신 기술의 발달에 따라 정보·지식 산업이 사회의 주도적인 산업으로 발전하고 제조업의 비중은 상대적으로 작아지게 되었다. 정보 사회에서는 전자 상거래가 활성화되는데, 이에 따라 전자 결제의 필요성이 커지므로 현금보다는 신용 카드의 사용이 증가하게 된다. 또한 인터넷 쇼핑몰과 같은 새로운 시장 형태의 확산으로 재래시장의 기능은 약화된다.

08 정보 사회는 지식과 정보가 부가가치의 원천이 되므로 지식과 정보에 대한 접근성 또는 소유 정도의 차이는 정보 격차를 유발하게 되며, 이것이 빈부 격차로 악순환이 될 가능성이 높다. 이 외에도 인터넷 중독 및 사이버 범죄 증가, 개인 정보 유출로 인한 사생활 침해 등이 정보 사회에서 나타날 수 있는 문제점이다.

09 자료는 한국의 세계화를 보여 준다. 세계화는 국경을 넘어 사람과 물자, 기술, 자본 등이 자유롭게 이동하면서 국가 간의 상호 의존성이 높아지는 현상을 의미한다.

실전 문제

본문 140~141쪽

01 ④ **02** ① **03** ③ **04** ③ **05** ③ **06** ⑤ **07** ① **08** ③ **09** ② **10** 해설 참조 **11** 해설 참조

01 (가)는 과학 기술의 발달에 따라 사회가 변동된 사례이다. (나)는 현대 사회의 저출산·고령화 현상으로 인구 구성의 변화에 따라 사회가 변동된 사례이다. 특히 교통·통신 및 과학 기술의 발전은 현대 사회의 변동에 큰 영향을 미치고 있다.

02 (가)는 정보 사회이다. 정보 사회는 지식과 정보가 중심이 되는 사회로, 다품종 소량 생산 체제가 일반화되면서 개성과 다양성이 중시된다. 또한 전자 투표, 정치적 의견 개진 등이 가능해지면서 전자 민주주의가 실현되었다.

오답 피하기

ㄷ. 자본과 노동력이 중심이 되는 산업 사회에서는 대량 생산과 대량 소비가 이루어졌다.

ㄹ. 정보 사회에서는 전자 민주주의가 확산되면서 시민의 정치 참여가 늘어난다.

03 제시문은 산업화를 보여 준다. 산업 혁명을 통해 공장제 기계 공업이 발달하였으며, 이를 통해 대량 생산·대량 소비가 가능해지면서 사람들의 생활이 풍요로워졌다. 그러나 환경 오염, 빈부 격차, 인간 소외 현상, 가치관의 혼란 등의 문제가 나타났다.

04 A 사회는 농업 사회, B 사회는 산업 사회이다. 18세기 영국에서 일어난 산업 혁명으로 농업 사회에서 산업 사회로 이행되었다. ③ 산업 혁명은 18세기 중엽 영국에서 시작된 기술 혁신으로, 기계가 면직물 분야의 동력원으로 사용됨에 따라 대량 생산이 가능해지면서 시작된 커다란 변화이다.

05 제시된 신문 기사 목록은 PC 보급률, 사이버 가정 학습, 인터넷 사용 증가 등 정보화의 모습을 보여 주고 있다.

06 정보 통신 기술의 발달로 지식과 정보가 중심이 되는 정보 사회에서는 시간과 공간의 제약으로부터 벗어나 자유로운 의사소통이 가능해졌으며, 전자 상거래와 재택근무가 가능해져 개인이 선택의 폭이나 여가 시간이 확대되었으며, 첨단 공학 산업 등 3차 산업의 비중이 증대되었다. ⑤ 인터넷 쇼핑, 홈쇼핑 등으로 유통 비용이 감소되었다.

07 제시된 내용은 세계화 추세에 해당한다. 세계화는 국경을 넘어 사람과 물자, 기술, 자본 등이 자유롭게 이동하면서 국가 간 상호 의존성이 높아지는 현상이다.

08 신문 기사는 하나의 제품이 완성되기 위해서 여러 나라의 부품과 노동력이 필요함을 설명하고 있다. 이는 경제적 국경이 사라지고 하나의 거대한 단일 시장으로 통합되는 현상인 세계화와 관련 있다.

09 세계화로 국가 간에 교류가 많아지고 상호 의존성이 심화되었으며, 강대국의 영향력이 커지고 있다. 그러나 강대국이 약소국에 정치적 영향력을 끼쳐 약소국의 독립성과 자율성을 침해할 가능성이 커져 반세계화 시위가 곳곳에서 일어나기도 한다.

서술형 문제

10 [예시 답안] 과학 기술의 발달 / 현대 사회로 올수록 과학 기술의 발달로 사회 변동의 속도가 빨라지고 있다.

[평가 기준]

상	과학 기술의 발달이라고 쓰고, 사회 변동의 속도가 빨라지고 있다고 정확하게 서술한 경우
중	과학 기술의 발달이라고 쓰고, 사회 변동이 이루어진다고만 서술한 경우
하	과학 기술의 발달이라고만 쓴 경우

11 [예시 답안] (가) – 정보화, (나) – 세계화 / 정보화에 따라 전자 민주주의가 확산되어 시민의 정치 참여가 활발해지고, 다품종 소량 생산이 가능해져 개인의 선택 폭이 넓어지며, 시간적·공간적 제약이 줄어들면서 정보와 지식의 이동이 자유로워진다. 세계화에 따라 서구 사회의 민주주의 이념과 가치가 확산되고, 소비자의 상품 선택 기회가 확대되며, 문화 교류가 활발해져 다양한 문화를 접할 수 있게 된다.

[평가 기준]

상	(가)는 정보화, (나)는 세계화라고 쓰고, 정보화와 세계화의 긍정적 영향을 정확하게 서술한 경우
중	(가)는 정보화, (나)는 세계화라고 쓰고, 정보화와 세계화의 긍정적 영향 중 한 가지만 정확하게 서술한 경우
하	(가)는 정보화, (나)는 세계화라고만 쓴 경우

02 한국 사회 변동의 최근 경향

기본 문제 본문 144~145쪽

간단 체크

1 (1) 정부 (2) 정보화 (3) 저출산 (4) 만 65세 (5) 다문화 **2** (1) 감소, 연장 (2) 합계 출산율 (3) 증가 (4) 부족 **3** (1) 저 (2) 저 (3) 고 (4) 저
4 (1) ㉠ (2) ㉢ (3) ㉡

기본 문제

01 ② **02** ③ **03** ① **04** ① **05** ④ **06** ③
07 ② **08** ② **09** ④ **10** ④

01 우리나라는 세계에서 유래를 찾아보기 어려울 만큼 빠른 경제 성장을 이루었다. 한국 사회는 경제 분야에서뿐만 아니라 정치, 사회, 문화 분야에서도 커다란 변화를 겪었다. 경제 성장을 우선하는 국가 정책으로 도시가 급속히 발전하였다.

오답 피하기

ㄴ. 한국 사회는 급속한 신업화로 농촌과 도시, 대기업과 중소기업, 부유층과 빈곤층 간의 격차가 커지면서 불균형적인 성장을 해 왔다.
ㄷ. 한국 사회는 정부가 주도하는 경제 개발을 통해 급속한 경제 성장을 이루었다.

02 우리나라는 1960년대 이후 국민 경제 발전을 목적으로 5년 단위로 정부가 주도했던 경제 개발 5개년 계획을 추진하였다. 경제 개발 계획이 추진됨에 따라 '한강의 기적'이라 불리는 고도의 성장을 이루었으나, 경제의 대외 의존 심화, 빈부 격차, 지역 간 불균형 심화, 대기업 위주의 경제 구조가 출현하는 등의 부작용을 가져오기도 했다.

03 한국 사회는 서구와 달리 정부가 주도하는 경제 개발을 통해 급속한 경제 성장을 이루었다. 한국 사회는 1960년대 초까지는 전형적인 농업 사회였으며, 1960년대 중반 이후 정부가 주도하는 경제 개발 정책을 통해 빠르게 산업 사회로 이행하였다. 1990년대 이후 정보 통신 기술이 비약적으로 발달하면서 정보 사회로 진입하였다.

04 저출산의 원인으로는 여성의 교육 수준 향상과 사회 활동 증가, 자녀 양육에 대한 경제적인 부담 증가, 결혼 연령의 상승, 자녀에 대한 가치관의 변화 등이 있다. ① 생활 수준의 향상과 의료 기술의 발달로 평균 수명이 연장되면서 전체 인구 중 노인 인구가 차지하는 비율이 빠르게 증가하였다.

05 출산율이 지속적으로 하락하면 생산 활동에 종사할 수 있는 노동력이 줄어들게 되므로 노동 생산성의 저하와 이로 인한 경제 침체, 장기적으로 생산 가능 인구의 감소로 국가 경쟁력의 하락을 불러오게 된다. ④ 부부의 이혼율 증가는 여성의 경제 활동 증가와 가치관의 변화로 발생한다.

06 65세 이상 노인 인구의 비율이 전체 인구의 7% 이상이면 고령화 사회, 14% 이상이면 고령 사회, 20% 이상이면 초고령 사회라고 한다. 우리나라는 2000년에 고령화 사회에 진입하였다.

07 저출산은 출산율이 낮아져 신생아 수가 현재 사회를 안정적으로 유지하기에는 부족한 상태를 의미하고, 고령화는 전체 인구 중 65세 이상 노인 인구의 비율이 높아지는 현상이다. 고령화는 전체 인구 중 노인 인구의 비중을 나타내는 지표이기 때문에, 신생아 수가 감소하는 저출산 현상이 발생하면 자연스럽게 고령화 현상도 나타나게 된다. 따라서 생산 가능 인구의 감소로 경제 성장이 둔화되고 국가 경쟁력이 약화되며 경제 인구 1인당 노인을 돌보는 비용인 노년 부양비 부담이 증가하게 된다.

08 국내에 외국인 유입이 증가하고 국제결혼이 증가하는 이유는 경제 성장에 따른 내국인의 임금 수준에 대한 기대 상승과 경제 활동 인구의 감소로 외국인 이민자가 증가하는 데 있다. 또한 결혼관의 변화로 외국인과의 국제결혼이 증가하였으며, 유학생도 증가 추세이다.

오답 피하기

ㄴ, ㄷ. 여성의 학력 신장에 따른 사회 진출 증가, 내·외국인 간 경제적 격차는 외국인 유입과 직접적인 관련성이 없다.

09 다문화 사회에서는 현실적으로 단일 민족적 성격을 유지해나가기가 어렵다. 따라서 다양한 문화 접촉 기회를 문화 발전의 기회로 삼고, 다름을 인정하고 문화적 차이를 받아들일 수 있는 열린 자세로 서로를 받아들여야 한다.

10 다문화 사회에서는 다양한 문화적 자극을 통해 문화 간의 교류가 활발해지면서 문화의 선택 폭이 넓어진다. 그 결과 사회의 전반적인 문화 수준이 높아지고 사회 구성원들은 문화적으로 더욱 풍성한 삶을 누릴 수 있게 된다. ④ 민족 문화에 대한 자부심은 약화될 가능성이 크다.

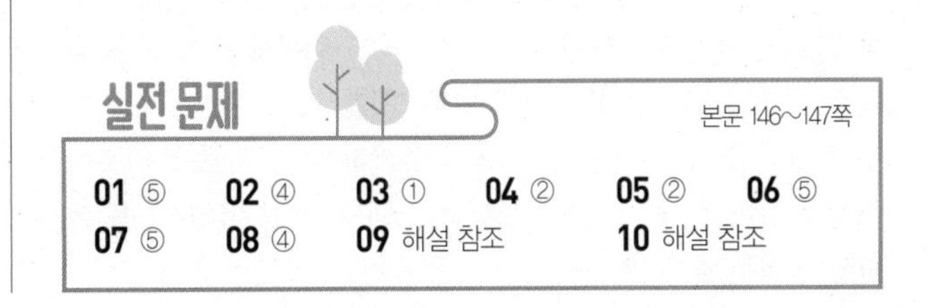

실전 문제 본문 146~147쪽

01 ⑤ **02** ④ **03** ① **04** ② **05** ② **06** ⑤
07 ⑤ **08** ④ **09** 해설 참조 **10** 해설 참조

01 우리나라는 1960년대 이후 정부 주도의 급속한 산업화가 이루어졌으며, 1980년대 이후 민주화 과정을 거쳐 정보 사회로 진입하였다. ⑤ 1960년대 이후 산업화에 따른 이촌 향도 현상으로 도시에는 도시 문제, 환경 오염, 빈부 격차 등의 문제가 발생하였고, 농촌에서는 노동력 부족 문제가 나타나게 되었다.

02 우리나라는 1960년대 이후 정부 주도의 경제 개발 정책으로 농업 사회에서 산업 사회로 변화하였다. 한국 사회는 50년 남짓한 짧은 기간에 산업화와 정보화를 모두 이루어 내는 급격한 사회 변동을 경험하였다. 그 결과 생활 환경이 개선되고 국민들의 삶의 질이 향상되었지만 정부 주도의 경제 개발로 산업 구조가 불균형해지고 빈부 격차와 지역 격차가 커지는 등의 문제점이 나타나기도 하였다.

03 (가)는 저출산 문제에 해당한다. 오늘날 저출산 문제는 제도적 장치의 부족을 가장 큰 원인으로 볼 수 있다. 직장 여성이 아이를 낳았을 때 일과 가정을 양립할 수 있는 사회적·제도적 장치가 잘 마련되어 있어야 한다. 그 외에 양육비와 교육비가 과중한 부담으로 작용하기 때문에 아이 낳기를 기피하기도 한다.

04 그래프를 보면 우리나라는 앞으로 노인 인구가 생산 가능 인구를 추월하여 초고령 사회가 될 전망이다. 전체 인구 중에서 노인 인구의 비중이 커질 경우 생산 활동에 참여하는 인구가 적어지므로 노동의 생산성이 낮아질 것이다. 또한 노인 부양에 따른 복지 비용 증가와 함께 실버산업의 발달, 노인층의 정치적 영향력 강화 등을 예상해 볼 수 있다. ② 세대 갈등 현상이 완화될 수 있을지는 예상하기 어렵다. 오히려 젊은층의 부양 부담 증가로 세대 갈등이 악화될 소지가 크다.

05 다문화 사회란 서로 다른 문화들이 공존하는 사회이다. 우리 사회는 외국인 근로자, 국제결혼 이민자, 외국인 유학생 등이 늘면서 다문화 사회로 변화하고 있다. 따라서 국제결혼 비율과 다문화 가정의 비율, 우리나라에 거주하는 외국인 노동자 비율 등의 자료를 통해 한국 사회 변동의 최근 경향을 알 수 있다.

오답 피하기

ㄴ. 여성의 경제 활동 참여율이 증가하면 출산을 미루거나 기피할 수 있으므로 저출산에 대한 자료가 될 수 있다.
ㄷ. 국내의 도시와 각국의 도시 간 자매결연 체결 현황은 세계화에 대한 자료가 될 수 있다.

06 그래프를 통해 우리나라가 저출산·고령화 사회임을 알 수 있다. 합계 출산율은 국가별 출산율 수준을 비교하는 주요 지표로 2020년 우리나라의 합계 출산율은 1.35명으로 매우 낮아 저출산 국가에 해당한다. 우리나라 65세 이상 노인 인구 비율은 지속적으로 증가 추세에 있다. 저출산으로 생산 가능 인구가 줄어들고, 노인 인구 비율이 증가하여 사회 보장 비용이 증가할 것이다. ⑤ 제시된 자료로는 자녀의 수를 알 수 있을 뿐 출생 성비는 알 수 없다.

오답 피하기

① 저출산으로 총 인구수는 계속 감소하고 있다.
② 고령화 현상은 경제 활동이 가장 활발한 시기에 해당하는 15~64세의 생산 가능 인구와 생산 가능 인구 중 일하고자 하는 의지가 있는 경제 활동 인구를 감소시켜 경제 성장을 둔화시킨다.
③ 저출산으로 취학 아동의 수는 감소할 것이다.
④ 노인 인구수의 증가로 노인들을 위한 사회 시설 및 의료 서비스 등을 지원하기 위한 사회 보장 비용이 증가한다.

07 제시된 내용에서 다문화 가정의 갈등은 가족 관계를 둘러싼 제도와 문화 간 차이 때문임을 알 수 있다. 우리나라는 가부장적 전통문화를 중시하는 반면, 동남아시아 여성들은 가족 내에서 부인과 어머니로서 권한이 강하고 친정과의 관계도 돈독하다. 가족 문화의 이런 차이는 구성원의 역할에 대한 기대의 차이를 낳아 갈등을 야기한다.

08 다문화 사회로의 변화에 따라 다른 문화의 다양성을 존중하고 서로 다른 민족과 문화를 포용하는 태도와 이주민의 고용, 의료, 교육 등에 관한 제도적 지원이 필요하다. ④ 자문화 중심주의적인 태도를 지양하고 문화 상대주의적 태도가 필요하다. 문화 상대주의는 문화는 우열을 가릴 수 없다고 생각하고 각 문화는 처한 환경이나 상황에 따라 다르게 이해하는 태도이다.

서술형 문제

09 **[예시 답안]** 저출산 현상 / 출산과 양육을 지원하는 정책과 제도를 마련한다. 육아 휴직 제도와 영유아 보육비 지원을 확대한다. 양성평등 문화의 확립을 통한 여성의 육아 부담을 경감한다. 등

[평가 기준]

상	저출산 현상이라고 쓰고, 저출산 현상의 대응 방안을 두 가지 정확하게 서술한 경우
중	저출산 현상이라고 쓰고, 저출산 현상의 대응 방안을 한 가지만 서술한 경우
하	저출산 현상이라고 쓴 경우

10 **[예시 답안]** 저출산·고령화 현상 / 생산 가능 인구의 감소로 경제 성장이 둔화되고, 국가 경쟁력이 약화되며, 노인 인구 부양 부담이 증가한다. 노인 빈곤, 질병, 소외감 등의 노인 문제가 발생한다. 등

[평가 기준]

상	저출산·고령화 현상이라고 쓰고, 저출산·고령화 현상의 문제점을 두 가지 정확하게 서술한 경우
중	저출산·고령화 현상이라고 쓰고, 저출산·고령화 현상의 문제점을 한 가지만 서술한 경우
하	저출산·고령화 현상이라고만 쓴 경우

03 현대 사회의 사회 문제

기본 문제

본문 150~151쪽

간단 체크

1 (1) ○ (2) ○ (3) × (4) × **2** (1) ㄷ, ㄹ (2) ㄱ, ㄴ **3** ㄴ, ㄹ, ㅂ
4 (1) ㉡ (2) ㉠ (3) ㉢ **5** (라) – (가) – (마) – (다) – (나)

기본 문제

01 ⑤ **02** ⑤ **03** ③ **04** ② **05** ③ **06** ⑤
07 ⑤ **08** ③ **09** ②

01 사회 문제는 대다수가 해결되어야 한다고 인식하는 문제로, 시대나 사회적 상황에 따라 상대성을 지니고 있다.

02 사회 문제는 사회 구성원 대다수가 개선되어야 한다고 생각하는 사회 현상으로, 발생 원인이 사회에 있고 인간의 노력으로 해결이 가능한 것이어야 한다.

오답 피하기

①, ④ 사회 문제는 대다수가 개선되어야 한다고 보는 문제로, 개인에 관련된 문제는 사회 문제가 아니다.
②, ③ 지진과 집중 호우는 자연재해로 발생 원인이 사회 내부에 있지 않으며, 인간의 노력으로 해결할 수 없으므로 사회 문제가 아니다.

03 개발 도상국은 높은 출생률과 낮은 사망률로 인구가 급증하고 있으며 세계 인구 성장을 주도하고 있다. 이러한 개발 도상국의 인구 급증은 인구 과잉 문제로 이어져 일자리, 주택 부족 등의 사회 문제가 나타날 수 있다.

오답 피하기

①, ②, ④, ⑤는 선진국의 인구 문제에 해당한다.

04 그래프는 노동 문제 중 실업 문제를 나타내는 것이다. 노동 문제는 자아실현과 삶의 질을 결정하는 데 직접적인 영향을 주는 사회 문제이다.

오답 피하기

④ 정보 격차는 교육 수준, 지역, 소득 수준, 성별 등의 차이로 정보의 접근성과 이용에 관한 불균형이 발생하여 사회·경제적 불균형이 발생하는 현상이다.

05 사진은 지구 온난화로 북극의 빙하가 녹고 있는 상황을 상징적으로 나타낸 것이다. 지구 온난화는 온실가스의 증가로 지구의 평균 기온이 점점 높아지는 현상으로, 해수면 상승, 이상 기후 현상 등이 나타난다.

오답 피하기

① 사막화는 과도한 농경지와 목축지 개발로 발생한다.
② 황사는 주로 건조한 봄철에 중국 중부와 북부 내륙 지역에 있는 사막의 모래와 먼지가 상승하여 서풍을 타고 날아가 서서히 가라앉는 현상을 말한다.
④ 산업화에 따른 무분별한 개발로 수질 오염이 심화되었다.
⑤ 오존층이 파괴되어 자외선이 그대로 지구에 도달하면 안구 질환을 유발한다.

06 제시된 내용은 장애인, 여성, 외국인 근로자 등 사회적 약자들의 지위와 권리를 보호하는 법으로, 이를 통해 사회적 약자의 차별을 해소하고자 한다. 장애인 고용 촉진법 및 직업 재활법은 장애인의 능력에 맞는 직업생활을 통하여 인간다운 생활을 할 수 있도록 장애인의 고용 촉진 및 직업 재활을 도모함을 목적으로 하는 법이다. 남녀 고용 평등과 일·가정 양립 지원에 관한 법률은 헌법의 평등 이념에 따라 고용에서 남녀의 평등한 기회 및 대우를 보장하는 한편, 모성을 보호하고 직업 능력을 개발하여 근로 여성의 지위 향상과 복지 증진에 기여함을 목적으로 한다.

07 현대 사회는 빠르고 복잡하게 변해가고 있으며, 이에 따라 다양한 사회 문제가 나타나고 있다. 이러한 사회 문제를 해결하기 위해서는 개인적 차원에서 사회 구성원 모두가 공동체 의식을 가지고 사회 문제 해결에 적극적으로 참여해야 한다.

08 현대 정보 사회의 문제점인 인터넷 중독에 관한 내용이다. 정보 사회의 문제점은 이 밖에도 사생활 침해, 불건전 정보 유통, 불법 해킹 등이 있으며, 이는 개인적 문제가 아니므로 사회 제도적인 노력이 시급하다.

09 빈곤 문제와 같은 전 지구적 차원의 문제는 특정 지역뿐만 아니라 지구 전체에 영향을 미치므로 이를 해결하기 위해서는 세계 시민 의식과 지구 공동체 의식을 바탕으로 다른 민족 및 문화권의 고통을 함께 해결하려는 노력이 요구된다. 갑: 개인적 차원에서 환경 문제를 해결하려는 노력이다. 정: 빈곤 문제 등 전 지구적 차원의 문제는 개인주의 가치관에서 벗어나 지구 공동체 의식과 국제적 차원의 협력이 필요하다.

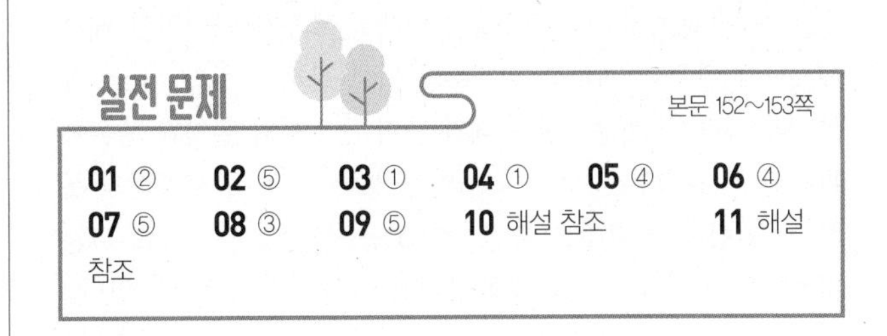

실전 문제

본문 152~153쪽

01 ② **02** ⑤ **03** ① **04** ① **05** ④ **06** ④
07 ⑤ **08** ③ **09** ⑤ **10** 해설 참조 **11** 해설 참조

01 이전부터 지속되어 온 사회 문제인지, 새롭게 발생한 사회 문제인지는 사회 문제의 요건에 해당되지 않는다. 사회 문제는 사회에 따라 달라질 수 있는 상대성을 특징으로 갖는다.

02 사회 문제는 발생 원인이 사회 내부에 있고 인간의 노력으로 해결 가능한 것으로 인간의 무분별한 개발로 인한 공해와 자연환경 훼손이 초래한 환경 오염, 이로 인한 이상 기후 등으로 인해 나타나는 자연재해는 사회 문제로 볼 수 있다.

03 사회 문제는 시대나 사회적 상황에 따라 상대성을 지니고 있다. 사회가 중시하는 가치가 달라지면서, 혹은 특정 현상이 사회 구성원에게 더 많은 영향을 끼치게 되면서 새롭게 사회 문제로 인식되기도 한다.

04 선진국에서는 출생률과 사망률이 모두 낮아서 인구 증가 수준이 정체되거나 인구가 감소하는 현상이 나타난다. 그에 따라 저출산·고령화에 따른 생산성 감소 문제, 노동력 부족, 노인·사회 복지 문제, 노년 부양비 부족 등의 문제들이 발생한다.

오답 피하기

ㄷ, ㄹ. 개발 도상국에서 나타나는 인구 문제이다.

05 사막화는 오랜 가뭄과 무분별한 개발로 숲이 사라지고 토지가 사막으로 변해 가는 현상이다. 사막화의 주원인으로는 강수량 부족이나 삼림의 무분별한 파괴, 목초지의 과도한 개발 등을 들 수 있다. 유엔 사막화 방지 회의의 자료에 따르면 사하라 사막 주변은 연평균 10km의 속도로 사막이 확장되고 있으며 해마다 전세계적으로 600만 ha의 광대한 토지가 사막화되고 있다고 한다. 이에 대한 국제적 인식이 증대되어 국제 연합 사막 대책 협의회(UNCCD)를 중심으로 그 대책이 논의되고 있다.

06 헌법 조항은 우리 사회가 정치적·경제적·사회적·문화적 생활의 모든 영역에서 차별을 받지 않는 평등한 사회를 지향하고 있음을 보여 준다. ㄴ. 외국인 근로자의 저임금과 임금 체불을 당연시 하는 기업 문화는 사회적 차별에 해당한다. ㄹ. 여성의 사직을 권고하는 기업 문화는 사회적 약자인 여성을 차별하는 사회 문제에 해당한다.

오답 피하기

ㄱ. 과도한 농경지와 목축지 개발로 발생한 문제는 환경 문제에 해당한다.
ㄷ. 성장을 중시하는 사용자와 분배를 중시하는 노동자 간의 노사 문제는 노동 문제에 해당한다.

07 노동 문제는 기업을 운영하여 최대한의 이윤 추구를 목적으로 하는 사용자와 노동을 통해 최대한의 임금을 받아 생활을 영위하려는 근로자 사이의 이해관계 때문에 발생한다. 일반적으로 노사 관계에서는 사용자에 비해 근로자가 약자이기 때문에, 노사 갈등을 제외한 대부분의 노동 문제는 실업, 임금 체불, 임금 격차, 비정규직 문제와 같이 근로자의 권익과 생존에 관련된 문제이다. ⑤ 최근에는 안정적으로 신분을 보장받지 못하고, 기간제의 형태로 불안정한 고용 상태를 유지하고 있는 비정규직 문제가 노동 문제의 중요한 단면으로 떠오르고 있다.

08 우리 사회에서는 노동자와 사용자 간에 임금이나 근로 환경을 둘러싸고 대립하여 노사 갈등을 일으키기도 한다. 노동 문제를 해결하기 위해서는 기업과 노동자는 상호 협력을 바탕으로 한 신뢰를 구축하여 기업의 경쟁력을 향상하기 위해 노력하고, 정부는 사회적 약자인 근로자를 보호하고 지원하기 위한 정책을 수립하고 시행해야 한다.

오답 피하기

①, ② 선진국의 인구 문제, ④ 환경 문제의 해결 방안이다.

09 지속 가능한 발전은 사회적 측면에서 자연과 조화를 이루는 건강하고 생산적인 견딜 만한 삶을 지향하고, 경제적 측면에서 생태계와 환경을 훼손하지 않고 인류가 지속적으로 발전할 수 있는 경제 개발을 추구한다. 환경적 측면에서는 후손을 생각하고 현재 세대도 쾌적하게 살 수 있는 깨끗한 환경을 조성하는 것을 의미한다. 지속 가능한 발전이란 용어는 초기에는 생태 개발만을 의미하였으나, 리우 선언 이후 개념이 확장되어 최근에는 환경을 보전하는 경제 성장과 더불어 인권 보장과 사회 정의 실현 그리고 국가 간 교류와 협력 등 다각적인 의미에서의 지속 가능한 발전을 추구하고 있다.

서술형 문제

10 **[예시 답안]** (나) / (가)는 자연재해로 발생 원인이 사회 내부에 있지 않고 인간의 노력으로 해결할 수 없기 때문에 사회 문제가 아니다. 반면, (나)는 사회 구성원 대다수가 개선되어야 한다고 생각하며, 발생 원인이 사회에 있고 인간의 노력으로 해결이 가능하기 때문에 사회 문제이다.

[평가 기준]

상	(나)를 쓰고, (나)가 사회 문제인 이유를 타당한 근거를 제시하면서 정확하게 서술한 경우
중	(나)를 쓰고, (나)가 사회 문제인 이유를 서술하였으나 그 근거가 미흡한 경우
하	(나)만 쓴 경우

11 **[예시 답안]** (가) 환경 문제, (나) 환경 문제를 해결하기 위하여 개인은 일회용품 사용을 줄이고, 자원 재활용 등 지구의 미래를 생각하는 방향으로 생활 방식을 바꾸어야 한다. 사회적 차원에서는 환경 문제 해결을 위한 제도적 장치를 마련하고, 친환경 기술 개발에 투자해야 한다. 또한 국제적으로는 지속 가능한 발전을 위한 기후 변화 협약 체결과 같은 전 지구적 차원의 원칙과 실천 방안을 마련해야 한다.

[평가 기준]

상	(가)에 환경 문제라고 쓰고, 환경 문제의 해결 방안을 개인적·사회적·국제적 차원에서 정확하게 서술한 경우
중	(가)에 환경 문제라고 쓰고, 환경 문제의 해결 방안 중 한 가지 차원에서만 서술한 경우
하	(가)에 환경 문제라고만 쓴 경우

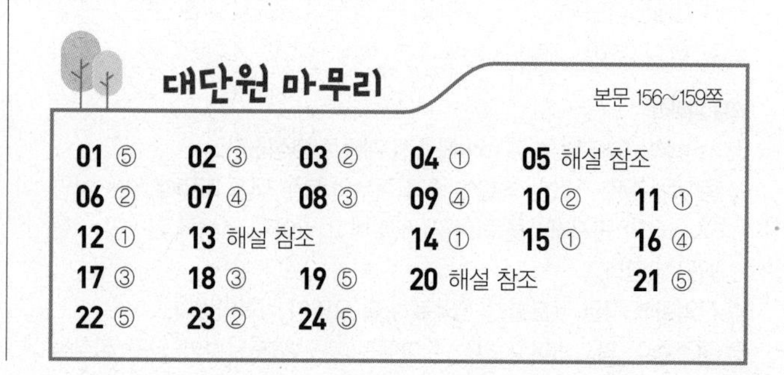

대단원 마무리

본문 156~159쪽

01 ⑤ **02** ③ **03** ② **04** ① **05** 해설 참조
06 ② **07** ④ **08** ③ **09** ④ **10** ② **11** ①
12 ① **13** 해설 참조 **14** ① **15** ① **16** ④
17 ③ **18** ③ **19** ⑤ **20** 해설 참조 **21** ⑤
22 ⑤ **23** ② **24** ⑤

01 17~18세기 유럽에서 등장한 계몽사상은 인간의 이성의 힘을 강조하여 구제도와 미신을 타파하고자 하였으며, 이는 시민 혁명을 이끄는 원동력이 되었다. 20세기 중엽 여성의 보통 선거 제도가 확립됨에 따라 여성의 지위가 향상되었고, 여성의 사회 참여 기회가 확대되었다. 두 사례 모두 가치관과 이념의 변화가 사회 변동의 원동력임을 알 수 있다.

02 ㉠은 대량 생산과 대량 소비를 특징으로 하는 산업 사회에, ㉡은 토지 중심의 생산 방식을 특징으로 하는 농업 사회에 해당한다. ㉢은 다품종 소량 생산 방식이 가능해져 개별화된 문화 소비를 특징으로 하는 정보 사회에 해당한다.

03 18세기 영국의 산업 혁명은 기계의 발명을 통해 대량 생산과 대량 소비를 가능하게 하여 물질적인 풍요를 가져왔다. 또한 시민의 사회·경제적 지위가 향상되어 정치에 참여하는 대중 사회의 발달을 가져왔다. 그러나 산업화는 대기 오염 및 각종 환경 오염을 초래하였으며, 노사 갈등, 인간 소외 현상을 야기했다.

04 ○○○와 같은 SNS는 네트워크 및 정보 통신 기술을 기반으로 하여 대중의 정보에 대한 욕구 증대가 더해지면서 등장하였다.

오답 피하기

ㄷ. 전인격적 인간관계란 상호적 인격 존중을 전제로 형성되는 인간관계로, 정보 사회로 갈수록 약화되는 양상을 보인다.
ㄹ. 산업 혁명으로 자본주의 경제 체제가 확립되었다.

서술형 문제

05 **[예시 답안]** 정보 격차 심화, 인터넷 중독 및 사이버 범죄 증가, 개인 정보 유출로 인한 사생활 침해 등의 문제점이 나타났다.

[평가 기준]

상	정보화의 부정적 영향을 두 가지 이상 정확하게 서술한 경우
중	정보화의 부정적 영향을 한 가지만 정확하게 서술한 경우
하	정보화의 부정적 영향을 서술하였으나 일부 옳지 않은 내용이 포함된 경우

06 ㉠은 정보화이다. 현대 사회에서는 정보 통신 기술의 발달로 지식과 정보의 중요성이 커지고, 정보 산업이 경제의 중심이 되는 정보화가 진행되고 있다. 정보 사회에서는 다품종 소량 생산 방식이 가능해져 다양한 종류의 상품이 생산되고 있어 개인의 선택 폭이 넓어졌다. 또한 정보 습득과 문화 교류의 시간적·공간적 제약이 줄어들고, 정보 통신 기술을 활용한 전자 민주주의가 확산되었고, 전자 상거래와 인터넷 뱅킹이 일반화된다. ② 산업 사회에서 소품종 대량 생산 방식이 일반화되었다.

07 제시문은 세계화의 양상을 나타낸다. 세계화는 국경을 넘어 사람과 물자, 자본, 기술 등이 자유롭게 이동하면서 상호 의존성이 심화되는 현상이다. 세계화는 교통 및 정보 통신 기술의 발달로 시간과 공간의 제약이 줄어들면서 더욱 빠르게 진행되고 있다.

오답 피하기

② 보호 무역은 자기 나라의 산업을 보호·육성하기 위하여 국가가 대외 무역을 간섭하고 수입에 여러 가지 제한을 두는 무역이다.

08 세계화는 이념 대립이 끝난 이후에 나타난 현상이다. 세계화로 인해 국가 간 문화·경제적 교류가 증대됨에 따라 문화적 정체성 유지가 어려워지고 있으며, 국가 간 무한 경쟁으로 인해 빈부 격차가 심해지고 있다.

09 국가 간의 무역 규모가 점차 확대되고, 세계화 현상이 가속화되면, 다른 나라의 다양한 문화를 체험할 기회가 많아지고, 우리나라 기업들은 넓은 소비 시장을 확보할 기회도 많아질 것이다.

오답 피하기

ㄱ. 세계화가 가속화됨에 따라 강대국이 약소국에 정치적 영향력을 끼쳐 약소국이나 소수 민족의 문화가 소멸되고 자율성이 침해될 우려가 있다.
ㄷ. 세계화에 따른 자유 무역의 확대로 선진국과 개발 도상국 간의 경제적 격차와 양극화 문제가 발생할 수 있다.

10 사회 변동은 과학 기술의 발전, 사람들의 가치관이나 이념의 변화, 전쟁과 같은 역사적 사건, 정부의 정책이나 자연환경의 변화 등 다양한 요인에 의해 일어난다. 과거에는 주로 가뭄이나 홍수와 같은 자연환경의 변화, 전쟁이나 교역과 같은 상황에 따라 사회 변동이 이루어졌다. 최근에는 컴퓨터나 인터넷과 같은 과학 기술의 발달로 사회 변동이 나타나고 있다.

11 한국 사회는 1960년대 중반 이후 정부가 주도하여 경제 개발 정책을 추진하면서 빠르게 산업화되었고, '한강의 기적'이라고 부를 만큼 놀라운 경제 성장을 이루어냈다. 그러나 급속한 산업화는 높은 수준의 도시화와 물질적 풍요를 이루었지만, 도시와 농촌 간 격차, 지역 간 불균형, 빈부 격차의 심화, 가치관의 혼란, 각종 범죄와 환경 오염 등의 문제가 나타났다.

오답 피하기

ㄷ, ㄹ. 정보화로 발생하는 갈등이다.

12 그래프를 통해 출산율이 지속적으로 하락하고 있음을 알 수 있다. 이러한 저출산 현상의 원인으로는 여성의 지위 향상 및 사회 활동 참여 확대로 일과 가정의 양립 어려움, 자녀 양육과 교육비에 대한 부담 증가, 결혼과 출산에 대한 가치관의 변화 등을 들 수 있다.

서술형 문제

13 **[예시 답안]** 저출산·고령화 현상 / 경제 발전으로 생활 수준이 향상되고, 의료 기술의 발달로 평균 수명이 늘어난 반면, 여성의 사회 진출 증가, 자녀 양육비 증가, 가치관 변화 등의 이

유로 출산 기피 현상이 두드러지면서 저출산 현상이 나타났다.

[평가 기준]

상	저출산·고령화 현상이라고 쓰고, 저출산·고령화 현상의 발생 원인을 정확하게 서술한 경우
중	저출산·고령화 현상이라고 쓰고, 저출산·고령화 현상의 발생 원인 중 한 가지 측면에서만 서술한 경우
하	저출산·고령화 현상이라고만 쓴 경우

14 저출산·고령화 현상을 완화시키고 그로 인한 사회 문제를 해결하기 위해서는 출산 장려 정책과 함께 증가하는 노인 인구에 대비하여 노인 관련 복지 제도의 정비가 요구된다.

오답 피하기

ㄷ. 저출산 현상을 막기 위해 여성의 사회 진출을 제한하는 것은 바람직하지 않다.
ㄹ. 노인 인구가 증가함에 따라 노인 부양에 대한 개인 책임보다는 사회적 책임 의식이 강화되어 제도 정비가 요구된다.

15 우리나라는 최근 10년간 국내 거주 외국인의 수가 비약적으로 증가하면서 빠른 속도로 다문화 사회에 접어들고 있다. 이렇게 국내 거주 외국인의 수가 급격하게 증가한 것은 국제결혼과 이주 노동자의 증가 때문이다. 2000년대 들어서 국제결혼은 전체 혼인 건수의 10%를 넘을 정도로 보편화되었다. 또한 1990년대 이후 우리나라가 세계 경제에서 차지하는 위상이 높아지고 세계화가 활발하게 진행되면서 일자리를 찾아 입국하는 이주 노동자들의 수가 급격하게 증가하였다.

16 다문화 사회를 살아가는 우리에게 요구되는 자세는 외국인 이민자들을 사회의 구성원으로 인정하고 그들의 문화를 존중하는 것이다. 한편, 정부는 체계적으로 다문화 교육을 실시하고 다문화 가정이 사회에 적응할 수 있도록 복지 제도를 확대해야 한다. 또한 외국인 이민자들이 우리와 외모가 약간 다르다고 해서 외모의 차이를 가지고 그들을 비하하는 마음가짐을 버리고, 사회 구성원으로 인정하는 태도가 요구된다.

17 부정적으로 인식되는 현상들이라도 자연재해는 인간의 의지에 의해 발생한 것이 아니고, 인간의 능력으로 해결하기에도 한계가 있으므로 사회 문제로 보기 어렵다.

18 사례는 사회 문제가 시간과 공간에 따라 다르게 나타나는 상대성을 보여 준다. 1970년대에는 장발과 미니스커트가 '퇴폐 풍조'로 사회 문제였다면, 현대 사회에서는 사회 문제가 아닌 것이다. 이는 동일한 사회 현상이라도 시대나 장소에 따라 사회 문제로 인식되는지의 여부가 달라진다는 것을 보여 준다.

19 선진국에서는 저출산·고령화로 노동 가능 인구 감소, 노인 복지 비용 부담 증가, 경제 성장 둔화 등의 문제가 발생하고, 개발 도상국에서는 인구 증가로 기아와 빈곤 문제, 일자리 부족 문제 등이 발생한다.

서술형 문제

20 **[예시 답안]** 사회 문제는 그 사회의 잘못된 부분을 드러내고 이를 해결할 기회를 제공해 주기 때문에 해결하는 과정에서 사회의 문제점을 개선하고 오히려 사회 통합과 사회 발전의 밑거름이 될 수 있다.

[평가 기준]

상	사회 문제의 긍정적 측면을 사회 문제의 개선을 통해 사회 발전을 이룬다는 측면에서 정확하게 서술한 경우
하	사회 문제의 긍정적 측면을 서술하지 못한 경우

21 그래프를 통해 전체 실업률 중에서 청년 실업률이 차지하는 부분이 크다는 것을 알 수 있다. 실업은 개인적으로는 자아실현의 기회를 박탈하고 국가적으로는 인적 자원의 낭비로 경제적 손실을 발생시킨다. 이를 해결하기 위해서는 청년 실업자의 일자리를 창출하고 국민 경제를 활성화시켜야 한다.

22 지구 온난화는 산업화 과정에서 과도한 화석 연료의 사용이 문제가 되면서 온실가스인 이산화탄소가 증가하여 발생한 현상이다.

23 정보 통신 기술의 발달에 따른 휴대 전화 성능의 향상은 우리 삶에 편리함을 제공해 주고 있지만, 편리함 못지않게 많은 부작용도 발생하고 있다. 휴대 전화를 이용하여 개인의 위치를 계속적으로 파악하는 것은 사생활 침해로 인한 인권 침해 문제를 발생시킨다. 나아가 국가 또는 권력 집단이 개인을 감시하거나 통제하는 데 악용될 수도 있다.

24 사례는 아프리카에서 식량 부족으로 자연환경을 파괴함에 따라 오히려 사람들이 살 수 없는 지역으로 변해버렸다는 내용이다. 우리는 환경을 보호하면서 개발할 수 있는 지속 가능한 발전을 추구해야 함을 교훈으로 삼을 수 있다. 지속 가능한 발전은 환경 보전과 경제 개발의 조화를 추구하면서 현세대뿐만 아니라 미래 세대의 삶을 보장하려는 것이다.

Ⅶ. 개인과 사회생활

실전모의고사(1회)

본문 2~4쪽

01 ③	02 ②	03 ⑤	04 해설 참조	05 ②
06 ④	07 ③	08 해설 참조	09 ②	10 ②
11 ③	12 해설 참조	13 ④	14 ②	15 ⑤
16 ㉠ 접촉 방식 ㉡ 결합 의지		17 ②	18 ③	19 ⑤
20 ①				

01 한 개인은 사회화를 통해 자신의 독특한 자아를 형성하고, 사회의 구성원으로서 성장할 수 있다.

02 인간은 사회와 오랫동안 분리되어 있으면 인간다운 모습으로 생활할 수 없고, 인간 사회에 적응하지 못한다는 것을 알 수 있는 사례이다. 이를 통해 인간은 다른 사람과의 관계 속에서 성장하는 사회적 동물임을 알 수 있다.

03 ㄷ. 미술학원에서 소묘를 배우거나, ㄹ. 웃어른을 보면 인사를 하는 것은 사회화된 행동이다. 사회화란 생물학적 존재인 인간이 사회적 상호 작용을 통해 사회생활에 필요한 역할이나 규범, 가치관, 신념 등을 학습하면서 사회적 존재로 성장해 가는 과정이다.

오답 피하기

ㄱ, ㄴ. 생물학적인 인간의 본능적 행동이다.

서술형 문제

04 [예시 답안] 인간은 생물학적 존재로 태어나 그 사회의 생활 양식을 학습함으로써 사회적 존재로 성장해 간다.

[평가 기준]

상	사회적 존재로서의 인간의 특징을 정확하게 서술한 경우
중	'사회적 존재'라는 핵심 용어를 사용하지 않고 사회화와 관련한 인간의 특징을 서술한 경우
하	사회화의 개념을 서술한 경우

05 사회화는 개인적 측면에서 자신이 속한 사회의 행동 양식을 습득하며, 개인의 독특한 개성과 자아를 형성하는 데 기여한다. 사회적 측면에서는 구성원들 간에 문화를 공유하고, 다음 세대에 문화를 전달함으로써 사회 질서를 유지하고 발전시키는 데에 기여한다.

오답 피하기

①, ③, ④, ⑤ 사회화의 기능 중 개인적 측면에 해당한다.

06 제시된 사례는 성인들이 새로운 환경에 적응하기 위해 사회화 기관을 통해 새로운 지식, 생활 양식 등을 학습해 가는 모습을 보여 준다. 이는 재사회화의 사례에 해당한다.

07 ③ 청소년기에는 학교에서 사회 규범이나 지식을 배운다.

오답 피하기

① 가정은 유아기 때부터 가장 기본적인 욕구 충족을 위해 필요한 사회화 기관이다.
② 아동기에는 가정뿐만 아니라 또래 집단의 영향을 많이 받는다.
④, ⑤ 성인기, 노년기에는 직장, 재사회화 기관 등을 통하여 주로 사회 규범이나 지식을 배우게 된다.

서술형 문제

08 [예시 답안] (가) 가정 / (나)는 공식적이고 체계적인 교육을 담당하는 기관이다.

[평가 기준]

상	(가)에 가정이라고 쓰고, (나)를 정확하게 서술한 경우
중	(가)에 가정이라고 쓰고, (나)에 교육 기관이라고만 서술한 경우
하	(가)에 가정이라고만 쓴 경우

09 청소년기는 인간이 유년기에서 성인기로 이행하는 과정에서 급격한 변화를 겪게 되는 과도기로, 2차 성징이 나타나고 자아 정체성이 형성된다. ② 청소년기는 사회 변화에 빠르게 적응하여 자신들만의 독특한 문화를 형성하기도 한다.

10 밑줄 친 부분은 성취 지위에 해당한다. 학생과 군인은 성취 지위에 해당한다.

오답 피하기

ㄴ, ㄹ. 귀속 지위에 해당한다.

11 ㉠은 귀속 지위, ㉡ 학생으로서의 역할 행동을 잘못한 것, ㉢은 성취 지위에 해당한다.

서술형 문제

12 [예시 답안] (나) / 출생과 함께 자연적으로 주어지는 지위인 귀속 지위로, 과거 전통 사회에서 중시되었던 사회적 지위 유형이다.

[평가 기준]

상	(나)라고 쓰고, 귀속 지위라는 용어를 사용하여 그 특징을 정확하게 서술한 경우
중	(나)라고 쓰고, 귀속 지위라는 용어를 사용하지 않고 서술한 경우
하	(나)라고만 쓴 경우

13 두 사례에는 모두 역할 갈등이 나타나 있다. 역할 갈등이란 개인이 가지는 여러 가지의 역할이 서로 충돌하여 갈등을 일으킨 상태를 말한다.

14 두 사람 이상이 공동의 관심과 목적을 가지고 지속적인 사회적 상호 작용이 이루어지는 집단을 사회 집단이라고 한다.

오답 피하기

①, ③, ④, ⑤ 모임에 대한 소속감과 공동체 의식이 없고, 관계를 지속해서 유지하지 않으므로 사회 집단이라고 보기 어렵다.

15 〈보기〉는 외집단에 해당한다. ㉠, ㉣은 내집단, ㉡은 2차 집단이자 이익 사회, ㉢은 1차 집단, ㉤은 외집단이다.

16 사회 집단은 구성원 간의 접촉 방식에 따라 1차 집단과 2차 집단으로 나눌 수 있으며, 결합 의지에 따라 공동 사회와 이익 사회로 나눌 수 있다.

17 공동 사회는 구성원 스스로의 의지나 선택과 무관하게 자연 발생적으로 형성된 집단을 말한다.

오답 피하기

① 구성원 간의 접촉 방식에 따라 1차 집단과 2차 집단으로 구분할 수 있다.
③ 내집단에 대한 설명이다.
④ 2차 집단에 대한 설명이다.
⑤ 이익 사회에 대한 설명이다.

18 제시문의 ㉠은 구성원 간에 직접적인 대면 접촉이 이루어지는 1차 집단이고, ㉡은 수단적 만남을 바탕으로 하는 2차 집단이다. 사회 집단은 접촉 방식에 따라 1차 집단과 2차 집단으로 구분할 수 있다.

19 신분에 따른 불평등은 주로 전통 사회에서 나타나는 불평등 현상이다.

20 차이는 성별, 나이, 외모, 신체적 능력, 피부색 등에 따라 다르게 나타나는 모습이며, 차별은 차이를 이유로 부당한 대우를 하는 것이다.

실전모의고사(2회)

본문 5~7쪽

01 ④ **02** ⑤ **03** ③ **04** 해설 참조
05 대중 매체 **06** ② **07** ② **08** ⑤ **09** ④
10 ② **11** 공중 5회전을 성공하였다. **12** 해설 참조
13 ⑤ **14** ⑤ **15** ③ **16** ④ **17** ④ **18** ⑤
19 ③ **20** ①

01 제시문은 사회화의 정의에 해당한다. 인간은 사회화 과정에서 다른 사람과의 상호 작용을 통해 사회생활에 필요한 지식, 기능, 규범, 가치 등을 배움으로써 인간다운 생활을 할 수 있다.

02 사례를 통해 인간이 사회 속에서 태어나고 성장해야 하는 사회적 존재임을 이해할 수 있다. 즉 인간은 다른 사람과 사회적 상호 작용을 통해 사회화가 이루어져 사회 구성원으로 성장한다.

03 어학 공부를 한다는 것, 새로운 프로그램을 익히는 것은 사회 변화에 적응하기 위해 지식, 기능, 가치관 등을 다시 새롭게 배우는 재사회화에 해당한다.

서술형 문제

04 [예시 답안] 재사회화 / 빠르게 변화하는 현대 사회에 적응하기 위해 재사회화 과정이 필요하기 때문이다.

[평가 기준]

상	재사회화라고 쓰고, 핵심 용어를 사용하여 재사회화가 필요한 이유를 서술한 경우
중	재사회화라고 쓰고, 사회화가 필요하다고만 서술한 경우
하	재사회화라고만 쓴 경우

05 제시된 내용은 대중 매체에 대한 설명이다. 대중 매체는 변화하는 시대의 흐름에 따라 새로운 정보를 전달하는 사회화 기관이며, 현대 사회에서 그 영향력이 커지고 있다.

06 또래 집단은 놀이를 통해 집단의 소속감, 규칙, 질서 의식 등을 학습하는 사회화 기관으로 주로 유년기의 사회화를 담당한다.

오답 피하기

ㄴ. 또래 집단은 비공식적인 사회화 기관의 예이다.
ㄹ. 직장을 통해 업무에 필요한 지식과 행동 양식 등을 익힌다.

07 제시된 내용은 청소년기를 표현하는 말들이다. 청소년기는 신체와 사고 능력이 발달함에 따라 자신에 대한 고민이 많은 시기로 다른 사람들과의 관계 속에서 자기의 모습을 탐색하기 시작한다. 또한 청소년은 기성세대의 권위와 문화에 저항하는 성향이 강하며, 사회 변화에 빠르게 적응한다.

08 청소년기는 급격한 신체적 변화가 이루어져 '2차 성징'이 나타나는 시기이다. 자아 정체성은 주로 청소년기에 형성되고, 가정, 학교, 친구, 대중 매체, 문화 등과의 상호 작용을 통해 이루어진다. ⑤ 청소년기는 자아 정체성을 형성하기 위해 고민하는 시기이다.

09 왼쪽 그림은 우리나라의 조선 시대, 오른쪽 그림은 서양의 중세 봉건 제도를 나타낸다. 이러한 신분제 사회는 출생에 의해 자연적으로 주어지는 귀속 지위 중심의 사회이다.

오답 피하기

ㄱ. 현대 사회에 일반적인 지위 유형은 성취 지위이다.
ㄷ. 개인의 능력과 노력이 중요 변수로 작용하는 것은 성취 지위이다.

10 여성은 선천적으로 결정되는 지위로 귀속 지위에 해당한다.

오답 피하기

①, ③, ④, ⑤ 개인의 노력이나 의사가 반영된 지위로 후천적으로 습득된 성취 지위에 해당한다.

11 역할 행동은 역할을 수행하는 개인의 구체적인 행동 방식이므로 피겨 선수로서의 공중 5회전을 한 것은 소희의 역할 행동이고, 금메달을 획득한 것은 역할 행동에 따른 보상에 해당한다.

서술형 문제

12 [예시 답안] 역할 갈등 / 역할 갈등은 개인이 지닌 여러 지위에 따른 역할이 서로 충돌하여 갈등을 일으킨 상태이다.

[평가 기준]

상	역할 갈등이라고 쓰고, 역할 갈등의 의미를 제시된 용어를 모두 사용하여 옳게 서술한 경우
중	역할 갈등이라고 쓰고, 역할 갈등의 의미를 제시된 용어 중 일부만 사용하여 서술한 경우
하	역할 갈등이라고만 쓴 경우

13 ㉠의 관중은 소속감이나 지속적인 상호 작용이 나타나지 않기 때문에 사회 집단으로 보기 어렵다. 반면, ㉡의 '서포터즈들'은 강한 소속감을 가지고, 지속적인 상호 작용을 하므로 사회 집단에 해당한다.

14 가족, 촌락, 민족은 공동 사회에 해당하고 회사, 학교는 이익 사회에 해당한다.

15 가족과 촌락은 공동 사회로 구성원 스스로의 의지나 선택과 무관하게 자연 발생적으로 형성된 집단이다. 결합 의지를 기준으로 공동 사회와 이익 사회로 구분된다. ③ 목적 달성을 위해 형식적인 접촉을 하는 집단은 2차 집단에 해당한다.

16 (가)는 공동 사회이자 1차 집단, (나)는 이익 사회이자 2차 집단이다. (가)의 사례는 가족이 대표적이고, (나)의 사례는 회사, 학교 등이 있다.

17 (가)는 내집단, (나)는 준거 집단, (다)는 2차 집단이다. ④ 사회가 복잡해지고 전문화되면서 2차 집단의 비중이 점차 커지고 있다.

18 장애인을 배려하여 주차 구역을 지정하는 것은 차이를 존중한 사례이다.

오답 피하기

① 취업할 때 여성의 외모와 나이를 보는 경우는 성차별에 해당한다.
② 회사에서 임신했다는 이유로 부당 해고를 당하는 경우는 고용 차별에 해당한다.
③ 남자는 국군 간호 사관학교에 입학을 허용하지 않는 경우는 성차별에 해당한다.
④ 다문화 가정의 학생이 피부색이 달라 다른 친구에게 놀림을 당하는 경우는 인종 차별에 해당한다.

19 (가), (나)의 내용은 옳은 내용이며, 바르게 답했으므로 각 1점, (다)는 옳지 않은 내용이며, 바르게 답했으므로 1점이다. (라), (마)는 바르게 답하지 못하여 점수를 받지 못한다.

20 제시된 내용들은 모두 차이를 인정하고 차별을 없애려는 사회 제도적 방안이다.

Ⅷ. 문화의 이해

실전모의고사(1회)

본문 8~10쪽

01 ④	02 ①	03 ②	04 해설 참조	05 ⑤
06 ⑤	07 ③	08 ④	09 해설 참조	10 ①
11 ④	12 ①	13 ④	14 ② 15 ④	16 ②
17 ②	18 해설 참조		19 ② 20 ③	

01 문화는 사회 구성원이 공유하는 생활 양식으로 후천적으로 학습된 행동이다.

오답 피하기

ㄱ, ㄷ. 본능에 따른 행동이나 타고난 인간의 유전적 성향은 문화로 보기 어렵다.

02 제시된 내용은 문화의 구성 요소 중 물질문화에 대한 설명이다. 물질문화는 인간이 환경에 적응하는 데 중요한 수단이 되어 왔다.

03 의식주, 종교, 예술 활동 등과 같이 시대와 장소를 초월하여 어느 사회에서나 공통적으로 나타나는 문화의 현상이 있는데, 이를 문화의 보편성이라고 한다.

서술형 문제

04 [예시 답안] 문화의 특수성 / 각 사회마다 자연환경, 역사적 배경, 사회적 상황 등이 서로 다르기 때문에 문화적 특수성이 나타난다.

[평가 기준]

상	문화의 특수성이라고 쓰고, 문화의 특수성이 나타나는 이유를 핵심 용어를 사용하여 옳게 서술한 경우
중	문화의 특수성이라고 쓰고, 문화의 특수성이 나타나는 이유를 핵심 용어를 사용하지 않고 서술한 경우
하	문화의 특수성이라고만 쓴 경우

05 제시문은 문화의 전체성과 관련된다. 문화의 전체성이란 문화의 구성 요소들이 상호 긴밀한 관계를 유지하면서 전체를 이룬다는 것이다.

오답 피하기

①은 문화의 학습성, ②는 문화의 변동성, ③은 문화의 축적성, ④는 문화의 공유성에 대한 설명이다.

06 사례는 문화의 공유성을 보여 준다. 우리나라 사람들이 엿이나 찹쌀떡을 선물 받았다면, 중요한 시험을 앞두고 있음을 알 수 있고, "함 사세요!"라는 소리를 들으면, 누군가가 결혼을 앞두고 있음을 알 수 있는 것은 같은 문화를 공유하고 있기 때문이다.

오답 피하기

①은 문화의 변동성, ②는 문화의 학습성, ③은 문화의 축적성, ④는 문화의 특수성에 대한 설명이다.

07 (가)는 축적성이다. 문화의 축적성이란 이전 세대의 문화가 상징체계 등을 통해 전달되어 다음 세대로 전승됨에 따라 문화가 더욱 풍부하고 다양해진다는 것이다.

08 ㉠은 자문화 중심주의, ㉡은 문화 제국주의이다. 자문화 중심주의는 자신의 문화를 우월한 것으로 보고 다른 문화를 업신여기고 무시하는 태도이다. 이러한 태도는 자칫 다른 문화를 열등한 것으로 보고 다른 문화를 파괴하거나 지배하려는 문화 제국주의에 빠질 수도 있다.

서술형 문제

09 [예시 답안] (가) 문화 사대주의 / (나) 문화 상대주의적 태도로, 모든 사회의 문화는 저마다 나름대로의 가치를 지니고 있다고 인정하여 그 사회의 특수한 자연환경, 사회적 상황, 역사적 배경 등을 고려하여 이해해야 한다.

[평가 기준]

상	(가)에 문화 사대주의라고 쓰고, (나)에 문화 상대주의적 태도의 의미를 핵심 용어를 사용하여 모두 서술한 경우
중	(가)에 문화 사대주의라고 쓰고, (나)에 문화 상대주의적 태도의 의미를 핵심 용어를 사용하지 않고 서술한 경우
하	(나)에 문화 사대주의라고만 쓴 경우

10 제시된 자료는 문화 사대주의를 보여준다. 문화 사대주의란 자신의 문화를 열등한 것으로 보고 특정 사회의 문화를 우수한 것으로 여기는 태도를 말한다.

11 제시문은 문화 사대주의 관점으로, 이러한 태도는 선진 문화를 적극적으로 수용할 수 있는 반면, 자기 문화의 창조 능력을 과소평가하여 문화 발전에 장애가 되거나 문화의 고유성과 주체성을 상실하게 될 우려가 있다는 문제점이 있다.

12 제시문은 극단적인 문화 상대주의 태도로, 인간의 존엄성과 생명 존중과 같은 인류의 보편적 가치를 무시할 수 있다는 문제점이 있다.

오답 피하기

② 자문화 중심주의는 자기 문화에 대한 자부심을 높이고, 사회의 통합에 기여하기도 한다.
③, ⑤ 문화 사대주의의 문제점에 해당한다.
④ 자문화 중심주의의 문제점이다.

13 한 사회의 문화를 이해할 때에는 문화의 상대성을 인정하는 문화 상대주의적 태도가 필요하다. 또한 그 사회의 여러 부분과 관련지어 전체적으로 파악하고 이해하려는 총체론적 관점과 다른 문화와의 비교를 통해 그 사회의 입장에서 객관적으로 바라보려는 비교론적 관점이 필요하다. 따라서 이 학생이 받을 점수는 3점이다.

14 뉴 미디어는 정보를 제공하는 사람과 정보를 소비하는 사람 간에 쌍방향적 의사소통이 이루어지고, 인터넷 공간에서는 정보의 생산자와 소비자의 경계가 불분명하므로 누구나 정보의 생산자이자 소비자가 될 수 있다.

오답 피하기

ㄴ. 전통적 대중 매체에 대한 설명이다.

15 대중 매체는 인쇄 매체 → 음성 매체 → 영상 매체 → 뉴 미디어 순으로 발달하였다. 전통적인 대중 매체는 대중에게 정보를 일방적으로 전달하는 반면, 뉴 미디어는 대중에게 정보를 쌍방향으로 전달하는 특징이 있다.

오답 피하기

① 인쇄 매체가 가장 먼저 발달하였다.
② 20세기 이후 음성 매체와 영상 매체가 등장하였다.
③, ⑤ 정보 소비자들에게 쌍방향으로 정보를 전달하는 매체는 뉴 미디어(인터넷, 스마트폰)이다.

16 대중문화는 현대 사회의 대다수 사람들이 누리는 문화이다. 대중 매체를 통해 대중문화가 형성되고 발전하였으며, 다수의 취향에 맞게 대량으로 생산되고 다수에 의해 소비된다.

17 기업이 특정 제품을 판매하기 위해서 대중 매체를 이용할 경우 대중문화는 상업성을 추구하게 된다. 대중문화가 상품화되면서 자극적이고 선정적인 내용을 다루어 문화의 질이 낮아지기도 한다.

서술형 문제

18 [예시 답안] 상품화된 대중문화가 지나치게 상업성을 추구하면 선정적이고 자극적인 내용을 제공하여 문화의 질이 떨어질 수 있다.

[평가 기준]

상	대중문화가 지나치게 상업성을 추구할 경우 저급 문화가 확산될 수 있다고 정확하게 서술한 경우
중	대중문화의 상업성에 대한 언급 없이 저급 문화가 확산될 수 있다고 서술한 경우
하	대중문화가 자극적인 내용을 제공하고 있다고만 서술한 경우

19 밑줄 친 부분은 뉴 미디어가 발전하면서 우리 사회가 변화된 모습을 가리킨다.

오답 피하기

ㄴ. 신문은 전통적 대중 매체에 해당한다.
ㄷ. 오늘날 뉴 미디어가 발달하면서 텔레비전의 프로그램도 시간과 공간의 제약을 받지 않고 시청할 수 있게 되었다.

20 상업화된 대중문화를 무비판적으로 수용하여 유행에 지나치게 민감해질 경우 자신의 개성을 상실할 우려가 있다.

실전모의고사(2회)

본문 11~14쪽

01 ②	02 ①	03 ①	04 ②	05 ④	06 ②
07 ⑤	08 해설 참조		09 ⑤	10 ②	11 ⑤
12 ③	13 ⑤	14 ⑤	15 해설 참조		16 ②
17 ②	18 ③	19 ③	20 ③		

01 밑줄 친 '문화'는 예술이나 교양을 의미하는 좁은 의미의 문화로 사용되었다. 문화면, 문화인, 문화 시민 등이 좁은 의미의 문화 개념에 해당한다.

오답 피하기
①, ③, ④, ⑤ 넓은 의미의 문화 개념에 해당한다.

02 관념 문화는 인간의 삶을 풍요롭게 해 주는 창조물로 인간의 행동에 의미를 부여해 주거나 방향을 제시해 준다.

오답 피하기
ㄷ. 물질문화, 제도문화, 관념 문화는 서로 밀접하게 연결되어 있다.
ㄹ. 물질문화에 대한 설명이다.

03 (가)는 어느 사회에서나 공통적으로 나타나는 문화의 보편성, (나)는 각 사회마다 다양한 문화의 모습이 나타나는 문화의 다양성에 대한 내용이다.

04 사례의 밑줄 친 부분은 문화의 학습성을 보여 준다. 같은 한국 사람도 김치, 된장, 온돌을 경험하고 습득한 사람과 다른 문화권에서 자란 사람은 서로 다른 문화적 특성을 지니게 된다. 문화는 선천적으로 얻게 되는 것이 아니라, 사회 구성원들이 자신이 속한 사회에서 학습을 통해 습득하는 것이다.

05 문화의 전체성이란 문화의 여러 영역이 서로 밀접한 관계를 맺으면서 전체를 이루는 문화의 속성이다. ㄴ, ㄹ. 문화의 전체성에 해당하는 사례이다.

오답 피하기
ㄱ. 문화의 공유성에 해당하는 사례이다.
ㄷ. 문화의 변동성에 해당하는 사례이다.

06 인터넷의 발달이 상거래 문화, 교육 문화 등 생활 전반에 영향을 끼친 것과 같이 문화의 여러 영역은 서로 밀접한 관계를 맺고 있다. 이와 같은 문화의 속성을 전체성이라고 한다.

07 (가)는 자문화 중심주의, (나)는 문화 사대주의의 사례이다. 자문화 중심주의와 문화 사대주의 모두 문화 간에 우열이 존재하고, 문화를 판단하는 절대적인 기준이 있다고 본다.

서술형 문제

08 [예시 답안] 자문화 중심주의 / 자문화 중심주의는 자기 문화에 대한 자부심을 느끼게 하고 집단 내 구성원들의 결속을 강화시키는 반면, 원만한 문화 교류를 저해하여 국제적 고립을 초래할 수 있다.

[평가 기준]

상	자문화 중심주의라고 쓰고, 자문화 중심주의의 장단점을 모두 서술한 경우
중	자문화 중심주의라고 쓰고, 자문화 중심주의의 장단점 중 한 가지만 옳게 서술한 경우
하	자문화 중심주의라고만 쓴 경우

09 제시된 내용은 중국의 전족 문화에 대해 극단적 문화 상대주의로 바라볼 것을 주장한다. 인류가 지향하는 보편적 가치에 위배되는 문화까지 상대주의적 관점에서 이해하는 극단적 문화 상대주의는 바람직하지 않다고 평가할 수 있다.

10 일제 강점기에 일본은 우리 민족에게 신사 참배를 강요하였는데, 이는 경제력·군사력을 바탕으로 일본의 문화를 강요하는 문화 제국주의적 태도이다. 탈레반 이슬람 정권은 자문화 중심주의적 태도를 가지고 바미안 석불을 파괴하였다.

11 순장은 살아 있는 사람을 함께 묻는 풍습으로 이를 인정하는 것은 극단적 문화 상대주의의 태도이다. 극단적 문화 상대주의는 인류의 보편적 가치를 무시하는 문화까지도 무조건 받아들이는 문화 이해 태도이다.

12 문화를 바라보는 가장 바람직한 태도는 문화 상대주의이다. 각 사회의 문화는 그 사회의 고유한 특성과 가치를 지니고 있으므로 그 사회의 특수한 자연환경, 사회적 상황, 역사적 배경 등을 고려하여 이해하고 존중해야 한다. 따라서 한 사회의 문화가 다른 사회의 문화를 평가하는 기준이 될 수 없다.

13 쌍방향 의사소통이 가능한 대중 매체는 정보 통신 기술의 발달로 새롭게 등장한 뉴 미디어이다. ⑤ 스마트폰은 뉴 미디어에 해당한다.

오답 피하기
① 신문, ② 잡지, ③ 라디오, ④ 텔레비전은 전통적 대중 매체로 일방향 매체에 해당한다.

14 (가)~(라) 모두 지식과 정보를 대중에게 전달하는 대중 매체이다. 최근에는 대중이 인터넷에 글이나 동영상을 올리며 미디어의 제작자가 되는 등 대중문화의 생산과 유통에 적극적으로 참여하는 경향이 있다.

오답 피하기
ㄱ. (가)는 쌍방향 매체, (나)는 일방향 매체이다.
ㄴ. (나), (라)는 (가), (다)보다 먼저 발달하였다.

서술형 문제

15 [예시 답안] (가)의 대중 매체는 정보 제공자가 정보를 일방향적으로 전달하는 반면, (나)의 대중 매체는 정보 제공자와 이용자 간에 쌍방향적 의사소통이 이루어진다.

[평가 기준]

상	(가)는 일방향적 정보 전달, (나)는 의사소통의 쌍방향성을 정확하게 서술한 경우
중	(가)보다 (나)는 의사소통이 자유롭게 이루어진다고 서술한 경우
하	전통적 대중 매체와 뉴 미디어의 특징을 나열한 경우

16 대중문화는 문화의 대중화, 정보 전달의 실용성, 다양한 오락 제공 등의 긍정적 측면을 가지고 있다.

오답 피하기

ㄴ. 대중문화는 대다수의 기호에 맞추어 대량으로 생산되므로 획일적인 경향을 보인다.

ㄷ. 대중문화는 다수의 기호에 맞추어 생산되다 보니 문화의 획일화를 초래한다는 문제점이 있다.

17 대중문화는 보통 선거의 확대, 의무 교육의 확대, 대중 매체의 발달, 대량 생산과 대량 소비로 인한 물질적 풍요 등으로 형성되었다.

18 사례들은 대중 매체가 정보를 일방적으로 전달하기 때문에 사람들의 행동이나 가치관을 획일화시킨다는 내용이다.

19 대중문화는 대중 매체가 이윤을 추구하는 기업과 결합하여 소비자에게 잘 팔릴 만한 문화 상품을 만들어 유통시키기 때문에 상업성을 띠기 쉽다.

20 두 신문사는 같은 사실을 다른 시각에서 분석하고 있다. 따라서 우리는 대중 매체가 전달하는 정보를 무조건적으로 수용할 것이 아니라 그 정보가 사실인지, 어떤 의도를 갖고 있는지를 비판적으로 이해하고 수용해야 한다.

Ⅸ. 정치 생활과 민주주의

실전모의고사(1회)

본문 15~17쪽

01 ③ 02 ④ 03 ③ 04 ⑤ 05 ④ 06 ④
07 해설 참조 08 ③ 09 ① 10 ③ 11 ②
12 ⑤ 13 ② 14 ⑤ 15 ④ 16 ④ 17 ③
18 ② 19 해설 참조 20 ②

01 갑은 좁은 의미의 정치, 을은 넓은 의미의 정치에 대해 말하고 있다.

오답 피하기

①, ② 정치를 정치가들의 정치 활동으로, 정책의 결정·집행 과정으로 보는 것은 좁은 의미의 정치이다.

④ 일상생활에서 대립과 갈등을 조정하는 모든 활동을 정치로 보는 것은 넓은 의미의 정치이다.

02 국회 의원의 선거 운동, 정부의 법률안 제출, 국회의 정책 결정 등은 좁은 의미의 정치에 해당한다.

오답 피하기

ㄴ. 노사 갈등 조정을 위해 노사 위원회를 개최하는 것은 넓은 의미의 정치의 사례이다.

03 제시된 법률 조항은 기초 노령 연금법이다. 이 법은 생활이 어려운 노인에게 연금을 지급함으로써 노인의 생활 안정을 지원하는 것이 목적이다. 생활 형편이 어려운 노인 등 사회적 약자를 국가가 책임지고 도와줌으로써 국민의 삶의 질을 높이는 것이 정치권력이 수행하는 기능이다.

04 갈등 해결의 결과가 특정 개인에게만 유리하지 않도록 사회 구성원의 서로 다른 이해관계를 합리적으로 조정하는 것이 정치이다.

05 고대 아테네에서는 자유민인 성인 남성만이 시민의 지위를 가지고 민회에 참여하는 직접 민주 정치를 시행하였다. 여자, 노예, 외국인에게는 정치 참여 기회가 주어지지 않았다는 점에서 그 한계를 찾을 수 있다. ④ 간접 민주 정치는 영토가 넓고 인구가 많으며 정책 결정의 전문성이 요구되는 현대 국가의 정치 체제이다.

06 ㉣ 근대 민주 정치는 재산이 많은 남성만이 정치에 참여할 수 있었고, 노동자, 여성 등은 제외되었다는 한계가 있었다.

서술형 문제

07 [예시 답안] 민주주의 / 민주주의란 '다수에 의한 통치'라는 의미로, '권력이 소수가 아닌 국민의 손에 있다.'라는 부분에서 민주주의의 의미를 찾을 수 있다.

[평가 기준]

상	민주주의라고 쓰고, 민주주의의 어원을 정확하게 서술한 경우
중	민주주의라고 쓰고, 민주주의의 일반적인 의미를 서술한 경우
하	민주주의라고만 쓴 경우

08 근대 민주 정치는 시민 혁명 후에도 재산이 많은 남성만이 정치에 참여할 수 있었고, 노동자, 여성 등은 제외되었다는 한계가 있었다. 20세기까지 이어진 참정권 운동의 결과 보통 선거제가 확립되었다.

09 제시된 운동들은 모두 보통 선거권의 확대를 위한 노력들이다. 이러한 운동으로 인해 모든 사람들이 평등하게 정치에 참여할 수 있게 되었다.

오답 피하기

④ 근대 민주 정치의 특징을 나타낸다.

10 현대 민주 정치에서는 고대와 근대 사회와 달리 보통 선거

권이 확립되면서 모든 시민이 평등하게 정치에 참여할 수 있게 되었다.

11 민주주의의 근본 이념인 인간의 존엄성을 실현하기 위해서는 자유와 평등이 보장되어야 한다.

12 (가)는 실질적 평등, (나)는 일반적인 평등(기회의 균등)을 의미한다. 기회의 균등만으로는 선천적 조건의 차이나 교육 수준, 직업 등과 같은 후천적 차이로 나타나는 불평등을 해소할 수 없다. 따라서 평등한 사회를 이루기 위해서는 형식적 평등뿐만 아니라 실질적 평등을 보장하기 위한 노력이 필요하다.

오답 피하기
ㄱ. (나)는 기회의 균등을 의미한다.
ㄴ. 장애인 의무 고용 제도는 (가)를 보장하기 위한 제도이다.

13 사례에서 알 수 있는 민주 정치의 원리는 국민 자치의 원리이다. 국민 자치의 원리는 주권을 가지고 있는 국민에 의해 정치가 이루어져야 한다는 민주 정치의 원리이다.

오답 피하기
①은 국민 주권의 원리, ④는 권력 분립의 원리, ⑤는 입헌주의의 원리에 대한 설명이다.

14 제시된 헌법 조항은 권력 분립의 원리를 나타낸다. 권력 분립의 궁극적인 목적은 권력의 남용을 막아 국민들의 기본권을 보장하기 위해서이다.

15 제1조 ②항은 국민 주권의 원리를, 제40조, 제66조 ④항은 모두 권력 분립의 원리를, 제41조 ①항은 국민 자치의 원리를 나타낸다. 이러한 헌법 조항들은 모두 궁극적으로 인간의 존엄성 실현을 목적으로 한다. ④ 제66조 ④항은 권력 분립의 원리를 나타내고 있다.

16 정부 형태는 입법부와 행정부의 관계에 따라 대통령제와 의원 내각제로 구분된다. 대통령제는 입법부와 행정부의 엄격한 분리를 추구하고, 의원 내각제는 입법부와 행정부의 융합을 추구한다.

17 우리나라 헌법 조항 제66조 ④항, 제67조 ①항을 통해 우리나라의 기본적인 정부 형태는 대통령제임을 알 수 있고, 제52조와 제86조 ①항을 통해 의원 내각제의 요소를 일부 도입하고 있음을 알 수 있다.

18 그림은 대통령제 정부 형태이다. 대통령제에서 국민은 선거를 통해 의회 의원과 행정부 수반인 대통령을 각각 선출한다.

오답 피하기
ㄴ, ㄷ. 의원 내각제의 특징이다.

서술형 문제

19 **[예시 답안]** 의원 내각제는 국민의 요구에 민감하게 대처함으로써 책임 있는 정치 및 국민 주권의 원리 실현이 수월하다는 장점이 있는 반면, 의회와 내각을 한 정당이 독점할 경우 다수당의 횡포가 우려되고 군소정당이 난립한 경우 정국이 불안정해질 우려가 있다.

[평가 기준]

상	의원 내각제의 장단점을 모두 정확하게 서술한 경우
중	의원 내각제의 장단점 중 한 가지만 정확하게 서술한 경우
하	의원 내각제의 의미를 서술한 경우

20 (가)는 의원 내각제, (나)는 대통령제에 해당한다. 의원 내각제는 입법부와 행정부가 밀접한 관계를 맺고 협력하면서 국정을 운영하는 정부 형태로, 의회 다수당의 대표가 총리(수상)가 되어 행정부인 내각을 구성한다. 대통령제는 입법부와 행정부가 엄격하게 분리되어 견제와 균형을 이루는 정부 형태이다. ② 의원 내각제에서 의회는 행정부를 불신임할 수 있다.

실전모의고사(2회)

본문 18~20쪽

01 ① **02** ⑤ **03** ① **04** ④ **05** ③ **06** ④
07 ⑤ **08** ① **09** ③ **10** ③ **11** ③ **12** ⑤
13 해설 참조 **14** ④ **15** ④ **16** 해설 참조
17 ④ **18** ① **19** ③ **20** ①

01 국회 의원들의 대정부 질문은 국가의 정치 활동이고, 학급 회의는 학급 내의 안건에 대해 서로 다른 의견을 조정하는 과정이다. 두 사례 모두 일상생활 속에서의 정치 활동이다.

02 국가를 다스리는 것과 관련된 활동이 좁은 의미의 정치라면, 넓은 의미의 정치는 사회 구성원 간의 대립과 갈등을 조정하여 문제를 해결하는 모든 활동을 의미한다.

03 좁은 의미의 정치는 국가를 다스리기 위해 권력을 획득하고 유지·행사하는 정치인들의 활동이고, 넓은 의미의 정치는 사람들 사이의 다양한 의견과 이해관계를 조정하여 문제를 해결하는 모든 과정을 말한다.

04 제시문은 6월 항쟁에 관한 내용이다. 시민 사회에서 국가는 국민의 동의와 지지를 바탕으로 하여 국민의 의사를 존중하고, 국민을 위한 정치권력을 행사해야 한다. 시민들은 사회의 주인으로서 주인 의식을 가지고 공동체 생활과 사회 문제 해결에 적극적으로 참여해야 한다.

05 고대 아테네는 민주 정치가 시작된 곳으로, 모든 시민이 직접 정치 과정에 참여하였으나, 여자와 노예, 외국인 등은 시민에 포함되지 않은 제한적인 민주 정치였다.

06 제시된 문서들은 모두 시민 혁명 이후에 완성되었다. 시민 혁명을 계기로 의회 중심의 대의 민주 정치가 형성되었다.

오답 피하기
①, ② 현대 민주 정치의 특징이다.

07 현대 민주 정치에서는 고대와 근대 사회와 달리 보통 선거권이 확립되면서 모든 시민이 평등하게 정치에 참여할 수 있게 되었다.

오답 피하기
① 현대 민주 정치는 보통 선거제의 확립으로 모든 국민이 정치에 참여할 수 있게 되었다.
② 고대 아테네에서는 모든 시민이 직접 정치에 참여하는 것을 기본으로 한다.
③ 근대 민주 정치에서는 상공업으로 부를 축적한 남성들만이 정치에 참여할 수 있다는 한계가 있다.
④ 근대 민주 정치는 왕과 귀족의 특권에 대항한 시민 혁명을 통해 성립되었다.

08 간접 민주 정치는 국민의 대표가 국민의 의사를 대신하는 정치 형태로 시간과 비용을 절약하여 효율적 정치 운영이 가능하지만, 국민이 정치에 무관심해질 수 있다.

09 생활 양식으로서의 민주주의를 실현하기 위해서는 비판과 토론, 대화와 타협, 다수결의 원리, 관용 등이 필요하다. ③ 선거를 통한 간접 민주 정치 실현은 정치 형태로서의 민주주의의 의미이다.

10 실질적 평등이란 사람들 사이의 선천적·후천적 차이를 적극적으로 고려하여 대우해 주는 것을 말한다. ③ 유권자 전체를 동일하게 보고 모두에게 똑같이 한 표씩 행사하게 하는 것은 일반적인 평등(기회의 균등)의 사례이다.

11 제시된 내용에서 공통적으로 알 수 있는 민주 정치의 원리는 주권을 가진 국민이 스스로 나라를 다스린다는 국민 주권의 원리이다.

12 국민의 기본권을 보장하고 권력의 남용을 막기 위해서 국가 권력을 분리하여 독립된 기관이 나누어 맡도록 하는 권력 분립의 원리를 헌법에 규정하고 있다.

서술형 문제

13 [예시 답안] (가) 국민 자치의 원리, (나) 권력 분립의 원리 / (가), (나) 민주 정치 원리의 궁극적인 목적은 시민의 자유와 권리를 보장하여 인간의 존엄성을 실현하기 위한 것이다.

[평가 기준]

상	(가)는 국민 자치의 원리, (나)는 권력 분립의 원리라고 쓰고, 시민의 자유와 권리 보장과 인간의 존엄성 실현이라는 궁극적 목적을 정확하게 서술한 경우
중	(가)는 국민 자치의 원리, (나)는 권력 분립의 원리라고 쓰고, 시민을 보호하기 위해서라고 서술한 경우
하	(가)는 국민 자치의 원리, (나)는 권력 분립의 원리라고만 쓴 경우

14 오늘날 대의제의 한계점을 보완하기 위해 전자 민주주의, 국민 소환, 국민 투표, 국민 발안 등의 정치 참여 제도를 마련하였다.

15 영국은 명예혁명의 결과 입헌 군주제가 성립된 이후 의원 내각제가 탄생하였다.

서술형 문제

16 [예시 답안] (가) 의원 내각제, (나) 대통령제 / 한 정당이 의회와 내각을 모두 장악하여 다수당의 횡포가 심했거나 군소 정당이 난립하여 국정 운영의 혼란을 초래하였기 때문이다.

[평가 기준]

상	(가)는 의원 내각제, (나)는 대통령제라고 쓰고, 정부 형태를 바꾼 이유를 정확하게 서술한 경우
중	(가)는 의원 내각제, (나)는 대통령제라고 쓰고, 의원 내각제의 장단점을 서술한 경우
하	(가)는 의원 내각제, (나)는 대통령제라고만 쓴 경우

17 대통령제는 입법부와 행정부의 권력이 엄격하게 분립된 정부 형태로, 견제와 균형의 원리에 충실한 제도이다. 대통령의 임기 동안 정치가 비교적 안정적으로 유지될 수 있고, 다수당의 횡포를 견제할 수 있지만 대통령의 독재 가능성을 배제할 수 없다.

18 의원 내각제에서 의회는 내각이 국정을 제대로 운영하지 못할 경우 내각 불신임을 통해 정치적 책임을 물을 수 있고, 내각은 의회 해산권을 통해 의회를 견제할 수 있다.

19 우리나라는 대통령제를 기본으로 의원 내각제적 요소를 도입하고 있다. ③ 우리나라는 국회 의원의 장관 겸직을 허용한다.

20 우리나라에서는 대통령이 행정부의 최고 책임자이자 국가의 원수로서 국민에 의해 선출되며, 임기는 5년이고 중임할 수 없다.

X. 정치 과정과 시민 참여

실전모의고사(1회)

본문 21~23쪽

01 ③	02 ①	03 ①	04 해설 참조	05 ⑤
06 ④	07 ③	08 ②	09 ⑤	10 ④
11 해설 참조		12 ②	13 ③	14 ②	15 ①
16 ⑤	17 ④	18 ⑤	19 ③	20 ④

01 민주 정치에서는 개인이나 집단이 다양한 이익과 가치를 표출하면 정당, 언론 등이 이익을 집약한다. 이에 따라 여론이 형성되면 국회나 정부에서 관련 정책을 결정하고 정부가 집행한다. 그 후 국민의 평가를 받아 수정·보완되는 환류를 거친다. ③ 정책 결정 후에는 그에 대한 평가와 수정이 이루어지는데, 이를 환류라고 한다.

02 사례는 여러 집단이 다양한 이해관계나 여러 가지 방법으로 드러내는 이익 표출 단계에 해당한다.

03 교육부 장관은 행정 기관의 장으로서 공식적이고 핵심적인 역할을 담당하는 정치 참여 주체이다. 새로운 입시 제도를 발표하고 있으므로 입시 제도와 관련된 정책을 결정하였음을 보여 준다.

서술형 문제

04 [예시 답안] 시민 단체 / 시민 단체는 국가 기관이 하는 일을 감시·비판하고, 정치 과정에 시민의 참여를 유도하면서 여론을 형성하고, 공익을 실현하기 위해 노력한다.

[평가 기준]

상	시민 단체라고 쓰고, 시민 단체의 역할을 두 가지 모두 정확하게 서술한 경우
중	시민 단체라고 쓰고, 시민 단체의 역할을 한 가지만 서술한 경우
하	시민 단체라고만 쓴 경우

05 ○○당은 정당, △△ 방송은 언론, □□ 변호사 협회는 이익 집단이다. 이러한 정치 주체는 모두 여론을 형성하여 정치 과정에 전달함으로써 정부의 정책 결정 과정에 영향력을 행사하고자 한다.

오답 피하기

① 국가 기관, ②, ③ 정당, ④ 이익 집단의 역할이다.

06 ㉠ 여론은 시민 대다수의 공통된 의견을 말하고, ㉡ 언론은 여론 형성의 핵심적인 역할을 하는 정치 주체로 각종 정보를 신속하게 전달한다.

07 몇 개의 쟁점이나 특수한 영역의 문제에만 관심을 가지는 정치 주체는 이익 집단이다. 이익 집단은 그들의 이익을 확보하기 위하여 정부에 압력을 행사하는 경우도 있기 때문에 압력 단체라고도 한다.

08 이익 집단은 이해관계를 같이하는 사람들이 자신의 특수한 이익을 실현할 목적으로 만든 단체로, 자신들의 이익을 실현하기 위하여 정부와 국회에 압력을 행사하기도 하지만 정치적 책임을 지지는 않는다.

09 선거는 대의 민주제에서 국민을 대신할 대표를 뽑는 절차로, 민주 정치의 성공과 실패를 좌우한다. ⑤ 국민 투표에 대한 설명으로, 국민 투표는 국가의 중요한 안건을 국민이 찬성과 반대로 의견을 표출하는 행위이다.

10 그림은 대표자의 정치권력을 통제하는 기능에 해당한다. 대표자가 국민과 한 약속을 제대로 지키지 못하면 국민은 다음 선거에서 다른 대표자를 선출함으로써 그 책임을 물을 수 있다.

서술형 문제

11 [예시 답안] 선거 관리 위원회는 후보자 등록, 선거 운동 및 투표·개표 과정 관리, 유권자의 선거 참여를 위한 홍보 활동, 정당 및 정치 자금에 관한 각종 사무를 처리한다.

[평가 기준]

상	선거 관리 위원회의 역할 세 가지를 모두 정확하게 서술한 경우
중	선거 관리 위원회의 역할 두 가지를 서술한 경우
하	선거 관리 위원회의 역할 한 가지를 서술한 경우

12 우리나라에서는 게리맨더링을 방지하기 위해 선거구를 법률로 정하는 선거구 법정주의가 시행되고 있다.

13 우리나라에서는 선거구를 임의로 변경하지 못하도록 하기 위해 선거구를 법률로 정하는 선거구 법정주의가 시행되고 있다.

14 민주 선거의 기본 원칙, 선거 공영제, 선거 관리 위원회는 모두 공정한 선거의 실현을 위한 제도와 기관이다.

15 '이 제도'는 지방 자치 제도이다. 지방 자치 제도는 지역 주민이 스스로 선출한 대표를 통하여 자기 지역의 일을 자율적으로 처리하는 제도이다. ① 지방 자치 제도는 중앙 정부가 지방 정부와 권력을 나누어 맡음으로써 국가 권력이 중앙 정부에 집중되는 것을 막을 수 있다.

16 지방 자치 제도의 성공을 위한 전제 조건은 지방 재정 자립을 통한 지방 자치 단체의 자율성 확보와 주민의 주체적·자발적 참여이다.

17 지방 선거를 통해 선출되는 사람은 지방 의회 의원, 지방 자치 단체장이다. 시장, 구청장, 도지사는 지방 자치 단체장이며 시의회 의원은 지방 의회의 구성원이다. ④ 국회 의원은 4년에 한 번씩 선거를 통해 국민이 선출한다.

18 지방 의회는 지방 자치 단체의 의결 기관으로, 예산을 심의·확정하고, 집행 기관이 역할을 잘하고 있는지 견제하고 감시한다.

오답 피하기

ㄱ, ㄴ. 지방 자치 단체장의 역할이다.

19 사례는 주민 참여 방법 중 주민 소환과 관련 있다. 주민 소환이란 선출된 공직자가 주민의 의사에 반하는 정책을 펼치거나 직무를 잘 수행하지 못할 때 주민 투표를 통해 해임할 수 있는 제도를 말한다.

20 지역 주민이 지방 자치에 참여할 수 있는 가장 기본적이고 중요한 방법은 지방 선거이다. ④ 주민 투표는 지역 사회의 주요 현안에 대하여 주민이 직접 투표로 결정하는 제도이다.

실전모의고사(2회)

본문 24~26쪽

01 ② **02** ① **03** ① **04** ⑤ **05** 해설 참조
06 ② **07** ② **08** ① **09** ⑤ **10** ③ **11** ②
12 ⑤ **13** ② **14** ② **15** ① **16** ④ **17** 해설 참조 **18** ④ **19** ④ **20** ③

01 그림은 정치 과정에 해당한다. 정치 과정이란 다양한 이해관계가 표출·집약되어 정책으로 결정되고 집행되는 과정을 말한다. 정치 과정은 구성원 간의 대립과 갈등을 조정하여 사회가 통합되고 발전하는 데 기여한다. ② 오늘날에는 국가 기관뿐만 아니라 다양한 정치 주체가 정치 과정에 영향력을 행사하고 있다.

02 ㄱ. ○○당 대표는 국회 임시회에 출석하여 대정부 질문을 하고, 전세 값 폭등 대책을 정부에 요구한다. 따라서 국회와 정부를 매개하는 역할을 하고 있음을 알 수 있다. ㄴ. ○○당 대표는 고교 선택제와 관련한 공청회에 참석하여 이해 당사자의 여론을 수렴하고 또 중소기업 대표와의 간담회를 통해 애로사항을 청취하는 등 여론을 수렴하고 집약하고 있다.

03 ㉠은 교육에 관심이 있는 시민이 자발적으로 형성한 시민 단체이고, ㉡은 교원의 이익 향상을 위한 단체이므로 이익 집단이다. 시민 단체는 공공의 이익을 위해, 이익 집단은 자기 집단의 특수한 이익을 실현하기 위해 정치 과정에 영향력을 행사한다.

04 이익 집단은 자신의 특수한 이익을 실현하기 위하여 정부에 압력을 행사하는 경우도 있기 때문에 압력 단체라고도 한다. 대표적인 이익 집단에는 노동조합, 전국 경제인 연합회, 변호사 협회, 의사회, 교원 단체 등이 있다. ⑤ 시민 단체의 사례이다.

서술형 문제

05 [예시 답안] ㉠ 이익 집단, ㉡ 시민 단체 / 이익 집단은 이해관계를 같이하는 사람들이 자신의 특수한 이익을 실현하기 위해 만든 단체인 반면, 시민 단체는 사회 전체의 이익을 실현하기 위해 자발적으로 만든 집단이다.

[평가 기준]

상	㉠은 이익 집단, ㉡은 시민 단체라고 쓰고, 이익 집단과 시민 단체의 의미를 모두 정확하게 서술한 경우
중	㉠은 이익 집단, ㉡은 시민 단체라고 쓰고, 이익 집단과 시민 단체의 의미 중 한 가지만 정확하게 서술한 경우
하	㉠은 이익 집단, ㉡은 시민 단체라고만 쓴 경우

06 정치 주체는 크게 공식적 정치 주체와 비공식적 정치 주체로 구분할 수 있다. 공식적 정치 주체에는 정부, 국회, 법원, 지방 자치 단체 등의 국가 기관이, 비공식적 정치 주체에는 정당, 언론, 시민 단체, 이익 집단 등이 있다.

07 정당은 국민의 의견을 국회나 정부에 전달하고, 선거에 후보자를 추천하며, 여론을 형성한다.

오답 피하기
①은 국회나 정부, ③은 국회, ④ 선거, ⑤는 이익 집단의 역할이다.

08 두 사람은 선거에 대해 말하고 있다. 선거는 대표자를 선출하는 절차로, 오늘날과 같이 대의 민주제를 채택하고 있는 민주주의 국가에서 선거는 민주 정치의 성공 여부를 결정하는 중요한 수단이다.

09 제시된 내용은 국회 의원 선거에 대한 설명이다.

오답 피하기
③ 지방 선거도 4년마다 행해지지만 법률을 만드는 국민의 대표자는 국회 의원이다.

10 그림에서 학생은 교도소의 죄인에게 투표권을 주어야 하는지를 묻고 있다. 이는 민주 선거의 기본 원칙 중 보통 선거에 대해 제대로 이해하지 못했기 때문이다. 우리나라는 일정 연령 이상의 모든 국민에게 선거권을 부여하는 보통 선거의 원칙을 헌법에 규정하고 있다.

오답 피하기
① 평등 선거, ② 직접 선거, ④ 비밀 선거, ⑤ 부재자 투표에 대한 내용이다.

11 헌법 조항은 선거 관리 위원회의 역할을 규정하고 있다. 선거 관리 위원회는 후보자 등록, 선거 운동, 투표 및 개표 등 선거 과정을 공정하게 관리하고, 유권자들이 선거에 적극적으로 참여하도록 다양한 홍보 활동을 펼친다. 또한 정당과 관련한 업무를 처리하며, 국민에게 선거에 관한 올바른 인식을 심어 주는 교육 활동 등을 한다. ② 선거에 후보자를 추천하고 배출하는 것은 정당의 역할이다.

12 시민이 정치에 참여할 때에는 자신의 이익만을 추구하는 자세에서 벗어나 공동체 전체의 이익을 고려하는 자세를 가져야 한다. 또한 법의 테두리 안에서 정당한 절차와 방법을 따라야 한다. 청소년은 미성년으로 정치 참여가 제한적이지만, 미래 사회의 주역으로 시민 단체 활동이나 언론 투고 등을 통해

정치에 참여할 수 있다.

13 지방 자치 제도를 통해 지방 정부는 지역의 필요에 맞는 정치를 할 수 있으며, 지역 주민은 스스로 문제를 해결하고 처리하는 민주주의 학습의 장을 갖게 된다. ② 지방 자치 제도를 통해 지방 정부가 중앙 정부와 권력을 나누어 맡음으로써 권력 분립의 원리를 실현할 수 있다.

14 지방 자치 제도는 지방 분권과 권력 분립을 통해 지역 사회의 실정을 고려한 정책을 실시하는 제도이다.

15 우리나라의 지방 자치 단체는 특별시, 광역시, 도, 특별자치시, 특별자치도에 해당하는 광역 자치 단체와 시, 군, 구에 해당하는 기초 자치 단체로 나뉜다. ㄱ, ㄴ. 가평군 군수와 경기도 도지사는 집행 기관인 지방 자치 단체장이 된다.

16 우리나라의 지방 자치 단체 중 광역 자치 단체는 특별시, 광역시, 도, 특별 자치시, 특별 자치도에 해당한다. 따라서 강원도 의회와 대전광역시 의회가 광역 자치 단체의 의결 기관에 해당한다.

서술형 문제

17 [예시 답안] (가) 조례를 제정하거나 개정한다. (나) 규칙을 제정한다.

[평가 기준]

상	(가), (나)에 들어갈 지방 의회와 지방 자치 단체장의 역할을 정확하게 서술한 경우
중	(가), (나)에 들어갈 지방 의회와 지방 자치 단체장의 역할 중 한 가지만 정확하게 서술한 경우
하	(가), (나)에 옳지 않은 내용이 일부 포함된 경우

18 제시문은 공청회에 대한 설명이다. 공청회는 지역 사회의 문제 해결을 위해 주민의 요구와 필요를 반영하고자 이해 당사자, 전문가, 일반 국민 등이 참석한 모임에서 그들의 의견을 듣는 공개 회의를 말한다.

19 신문 기사는 주민 소환에 대한 설명이다. 주민 소환 제도는 지역의 공직자가 주민의 의사에 반하거나 직무를 잘 수행하지 못했을 때 주민 투표를 통해 해임시키는 제도이다.

20 주민의 정치 참여 방법에 대한 내용 중 옳은 것은 1, 4, 5번이고, 이 학생은 1, 3, 5번 문항에 옳게 응답하였다. 따라서 이 학생이 받을 점수는 3점이다.

오답 피하기

2번: 주민 소환은 직무를 잘 수행하지 못한 지역 대표를 임기 중에 주민 투표로 해임할 수 있는 제도이다.
3번: 주민 투표는 지역 사회의 주요 현안에 대하여 주민이 직접 투표로 결정하는 제도이다.

XI. 일상생활과 법

실전모의고사(1회)

본문 27~29쪽

01 ④	02 ③	03 ③	04 ⑤	05 ①	06 ②
07 ④	08 ⑤	09 ②	10 ③	11 ⑤	
12 해설 참조		13 ③	14 ②	15 ③	16 ①
17 ④	18 ②	19 ④	20 ①		

01 사회 규범은 사람들이 사회생활에서 지켜야 할 행동의 기준을 의미한다. 사회의 질서를 유지하고 구성원들이 조화롭게 살기 위해서는 사회 규범이 필요하며, 그중 가장 대표적인 것이 법이다.

02 법은 국가 권력에 의해 제정된 규범으로 사람들의 외적인 행동을 규제한다. 반면, 도덕은 인간이 지켜야 할 바람직한 도리로 인간의 양심에 바탕을 둔 규범이다. ③ 도덕은 양심에 따라 자발적으로 지키도록 한 규범이므로 국가가 아니라 자기 자신이 규율 주체가 된다.

03 도로 교통법은 도로에서 일어나는 모든 위험과 장애를 방지하거나 제거하여 안전하고 원활한 교통을 확보하도록 만든 법률이다. 교통사고의 위험으로부터 어린이를 보호하기 위하여 필요하다고 인정하는 경우에는 일정 도로 구간을 어린이 보호 구역으로 지정하기도 한다. 따라서 도로 교통법은 개인이 가진 권리의 내용을 명확히 하고, 이를 침해하는 행위를 제재하고 있다.

04 사례는 공동생활을 하는 사회 구성원 간에 발생하는 갈등 상황이다. 이러한 분쟁은 법을 통해 해결할 수 있다. 이처럼 법은 분쟁과 갈등을 해결하는 객관적이고 공정한 기준을 명확하게 규정하는 기능을 한다.

05 제시된 내용은 정의에 대한 설명이다. 정의란 모든 사람이 인간으로서 동등한 대접을 받고 각자가 노력한 만큼의 몫을 얻는 것으로, 법이 추구하는 가장 중요한 목적이다.

06 정의의 여신상은 정의를 상징하는 상징물이다. 정의의 여신상이 두 눈을 가린 것은 공정한 판단을 내리겠다는 뜻이며, 저울은 공평한 법의 판결, 칼은 법을 엄격하게 집행하겠다는 강제성을 의미한다.

07 사례는 개인 간의 사적 관계를 규율하는 사법 중 민법에 대한 내용이다. 민법은 출생·혼인·사망 신고, 상속 등 가족 관계를 규정하고, 재산과 관련된 집·토지 등의 부동산 거래에 필요한 계약서 작성, 등기 등 재산 관계를 규정한다.

08 개인과 개인 사이의 사적인 생활 관계는 사법을 통해 규율할 수 있다. 민법은 개인 간의 가족 관계 및 재산 관계를 규율한다.

오답 피하기

ㄱ, ㄴ. 개인과 국가 또는 국가 기관 간의 공적인 생활 관계를 규율하는 사례이다.

09 공법은 개인과 국가 기관 간의 공적 생활 관계를 규율하는 법으로 헌법, 형법, 소송법, 행정법, 세법, 선거법 등이 이에 속한다. ②는 민법에 대한 설명이다.

10 법은 규율하는 생활 영역에 따라 공법, 사법, 사회법으로 나눌 수 있다. 사회법은 크게 경제법, 노동법, 사회 보장법 등으로 구분할 수 있다. ③은 공법으로 소송법에 해당한다.

오답 피하기

① 사회법 중 국민 연금법은 사회 보장법에 해당한다.
② 사회법 중 최저 임금법은 노동법에 해당한다.
④ 사회법 중 남녀 고용 평등법은 노동법에 해당한다.
⑤ 사회법 중 독점 규제 및 공정 거래에 관한 법률은 경제법에 해당한다. 독점 규제 및 공정 거래에 관한 법률은 공정 거래법이라고 한다.

11 제시된 내용은 경제법에 해당한다. 경제법에는 독점 규제 및 공정 거래에 관한 법률, 소비자 기본법 등이 있다. ⑤ 소비자가 구입한 물건에 이상이 있을 경우 소비자 기본법에 따라 교환이나 환불을 받을 수 있다.

서술형 문제

12 [예시 답안] 사회법 / 경제법은 공정한 경제 질서를 유지하고 소비자의 권익을 보호하는 법으로 독점 규제 및 공정 거래에 관한 법률, 소비자 기본법 등이 있다.

[평가 기준]

상	사회법이라고 쓰고, 그 종류를 정확하게 서술한 경우
중	사회법이라고 쓰고, 그 종류 중 한 가지를 옳게 서술하지 않은 경우
하	사회법이라고만 쓴 경우

13 '이 법'은 사회법에 해당한다. 사회법은 사회적 약자를 보호하고 인간다운 생활을 보장하기 위해 사적인 영역에 국가가 개입한 법이다.

오답 피하기

ㄹ. 기본권의 보장과 통치 구조를 주요 내용으로 하는 법은 헌법으로, 공법의 영역에 속한다.

14 음주운전을 하고도 범행을 부인한 것은 형법에 어긋나는 행동으로, 범죄의 유무와 형벌의 정도를 정하는 형사 재판이 진행된다.

15 민사 재판은 '분쟁 발생 → 원고의 소장 제출 → 피고의 답변서 제출 → 원고와 피고의 증거 제출 → 원고, 피고의 변론 → 판결'의 순서로 진행된다.

16 제시된 사건에 대한 재판은 범죄의 유무와 형벌의 정도를 결정하는 형사 재판이다. 형사 사건의 원고는 검사이고, 피고인은 A 씨이다.

17 국민 참여 재판 제도는 만 20세 이상의 국민으로 구성된 배심원이 법관과 함께 형사 재판에 참여하여 피고인에게 죄가 있는지, 어떤 처벌을 해야 하는지에 대한 의견을 모아 제시할 수 있는 제도이다.

18 공정한 재판을 위한 제도를 알아보는 활동으로는 사법권의 독립(법원의 독립, 법관의 신분 보장), 심급 제도, 공개 재판주의, 증거 재판주의 등이 있다.

오답 피하기

ㄴ. 국민 참여 재판은 사법 제도에 대한 국민의 관심과 신뢰를 높이기 위해 도입되었다.
ㄷ. 민사 소송과 형사 소송의 차이점을 비교하는 것은 재판의 종류를 알아보기 위한 학습 활동에 더 적절하다.

19 재판의 당사자가 1심 법원의 판결에 불복할 경우 상급 법원에 2심 재판을 청구하는 절차를 '항소'라고 하며, 2심 법원의 판결에도 불복할 경우 최고 법원인 대법원에 3심 재판을 청구하는 절차를 '상고'라고 한다.

20 그림은 심급 제도에 해당한다. 우리나라는 공정한 재판을 위해서 여러 번의 재판을 받을 수 있는 심급 제도를 실시하는데, 일반적으로 3심제를 원칙으로 한다. 보통 1심은 지방 법원, 2심은 고등 법원, 3심은 대법원에서 맡는다.

실전모의고사(2회)

본문 30~32쪽

01 ③	02 ④	03 ④	04 ⑤	05 ⑤	06 ⑤
07 해설 참조		08 ③	09 ②	10 ①	11 ②
12 해설 참조		13 ⑤	14 ④	15 ②	16 ②
17 ②	18 ②	19 ①	20 ②		

01 사회 규범이란 사회생활에서 사람들이 지켜야 할 행위의 기준으로 관습, 종교 규범, 도덕, 법 등이 있다. ③ 도덕은 양심에 따라 자율적으로 지키도록 하는 사회 규범으로, 행위의 동기를 중시한다.

02 다른 사회 규범과는 달리 법 규범은 사회 질서를 유지하기 위해 국가가 법을 제정하고 강제력을 행사할 수 있다.

오답 피하기

①, ②, ③은 도덕, ⑤는 관습에 대한 설명이다.

03 법은 법률 전문가들만의 영역이 아니라 일상생활 속에 늘 함께하면서 우리에게 큰 영향을 미친다. 가정생활은 가족 관계

의 등록 등에 관한 법률, 민법 등의 영향을 받고, 학교생활은 교육 기본법, 초·중등 교육법, 학교 급식법, 도로 교통법 등의 영향을 받는다. ④ 저작권법에 따라 음악 파일을 유료로 내려 받아야 한다. 저작권법이란 문학, 예술, 학문과 기술에 속하는 창작물을 만든 사람이나 그 권리를 이어 받은 사람이 가지는 배타적·독점적 권리를 말한다.

04 사법은 개인 간의 사적인 생활 관계를 규율하는 법이다. 분쟁의 해결과 관련하여 법으로 정해진 것으로는 민법에 재산 상속 순위, 부동산 거래 계약서 관련 내용, 유언의 효력 발생 등이 정해져 있다. 인터넷 상거래도 상거래 관련 법률에 정해져 있다. ⑤ 공법의 적용을 받는 사례이다.

05 법은 사회 규범 중 사회 구성원의 합의에 따라 국가가 제정한 규범이다.

오답 피하기

①, ②는 관습, ③은 종교 규범, ④는 도덕의 사례이다.

06 법은 관습이나 도덕 등 다른 사회 규범에 비해 내용이 명확하여 누구에게나 일관적으로 적용될 수 있기 때문에 분쟁을 해결하는 객관적이고 공정한 기준이 된다.

서술형 문제

07 **[예시 답안]** 사법 / 사법에는 개인 간의 가족 관계 및 재산 관계를 규율하는 민법과 상거래와 관련된 경제생활 관계를 규율하는 상법이 있다.

[평가 기준]

상	사법이라고 쓰고, 사법의 종류를 두 가지 모두 정확하게 서술한 경우
중	사법이라고 쓰고, 사법의 종류를 한 가지만 서술한 경우
하	사법이라고만 쓴 경우

08 자료는 모두 사회법이 적용된 우리 사회의 모습이다. 사회 보장 기본법에 따라 노인 돌봄 사업과 같은 다양한 복지 제도를 보장하고 있고, 근로자의 생활 안정을 위해 국가는 근로자의 최저 임금을 노동법을 통해 보장하고 있다.

오답 피하기

①, ④는 사법, ②, ⑤는 공법에 대한 설명이다.

09 (가)에는 공법 영역에 속하는 헌법, 형법, 행정법, 소송법 등이 들어가야 한다. (나)에는 사법 영역에 속하는 민법, 상법 등이 들어가야 한다. (다)에는 사회법 영역에 속하는 노동법, 경제법, 사회 보장법 등이 들어가야 한다.

10 분쟁이 발생할 경우 당사자 간에 합의를 통해 해결하는 것이 가장 바람직하다. 그러나 당사자 간 합의가 이루어지지 않았을 경우 법의 도움을 받기 전에 분쟁 해결을 위한 국가 기관에 의뢰할 수 있다. 소비자 분쟁 조정 위원회의 조정은 소송에 비해 시간과 비용을 절약할 수 있고, 다양한 합의로 융통성 있게 분쟁을 해결할 수 있다.

11 개인 간의 채무 관계를 둘러싸고 벌어지는 분쟁은 민사 재판으로 진행된다. 민사 재판의 원고는 갑이 되고, 피고는 을이 된다. ② 검사는 형사 재판을 청구하여 피고인의 처벌을 요구하는 사람이다.

서술형 문제

12 **[예시 답안]** 형사 재판 / 형사 재판은 범죄가 발생하면 피의자를 수사한 후 범죄 혐의가 있을 경우 검사가 공소를 제기하면서 시작된다. 법정에서 검사의 구형과 피고인 측의 변론을 거쳐 판사는 범죄의 유무와 형벌의 정도를 정하는 최종 판결을 내린다.

[평가 기준]

상	형사 재판이라고 쓰고, 형사 재판의 절차를 제시된 단어를 모두 이용하여 정확하게 서술한 경우
중	형사 재판이라고 쓰고, 형사 재판의 절차를 제시된 단어 중 일부만 이용하여 서술한 경우
하	형사 재판이라고만 쓴 경우

13 ①, ②, ③, ④는 형사 재판, ⑤는 민사 재판을 적용할 수 있는 사례이다.

14 밑줄 친 '소송'은 시청의 행정 처분에 대해서 취소하고자 제기하는 것이므로 행정 재판에서 다루어진다. 행정 재판이란 행정 기관이 국민의 권리를 침해하였는지 판단하는 재판이다.

15 그림은 국민 참여 재판 제도에 해당한다. 우리나라에서는 2008년부터 사법 제도에 대한 국민의 관심과 신뢰를 높이기 위해 국민 참여 재판 제도를 실시하고 있다. 국민 참여 재판은 피고인이 원할 경우 이루어질 수 있다.

오답 피하기

① 형사 재판에 한하여 국민 참여 재판이 시행되고 있다.
③ 배심원의 평결은 구속력은 없고 최종적으로 결정을 내리는 판사에게 권고하는 수준의 효력을 지닌다. 그러나 평결을 따르지 않을 때는 판결문에 그 이유를 반드시 밝혀야 한다.
④ 재판에 국민의 여론을 반영하면 공정한 판결이 내려질 수 없다.
⑤ 배심원은 만 20세 이상의 국민을 대상으로 무작위로 뽑힌 시민으로 구성된다.

16 밑줄 친 '재판'은 형사 재판에 해당한다. 검사는 피고인의 범죄 사실을 밝히고, 피고인은 자신의 입장을 변론한다. 그 후 법관은 관련 법 조항을 적용하여 증거에 의하여 범죄의 유무를 판단하고 형벌의 정도를 결정한다.

오답 피하기

ㄴ. 형사 재판에서는 검사가 원고가 되고, 민사 재판에서는 소송을 제기한 사람이 원고가 된다.
ㄷ. 민사 재판에 대한 설명이다.

17 원고는 민사 재판에서 재판을 청구한 사람, 피고는 소송을 제기당한 사람이다.

18 형사 재판에서 범죄 행위가 의심되는 사람인 '피의자'를 상대로 검사가 공소를 제기하여 재판이 시작되면 이후 '피의자'를 '피고인'으로 부른다.

19 심급 제도는 법원에 급을 두어 한 사건에 대해 여러 번 재판을 받을 수 있게 하는 제도이다. 우리나라는 3심제를 원칙으로 하고 있으며, 최고 법원인 대법원, 그 아래 고등 법원과 지방 법원으로 구성된다.

20 민주 국가에서는 사법권을 다른 국가 기관으로부터 독립시켜 오직 법에 의해서만 엄격하게 판결이 이루어지도록 하고 있다. 재판이 여론이나 다른 국가 기관의 압력을 받지 않고 공정하게 이루어져야 국민의 권리가 보호될 수 있다.

XII. 사회 변동과 사회 문제

실전모의고사(1회)

본문 33~36쪽

01 ⑤	**02** ③	**03** ②	**04** ①	**05** ①	
06 해설 참조		**07** ②	**08** ①	**09** ①	
10 해설 참조		**11** ⑤	**12** ⑤	**13** ③	**14** ①
15 ③	**16** ②	**17** ⑤	**18** ①	**19** ①	**20** ④

01 사회 변동은 교통·통신 및 과학 기술의 발전, 가치관이나 제도의 변화, 정부 정책, 문화 전파, 인구 변화 등 다양한 요소가 상호 작용을 하는 과정에서 일어난다. 특히 교통·통신 및 과학 기술의 발전은 현대 사회의 변동에 큰 영향을 미치고 있다. ⑤ 가부장 제도는 가장이 가족에 대하여 절대적인 권력을 가지는 전통 사회의 모습이다.

02 (가)는 농업 사회, (나)는 산업 사회, (다)는 정보 사회를 나타낸다. (나) 산업 사회는 자본과 노동이 중요한 사회로 소품종 대량 생산 체제이다. 산업화에 따라 도시로의 인구 집중, 환경 오염, 빈부 격차로 인한 불평등, 인간 소외 등의 문제가 나타났다.

오답 피하기

① 농업 사회는 토지와 노동이 중심이 되는 사회이다.
② 홈뱅킹, 전자 상거래의 발달은 정보 사회의 특징이다.
④ 산업 사회에서는 도시로 인구가 집중되어 도시에 공업이 발달한다.
⑤ 정보 사회는 기술과 정보 중심의 다품종 소량 생산 방식이 일반적이다.

03 사회 전체의 상호 의존성이 증가하면서 사람들은 활발한 문화 교류로 다양한 문화를 접할 수 있게 되었다.

04 ㉠은 정보화, ㉡은 산업화이다. 정보화에 따라 사생활 침해, 정보 격차, 사이버 범죄 등이 발생하였다. 산업화에 따라 도시 문제, 농촌 문제, 환경 오염 등이 발생하였다.

05 '이것'은 세계화에 해당한다. 세계화는 자유 무역의 확대를 통해 물자, 자본, 기술의 이동을 활발하게 하였다. 이를 통해 소비자는 자유롭게 상품을 선택할 수 있는 기회를 가지게 되었고 생산자는 넓은 소비 시장을 확보하게 되었다. 특히 세계 각지에 회사와 공장을 확보하고 국제적 규모로 생산·판매 활동을 하는 다국적 기업의 활동이 두드러진다.

서술형 문제

06 [예시 답안] 세계화 / 세계화로 인해 각 나라의 다양한 문화를 체험할 수 있으며, 소비자들의 상품 선택의 기회가 확대되었다.

[평가 기준]

상	세계화라고 쓰고, 세계화의 긍정적 영향 두 가지를 모두 정확하게 서술한 경우
중	세계화라고 쓰고, 세계화의 긍정적 영향을 한 가지만 서술한 경우
하	세계화라고만 쓴 경우

07 주로 북반구에 위치한 선진 공업국과 남반구에 위치한 개발 도상국 사이의 소득 격차에서 생기는 국제 정치, 경제의 구조적인 문제를 남북문제라고 한다.

08 우리나라는 1960년대 초까지만 해도 농업을 중심으로 한 전통 사회였다. 그러나 1960년대 중반 이후 정부가 빠른 경제 성장을 목표로 경제 개발 정책을 추진하면서 우리 사회는 빠른 산업화를 이루어 냈다. 한국 사회는 50년 남짓한 짧은 기간에 산업화와 정보화를 모두 이루어 내는 급격한 사회 변동을 경험하였다.

09 제시된 내용은 모두 저출산 현상을 해결하기 위한 방안들이다. 저출산 현상을 극복하기 위해 정부는 출산 장려 정책의 일환으로 육아 휴직 제도와 출산 장려금 지급을 확대하고, 영유아 보육 시설을 늘려 여성이 편히 일할 수 있는 사회 분위기를 조성하고, 양성평등 문화 의식을 확산시켜야 한다.

서술형 문제

10 [예시 답안] (가) 생산 가능 인구의 감소로 경제 성장이 둔화된다. 노인 인구 부양 부담이 증가한다.
(나) 노인들을 위한 양로·요양 시설 및 의료 기관 확충 등 실버 산업을 육성한다. 노인들이 재취업할 수 있는 일자리 창출에 힘쓴다.

[평가 기준]

상	고령화 현상의 문제점과 해결책을 각각 두 가지 정확하게 서술한 경우
중	고령화 현상의 문제점과 해결책을 각각 한 가지만 서술한 경우
하	고령화 현상의 문제점과 해결책 중 한 가지만 서술한 경우

11 공익 광고는 우리 사회에 저출산·고령화 현상이 심각함을 보여 준다. 여성의 사회 진출이 확대되면서 결혼 시기가 늦어지고, 자녀 양육에 대한 부담이 증가하여 저출산 현상이, 생활 수준 향상과 의료 기술의 발달로 평균 수명이 연장되어 고령화 현상이 나타났다.

12 국제결혼의 증가, 외국인 근로자와 외국인 유학생의 유입, 북한 이탈 주민의 급속한 증가 등으로 우리나라에는 1990년대 후반부터 다양한 민족과 문화가 유입되기 시작하였다. 이를 통해 우리 사회가 다문화 사회로 변화하고 있음을 알 수 있다.

13 다문화 가정의 자녀들이 학교생활에 많은 어려움을 겪고 있다는 신문 기사이다. 국가 차원에서 다문화 가정의 자녀들을 돕기 위해서는 경제적 지원뿐만 아니라 사회·문화적 지원도 강화해야 한다. 그중에서 다문화 가정 자녀를 체계적으로 도울 수 있는 제도 마련이 시급하다.

14 사회 문제는 사회 구성원 대다수가 문제라고 인식하며 그 원인이 사회에 있고 인간의 노력으로 해결 가능한 현상을 말한다. 한 사회에서 중요한 사회 문제로 인식되는 현상이 다른 사회에서는 전혀 문제가 되지 않을 수도 있다. 즉 사회 문제는 상대성을 특징으로 한다.

15 우리나라는 저출산·고령화로 총 인구수는 계속 감소하고 있고, 노인 인구는 증가하고 있다. 이는 생산 가능 인구 감소로 이어져 노동력 부족과 노인 복지를 위한 사회 보장 비용 증가라는 문제가 나타날 수 있다. ③ 우리나라는 노동력 부족으로 외국인 근로자 인구 유입이 증가하고 있다.

16 제시된 내용은 모두 노동 문제에 해당한다. 노동 문제는 자아실현과 삶의 질을 결정하는 데 직접적인 영향을 주는 사회 문제이다.

17 제시된 내용은 모두 지구 온난화로 나타나는 피해 사례이다. 지구 온난화의 주된 원인 중 하나는 온실 효과이다. 온실 효과는 이산화탄소나 프레온 가스 등과 같이 산업화 과정에서 발생하는 온실가스가 태양의 복사 에너지를 흡수하여 지구의 온도를 상승시키는 현상이다.

18 몽골의 사막화는 몽골뿐만 아니라 황사를 일으켜 우리나라에까지 영향을 미치고 있다. 결국 오늘날 환경 문제는 개별 국가의 노력만으로는 해결하기 어렵고 국제적인 협력으로 해결해야 할 문제임을 알 수 있다.

19 사회 문제는 어느 시대, 어느 장소에서나 당연히 존재하는 것이기 때문에, 잘 해결되면 사회가 더 좋아질 수 있다는 믿음을 가지고 사회 구성원의 합리적 참여를 이끌 절차를 마련하고, 다각적 측면에서 접근한다면 오히려 사회 통합과 발전의 밑거름이 될 수 있다. ① 사회 문제 해결에는 정책과 제도의 개선, 시민의 참여가 필요하다.

20 '이것'은 지속 가능한 발전이다. 지속 가능한 발전을 위해 개인은 일회용품 사용을 자제하고, 가급적 대중교통 및 자전거를 활용하며, 쓰레기 배출을 최소화할 수 있는 생활 습관을 가져야 한다. 기업은 오염을 최소화할 수 있는 생산 방식을 도입하고, 친환경 기술 및 상품 개발하는 환경 친화적 생산을 추구해야 한다. 정부는 개인과 기업이 친환경적인 소비와 생산을 할 수 있는 제도를 마련해야 하며, 국제적 차원에서는 유엔 기후 변화 협약 체결 등 구체적이고 실질적인 협력이 필요하다.

실전모의고사(2회)

본문 37~39쪽

01 ④	02 ①	03 ⑤	04 ①	05 ③	06 ④
07 ②	08 ②	09 ⑤	10 ⑤	11 ⑤	12 ④
13 해설 참조		14 ④	15 ③	16 ①	
17 해설 참조		18 ⑤	19 ⑤	20 ④	

01 사회 변동은 과학 기술의 발달, 구성원의 가치관이나 이념의 변화, 문화 전파, 인구의 변화, 자연환경의 변화 등으로 발생한다. 이 중 과학 기술의 발달은 현대 사회 변동에 가장 큰 영향을 준 요인이다.

02 ㉠에 들어갈 말은 토지와 노동력이다. 인류는 농업 사회에서 산업 사회를 거쳐 정보 사회로 발전해 왔다. 농업 사회의 생산 수단은 토지와 노동력, 산업 사회의 생산 수단은 자본과 노동력, 정보 사회의 생산 수단은 지식과 정보이다.

03 도시의 주택·교통·환경 문제 등은 산업 사회에서 나타나는 주요 문제점에 해당한다. 산업 사회에서는 공장이 많은 도시로 인구가 대거 이동하면서 도시화 현상이 촉진되었고, 이에 따라 도시의 주택·교통·환경 문제 등이 나타났다.

오답 피하기

①, ②, ③, ④ 정보 사회에서 나타나는 주요 문제점에 해당한다.

04 정보화에 따른 사회 변화에 해당한다. 정보 통신 기술의 발달로 지식과 정보가 중심이 되는 정보 사회로 변화하였다.

05 제시된 사례들은 노동력 등의 생산 요소와 상품이 국제적으로 자유롭게 이동하고 있음을 보여 준다. 이는 세계화와 관련 있다.

06 그래프를 통해 국가 간의 무역 규모가 점차 확대되고 있음을 알 수 있다. 이는 세계화로 인해 국가 간의 교류가 활발해졌기 때문이다. ④ 무역 규모의 확대는 1995년 세계 무역 기구(WTO)가 출범하는 등 자유 무역의 확대로 더욱 가속화되었다.

07 다국적 기업이 세계 각지에 진출하면서 국가 간 상호 의존도가 심화되었다. 다국적 기업의 긍정적 영향으로는 기술 파급, 고용 창출, 국제 수지 개선, 생산 확대, 지역 사회 개발 등을 들 수 있다. 반면, 부정적 영향으로는 국내 산업의 위축, 외국 의존도 심화, 문화의 획일화 등을 들 수 있다.

08 우리나라는 1960년대 중반 이후 정부가 빠른 경제 성장을 목표로 경제 개발 정책을 추진하면서 빠른 사회 변동을 경험하였다. 산업화, 도시화가 급속히 이루어졌으며, 서구 제도와 문물을 빠르게 도입하였다. 이에 따라 경제의 대외 의존 심화, 빈부 격차, 지역 간 불균형 심화, 가치관의 혼란 등의 문제가 발생하였다.

09 제시문은 우리나라의 합계 출산율이 매우 낮은 저출산 현상에 대한 내용이다. 1970년대에는 합계 출산율이 5명이 넘어 매년 60만 명의 인구가 늘어났다. 그러나 국가 차원의 산아 제한 정책으로 1980년에 2.8명에서 2000년에 1.2명 수준으로 합계 출산율이 떨어지자, 가족계획은 2000년대에 저출산을 극복하기 위한 정책으로 바뀌었다.

오답 피하기

① 1980년대, ②, ④ 1970년대, ③ 1960년대 가족계획 표어이다.

10 그래프는 우리나라의 고령화 현상을 나타낸 것이다. 65세 이상 노인 인구의 비율이 전체 인구의 7% 이상을 차지하면 고령화 사회, 14% 이상이면 고령 사회, 20% 이상이면 초고령 사회라고 한다. 우리나라는 2000년에 고령화 사회에 진입하였으며, 2018년에는 고령 사회, 2026년에는 초고령 사회에 진입할 것으로 예상되고 있다. 고령화 현상으로 생산 가능 인구가 부양해야 하는 노인 인구가 늘어나면서 노인 부양비는 증가하고, 노인들을 위한 사회 시설 및 의료 서비스 등을 지원하기 위한 사회 복지 비용이 증가한다.

11 토론의 참여자들이 제시하고 있는 해결 방안은 모두 저출산 현상의 극복을 위해 출산율을 회복시키는 정책들이다. 저출산을 해결하기 위해서는 육아 휴직 제도의 확대, 보육 시설의 확대 등을 실시하여 맞벌이 부부의 자녀 양육을 지원하고, 출산 장려금을 지급하여 자녀 양육에 대한 부담을 덜어 주어야 한다.

12 고령화 현상을 해결하기 위해서는 노년 부양비 감소를 위해 국민 연금과 같은 사회 보장 제도를 강화하고, 노년층의 경제 활동을 장려하고 활용하는 방안을 마련하며, 노년기의 삶의 질 향상을 국가 과제로 보는 사회적 인식이 마련되어야 한다.

서술형 문제

13 [예시 답안] 다문화 사회로의 변화 / 외국인 노동자, 국제결혼 이민자, 외국인 유학생이 증가하였기 때문이다.

[평가 기준]

상	다문화 사회로의 변화라고 쓰고, 다문화 사회로 변화한 원인을 두 가지 모두 정확하게 서술한 경우
중	다문화 사회로의 변화라고 쓰고, 다문화 사회로 변화한 원인을 한 가지 서술한 경우
하	다문화 사회로의 변화라고만 쓴 경우

14 사회 문제는 발생 원인이 인간 또는 사회에 있고, 사회의 일반적인 가치관과 규범에서 벗어난 현상을 말한다. 대다수 사회 구성원들에게 부정적인 영향을 주는 현상이지만, 사회 문제를 원만하게 해결하면 사회가 더욱 발전하는 계기가 된다.

15 사회 문제는 시대나 장소에 따라 다르게 나타나는 상대성을 지니고 있다. 과거에는 저출산이 사회 문제가 아니었지만, 오늘날에는 저출산이 사회 문제에 해당한다.

16 그래프는 학력 수준에 따른 정보 격차를 나타낸 그래프로, 학력 수준이 높을수록 인터넷을 활용하는 능력이 높음을 알 수 있다. 정보 격차란 정보를 활용할 수 있는 능력을 가진 사람과 그렇지 못한 사람 간에 격차가 심화되는 현상을 의미한다.

서술형 문제

17 [예시 답안] 기사는 지구의 평균 기온이 상승하는 현상인 지구 온난화로 인해 발생한 환경 문제에 해당한다.

[평가 기준]

상	지구 온난화로 인해 발생한 환경 문제라고 정확하게 서술한 경우
중	사회 문제의 원인에 대한 언급 없이 환경 문제라고 서술한 경우
하	사회 문제의 원인과 유형을 서술하였으나 일부 옳지 않은 내용이 포함된 경우

18 A~C국은 선진국으로 저출산 문제가 나타났다. 오랜 기간에 걸쳐 산업화를 이룩한 선진국에서는 출산율이 낮아지고, 노인 인구가 증가하는 등 노동력이 부족해지고 사회 보장 비용의 부담이 증가하며 경제의 활력을 잃고 있다.

19 빈곤의 종식을 목적으로 한 화이트 밴드 캠페인은 전 지구적 차원의 문제로 사회적 부가 균등하게 분배되고 기회가 평등하게 주어지기를 염원하면서 진정한 공동체 의식을 형성하고자 하는 운동이다.

20 사회 문제의 합리적 해결 과정은 '사회 문제의 원인 파악하기-해결 방안 모색하기-해결 방안의 적용 결과 예측하기-해결 방안 선택하기-해결 방안 적용하기' 순으로 이루어진다.

EBS

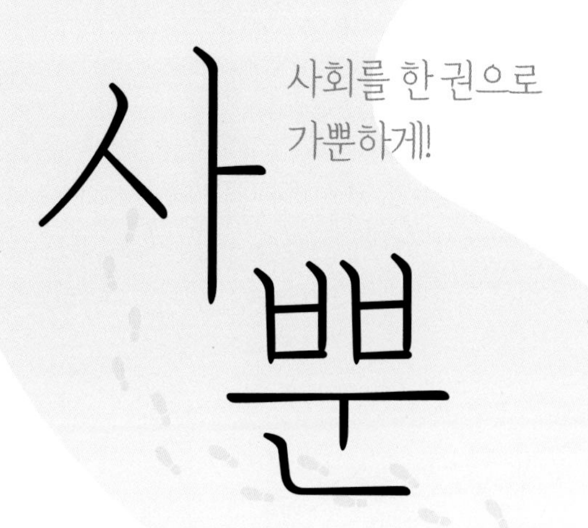

정답과 해설

중학 사회 ①-2